Juan Luis Arsuaga

Vida, la gran historia

imago mundi

Juan Luis Arsuaga

Vida, la gran historia

Un viaje por el laberinto de la evolución

Ilustraciones de Susana Cid

Ediciones Destino Colección Imago Mundi **Volumen 298**

Ediciones Destino es un sello de Editorial Planeta, S. A.
Diagonal, 662-664. 08034 Barcelona
www.edestino.es
www.planetadelibros.com

Primera edición: mayo de 2019

ISBN: 978-84-233-5574-7
Depósito legal: B. 10.032-2019
Impreso por Liberduplex
Impreso en España-Printed in Spain

Calle 73 N.º 7-60, Bogotá (Colombia)

ISBN 13: 978-958-42-7931-6
ISBN 10: 958-42-7931-9

Primera edición (Colombia): julio de 2019
Bajo el sello Crítica
Impresión: Editorial Nomos S. A.
Impreso en Colombia - *Printed in Colombia*

Estos hechos, como se verá en los últimos capítulos de este libro, parecían dar alguna luz sobre el origen de las especies; este misterio de los misterios, como lo ha llamado uno de nuestros mayores filósofos.

El origen de las especies,
CHARLES DARWIN

¿Significa esto que la religión simplemente no es válida desde un punto de vista científico, que el conflicto es insoluble y que hay que elegir entre un lado y otro? Yo no lo creo. La ciencia puede invalidar, y lo hace, algunas ideas tenidas por religiosas. Sea Dios lo que sea, seguramente es coherente con el mundo de los fenómenos observables en el que vivimos. Un Dios cuyo medio de creación no sea la evolución es un falso Dios.

This View of Life,
GEORGE GAYLORD SIMPSON

Es imprudente hoy en día para un científico emplear la palabra «filosofía», aunque sea «filosofía natural», en el título (o incluso en el subtítulo) de un libro. Se puede tener la seguridad de que va a ser recibida con desconfianza por los científicos y, en el mejor de los casos, con condescendencia por los filósofos. Solo tengo una excusa, pero la creo legítima: el deber que le corresponde al científico, hoy más que nunca, de entender su disciplina como una parte de la cultura de su tiempo, a la que puede enriquecer no solamente con conocimientos técnicos, sino también con ideas procedentes de su propia especialidad científica que le parezcan significativas para las Humanidades.

El azar y la necesidad. Ensayo sobre la filosofía natural de la biología moderna,
JACQUES MONOD

¿Podría haber hoy alguien vivo que llegará hasta los 1.000 años? ¿Y de dónde vienen los seres humanos? La evolución es un proceso de mutaciones al azar, así que ¿un rodar diferente del dado evolutivo produciría de todos modos organismos con ojos? ¿Si rebobináramos la evolución y le diéramos al *play*, llegaríamos a la vida inteligente, o somos el resultado de unos giros afortunados del dado? ¿Hay vida inteligente en otro lugar de nuestro universo? ¿Y qué decir de la tecnología que estamos creando? ¿Podría un ordenador alcanzar la consciencia? ¿Seré capaz algún día de descargar mi consciencia para sobrevivir a la muerte de mi cuerpo?

Lo que no podemos saber,
MARCUS DU SAUTOY

ÍNDICE

EL ÁRBOL DE LA VIDA

Los antiguos egipcios representaban en sus templos y tumbas el árbol de la vida, que tenía una gran importancia en su mitología. Es un árbol vigoroso y está lleno de hojas acorazonadas, pero no se distingue en él un tronco principal que llegue hasta arriba del todo, como si fuera su eje central, sino que la copa está formada por muchas ramas de parecido grosor que se separan desde muy abajo. Es un árbol sin guía. Dicen los expertos que se trata de un sicomoro, un tipo de higuera («*nehet*» en egipcio) que se asocia con tres diosas: Nut, Hathor e Isis. El árbol de la vida es una planta femenina.

Darwin también se refirió al árbol de la vida (*tree of life*) para simbolizar la evolución en *El origen de las especies*. Jamás lo representó en forma de ilustración, salvo en un pequeño esquema que dibujó para sí mismo en 1837 en su cuaderno de notas. Pero sabemos por sus palabras que el árbol de la evolución tampoco tenía una guía, sino que se abría en una ancha y frondosa copa, como el *nehet* de los antiguos egipcios.

En la imagen del árbol de la vida que tenía en su mente Darwin hay también mucha muerte. Un gran número de hojas secas yacen en el suelo, bajo la verde copa. Corresponden a los organismos desaparecidos que solo nos son conocidos por los fósiles, las hojas marchitas que en su día brillaron al sol.

No todas las ramas del árbol de Darwin son gruesas. Si nos fijamos en detalle veremos algunas ramitas pequeñas, como la de los peces pulmonados y la de los ornitorrincos, varillas insignificantes hoy, pero importantes históricamente, nos dice Darwin, porque ponen en relación dos gruesos brazos del árbol que se han separado mucho con el tiempo: peces y anfibios, en el caso de los peces pulmonados; reptiles y mamíferos, en el de los ornitorrincos.

Para entender la Vida en su totalidad hay que mirar arriba y abajo, a las ramas gruesas y a las finas, a la copa y a la leña caída y seca, a lo fragante y a lo caduco, al presente y al pasado.

PRÓLOGO

Este es un libro escrito por un científico que lleva cuarenta años estudiando la evolución, o, más concretamente, una parte bastante reciente de la evolución: la nuestra, la evolución humana. Es decir, se trata del libro de un paleoantropólogo.

Pero este es también el libro de un paleoantropólogo que piensa que la evolución humana no se puede entender de manera aislada, como si tuviera sus propias leyes, que fueran exclusivamente aplicables a los *simios bípedos*, y como si no aportara nada a sus investigaciones el conocimiento de cómo se ha desarrollado la evolución del resto de los grupos biológicos.

Por el contrario, aunque mis publicaciones científicas tratan sobre fósiles humanos —y reconociendo que es verdad que a partir de un momento determinado de nuestra historia evolutiva aparece un factor nuevo y muy determinante, el de la cultura y la tecnología—, creo firmemente que la evolución es una sola y tiene patrones generales que se aplican a todos los grupos biológicos. En consecuencia, sería más exacto decir que este es un libro escrito por un paleontólogo, y que habla de la evolución en su conjunto; eso sí, con un especial interés por nuestro caso particular.

Más aún, el gran error de la paleontología humana como especialidad científica ha sido considerar nuestra evolución como un caso especial que se rige por leyes propias; ser más medicina y antropología (dos ciencias que estudian una sola especie), que biología y paleontología (que las estudian todas, las del presente y las del pasado). No hemos sido un caso único (o no más único que las demás especies) hasta casi el final de la historia... cuando de verdad han cambiado las reglas del juego.

Hay una parte de la paleontología que es una descripción de la historia de la vida, y cuenta cómo se han sucedido los hechos evolutivos. Es una paleontología puramente narrativa, y la forma que adopta es el relato. Este libro tiene relato, porque abarca los más de tres mil quinientos millones de años de evolución, pero también tiene mucho de búsqueda de explicaciones.

Ante cualquier hecho histórico es inevitable preguntarse si tenía que suceder y si tenía que hacerlo de esa manera o, por el contrario, podría no haber ocurrido nunca o haber tomado otra forma. Evidentemente, esa pregunta se puede aplicar a la evolución biológica: ¿Tenía que aparecer la vida, para empezar? ¿Tenía que llegarse a una especie inteligente y tecnológica al cabo del tiempo? ¿Era solo cuestión de esperar (eso sí, mucho tiempo: más de tres mil quinientos millones de años)? ¿Cuánto hay de azar y cuánto de necesidad en nuestra propia historia evolutiva?

Las implicaciones filosóficas de estas preguntas son evidentes para cualquiera: ¿Qué pensaría usted si se descubriera que abunda la vida en el universo y que en muchos planetas se han desarrollado civilizaciones similares a la nuestra, como nos cuentan los novelistas de la ciencia ficción? ¿Que, después de todo, nuestro caso no tiene nada especial, que no somos, en ningún sentido, el centro del universo, sino un rincón más, como tantos otros?

Y, por el contrario, ¿qué pensaría usted si la ciencia llegara a la conclusión de que es casi imposible que haya vida fuera del planeta Tierra (dado que las condiciones para la vida son muy exigentes y la probabilidad de que se cumplan es infinitamente remota), pero que una vez que surgió la vida aquí (el único lugar donde, en realidad, podría haberlo hecho) era inevitable que apareciera algo semejante a un ser humano? ¿Que solo podíamos evolucionar en este planeta, pero que teníamos que hacerlo?

En este segundo caso, los seres humanos volveríamos a ocupar una posición central en el universo, aunque nuestro planeta gire alrededor de una humilde estrella amarilla que se sitúa en la periferia de una galaxia que es una más entre los cientos de miles de millones de galaxias que hay en el universo visible.

A pesar de Copérnico —que dijo que giramos alrededor del sol como los demás planetas— y de Darwin —que proclamó que hemos evolucionado como las demás especies—, seríamos excepcionales.

Puede que algún día podamos responder a estas preguntas. Se anuncia que en pocos años sabremos si hay vida en otros planetas de nuestra galaxia, y hasta podríamos establecer contacto con los E. T. Pero de momento hay que limitarse a lo que pasó en nuestro planeta para intentar responder a todas esas preguntas.

Y ese es, aleluya, el trabajo de un paleontólogo.

Espero haber recogido en este libro lo más importante de lo que se ha dicho desde Darwin sobre estas y otras cuestiones relacionadas, incluyendo las aportaciones más recientes. He procurado citar sobre todo los libros que han hecho historia y cuya lectura recomiendo, porque creo que al final se entienden mejor los debates leyendo a los clásicos de la ciencia que acudiendo a los artículos en las revistas especializadas, a lo que nosotros llamamos los *papers*. Y me gustaría que este libro que he escrito, aparte de lo que yo haya podido aportar, fuera una buena puesta al día sobre el estado de estas cuestiones.

Me considero afortunado de haber asistido, en estos cuarenta años de trabajo, a apasionados debates sobre la teoría de la evolución, momentos que quisiera compartir con el lector porque no son conocidos por el gran público. No estaba todo dicho con Darwin, ni tampoco con los neodarwinistas de mediados del siglo pasado, que creyeron haber puesto el punto final a las cuestiones básicas de la evolución. Parecía que ya se sabía todo, y que los investigadores que veníamos después (nací al año siguiente de que se descubriera la doble hélice del ADN) llegábamos tarde al *país* de la biología evolutiva. Yo también lo pensaba cuando terminé mis estudios universitarios, pero afortunadamente resultó no ser así, y los investigadores de mi generación hemos tenido el privilegio de presenciar los debates e incluso de participar en ellos con nuestras contribuciones. Han sido décadas prodigiosas para la biología y para la geología, porque también se ha completado en este periodo la llamada teoría de la tectónica de placas, que es la gran síntesis de las ciencias de la Tierra, equivalente a lo que significó la teoría de la evolución en las ciencias de la vida, pero enunciada un siglo más tarde.

¡Qué suerte hemos tenido de asistir a esos prodigiosos momentos y de conocer a los colosos de la ciencia que los han protagonizado!

Antes de que empiece a describir los capítulos del libro quisiera dejar muy claro que no se discute aquí el hecho evolutivo, porque para un científico sería absurdo hacerlo. No hay debate posible sobre la realidad de la evolución, y no me parece necesario, a estas alturas de la biología y de la paleontología, dedicar mucho espacio a probar la evolución.[1]

La ciencia, como veremos en la primera jornada, no se hace preguntas del tipo *por qué* (o *para qué*), pero usted seguramente sí se las hace. No hace mucho oí decir a un cosmólogo, delante de un nutrido auditorio, que, puesto que la ciencia no puede contestar a las preguntas del tipo *por qué*, estas no tienen sentido y no deben plantearse. Pero el caso es que llevamos haciéndolo desde que los seres humanos tenemos *uso de razón*, y me parece que no sería humano el individuo que fuera capaz de sustraerse a esas preguntas. Y por supuesto, el cosmólogo dio a continuación su propia versión de por qué estamos aquí.

La novedad de este libro consiste en que yo me limitaré a suministrarle los datos que necesita, porque estoy convencido de que se contestan mejor las preguntas filosóficas desde el conocimiento científico que desde la ignorancia o el dogma. También le contaré lo que han pensado las grandes luminarias de la biología evolutiva, para que conozca el resultado de la indagación realizada por los mejores pensadores que ha habido. Estaremos, por lo tanto, muy bien acompañados en esta búsqueda de respuestas.

Yo no me mantendré al margen y daré también mi opinión, pero recuerde: es usted quien decide.

Considéreme su amigo y piense en este libro como en una larga conversación en la que usted pregunta y yo voy contestando en la medida en la que nuestros conocimientos nos lo permitan. También le manifestaré las dudas que existen sobre determinados temas, así como los debates que se están produciendo en la actualidad, porque el baile no ha acabado. En ciencia, en realidad, el baile no termina nunca, y en este terreno de la evolución hay música para rato. Y eso, para un científico veterano que aún tiene *cuerpo de baile* es una gran noticia.

Como la búsqueda que emprendemos juntos tiene algo de peregrinaje, y de esfuerzo (no lo voy a negar), he llamado «jornadas» a los capítulos de los que consta el libro. Creo que cada uno de ellos se puede leer en un día, de un tirón, como una etapa en la peregrinación (aunque hay alguna jornada larga, como si hubiera que subir un puerto de montaña). Le agradezco que me dedique tanto tiempo, y espero que el viaje no le defraude.

El libro se divide en dos mitades, casi iguales en extensión. La primera parte se titula «La evolución de las especies» y la segunda, «La evolución humana». Los títulos lo dicen todo.

La primera jornada sirve de introducción general a los temas más importantes que se desarrollan en el libro, y empieza por preguntarse sobre la naturaleza de la Historia. ¿Consiste en una simple sucesión de hechos (un hecho después de otro) o tiene alguna dirección preferente? ¿Podrían haber sido las cosas radicalmente diferentes de como han sido? Las mismas preguntas se trasladan al terreno de la historia de la vida, la evolución. Desde Darwin, conocemos cuál es el motor principal de la evolución, que se llama selección natural, pero no hay una doctrina monolítica acerca de cómo actúa, sino un muy interesante debate científico *dentro* del campo del darwinismo en el que participan las diferentes especialidades biológicas —incluida por supuesto, la paleontología, la rama histórica de la biología.

Todo esto nos lleva a un territorio en gran parte inexplorado —una tierra de nadie— en el que se oyen muchas voces, de biólogos y de no biólogos —porque también es una tierra de todos.

La segunda jornada está dedicada a explorar en qué consiste esa actividad intelectual que desde el siglo XIX llamamos ciencia, y que antes se conocía como filosofía natural, y cuáles son los límites que ha decidido imponerse a sí misma —que son, por cierto, los límites de la experiencia.

El método científico es fácil de entender cuando se refiere a las ciencias experimentales, en las que, como su nombre indica, se pueden hacer experimentos controlados y observaciones de los fenómenos de la naturaleza. La física es el ejemplo que se pone siempre; se diría que las otras ciencias experimentales sienten *envidia* de la sencillez y la *elegancia* de las formulaciones matemáticas de la física.

Pero no es mi caso. A mí me apasiona el pasado, lo que ya ha ocurrido, y por eso soy paleontólogo.

Con las ciencias históricas, la cosa cambia, y el método es bien otro. Ya no se trata de buscar en el pasado unas *leyes de la historia* que sean como las leyes de la física (la gravedad, por ejemplo), sino regularidades, repeticiones, similitudes, pautas; en resumen, patrones históricos.

A pesar de todo, las ciencias históricas y las experimentales comparten algo muy importante: los hallazgos (los descubrimientos) de los paleontólogos y de los arqueólogos son en cierto modo equivalentes a los experimentos y las observaciones que hacen en el campo y en el laboratorio los físicos, químicos, geólogos y biólogos.

También se explica en la segunda jornada en qué consiste la teoría de la evolución por selección natural de Charles Darwin. Como es una teoría sencilla, no tendremos problemas para entenderla. Ha habido otras teorías de la evolución, pero la de Darwin es la que ha quedado como válida.

Además, quiero dejar claro desde el mismo prólogo que, como científico que soy, parto del llamado «principio de objetividad de la naturaleza», que dice que la materia no tiene proyectos ni fines. Llevado a nuestro terreno, esto significa que la evolución no sigue disciplinadamente un plan, sino que responde a unas causas que han operado siempre y que siguen actuando, exactamente igual que pasa con la física, la química, la biología y la geología. Tampoco estas ciencias recurren a propósitos o intenciones para entender los fenómenos que investigan. Por ejemplo, los cambios de la corteza terrestre, tal y como los explica la tectónica de placas, no son la consecuencia de ningún programa preexistente de actuación; y no hay que olvidar que la evolución biológica está muy ligada al *baile* de los continentes y no se puede entender sin la geología. Si estos movimientos continentales no obedecen a un plan, es imposible que la evolución biológica lo haga.

Y esa es su primera gran decisión, la de si desea aceptar el método científico, que renuncia por completo a la idea de proyecto en la naturaleza y lo sustituye por las leyes de la materia, o si permanece en la creencia anticientífica de que todo lo que ocurre sigue al pie de la letra un gran plan cósmico del que no se puede desviar, en cuyo caso lo importante sería conocer el plan y habría que buscar las respuestas en otra parte.

Espero que elija la ciencia.

En la tercera jornada se habla de algunos temas esenciales: en qué consiste la vida, cómo definirla y de qué modo pudo haber surgido en la Tierra. ¿Tuvimos mucha suerte o era inevitable? Esta búsqueda nos llevará más allá de nuestro planeta para preguntarnos si debe ser muy frecuente la vida en otros lugares de nuestra galaxia y de qué tipo es, si así fuera: ¿simples bacterias o células más complejas?

Tendrá que tomar una postura al respecto, ya que todo el mundo opina sobre la posibilidad de vida extraterrestre mientras se siguen descubriendo planetas fuera del sistema solar (el más cercano, llamado Próxima b, se encuentra a *solo* 4,5 años luz) que podrían albergar vida. Esperamos saberlo pronto, sin olvidar que en nuestro propio sistema solar no está descartada la vida en Marte y sobre todo en Europa, la luna helada de Júpiter.

Por fin, hablamos de fósiles en la cuarta jornada, donde se aborda el origen de los organismos pluricelulares, entre los que se encuentran los animales (junto a las plantas y los hongos). ¿Se tardó mucho tiempo en dar ese paso, o fue relativamente simple y rápido?

Dos características muy importantes de los animales son la reproducción sexual y la muerte, así que merece la pena preguntarse qué ventajas conlleva la reproducción sexual. La verdad es que es divertida, pero el precio que hay que pagar es alto, el más alto de todos.

La quinta jornada es la de la conquista de la tierra firme, como suele decirse, y continúa hasta llegar a la extinción de los dinosaurios y el triunfo de los mamíferos. Si los vertebrados no hubieran aparecido hace más de quinientos millones de años en las aguas, ¿los continentes estarían solo poblados de insectos, arañas, escorpiones, ciempiés, caracoles, babosas, lombrices y otros pequeños invertebrados? Si no se hubieran extinguido los dinosaurios, ¿los mamíferos seguirían siendo unos pequeños y discretos animales nocturnos?

Como puede ver, este es un libro pródigo en experimentos mentales, ensayos que podemos hacer tranquilamente sentados en el sillón. Yo los encuentro muy interesantes. A fin de cuentas, ¿por dónde empieza cualquier teoría científica si no es por un experimento de sillón, por un «qué pasaría si...»?

También se introduce en esta quinta jornada un concepto muy importante para entender el curso que ha tomado la evolución. Se trata de la manera en la que se clasifican las criaturas, que puede aclarar mucho el panorama si la clasificación se hace bien, y también oscurecerlo y embrollarlo todo si el método es equivocado. Y ahora, en las últimas décadas, se utiliza en biología un nuevo sistema de clasificación que seguramente le sorprenderá, porque es diferente del que se ha utilizado tradicionalmente y habrá estudiado usted. Para que vaya pensando en ello, los peces y los reptiles ya no existen como categorías biológicas. Esos nombres han desaparecido de los manuales de zoología.

La jornada sexta trata a fondo un tema crucial que nos ha estado rondando todo el tiempo: el de si ha habido progreso en la evolución. A estas alturas del libro sabremos mucho más de biología y de paleontología y podremos enfrentarnos al problema con datos, lo que nos llevará algún tiempo (se trata de la jornada más larga, supera las cincuenta páginas, pero espero que resulte excitante).

Es evidentemente cierto que ha habido aumento de la complejidad si miramos con el retrovisor al inicio de la vida en la Tierra, hace al menos tres mil quinientos millones de años, cuando solo había bacterias, pero no está tan clara la cuestión del progreso si la comparación la hacemos entre los diferentes tipos de animales, que existen desde hace más de quinientos millones de años. Una analogía inevitable en los tiempos modernos es la de la evolución tecnológica, en la que el progreso nos parece una realidad incuestionable, aunque ya veremos que también tiene sus matices.

Finalmente, queda la cuestión de si la inteligencia —y el tamaño del cerebro— es, directamente, la medida del progreso; y lo que es más importante, si la neurona ha sido el argumento principal de la evolución animal o, por lo menos, de la evolución de los mamíferos.

Aquí tendrá usted que tomar otra de sus decisiones importantes, la de si la evolución —es decir, la historia de la vida en este planeta— tiene un tema central, que es el aumento de la complejidad, sea esta lo que quiera que sea.

A los que opinan que la evolución es sinónimo de progreso, podemos llamarlos *progresionistas* o *direccionalistas*, que no es lo mismo que decir finalistas. Por supuesto que los finalistas creen que hay una línea única de progreso (incesante) en la evolución, pero los *progresio-*

nistas lo atribuyen a las leyes de la naturaleza, no a un gran plan cósmico, a una *causa final* —de carácter sobrenatural—, como hacen los finalistas.

La séptima jornada es la última de la primera parte del libro y trata, sobre todo, de las llamadas convergencias adaptativas.

La evolución es fundamentalmente divergente, y así se explica la enorme variación de la vida y la multiplicidad de líneas que muestra el registro fósil, la mayoría de las cuales se han extinguido (recuerde el árbol de Darwin). El fenómeno de la aparición de un nuevo tipo de organismo (con un diseño biológico revolucionario, lo nunca visto) y la explosión de formas que le sigue se conoce en paleontología como radiación adaptativa. Las radiaciones adaptativas son pura creatividad evolutiva, invenciones geniales de la vida que tienen lugar de tiempo en tiempo. Cualquier grupo biológico amplio y diversificado, con una extensa distribución geográfica, procede de una de estas radiaciones adaptativas, de una de esas explosiones biológicas que se produjeron en el pasado.

Pero también proliferan en la evolución los ejemplos de lo contrario: las convergencias adaptativas; es decir, la repetición de los mismos modelos de organismos, como si, al menos en este planeta, el número de posibilidades de la vida fuera limitado y una y otra vez se volviera a lo ya conocido. Como si la evolución se copiara a sí misma.

Veamos, ahora mismo, un ejemplo. Los murciélagos utilizan ultrasonidos para orientarse en la oscuridad de la noche y cazar insectos, un mecanismo que se conoce como ecolocalización (o sónar). Del mismo modo lo hacen los delfines para nadar en la oscuridad del mar, aunque no tengan nada que ver con los murciélagos. Y más sorprendente aún, hay dos tipos de pájaros (no emparentados entre sí) que recurren a la ecolocalización para volar en la oscuridad de las cuevas. Estaríamos tentados de decir que es inevitable que la ecolocalización aparezca como una adaptación para moverse a toda velocidad en el aire o en el agua en ambientes sin luz... siempre y cuando existan aves y mamíferos, o algo parecido.

Si las convergencias son predominantes en la historia de la vida, entonces se puede pensar que la evolución es predecible, incluidos los seres humanos... o algo parecido.

Esta es la siguiente decisión que tiene que ir tomando, la de si era o no inevitable que la evolución se produjera, a grandes rasgos y en líneas muy generales, del modo en el que ha tenido lugar.

Pero todavía no hablamos del *caso humano*, de si era pronosticable o, por lo menos, bastante probable que evolucionara algo parecido a nosotros. Eso lo dejamos para la segunda parte del libro.

Llegamos así a las jornadas ocho y nueve y, con ellas, a la evolución humana: ¿Cómo es que los humanos estamos tan solos en la Tierra, con los chimpancés y bonobos como parientes más próximos? ¿Ha habido todo el tiempo una sola especie humana evolucionando hacia lo que somos ahora o siempre coexistieron muchas especies de nuestra estirpe y solo ha quedado la nuestra al final? Repasaremos la historia de los primates, incluyendo la de nuestros antepasados más cercanos.

En este punto le corresponde de nuevo tomar una decisión, la de si la evolución humana ha sido lineal, es decir, se ha producido en línea recta, o su geometría ha sido ramificada, como un árbol, o incluso enmarañada, como un arbusto espinoso, aunque solo haya quedado una especie en la actualidad.

Y seguro que no se le escapa que para abordar cuestiones filosóficas no es lo mismo un esquema lineal, recto, de la evolución humana, como un surtidor, que uno arborescente, intrincado, sin eje principal.

Se trata también, al final de la novena jornada, de la selección sexual, que para Darwin servía para explicar las diferencias entre las poblaciones humanas.

En las siguientes tres jornadas —décima, undécima y duodécima—, se aborda la cuestión del altruismo y la cooperación en el reino animal, que son el cemento que mantiene unidos a los grupos sociales. Aunque es un pensamiento muy extendido el de que los animales se sacrifican espontáneamente por el bien de los demás miembros del grupo, e incluso por el bien de toda la especie y hasta de la *Vida* (con mayúsculas, la de todos), la idea misma choca con la lógica darwiniana de la lucha por la *vida* (con minúsculas, la de cada uno) y la supervivencia de los mejor adaptados. Sin competencia no hay selección natural ni adaptación, ni darwinismo.

¿No cabe, entonces, el altruismo en los animales?, nos preguntamos.

Muchos biólogos evolutivos le dirían que no puede haberlo, porque lo que buscan los individuos con sus acciones, directa o indirectamente, es transmitir el mayor número posible de genes a la siguiente generación. Es decir, no persiguen otra cosa que su propio éxito genético (eso es lo que tratan de maximizar con *todas* sus acciones). Sobrevivir a través de sus genes, si lo prefiere así. La única forma de inmortalidad que nos queda a los mortales.

El biólogo evolutivo Richard Dawkins llega más lejos, afirmando que los genes son los que de verdad mandan, sirviéndose de los individuos para replicarse, sacrificando los cuerpos que los albergan si es necesario —¡e incluso actuando a distancia sobre otros cuerpos!—. Se trata de la doctrina del gen egoísta, que ha tenido un gran éxito mediático.

Pero si lo que predomina es el egoísmo, ¿cómo es posible que existan en muchos animales grupos sociales formados por individuos que cooperan? Hay varias formas de responder a esta pregunta, que se irán desgranando en el texto.

Todo lo anterior nos devuelve, por supuesto, al caso humano, con preguntas del tipo «¿somos esclavos de nuestros genes?» o «¿cómo ha evolucionado la extraordinaria sociabilidad humana, que constituye la clave de nuestro éxito biológico?».

Hay una teoría que explica la cooperación, la solidaridad y el altruismo en los animales como consecuencia de la competencia entre grupos, no entre individuos ni entre genes, y tiene al biólogo Edward O. Wilson como su más insigne defensor en la actualidad. Según esta doctrina evolucionista, los individuos sí se sacrifican por el bien del grupo, existe altruismo verdadero, no un falso altruismo que en realidad esconde un enorme egoísmo genético. Las sociedades complejas de algunos tipos de insectos, como las abejas, las hormigas y las termitas sociales se habrían producido así, por la llamada selección de grupo. Según E. O. Wilson —y algún otro autor—, este sería también nuestro caso: somos resultado de la selección de grupo.

El lado siniestro de esta teoría es que lo que llamamos los humanos «virtud», que puede llegar hasta el heroísmo de entregar la vida en la batalla, solo sería la cara amable de la lucha despiadada entre grupos desde nuestros propios orígenes —porque el héroe muere, pero matando—. La solidaridad dentro del grupo se explica por la intolerancia hacia los demás grupos.

En este punto va a tener usted que tomar trascendentales decisiones —y de gran calado, me temo—, porque todo lo que se dice nos afecta directamente. Estamos hablando de comportamiento animal y humano, de genes y de libertad.

Las decimotercera y decimocuarta jornadas están dedicadas a la aparición de la inteligencia, de la consciencia, de la mente simbólica y del lenguaje en la evolución humana. Grandes temas, sin duda, para los que hay dos grandes explicaciones contrapuestas. Una de ellas es la hipótesis del cazador, o del *simio asesino*, que ve en el paso del régimen alimentario básicamente vegetariano al carnívoro el principal impulso en la evolución humana (y la causa de nuestro supuesto carácter violento en la actualidad, un problema que nos vendría de muy lejos). Para otros, el cerebro humano es un órgano que procesa sobre todo información social, y es en ese medio, el social, donde hay que buscar las respuestas, mucho antes que en la ecología.

Pero todavía quedaría por explicar el origen de la

consciencia animal; y también el de la consciencia humana, que a la sensibilidad y la emotividad (las vivencias subjetivas) que se les supone a algunos grupos animales —mamíferos y aves, por supuesto, y quizás también a otros linajes— une el pensamiento, con todo su cortejo de rasgos: conciencia de sí mismo (el Yo, la autoconsciencia, la personalidad, la introspección, la razón reflexiva); consciencia de que hay otros seres que también tienen consciencia (saber que no solo yo sé, sino que hay también otros que saben); la facultad de adoptar la perspectiva ajena (ponerse en la piel o los zapatos del otro). Pero también: amplia capacidad de memoria; imaginación, visión de futuro y planificación a largo plazo (lo que implica la posibilidad de renunciar a un beneficio inmediato en favor de un bien mayor aplazado); lenguaje y simbolismo.

La pregunta clave para un darwinista es esta: ¿Es la consciencia una adaptación que ha sido promovida por la selección natural? Y si es así, ¿para qué sirve, cuál es su efecto, qué hace?

Finalmente, ahora que los ordenadores controlan tantas cosas con sus programaciones o algoritmos, no queda más remedio que preguntarse, y le invito a hacerlo: ¿es nuestra mente un conjunto de algoritmos? ¿Somos algoritmos? ¿Puede un ordenador llegar a tener conciencia de sí mismo, introspección, subjetividad, saber que sabe y lo que sabe, percatarse de sus propios pensamientos, atribuirnos intenciones a nosotros, los humanos, y obrar en consecuencia, quizás para defender sus propios intereses frente a los nuestros, como el ordenador HAL de la película *2001. Una odisea del espacio*)?

En la decimoquinta jornada nos lanzaremos —usted y yo— al terreno de la especulación más salvaje y desenfrenada para preguntarnos si solo se puede ser una especie inteligente, consciente, simbólica y tecnológica al modo humano, es decir, siendo un humanoide. Los extraterrestres que nos visiten, si es que existen y lo hacen, ¿serán en lo esencial como nosotros? ¿O podrían presentarse ante nuestros ojos unos seres que no nos recuerden a ninguna especie terrícola, que sean el producto de una evolución del todo diferente, que han seguido caminos alternativos? Grandes y apasionantes experimentos mentales, porque no hay forma de comprobarlo (de momento).

Como es ya la última jornada, nos plantearemos también —nuevos experimentos mentales— si la evolución ha terminado o si todavía pueden aparecer tipos de organismos que sean radicalmente distintos de los actuales. ¿Cuál es el futuro de la evolución? Porque, si la evolución es predecible, deberíamos poder contestar a la pregunta. Aunque puede que la pregunta llegue tarde por unos pocos años, porque ahora los seres humanos tenemos la capacidad de modificar a nuestro antojo el genoma de cualquier especie, incluida la nuestra, por no mencionar la gigantesca ola de extinción de especies que la actividad humana ha producido.

Al final de las jornadas viene el epílogo, y ese es el punto donde los diferentes caminantes, cada uno con su morral, se separan. Unos habrán llegado a una respuesta satisfactoria a la pregunta de por qué estamos aquí, otros volverán más confusos... pero así son todas las peregrinaciones. Hay quienes vuelven con certezas y quienes regresan con más dudas de las que llevaron.

Siempre he defendido en los foros públicos sobre la divulgación que la ciencia no debe aspirar a ser divertida, en contra de los que opinan que hay que procurar que la ciencia sea una cosa muy entretenida, fácil, que no cueste trabajo entender y nos haga pasar un buen rato. Yo soy de los que piensan que cuando aprendemos algo no solo sabemos más, sino que nos hacemos más inteligentes. Por eso prefiero decir que la ciencia aspira a ser interesante, que me parece una categoría superior, aunque pueda suponer un mayor esfuerzo. A fin de cuentas, todos, como personas, preferimos ser interesantes.

Espero que este libro le resulte interesante.

PRIMERA PARTE
La evolución de las especies

JORNADA I

TIERRA DE NADIE, TIERRA DE TODOS

En la que nos preguntamos, para empezar, por la naturaleza de la Historia. ¿Es todo lo que ha pasado pura casualidad, una suma de accidentes, sin regularidad alguna, o existe una cierta dirección? ¿Hay muchas Historias que contar o, en el fondo, se trata de una sola? (La misma pregunta se puede hacer en el caso de la evolución, que es el verdadero objeto de este libro: ¿hay muchas historias, igual de importantes, o se reduce todo a una gran y única historia?) Y también se exploran al final de esta jornada los límites de la ciencia: dónde termina la ciencia y empieza la metafísica.

¿Qué habría pasado si Alejandro Magno hubiera perecido en la batalla del Gránico, en el año 334 a. C., como estuvo a punto de ocurrir? ¿Toda la Historia posterior del mundo habría sido distinta? Pensemos en cualquier otro forjador de imperios, como Gengis Khan, o Julio César, que bien pudieron haber muerto o fracasado cuando empezaron sus carreras de armas. ¿Y si Hitler hubiera caído en la primera guerra mundial, cuando tan solo fue herido? ¿Nos habríamos ahorrado la segunda guerra mundial? Si el heredero del imperio austrohúngaro no hubiera sido asesinado (y fue un caso de mala suerte que así ocurriera), ¿se habría evitado la primera guerra mundial y, de paso, tal vez también la segunda guerra mundial? ¿Estuvo la especie humana, o al menos la civilización moderna, realmente al borde de la catástrofe con la crisis de los misiles de Cuba en 1962?

¿Y qué decir de los líderes espirituales y religiosos como Buda, Confucio, Zoroastro, Moisés, Jesucristo, Mahoma, o Martín Lutero? ¿Habría sido la Historia muy diferente sin ellos? ¿Y sin personalidades como las de Gandhi o Mandela?

Es probable que la mayor parte de la gente piense que se puede prescindir en este debate de los artistas, sean músicos (Bach, Mozart, Beethoven, Wagner, Verdi), pintores y escultores (Miguel Ángel, Goya, Velázquez, Van Gogh, Picasso) o escritores (Cervantes, Shakespeare, Dickens, Lorca), porque no se les atribuye la capacidad de cambiar el curso de la Historia (algo en lo que tal vez estemos muy equivocados). Y quizás tampoco se les dé mayor importancia a los filósofos (Demócrito, Sócrates, Platón, Aristóteles, Epicuro, Lucrecio, Tomás de Aquino, Spinoza, Kant, Hegel o Nietzsche) como hacedores de la Historia. Pero tal vez sí a los pensadores políticos, sociales o económicos (Montesquieu, Voltaire, Malthus, Adam Smith, Marx), que podrían haber influido decisivamente con sus activas vidas intelectuales en la Historia de la humanidad.

¿Y los científicos? ¿Cambiaron para siempre el curso de la Historia figuras como Vesalio, Copérnico, Galileo, Newton, Leibniz, Van Leeuwenhoek, Darwin, Mendel, Humboldt, Pasteur, Einstein, María Sklodowska-Curie, Ramón y Cajal, Fleming, Watson o Crick?

¿O será más cierto que si Watson y Crick no hubieran

descubierto la doble hélice del ADN en 1953 lo habrían hecho otros investigadores, quizás en la misma universidad de Cambridge, poco tiempo después? A esta última pregunta, cualquier científico respondería afirmativamente, y la razón es que el ADN indudablemente *estaba ahí*. O dicho de otro modo, *el ADN es verdad*, es parte de la realidad del mundo material (está dentro de cada una de nuestras propias células), y la ciencia de la biología molecular *no tenía más remedio* que descubrirlo, mientras que las sinfonías de Beethoven *no estaban ahí*, y no era cuestión de descubrirlas, sino de inventarlas. Lo mismo podríamos decir de las neuronas que descubriera Santiago Ramón y Cajal (aunque eso no le resta ningún mérito al genio español).

El cálculo infinitesimal (ya saben, aquello de las integrales y las derivadas) fue descubierto de manera independiente por dos grandes genios: Isaac Newton y Gottfried Leibniz. Parece ahora que el teorema de Pitágoras ya era conocido por los babilonios más de mil años antes de que lo enunciara el propio Pitágoras.[1] Quizás al griego se lo contaran, pero tal vez se le ocurriera por su cuenta, de forma independiente del genio babilonio que lo descubrió primero. ¿Eso quiere decir que el cálculo infinitesimal y el teorema de Pitágoras *estaban ahí*?[2] Pero *¿dónde está* el mundo de las matemáticas?

En la Academia de Platón no podía entrar, según rezaba un letrero, quien no supiera geometría. Es en el mundo platónico de las ideas donde residen los círculos, los triángulos —es decir, toda la geometría, todas las matemáticas—, además de la esencia, la *idea*, de todas las cosas. Los sabios, los filósofos, son los que saben verlas, porque las ideas están ahí, desde siempre y para siempre, eternamente, según Platón.

Volvamos a la Historia (por cierto, escribiré esta palabra sola y con la inicial en mayúscula cuando me refiera a la historia social y cultural de la especie humana a la que pertenecemos, el *Homo sapiens*, y en minúscula para la historia de la vida, incluyendo nuestra propia evolución, o la de la Tierra). Tal vez si Alejandro Magno hubiera perecido en la batalla del río Gránico, el imperio persa habría sido conquistado de todos modos por alguno de sus sucesores en el trono macedonio, más bien antes que después. También pudo haber sido conquistado por su propio padre, Filipo II, de no haber sido asesinado, quizás por instigación del rey persa (o al menos eso era lo que decía Alejandro Magno para justificar la invasión del imperio persa).

¿No era, después de todo, el imperio persa un gigante con los pies de barro y su ejército, por muy grande que fuera, un conglomerado de mercenarios sin moral de combate? Macedonios y persas jugaban al mismo juego de escribir la historia, y lo sabían.[3]

La verdadera pregunta, por lo tanto, es: ¿de no haber existido esos seres humanos singulares que fueron tan protagonistas de su tiempo, el mundo actual sería, en esencia, como el que ahora tenemos?

De haber derrotado los cartagineses a los romanos, quizás estaría alguien escribiendo este libro, o uno muy parecido, en un fenicio moderno en lugar de en una lengua romance derivada del latín. Porque en el fondo, ¿qué más daba un imperio del Mediterráneo europeo —el romano— que un imperio surgido de la orilla africana del mismo mar —el cartaginés—? ¿O sería el mundo completamente diferente —y tal vez mucho peor, o mucho mejor— con los cartagineses como dominadores? ¿Se habrían producido, primero, la revolución industrial, con la máquina de vapor, y la revolución de la informática y la de las comunicaciones, después, y que nosotros hemos conocido, para llegar, finalmente, a la revolución biotecnológica que ahora empieza y no sabemos a dónde nos llevará en este mismo siglo?[4] Todos estos adelantos son el resultado de la actividad científica, por lo que la verdadera pregunta que hay que hacerse es esta: ¿Habrían desarrollado los cartagineses la ciencia?

Merece la pena citar, como un intento de contestación a estas preguntas, un párrafo del libro *A Short History of Progress*, del canadiense Ronald Wright (2004):

> Lo que ocurrió en los primeros años del siglo XVI fue realmente excepcional, algo que no había ocurrido antes y que nunca volverá a suceder. Dos experimentos culturales, desarrollados en mutuo aislamiento durante 15.000 años o más, se encontraron al final cara a cara. Sorprendentemente, después de todo ese tiempo, cada uno podía reconocer las instituciones del otro. Cuando Hernán Cortés desembarcó en México encontró calzadas, canales, palacios, escuelas, tribunales, mercados, acequias, reyes, sacerdotes, templos, campesinos, artesanos, ejércitos, astrónomos, mercaderes, deportes, teatro, arte, música, y libros. Civilizaciones avanzadas, diferentes en detalle pero similares en lo esencial, habían evolucionado de forma independiente en los dos lados de la Tierra.
>
> El experimento crucial de América sugiere que somos criaturas predecibles, gobernadas en todas partes por similares necesidades, deseos, esperanzas y locuras. Experimentos más pequeños producidos independientemente en otros lugares no han alcanzado el mismo nivel de complejidad, pero muchos muestran tendencias parecidas.

Lo importante de estas similitudes culturales y sociales que se dieron entre las sociedades europeas y las americanas (como la azteca o la inca) —que llevaban separadas desde que los primeros pueblos paleolíticos llegaron a América por el estrecho de Bering, hace 15.000 años— es que apuntan a que la Historia es predecible, que tiene una dirección preferente, que no podía ocurrir sino lo que ha ocurrido. No en los detalles, claro, pero sí en cuanto al guion general. No estaba escrito que usted y yo naciéramos, pero sí se podía pronosticar que el mundo habría de ser, a grandes rasgos, el que es.

Hay una *flecha de la Historia*.

Otro Wright, esta vez el americano Robert Wright, no tiene ninguna duda de que existe una flecha de la Historia, como explica en su libro *Nadie pierde. La teoría de juegos y la lógica del destino humano* (1999). La Historia tiene una sola dirección, que es la del aumento de la población y, al mismo tiempo, de la complejidad social y tecnológica de las comunidades humanas.

Para Robert Wright, las diferentes culturas humanas que existen o han existido son solo estadios, más primitivos o más avanzados, en esa evolución cultural hacia sociedades más o menos complejas. Los pueblos que han llegado hasta el día de hoy basando su economía en la caza y la recolección o los agricultores y ganaderos que, actualmente, aún desconocen la escritura son *fósiles vivientes culturales*, no modelos de sociedades alternativas a las del primer mundo. Así pues, es posible clasificar las culturas humanas en diferentes grados de progreso cultural (medidos en densidad de población, desarrollo tecnológico y organización social), lo que no quiere decir, en absoluto, que los pueblos con economías arcaicas sean biológica o intelectualmente inferiores. No nos estamos refiriendo a las personas, sino a las culturas.

No hay racismo en este planteamiento de Robert Wright, solo el convencimiento de que la evolución cultural es unidireccional, no multidireccional, y apunta siempre en la misma dirección, que es la del progreso. De hecho, los indios shoshone de Norteamérica, los esquimales —que se llaman a sí mismos «inuit»— e incluso los aborígenes australianos (que se tenían por un paradigma de estancamiento cultural) estaban, dice Robert Wright, evolucionando hacia sociedades más complejas cuando llegaron los europeos a sus tierras y truncaron su avance. Y los indios norteamericanos de la costa del Pacífico ya habían construido de hecho sociedades muy avanzadas en población y organización incluso sin necesidad de agricultura y ganadería (solo explotaban recursos naturales, pero que se dan en gran abundancia en el noroeste del continente).

Gráficamente, este planteamiento *direccionalista* y *progresionista* se representaría como una línea recta, no como un árbol de ramas fuertemente divergentes (el *nehet* de los antiguos egipcios).

La clave del planteamiento evolutivo de la Historia que adoptan los dos Wright es la *convergencia*, retenga por favor esta palabra, como la que llevó a españoles, aztecas e incas a organizarse en sociedades con instituciones semejantes y mutuamente reconocibles. Si la convergencia predomina en la Historia, hay direccionalidad, una tendencia a que las cosas se produzcan de determinada manera en cualquier lugar. Si la convergencia escaseara, en cambio, eso indicaría que todo es posible, que cada caso es diferente, que cada cultura evolucionará a su manera. Habrá muchas alternativas, la Historia será impredecible.

En 1997, el ornitólogo y biogeógrafo Jared Diamond exponía en su influyente libro *Armas, gérmenes y acero. Breve historia de la humanidad en los últimos 13.000 años* su convicción de que la Historia no depende tanto de la existencia de grandes personajes como de su propio dinamismo interno, que necesariamente lleva, si se dan las condiciones externas apropiadas (un clima, una fauna, una flora y una geografía favorables) hasta las sociedades con tecnologías avanzadas del mundo actual.

Tan convencido está de que existe esa tendencia (a lo largo de 13.000 años, como reza el subtítulo), que en realidad Diamond dedica menos esfuerzos a demostrarla que a explicar por qué determinados pueblos no han seguido la senda que lleva desde las sociedades simples —las bandas de cazadores y recolectores de plantas silvestres— a las sociedades más complejas, que son los Estados, pasando por las tribus y las jefaturas.[5] La razón, en todos los casos, es que ha habido alguna limitación ambiental ajena a las propias sociedades que habría impedido que la evolución cultural se completara.

El motor de esa evolución cultural unidireccional es el siguiente: «La competencia entre sociedades de un determinado nivel de complejidad *tiende* a conducir a sociedades del siguiente nivel de complejidad *si las condiciones lo permiten*» (las cursivas son mías.) La agregación se produce, en resumidas cuentas, por la presión de la competencia a todos los niveles. La fusión de las unidades pequeñas para dar lugar a unidades grandes sería para Diamond un hecho documentado por la arqueología y por la Historia.

Queda por determinar, dice Diamond, el papel de la contingencia —es decir, de las circunstancias puramente humanas y de carácter accidental, que poco tienen que ver con los hechos objetivos y permanentes de carácter geográfico, climático o ecológico— en la Historia. Los grandes líderes, las ideologías y las religiones también han podido intervenir en el devenir de la humanidad, aquí y allí, pero nadie se atrevería a defender, le parece a Diamond, que la Historia pueda ser explicada en su mayor parte como una sucesión de personas influyentes, de grandes nombres... que es como se nos ha explicado generalmente.

El libro de Jared Diamond fue muy importante en su día por su ambición de capturar lo esencial de la Historia, prescindiendo de lo que diferencia las muchas culturas que han existido y existen para quedarse con lo que hay en común a todas ellas. Esta idea de contar la Historia de la humanidad en un solo libro, en una gran síntesis, y conseguir que el lector sienta que ha aprehendido lo fundamental —y lo que es más importante, que le parezca que entiende por qué han pasado las cosas que han pasado— tiene en años recientes a su máximo exponente en el historiador israelí Yuval Noah Harari, sobre cuyas ideas volveremos más adelante.

Las semejanzas entre las civilizaciones del Viejo y el Nuevo Mundo son en sí mismas muy interesantes y sugerentes, pero al mismo tiempo señalan un problema no menos apasionante: el de las diferencias. Si las convergencias culturales se pueden atribuir a la unicidad biológica de la naturaleza humana (y nos ayudan a entendernos a nosotros mismos), las diferencias habría que achacarlas a las condiciones ambientales en las que se desarrolla la Historia, a su marco; es decir, a los factores ecológicos, geográficos, geológicos y climáticos. Estudiar las diferencias, las divergencias históricas, entre los dos mundos es lo que hace el escritor Peter Watson en su libro *La gran divergencia. Cómo y por qué llegaron a ser diferentes el Viejo Mundo y el Nuevo* (2011). Dicho muy resumidamente, Peter Watson explica la divergencia cultural como el resultado de la diversidad de factores ambientales (como cuáles eran las especies de mamíferos que podían ser domesticadas en uno y otro mundo), que habrían conducido a diferentes interpretaciones de la naturaleza, esto es, a diferentes ideologías y religiones, que a su vez habrían influido en los respectivos devenires históricos.

En todo caso, conviene saber que esta es la naturaleza del juego del análisis histórico: tratar de explicar lo que une y lo que separa a las diferentes culturas, las convergencias (los patrones, las pautas comunes) y las divergencias (las singularidades).

En biología evolutiva, las convergencias se llaman convergencias adaptativas —porque la evolución es en gran medida adaptación—, mientras que las divergencias se llaman radiaciones adaptativas. Pero ¿son comparables la paleontología y la Historia humana? ¿Qué pasa con la otra historia, mucho más larga, la historia de la vida? ¿De qué depende el curso que ha tomado?

Al hilo de esta corriente de evolucionismo cultural, que tiene tantos adeptos en la actualidad, no es sorprendente que reverdezca la vieja idea de la evolución biológica como un proceso que conduce desde la simplicidad hacia la complejidad orgánica, aunque hay una importante diferencia: las especies no pueden fusionarse entre sí para dar lugar a otras especies más complejas, como hacen las sociedades (o tal vez sí, al menos en algunos casos, pero enormemente importantes. Veremos más adelante que el origen de la célula compleja puede tener que ver con la asociación de especies muy diferentes. Y también nos encontraremos, aún más adelante, con quien dice que todos los niveles de organización biológica son, en realidad, sociedades, hasta llegar al más alto de todos: las verdaderas sociedades animales y humanas).

Pero vayamos por partes. Sepamos primero cómo ha evolucionado, a grandes rasgos, la propia teoría evolutiva.

Desde Darwin, conocemos cuál es el motor del cambio histórico, el mecanismo que impulsa el proceso que en biología se llama evolución. Su nombre es selección natural, y el mundo lo conoció cuando se puso a la venta el libro *Sobre el origen de las especies por medio de la selección natural, o la preservación de las razas favorecidas en la lucha por la vida*, el 4 de noviembre de 1859.

Por otra parte, un monje agustino que vivía en Brno (Moravia, hoy República Checa) llamado Gregor Mendel, había publicado en vida de Darwin unas leyes que explicaban la herencia biológica, aunque su descubrimiento pasaría desapercibido para los evolucionistas de aquella época. Pero a comienzos del siglo XX se redescubrieron las leyes de Mendel, y no parecían llevarse muy bien con el darwinismo, ni tampoco con la realidad visible y medible de las especies biológicas.

Veamos cuál era el problema.

En cualquier rasgo que se pueda medir, como el peso, la longitud del individuo —o de cualquiera de sus partes— o su color, las poblaciones muestran variación continua dentro de unos límites. Un individuo puede pesar 7.625 gramos o 7.626 gramos o 7.627 gramos (y, si usamos un decimal, podría pesar 7.625,1 gramos o 7.625,2 gramos, etcétera; y aún podríamos usar dos decimales, o tres, o los que queramos, siempre que nos lo permita la precisión del instrumento de medida). Por el contrario, los factores hereditarios de Mendel (luego llamados genes) eran fijos y discontinuos, y un mismo carácter se podía presentar de más de una manera, pero sin formas intermedias entre ellas: los guisantes solo podían ser lisos o rugosos en cuanto a la textura (es decir, de solo dos formas), y solo amarillos o verdes en cuanto al color (solo de dos colores), como recordarán de las clases que recibieron sobre los experimentos de Mendel. La biometría, lo medible, indicaba continuidad, la genética, discontinuidad.

Al parecer, de cuando en cuando se producían cambios bruscos, mutaciones, en los genes, casi siempre con resultado fatal para el individuo *anormal*. Pero ¿sería así, a zancadas, bruscamente, cómo aparecerían las nuevas especies, por mutación y no por medio de la lenta acción de la selección natural operando como una criba a lo largo de inmensos periodos de tiempo sobre la variación de escala menor de las poblaciones?

Esta aparente contradicción entre el darwinismo y la genética de Mendel se resolvió en el tercio central del siglo XX, y así nació el neodarwinismo, que se convirtió en la forma más extendida del evolucionismo en el mundo académico, e integró a todos los sectores de la biología interesados por el tema. Los genéticos (o genetistas) encontraron que los caracteres biológicos que dependían de un solo gen (como el color o la rugosidad de los guisantes de los experimentos de Mendel) eran raros, y que la mayor parte de los rasgos de los seres vivos dependían de varios genes (eran poligénicos) razón por la cual en una población la variación de los caracteres (por ejemplo, la estatura humana) era continua, y no discontinua. Se dice, así, en el argot de la biología, que la mayoría de los caracteres son *continuos*, y no *discretos* (una de las acepciones de esta palabra es «separado», «distinto»). Con sus experimentos en las moscas del vinagre, los genéticos descubrieron asimismo que las mutaciones que importan son las que producen efectos pequeños, que no matan al individuo, sino que añaden variación a las poblaciones. Con estos nuevos datos de la genética, la selección natural volvía a ser la explicación más convincente de la evolución.

Con la llegada del neodarwinismo reinaba la armonía en el mundo académico. ¿Para siempre?

No. A partir del año 1959 (por poner un límite aproximado, que coincide con el centenario del libro fundamental de Darwin) se desarrolla una versión del neodarwinismo que pone mucho acento en los genes, y que el paleontólogo Niles Eldredge denomina *ultradarwinismo*,[6] lo que no quiere decir que los así calificados se consideren a sí mismos *ultras*, ni mucho menos. A ellos les parece un perfeccionamiento del neodarwinismo, su necesaria evolución. A pesar de ello, utilizaremos el término *ultradarwinista* para referirnos a estos autores que adoptan en sus planteamientos *la perspectiva del gen*, su *punto de vista*, como si lo principal de la evolución se produjera a nivel molecular.

La metáfora que me parece más acertada para expresar esta forma de pensar es la del «río de los genes», título y argumento principal de uno de los libros (de 1995) del prolífico biólogo evolutivo inglés Richard Dawkins.

La metáfora dice así: la historia de la vida se puede comparar al lento fluir de los genes a lo largo del tiempo geológico, como si de un río se tratase. Los genes no se ven, por supuesto, y no existen más que en los cuerpos de los seres que los albergan en el núcleo de sus células, pero se copian a sí mismos en la reproducción y de ese modo, replicándose, se perpetúan. Por supuesto, no se conservan los propios genes, que son moléculas destinadas a degradarse y desaparecer como todo lo que es orgánico, sino la información de la que son portadores.

Cada gen es como una gota de agua, y la suma total de los genes de la especie daría la anchura y el caudal del río. Lentamente, insensiblemente, las especies van cambiando porque desaparecen algunos genes (por selección) y aparecen otros nuevos (por mutación) conforme el río va discurriendo por la llanura, sin que se pueda decir cuándo se ha pasado de una especie a otra. En realidad, visto así, la especie no existe, solo el linaje, la estirpe, el río de los genes.

A veces un río se divide, y así es como se produce la especiación, la aparición de una nueva especie por ramificación. Si el curso que toman los dos cauces es muy divergente, aguas abajo pueden dar lugar a formas de vida que no tienen casi nada que ver entre sí, organismos que no se parecen en absoluto. Pero para eso hace falta mucho tiempo, mucho recorrido por la llanura en direcciones diferentes.

Este río del que salen otros ríos que se van dividiendo a su vez es, en versión horizontal, lo mismo que sería un árbol en versión vertical. Así que el árbol de la vida de Darwin sería el río de los genes de Dawkins. A menudo, un río de los que se salen del curso principal, una ramificación, se pierde en el desierto sin llegar al mar, del mismo modo que hay ramas muertas en el árbol de la evolución que no llegan al presente (la inmensa mayoría, de hecho), sino que caen al suelo.

De acuerdo con esta metáfora, la teoría de la evolución es un asunto solamente de la genética de poblaciones, porque es la disciplina biológica que construye modelos matemáticos que explican —por medio de ecuaciones que juegan con las tasas de mutación y las intensidades de la selección natural— cómo fluyen los genes a través del tiempo.

¿Y los fósiles? ¿Y la paleontología? ¿Qué pasa con la historia de la vida? ¿No tiene nada que aportar a la teoría evolutiva?

El registro fósil es el archivo de la Tierra y, según algunos biólogos evolutivos (los *ultradarwinistas*), el trabajo de los paleontólogos consiste simplemente en: 1) demostrar el hecho de la evolución; y 2) contar la historia.

O las historias, porque hay tantas como especies hayan existido en el pasado o viven actualmente —que son solo unas pocas en comparación con todas las extinguidas: de los mamíferos que habitaban la Sierra de Atapuerca hace un millón de años ya no queda casi ninguno—. La historia de la vida sería en realidad una suma de millones de historias sin una estructura común, sin un patrón.

Contra este papel de notario de la historia —o de coleccionista de cromos del gran álbum de la evolución— que a menudo se asigna a la paleontología, a la que se despoja de toda capacidad explicativa y se reduce a una mera labor descriptiva, se han alzado voces paleontológicas como las del citado Niles Eldredge, el famoso divulgador y ensayista Stephen Jay Gould, o la también paleontóloga Elisabeth Vrba. Por supuesto que es bonito narrar historias, y los paleontólogos tenemos afortunadamente mucha audiencia, pero un científico aspira siempre a *explicar* las historias.

Así pues, hay dos formas muy diferentes de investigar el funcionamiento de la evolución —sus mecanismos, podríamos decir—. Unos especialistas trabajan en el laboratorio (o en el campo) con los organismos vivos, viendo lo que pasa ahora con ellos, y otros especialistas desentierran huesos, dientes, conchas, caparazones, corales, semillas, troncos, ámbar y cosas por estilo para saber lo que pasó mucho antes de que hubiera científicos.

La Tierra de Nadie a la que me refiero en el título de esta jornada se encuentra, pues, enclavada entre esos dos mundos, a los que separa una distancia inmensa: la biología molecular, el mundo de los genes, por un lado; y las historias, los relatos de la paleontología, el mundo de los organismos muertos desde hace mucho tiempo y ya fósiles, por el otro. Es un espacio vasto, sin referencias por las que orientarse, sin mapas, en el que muy pocos pensadores se han atrevido a internarse y en el que muchos se han perdido o dan vueltas sin encontrar la salida.

Es un territorio tan amplio que caben en él todas las especialidades científicas, sin excepción, pero también la filosofía de la ciencia y la filosofía de la Historia —y, para algunos, incluso la metafísica y la teología—. Ese enorme espacio de la Tierra de Nadie está, pues, bordeado por muchas ciudades, y de ellas parten exploradores que se internan en el mundo de lo desconocido, donde en ocasiones se encuentran con expedicionarios procedentes de otras ciudades. A veces los aventureros hacen su camino solos.

Aunque la teología no sea mi opción, desde luego, la ha sido y la es de otros paleontólogos, muy especialmente del jesuita y paleontólogo francés Pierre Teilhard de Chardin, quien tuvo en su día mucho éxito en Francia y también en España.[7] Pero la fuerza del pensamiento de

Chardin no se ha extinguido, porque es una visión de la historia que, como otras de su misma estirpe, no puede dejar de tener adeptos entre las mentes con preocupaciones místicas.

De cuando en cuando me sorprendo aún al encontrarme a un nuevo seguidor del jesuita francés. La última vez fue en una entrevista en una revista a la escritora y académica de la lengua española Carme Riera. A la pregunta «¿Crees en el más allá?», ella responde: «Lo que sí comparto es el pensamiento del filósofo Teilhard de Chardin cuando afirma que, en realidad, formamos parte de algo y que en ese algo nos perpetuamos. Y no se trata solo de tus hijos y de tus nietos, sino de un *todo* importante.» La palabra «todo» venía en cursiva en la revista, para destacar que ahí estaba la clave de la respuesta, en sentirse parte de algo mucho más grande que cualquiera de nosotros y que se despliega en el tiempo.

Para el neodarwinismo, en cambio, en lo único en lo que se perpetúan los seres vivos es, precisamente, en sus hijos y sus nietos o, para ser más precisos, en los genes que les transmiten en forma de copias. Unas moléculas tan solo.

¿No queda ya pues espacio para la metafísica en la Tierra de Nadie?

Hay ahora sobre la mesa una nueva propuesta, plenamente actual, para relacionar evolución y *Creación* (así, con mayúsculas, la de Dios), otra vez procedente de un paleontólogo, el inglés Simon Conway Morris, que merece ser presentada y discutida porque *no* se sostiene sobre bases conceptualmente erróneas, es decir, no tiene nada que ver con esos engendros que se llaman *cien-*

cia de la creación o *creacionismo científico*, que incluyen la teoría del diseño inteligente y otras aberraciones —o peor aún, supercherías— por el estilo. Conway Morris es un neodarwinista, como yo mismo y como la mayor parte de los evolucionistas vivos, por no decir todos.

Tiene el pensamiento de Conway Morris aspectos puramente biológicos que se pueden discutir como tales porque son de enorme interés. Hasta ahí lo seguiré yo, y analizaré sus argumentos como paleontólogo que soy; en mi caso, especializado en evolución humana. Ese es también el tema central de la obra ensayística de Conway Morris, aunque él estudie habitualmente organismos muy alejados en el tiempo de los seres humanos —pero también de enorme interés para la teoría evolutiva—, nada menos que los primeros animales.

Pero Conway Morris encuentra además *implicaciones metafísicas* que deduce de su visión de paleontólogo de la historia de la vida, y procuraré exponerlas con objetividad y dar mi más sincera opinión sobre si esas implicaciones metafísicas están o no edificadas sobre cimientos científicos sólidos. Pero, en todo caso, quienes —desde la teología formal o simplemente desde la curiosidad intelectual— se acerquen a la evolución con una preocupación religiosa encontrarán en las ideas de este paleontólogo territorios que explorar y argumentos para utilizar; munición para sus discusiones, también. Y quizás les sea útil conocer el análisis que otro paleontólogo (el autor de este libro) hace de esas ideas desde un planteamiento estrictamente naturalista y no metafísico.

Esta Tierra de Nadie, por lo tanto, es también una Tierra de Todos.

Se trata, me apresuro a advertirlo, de un terreno pantanoso, lleno de trampas, pero que excita la curiosidad y el deseo de los visionarios, de los aventureros y de las mentes inquietas e imaginativas. Sus especulaciones no se publican en las revistas científicas, pero han dado lugar, de tiempo en tiempo, a jugosos libros de ensayo. Es también el reino de las metáforas, porque, a falta de teorías más sólidas, los autores se ven obligados, a menudo, a razonar por analogía. Las metáforas geográficas, como la del río que acabamos de comentar, han ejercido una gran influencia entre los viajeros por la Tierra de Nadie, y veremos más.

Es, por resumirlo de alguna manera, el terreno en el que reside la Gran Pregunta: ¿Por qué estamos aquí?

¿ES COMPATIBLE LA TEORÍA DE LA EVOLUCIÓN CON EL CRISTIANISMO?

Quizás debamos abordar directamente esta cuestión al principio del libro y no dejarla para el final, porque es una pregunta que se hace mucha gente. Lo que quieren saber es qué piensan los científicos a este respecto. ¿Se puede ser científico y teísta (creer en un Dios personal)? O más concretamente, ¿se puede ser biólogo evolucionista (o paleontólogo y estudiar cómo han aparecido los seres humanos y demás especies en el curso de la historia de la vida) y al mismo tiempo practicar la religión cristiana (se suele mencionar esa religión en concreto porque la mayoría de los científicos han sido históricamente occidentales y de tradición cristiana)? No es el propósito de este libro hacer una revisión exhaustiva de lo que han escrito todos los científicos al respecto, pero tal vez se pueda resumir el estado de la cuestión citando unos pocos autores, los que aparecen más veces en este libro.

Para empezar, el paleontólogo Simon Conway Morris cree que la biología no prueba la creación, pero es compatible con ella e incluso la sugiere. Sin llegar a tanto, el también paleontólogo Stephen Jay Gould creía que sí es posible ser evolucionista y cristiano, porque le parecía que la ciencia y la religión corresponden a magisterios diferentes. La ciencia se pregunta por cómo son las cosas (es decir, por los hechos), y la religión por el sentido de la vida y por la ética.

El biólogo evolutivo David Sloan Wilson[8] descompone la estructura de las religiones en dos ejes: uno horizontal, que tiene que ver con el trato a los demás seres humanos, y otro vertical, relacionado con la divinidad. Para D. S. Wilson no hay conflicto con la ciencia en lo que se refiere al plano horizontal; y en cuanto a la dimensión vertical, si lo que se busca es una fuente de inspiración para la cooperación y la solidaridad, puede buscarse igualmente fuera de la religión, con lo que tampoco hay incompatibilidad. D. S. Wilson prefiere las formas de religiosidad en las que la dimensión vertical es menos importante (como el budismo y el confucionismo) pero, en resumen, se alinearía con los que no ven incompatibilidad entre religión y ciencia, si no lo he interpretado mal.

En cambio, para el biólogo evolutivo Richard Dawkins, evolución y cristianismo (o religión en general) son del todo incompatibles, sin posibilidad alguna de reconciliación entre la una y el otro. Richard Dawkins ha sido además muy beligerante en este tema, generando mucho ruido y gran cantidad de información que es fácil de encontrar en la red. El filósofo de la ciencia Daniel Dennett sigue a Dawkins en este planteamiento.

Por supuesto que no hay posibilidad de conflicto entre las teorías científicas y los dogmas, creencias y mitos de las religiones (la ciencia no tiene nada que decir sobre la inmaculada concepción o sobre la reencarnación de las almas, y la religión tampoco tendría por qué opinar sobre la física cuántica o la evolución), pero eso no quiere decir que ciencia y religión sean compatibles, sostiene por su parte el filósofo de la biología John Dupré.[9] La razón es que, según Dupré, la principal contribución de Darwin ¡es de carácter metafísico!, es decir, que lo descubierto por él entra de lleno en lo que pensamos acerca de la naturaleza del mundo y de nuestro lugar dentro de él. Dupré, que como se ha dicho es filósofo, no tiene reparos en admitir que esta importante aportación a la metafísica ha venido del lado de la biología evolutiva. Desde Darwin, dice Dupré, ya no hay espacio para explicaciones sobrenaturales, ni para la creencia en entidades de este tipo (genios, espíritus, fantasmas, almas o dioses), porque hay una explicación mejor y de carácter natural para el origen del ser humano: la evolución biológica. Hay muchas pruebas, concluye, del hecho de la evolución y ninguna de la existencia de Dios. En realidad, desde que conocemos la evolución, la propia existencia humana ha dejado de ser la prueba fundamental de que Dios tiene que existir... precisamente porque sabemos que es la evolución la que nos ha creado.

Dupré no llega a esta conclusión a causa de un prejuicio, dice, sino por un principio: «El de que nuestra creencia en la existencia de algo debería estar fundamentada, en última instancia, en la experiencia.» En efecto, Dupré se adscribe a la tradición filosófica empirista «que ha sido tan esencial para gran parte de la filosofía occidental durante varios siglos, o tal vez milenios».

Sin embargo, otro importante filósofo de la ciencia, Michael Ruse, cree que para un evolucionista es posible ser cristiano, aunque no sea tarea fácil (pero no siempre lo mejor de la vida es lo más fácil, añade). Lo que sí deplora es el tono exaltado que ha adoptado Richard Dawkins para combatir la religión, como si fuera el peor de los males de la humanidad. Michael Ruse ha llegado a decir que esas actitudes tan agresivas avergüenzan a los ateos como él. A mí me pasa rlo mismo que a Michael Ruse con las diatribas antirreligiosas. No veo por qué hay que ofender a nadie con este tema.

Quisiera añadir aquí la opinión de un teólogo británico llamado Conor Cunningham, quien opina que la *guerra* entre evolución y fe es reciente y artificial y solo afecta a los *ultradarwinis-*

tas —como Dawkins— y a los creacionistas —que defienden la literalidad del relato bíblico—. Según Cunningham, no era esa la postura original de la Iglesia, sino que es una actitud muy reciente que no aparece hasta bien entrado el siglo XX en Estados Unidos. La evolución es perfectamente compatible con el cristianismo, opina Cunningham, y el título de su libro de 2010 lo expresa claramente: *Darwin Pious' Idea; why the Ultra-Darwinists and Creationists Both Get It Wrong* (Cunningham presenta también sus ideas en un documental de la BBC titulado *Did Darwin kill God*?).

Para terminar, Frans de Waal[10] es de los que opinan que la religión tiene un papel social armonizador que no puede ocupar la ciencia, por lo que, si ha de ser sustituida por el humanismo y los valores cívicos (y cree que en Occidente se está llevando a cabo ese experimento a gran escala), el tránsito será largo, difícil y no exento de riesgos, a juzgar por experiencias anteriores que acabaron muy mal.

¿Puede la ciencia dar respuestas a quienes buscan entender el sentido de las cosas?

Intentaré aclarar esta cuestión, que no es fácil. Se dice con razón que la misión de la ciencia es la de contestar a la pregunta «qué» y a la pregunta «cómo»: ¿*Qué* es lo que hay en el mundo? ¿De *qué* está hecho? ¿*Cómo* funciona (en el sentido de *cuáles* son las leyes que rigen los fenómenos naturales y *cómo* actúan)?

Pero la ciencia no busca encontrarle un sentido al mundo, y por eso no se pregunta *por qué* las leyes son como son y no de otra manera. Simplemente son así y bastante tenemos con intentar formularlas y averiguar cómo actúan. Cuando encendemos la luz no nos preguntamos por qué existe la electricidad, sino cómo utilizarla para nuestros fines. No hacemos ningún acto filosófico cuando accionamos el interruptor o cuando nos montamos en un avión.

La pregunta «por qué» no es, pues, científica, aunque quizás sería mejor decir que la pregunta que de verdad no es científica es «para qué»: ¿cuál es el propósito de esas leyes? ¿*Para qué* sirven?

El científico huye de la noción de propósito en la naturaleza, y puede hacerlo sin que nadie ponga reparos en los campos de la física, de la química y de la geología. Efectivamente, los océanos y las cordilleras carecen de propósito para un científico. No están ahí para nada, sino por algo, por procesos tectónicos que han operado en el pasado y siguen actuando.

Sin embargo, hay una aparente *teleología*[11] (finalidad, intencionalidad) en los seres vivos. Sus adaptaciones parecen *estructuras teleológicas* porque aparentan tender a un fin, objetivo o propósito (un *telos*, como decían los griegos). Un ojo *sirve para* ver, un ala *para* volar, una garra *para* cazar, un pelaje moteado *para* pasar desapercibido, un pulmón *para* respirar el oxígeno del aire, unas agallas *para* respirar el oxígeno del agua, y una placenta *para* alimentar al feto. El tubérculo es un órgano de reserva que esconde la planta bajo tierra *para* que no se lo coman los animales. Esa es, en todos los casos citados, su función. Incluso llegamos a decir que esa es su *misión*, que suena todavía más teleológico, más dirigido a un fin. Del mismo modo sucede con la fisiología. La hormona del crecimiento es imprescindible *para* el desarrollo, la melatonina para el sueño, y la oxitocina *para* favorecer la sociabilidad (entre otras *misiones*), del mismo modo que la sangre transporta el oxígeno a las células del cuerpo por medio de un pigmento llamado hemoglobina que tienen los glóbulos rojos. Pasemos ahora al terreno de la conducta (la etología). La cigüeña transporta ramas al árbol *para* hacer un nido. El macho de avutarda realiza su danza con un objeto: aparearse.

El concepto de *telos* era fundamental en la biología del gran filósofo griego Aristóteles porque era su manera de entender a los seres vivos. Lo mismo, en realidad, hacen todavía el biólogo y el paleontólogo modernos cuando se enfrentan al problema de investigar un organismo: preguntarse para qué sirven las estructuras que se observan, qué función cumplen (o cumplían, si es una especie fósil).

Por supuesto, todas las máquinas que diseñan los ingenieros tienen un *telos*, un propósito, sirven para algo, poseen alguna utilidad. Por lo que podemos decir, razonando por analogía, que el biólogo y el paleontólogo se aproximan al estudio de un organismo actual o extinguido de la misma manera que lo haría un ingeniero con una máquina. Realizan *ingeniería inversa*, descomponiendo la *máquina biológica* que es un ser vivo para analizar sus piezas: los órganos, y su *funcionamiento*: la fisiología.

Y este fue el problema al que tuvo que enfrentarse Darwin, el de explicar las adaptaciones (que son estructuras anatómicas, funciones o comportamientos hereditarios que muestran utilidad) como resultado de la actuación de procesos naturales que *no tienen* ningún propósito. Pero Darwin, pronto veremos cómo, resolvió el problema que nadie había resuelto, cortó el nudo gordiano y convirtió la biología en una ciencia.

La evolución trabaja modificando los diseños heredados de los antepasados, y esa es la clave para entender por qué cualquier ser vivo está cortado por un patrón concreto: el de su especie. Todos los modelos de vertebrados terrestres, por ejemplo, son modificaciones (de diferentes tipos) realizadas a partir de antepasados comunes con aspecto de peces. Por eso los seres vivos también pueden entenderse, en cuanto a su composición, preguntando «por qué» y contestando en términos de historia. ¿Por qué tenemos dedos en las manos y en los pies? ¿Por qué el sonido se transmite a través de una cadena de huesecillos en el oído medio? ¿Por qué tenemos huesos en el cuerpo, para empezar? ¿Por qué tenemos cerebro? ¿Por qué tenemos fecundación interna? La respuesta está en nuestros antepasados, en nuestra historia, y se contesta en términos narrativos, explicando cómo se ha llegado a la situación actual.

En otras palabras, los morfólogos, embriólogos, fisiólogos y etólogos estudian las *causas inmediatas* de las adaptaciones biológicas (cuál es su función concreta en un individuo, cuándo se utilizan, cómo se forman en el desarrollo). Pero las *causas últimas* de las adaptaciones (qué las ha producido), hay que buscarlas en la evolución.

En realidad, lo que se propone la paleontología es transformar la pregunta «*por qué* las especies son como son», en la pregunta «*cómo* han llegado las especies a ser como son». A los científicos no nos gustan las preguntas del tipo «por qué», como puede verse.

La pregunta que nos acucia cuando nos preguntamos «por qué estamos aquí» es de otra naturaleza, no es de carácter científico, ni se resuelve contando la historia de la vida y el origen de nuestra especie, ni siquiera remontándonos hasta la primera célula. La pregunta es de tipo metafísico.

Estamos en un momento crucial del libro, y espero ser capaz de explicar bien mi postura, que es esta: considero que se contestan mejor las preguntas que van más allá de la ciencia desde el conocimiento que desde el desconocimiento, y estoy convencido de que, en todo caso, la búsqueda de la verdad no puede hacerse *en contra* del conocimiento científico, sino partiendo de él.

Precisamente aquí encaja la cita que aparece al principio del libro. El paleontólogo George Gaylord Simpson se sorprendía de que la religión (la occidental) haya demostrado un talento perverso para ponerse siempre en el lado equivocado en las grandes controversias científicas, eligiendo la posición que se demostró luego falsa. Aunque, dice Simpson, no tendría por qué ser así.

El autor de este libro que tiene usted en las manos se sitúa en la estela de Demócrito, Epicuro y Tito Lucrecio Caro, si le sirve a alguien este dato.[12] Y también en la línea de pensamiento filosófico de científicos como Jacques Monod, Edward O. Wilson o Stephen Hawking. Pero nada de lo que yo piense o crea en cuestiones metafísicas o religiosas es importante, porque mi propósito es exponer con toda la imparcialidad de la que sea capaz los argumentos de base científica que apoyan los dos polos opuestos de este debate, y que son los que siguen:

—Por un lado, el polo de los que opinan que era inevitable que surgiera un ser vivo pensante y reflexivo como el animal humano porque está en la naturaleza misma de la materia, es intrínseco a ella.

—Y, por el otro lado, el de los que creen que el camino que ha llevado la evolución es uno de los muchos que podría haber seguido a poco que hubieran cambiado las circunstancias en cualquiera de las muchas encrucijadas del pasado.

A partir de ahí, cada cual debe sacar sus propias conclusiones porque más allá de los límites de la ciencia no tengo autoridad. Todos nos hacemos la Gran Pregunta y todos nos la tenemos que contestar. Eso es, precisamente, lo que nos hace humanos: la necesidad de preguntarnos «por qué estamos aquí».

Ahora bien, para poder responder a la Gran Pregunta es necesario entender a fondo la selección natural, un mecanismo ciego[13] que produce estructuras con diseño y función sin proponérselo, por increíble que parezca. Un mecanismo que es la única explicación científica de la que disponemos para entender la variedad de formas de los seres vivientes, todas exquisitamente ajustadas a su lugar en el ecosistema. Una explicación tan increíble —y, al mismo tiempo, tan sencilla— que solo a un genio se le podía ocurrir. Una persona llamada Charles Darwin.

A esta cuestión dedicaremos la siguiente jornada. La selección natural no es la respuesta a la Gran Pregunta, pero la respuesta tiene que ser compatible con ella.

JORNADA II

EL MÉTODO

Donde se examina si la teoría de la evolución es indiscutible, o si existen alternativas al evolucionismo dentro de la biología actual que puedan considerarse serias, para lo que nos vemos obligados a analizar antes en qué consiste una teoría científica. También se distinguirá entre evolucionismo y darwinismo, porque no son la misma cosa, como se suele creer.

Empecemos con la cuestión fundamental, ¿es verdad que no hay dudas sobre la teoría de la evolución en el mundo científico?

Se oyen tantas cosas: que si el darwinismo está en crisis entre los investigadores, que si hay alternativas al darwinismo —igualmente científicas— para explicar las especies vivientes...

Pero no, la ciencia no tiene ninguna duda de que la evolución se ha producido y de que todas las especies vivientes descienden de otras especies ya desaparecidas —en realidad, de una muy larga cadena de especies.

También se puede decir de otra manera. Todas las especies actuales sin excepción —es decir, incluida la nuestra— están emparentadas, porque todas tienen antepasados comunes. Cuanto más reciente sea ese antepasado, mayor será el grado de parentesco, como pasa con las familias. Los hermanos son hijos de unos mismos padres, los cuales pertenecen a la generación anterior, los primos comparten dos abuelos, que a su vez pertenecen a una generación anterior a la de los padres, y así sucesivamente.

Es fácil entender, fijándonos en el parecido, que nuestro antepasado común con los chimpancés (justo antes de que las dos líneas se separaran) tiene que ser mucho más reciente que el que tenemos con los caballos, y no digamos con los canguros, las tortugas, las aves, las ranas, o con los besugos. Pero como todos los citados son animales vertebrados —con huesos, como nosotros—, tenemos con ellos un antepasado común, el primer vertebrado, que vivió hace unos 525 millones de años.

Desde entonces, los vertebrados han ido separándose unos de otros y haciéndose distintos, cada vez más, pero manteniendo siempre el mismo plan corporal, el mismo diseño[1] biológico, que hace que podamos reconocernos (incluidos los humanos) como descendientes de un antepasado común que existió en el agua ¡hace más de quinientos millones de años!

Sin embargo, se dice que la evolución *solo* es una teoría. ¿No significa eso que no es segura del todo y que un día podría demostrarse que es falsa, como ha ocurrido con otras teorías científicas en el pasado? ¿Es simplemente una posibilidad o es innegable? ¿No acaban todas las teorías siendo cambiadas, antes o después?

Realmente esta es una de las preguntas más difíciles de contestar y sobre la que tenemos que pensar más. Se trata de una cuestión de filosofía de la ciencia, es decir, del método científico (cómo opera) y de si es o no digno de confianza. Los epistemólogos (filósofos de la ciencia) y los propios científicos le hemos dado muchas vueltas y lo seguiremos haciendo.

Por eso merece la pena que abordemos la pregunta, sin miedo y sin excusas, al principio.

Efectivamente, la evolución es una teoría, pero es que lo máximo a lo que puede aspirar algo, una idea, en el mundo de la ciencia es... a ser una teoría. Eso quiere decir también que puede ser demolida y abandonada por la fuerza de los hechos. Porque una teoría solo es científica si puede ponerse a prueba, si puede contrastarse y, llegado el caso, demostrarse errónea. Los científicos no elaboran dogmas inamovibles (ni se los imponen a nadie). El cuestionamiento de las teorías, de todas, es la esencia de la ciencia.

Pero si pasa el tiempo y los hechos, los datos, se van acumulando y no son contrarios a la teoría, entonces vamos teniendo cada vez más confianza en ella. Pensamos que podrá ser mejorada en el futuro, perfeccionada, pero que ya nunca se va a demostrar que sea radicalmente falsa. Se ha convertido en una respetable teoría.

Una teoría científica falsa es la creencia de que la Tierra es el centro del universo (el *geocentrismo*). Parece *lógica* de acuerdo con nuestro sentido común, porque vemos que las estrellas (toda la bóveda celeste) y el sol giran a nuestro alrededor. Pero es del todo errónea, no podría serlo más. En cambio, creemos fervientemente en la teoría alternativa, es decir, que la Tierra gira alrededor del sol (*heliocentrismo*). Aunque *solo* sea una teoría (no podría ser otra cosa, como acabo de decir) ninguna persona educada duda de que damos vueltas al sol describiendo una órbita completa en un año (o, si se prefiere, llamamos «año» al tiempo que tarda la Tierra en completar la órbita).

Y, por decirlo de alguna manera, la ciencia tiene tantas dudas (o sea, ninguna) sobre la teoría de la evolución como sobre la teoría heliocéntrica.

Tal vez la confusión provenga del hecho de que, en el lenguaje coloquial, en las conversaciones normales de cada día, utilizamos la palabra «teoría» —cuando deberíamos decir «suposición»— para referirnos a explicaciones que se nos antojan posibles pero que están basadas en la intuición, la experiencia y el sentido común.

Estas *teorías* son de corto vuelo y cada uno tiene la suya para intentar darle un sentido a las pequeñas cosas que suceden a nuestro alrededor. Sin embargo, tales explicaciones populares y cotidianas que elaboramos para la política, la economía o el deporte no tienen nada que ver con las verdaderas teorías científicas.

¿Pero no se oye a menudo decir que la *ciencia oficial*, la denostada *academia*, es en realidad una institución tan jerárquica como la Iglesia, un sanedrín que tiene sus propios dogmas e intereses y que no permite que se discutan las ideas que van en contra de los paradigmas establecidos, que constituyen la *verdad oficial*, cerrada y transmitida como un dogma de fe? ¿Es esto cierto o podemos confiar en la ciencia?

Por mucho que se repita este tópico, la verdad es que la ciencia real, la que practicamos los que nos dedicamos a ella, es todo lo contrario. El método científico, por su propia naturaleza, nos obliga a estar siempre en guardia. Porque una teoría tiene que explicar los hechos, está para eso, para entender una parte del mundo, y cuanto más grande sea la realidad que explica, más importante será la teoría. Pero nunca puede ser probada definitivamente y elevada a la categoría de dogma, como ya he dicho. Si en el futuro se descubrieran hechos (por medio de un experimento, de una observación o de un hallazgo) que fueran radicalmente incompatibles con el núcleo de la teoría, esta se tendría que abandonar. Entonces se diría que ha sido refutada, y que es falsa. Las teorías nunca se cierran por completo.

Así es como, por sorprendente que parezca, una teoría puede ser refutada (o «falsada», como se dice en la jerga que usamos), pero nunca probada definitivamente y para el resto de los tiempos. Porque —y aquí está la grandeza y la belleza de la ciencia— siempre hay que dejar una puerta abierta a un nuevo hecho o dato que obligue a revisar la teoría. Esa puerta abierta a los investigadores del futuro no se puede cerrar nunca. Que se entienda bien este concepto. Lo que realmente sucede con las teorías más asentadas, y la de la evolución es una de ellas, es que con las nuevas investigaciones se mejoran, se pulen. Lo que nos las mata, las hace más fuertes. Pero sí, desde luego, un científico es una persona que duda permanentemente y que tiene que estar siempre en actitud de escuchar los argumentos contrarios.

Se suele argumentar (lo oigo prácticamente todos los días) que el mundo académico es muy conservador y se niega a aceptar las nuevas teorías y, todo lo contrario, las persigue con saña, según los críticos. Es sorprendente cómo los charlatanes han conseguido ocupar una parte tan importante del espacio de los medios de comunicación, quizás porque las teorías científicas son más difíciles de entender que las explicaciones populares, intuitivas, que nos suenan más *razonables*, aunque no tengan razón.

Pero me temo que los dogmáticos están en otra parte, no en la ciencia. Los que dicen esas cosas son, por supuesto, los pseudocientíficos, que intentan hacerse pasar por rebeldes incomprendidos y hasta perseguidos (aunque no me parece a mí que los persiga nadie, más bien tienen potentes altavoces en los medios de comunicación, y programas de televisión y radio de gran audiencia: ya quisiéramos los científicos disponer de algo parecido).

Conviene que la gente sepa que no funciona así el mundo académico. Y aunque, como toda actividad humana, la ciencia es imperfecta, y los científicos no son ni mucho menos unos santos, el sistema está diseñado precisamente para premiar a los heterodoxos, a los revolucionarios... siempre que tengan pruebas de lo que afirman. No es que los científicos sean personas diferentes a las demás, es que el método científico funciona muy bien y es uno de los grandes logros del pensamiento humano, de la cultura, de las humanidades. De hecho, es el mejor sistema que tenemos para conocer la verdad. Lo que quiero decir es que no le dan un premio a nadie por decir lo que todo el mundo piensa y lo que ya cuentan los libros de texto escolares. Las revistas científicas no publican artículos en los que se repite lo ya conocido, como que la Tierra gira alrededor del sol o que la molécula de la herencia biológica es el ADN. A lo que aspira cualquier científico es a demostrar que las cosas son de otra manera. Ahí es donde está la genialidad (y el Premio Nobel). El éxito consiste en darle la vuelta a la tortilla. Eso sí, las teorías extraordinarias requieren pruebas extraordinarias, y nunca fue fácil convencer a los colegas de que ellos, todos ellos, por muy importantes e inteligentes que sean, están equivocados o de que hay algo que ignoran.

En resumen, un científico es por definición un rebelde que se enfrenta a todo lo establecido, que desafía el principio de autoridad y que no se cree nada de lo que le cuentan. Todo científico es un escéptico y un revolucionario. Por eso soy científico, no porque acepte sin crítica lo que me diga la *academia*. Además, ¿quién es la *academia*? La ciencia no tiene sanedrines.

¿Hay algún criterio para distinguir el pensamiento científico del que no lo es, para separar una teoría científica de una teoría no científica?

En los párrafos anteriores hemos seguido básicamente las ideas de un filósofo muy importante del siglo pasado, el vienés —luego nacionalizado británico— sir Karl Popper. Suya es la idea de que una hipótesis científica tiene que ser, además de compatible con los hechos que aspira a explicar, también refutable. Una forma de echar abajo una hipótesis científica falsa es por medio de las *predicciones* —que también acaben demostrándose erróneas— que se deducen por lógica de los propios enunciados de la hipótesis. Por ejemplo, si las características que desarrollamos durante la vida se transmitieran a nuestros hijos, estos deberían heredar nuestras cicatrices y deberían faltarles las partes del cuerpo que hemos perdido antes de engendrarlos (por mutilación, por ejemplo). Como es fácil observar que esto último no ocurre, podemos considerar que es falsa de toda falsedad la hipótesis de que los padres transmiten a sus hijos los cambios que han experimentado en el cuerpo antes de tenerlos, sean esos cambios malos o buenos (tampoco le sirve de nada a la descendencia todo el deporte que hayamos hecho en nuestra juventud).

Sin embargo, en otras ocasiones las predicciones se cumplen a rajatabla una y otra vez. Cuando eso ocurre, la hipótesis sigue en pie, y podríamos decir que se refuerza. Veamos un ejemplo reciente. El año 2017 se le concedió el Premio Princesa de Asturias, y luego el Premio Nobel, a unos físicos que comprobaron la realidad de las ondas gravitatorias, cuya existencia es una consecuencia necesaria de la teoría de la relatividad de Einstein. *Tenían que existir* las tales ondas gravitatorias si la teoría era cierta. De alguna manera, el premiado fue también el propio Einstein. Otras muchas predicciones de la teoría de la relatividad han sido confirmadas a lo largo de estos años, y ninguna se ha demostrado falsa (ningún experimento u observación las ha contradicho).

El paleontólogo George Gaylord Simpson[2] dividía las ciencias en dos ramas:

1) las ciencias *no históricas*, que son *predictivas*, como la física y la química (que se pueden considerar atemporales), más la geología y la biología cuando se ocupan de la Tierra y la biosfera *actuales*. Acabamos de ver dos ejemplos de predicciones, una de la biología (que no se cumple) y otra de la física (que sí se cumple).

2) las ciencias *históricas*, que Simpson llamaba con gracia *postdictivas* (porque miran hacia atrás, puesto que no pueden observarse o experimentarse con el fenómeno en sí, sino con sus restos y vestigios), como la biología histórica (o paleontología) y la geología histórica, que estudian el pasado de la vida y de la Tierra, dos pasados que por cierto están inseparablemente relacionados entre sí. Obviamente, no se puede predecir el pasado (solo se puede anticipar el futuro), pero Simpson utilizaba el verbo *postdecir* para referirse al ejercicio de predecir lo que se va a descubrir en los *archivos de la Tierra*

cuando se *lean* sus *documentos* geológicos o paleontológicos. Dicho de otro modo, consiste en anticipar los descubrimientos que van a tener lugar. Todas las ciencias históricas lo hacen, porque trabajan con esa metodología. La paleontología reconstruye el pasado elaborando hipótesis que luego va confirmando o rechazando al encontrar los fósiles. Y lo mismo vale para la historia de la Tierra y de la posición de los continentes y océanos, las épocas glaciares o las de intenso vulcanismo, los levantamientos de las cordilleras, los impactos de meteoritos, los niveles del mar, etcétera.

No puede decirse que el método *postdictivo* sea malo ni poco científico, porque nuestro conocimiento de la Historia, de la historia de la vida y de la historia de la Tierra es cada vez más perfecto. En realidad, es el mismo método con el que trabajan los detectives para esclarecer un crimen, basándose en pistas y en reconstrucciones de los hechos. Y les damos tanto crédito que luego los tribunales absuelven o condenan a los acusados en función de sus conclusiones.

En diciembre de 1924, Raymond Dart descubrió el cráneo del Niño de Taung, el primer australopiteco, que publicó al año siguiente en la revista *Nature*. Ese «eslabón entre el simio y el hombre», tal como se decía en la época, tenía que aparecer para probar que la evolución también explicaba el origen de nuestra especie, no solo el de los animales.

Charles Darwin se puso muy contento cuando se descubrió el *Archaeopteryx*, el esperado *missing link*, «el eslabón perdido entre el reptil y el ave», que combinaba dientes y cola de lagarto con plumas de pájaro. Con gran satisfacción incluyó el fósil en la tercera edición de *El origen de las especies* (la de 1866). Debió de pensar que su teoría había quedado muy reforzada. Se habría sentido mucho más seguro si hubiera conocido el increíble fósil, con las impresiones de las plumas incluidas, cuando publicó en 1859 la primera edición de su histórico libro. Entonces, la paleontología era el principal escollo que tenía que salvar Darwin, porque faltaban los *eslabones perdidos* que se deducían de su teoría. Nada era creíble sin ellos.

En resumidas cuentas, los paleontólogos hacen *postdicciones* acerca de cómo eran los antepasados de las especies actuales, y los fósiles las invalidan o las confirman, del mismo modo que las ciencias experimentales (física, química, biología) hacen predicciones. Los fósiles que descubren los historiadores de la vida son, pues, equivalentes a los experimentos y las observaciones de los científicos que estudian el presente. Hay por lo tanto tres clases de pruebas científicas: experimentos, observaciones y hallazgos.

Entonces, ¿se puede considerar a la Historia social y cultural también una ciencia?

Es precisamente un biólogo, Jared Diamond, quien rompe una lanza por la Historia humana, de la que piensa que puede convertirse en una ciencia como la paleontología o la geología histórica. Nadie duda de que el estudio de los fósiles y ecosistemas del pasado, o de los antiguos glaciares o volcanes o líneas de costa o climas, sean disciplinas científicas, y lo mismo valdría para la Historia humana si se buscan patrones, argumenta Jared Diamond.

Hay muchas historias separadas (en diferentes lugares y tiempos), no una sola, y se debe distinguir entre lo que tienen en común y lo que las diferencia. Para llevar a cabo la empresa de estudiar científicamente la Historia de las sociedades humanas, Jared Diamond propone utilizar la misma estrategia que se sigue en las ciencias naturales para estudiar los procesos históricos, y que se suele llamar método comparativo o del experimento natural.

En las ciencias llamadas experimentales se realizan los experimentos en condiciones controladas, de manera que el experimentador se asegura de que todas las variables permanecen fijas (por ejemplo, la temperatura, la composición química o la acidez del medio) excepto una, que es la que se desea estudiar. Este método se conoce como *ceteris paribus*, una expresión latina que significa «lo demás igual». De este modo es como sabemos que el agua hierve a 100 ºC de temperatura, pero solo a nivel del mar (a una atmósfera de presión), porque cuanto más alto subamos en una montaña a menor temperatura hervirá el agua.

En cuanto a las ciencias naturales, no podemos levantar cordilleras en el laboratorio, ni separar continentes, ni lanzar meteoritos sobre el planeta, ni cambiar la composición de la atmósfera o la temperatura de la Tierra, ni jugar con la evolución a gran escala (o *macroevolución*) en el laboratorio, así que no nos queda otro remedio que estudiar los *experimentos naturales* de la historia, compararlos y buscar patrones. Aunque solo hay una Tierra, en cierto modo cada una de las masas continentales tiene su propia historia, así que albergamos la esperanza de que podamos estudiar si hay pautas comunes a todas ellas —o a varias de ellas, por lo menos—, *como si hubiera* leyes generales de la evolución.

Además, ha habido cinco grandes catástrofes (como la

del meteorito que acabó con los dinosaurios) que han producido extinciones masivas. No es exactamente como si volviera a empezar la historia de la vida desde cero, pero se puede llegar a parecer a eso y nos puede ser útil conocer qué pasó después de esas catástrofes. Se atribuye a Mark Twain la frase de que la Historia no se repite, pero a menudo rima, y tal vez la evolución también lo haga.

Y aún hay una tercera posibilidad, y es la de estudiar las diferentes líneas evolutivas, es decir, las historias de los diferentes grupos de organismos, a ver si encontramos lo que tienen en común.

En la Historia de las sociedades humanas también se han producido muchos *experimentos naturales* que tienen casi todo en común... pero no todo. Son situaciones parecidas, pero no exactamente iguales.[3] Siguiendo el método comparativo de las ciencias naturales, Jared Diamond intenta responder a la gran pregunta de por qué unas sociedades de cazadores y recolectores *evolucionaron* hacia la formación de Estados y otras no lo hicieron,[4] o no llegaron tan lejos. O por qué algunas culturas sufrieron un colapso económico y social y desaparecieron,[5] bien a causa de los cambios medioambientales no atribuibles a la acción humana bien por el manejo que hicieron de los recursos naturales.[6]

En el famoso ejemplo de la chilena isla de Pascua (o Rapa Nui) los polinesios cortaron todos los árboles que cubrían la isla y convirtieron su pequeño mundo en un yermo. Yo le he comentado a Jared Diamond que ese no me parece que sea el caso de la gestión de los bosques en las islas Canarias (pinares y laurisilvas) antes de la conquista castellana. Sin ser un experto, encuentro la economía de los canarios mucho más sostenible medioambientalmente que la de los pascuenses (si es que fueron ellos los culpables de la deforestación; otros autores la atribuyen a que las ratas que llevaron en sus embarcaciones los polinesios se comían las semillas e impedían la regeneración forestal).

En cambio, el colapso de la civilización maya entre los años 800 d. C. y 1000 d. C. podría deberse más bien a un periodo prolongado de sequías que afectaron profundamente a su economía, según recientes investigaciones.[7]

Por poner otro ejemplo de aplicación del método del experimento natural, Diamond compara la colonización de las islas del Atlántico norte por parte de los vikingos (saltando de una isla a otra hasta llegar a Vinlandia, es decir, América) con el poblamiento de las islas del Pacífico por los polinesios. ¿Qué tienen en común y en qué se diferencian estos dos grandes *experimentos* realizados por gentes tan diferentes?

Si se piensa bien, el mismo método lo utilizan en medicina los epidemiólogos. ¿Cómo se supo que fumar puede producir cáncer de pulmón? Viendo qué hábito tienen en común los que padecen esa enfermedad (o muchos de ellos). ¿Cómo se llegó a la conclusión de que el aceite de colza desnaturalizado era la causa de la llamada neumonía atípica en España? Investigando los patrones de vida de los afectados y los factores ambientales a los que habían estado expuestos, intentando encontrar un elemento común en sus biografías recientes. En la ciencia de la nutrición se utiliza también mucho el método comparado o del experimento natural. ¿En qué poblaciones la longevidad es mayor o la incidencia de las enfermedades cardiovasculares menor y qué factores —como, por ejemplo, la dieta o el estilo de vida— podrían explicarlo?

Richard Dawkins, en su gran libro dedicado a la historia de la vida (*El cuento del antepasado. Un viaje a los albores de la evolución*, 2004), nos previene contra dos tentaciones. Una es la de buscar patrones y razones para todo lo que ocurre. La segunda tentación es la «vanidad del presente», que consiste en creer que el pasado apuntaba hacia el presente, como si no tuvieran nada mejor que hacer con sus vidas nuestros predecesores.

Y sin embargo, pese a habernos puesto en guardia desde las primeras líneas de su libro contra las rimas de la historia de la vida, Dawkins se verá obligado a considerarlas, de alguna manera, posibles, como veremos en su momento. Y también podrían encontrarse razones para coquetear con la idea de que la biosfera, si volviera a empezar la evolución en ella, no sería tan diferente de como la conocemos ahora. Por supuesto que la historia de la vida no puede contarse en ningún caso como una historia de *progreso hacia el ser humano*, pero en cierto modo podría tratarse de una historia de progreso.

Pero no adelantemos acontecimientos.

ESCÉPTICOS

Lo que más caracteriza a la ciencia es la cautela a la hora de dar por buena, sin vuelta atrás, una teoría. El escepticismo, la ausencia completa de toda forma de credulidad, es lo que define al científico. Sir Karl Popper, el filósofo de la ciencia más influyente que ha habido, llevó el escepticismo hasta el extremo de afirmar que el evolucionismo no era una verdadera teoría científica porque no podía ser refutada (era infalsificable o no falsable), si bien luego cambió de opinión y dio acogida a la teoría de la evolución entre las ciencias.

Otros filósofos de la ciencia han encontrado excesiva la rigidez de Popper, aunque alabasen su insistencia en la falsabilidad como criterio epistemológico. Por ejemplo, John Dupré sostiene que a veces la ciencia es capaz de acumular tantas pruebas a favor de una idea que ya no puede ser refutada, y hay que considerarla cierta. Ese sería el caso de la evolución, que en consecuencia no sería ya una teoría, sino un hecho irrefutable. La evolución es la realidad que hay que explicar encontrando una causa.

La selección natural, el mecanismo que propuso Darwin para explicar la evolución y la adaptación de las especies, en cambio, sí podría considerarse una teoría científica, susceptible de ser discutida y perfeccionada. En otras palabras, la evolución es la pregunta y la selección natural sería la respuesta.

¿Por qué nos cuesta tanto entender las grandes teorías científicas? ¿Por qué ha hecho falta tanto tiempo y tanto esfuerzo para descubrirlas? ¿Será porque van en contra de la *lógica normal*, la de la gente de la calle?

Bien mirado, los grandes descubrimientos son siempre ideas geniales que desafían al sentido común, y por eso se ha tardado tanto en caer en la cuenta, porque van a contrapelo de nuestras intuiciones, de nuestra manera de razonar, que es útil para la vida práctica (ha sido seleccionada para eso), pero no vale para ver el lado oculto de las cosas.

Que la Tierra no ha sido siempre como la vemos ahora, sino que ha experimentado muchos cambios a lo largo de las eras geológicas —los continentes se han movido y han chocado o se han separado, se han levantado enormes montañas en antiguos mares— y que las especies han evolucionado son ideas que cuesta aceptar porque todo lo que vemos nos parece muy estable, y porque los cambios son tan lentos que solo se pueden apreciar a una escala enorme de tiempo, la escala geológica, no la humana. Pero esas teorías son ciertas y se pueden comprobar. Entre otras cosas, porque aún están ocurriendo esos fenómenos, no pertenecen tan solo al pasado.

Donde ahora vemos grandes cordilleras, de miles de metros de altitud, antes había un mar, y por eso se encuentran fósiles marinos en las cumbres. Esos hallazgos son la prueba. Su ascenso actual se puede medir con precisión absoluta. Aunque parezca increíble, cada año Europa se separa de Norteamérica. Y eso está comprobado y medido al detalle, pero a nadie se le había ocurrido que tal cosa pudiera estar ocurriendo hasta que lo propuso un científico alemán llamado Alfred Wegener con su teoría de la deriva continental hace un siglo.

Otro ejemplo. En una situación de vacío, es decir, si descontamos la acción de la atmósfera y del rozamiento, dos objetos tienen que llegar al suelo al mismo tiempo, independientemente de lo que pesen, aunque nos cueste creer que una bola de plomo y una de papel caigan a la vez. Pero Galileo realizó ese experimento desde la torre de Pisa y comprobó que era así como sucedía, nos parezca a nosotros *lógico* o no.[8]

Veamos ahora un ejemplo de la teoría de la relatividad.[9] La Vía Láctea, nuestra galaxia, tiene un diámetro de 100.000 años luz, que es lo que tarda en llegar la luz de un extremo al otro. La galaxia más próxima es Andrómeda, que está bastante más allá de los confines de la Vía Láctea, concretamente a dos millones y medio de años luz. Tanta distancia nos quita las ganas de viajar por el espacio porque, dada la inmensidad de las distancias siderales, nunca llegaremos vivos a ninguna parte.

Pero aquí viene la teoría de Einstein a echarnos una

mano. Si viajamos a una velocidad prácticamente igual a la de la luz (lo que no va a ser nada fácil de conseguir), entonces llegaríamos a Andrómeda en tan solo cincuenta o sesenta años medidos según el calendario de a bordo. Para alcanzar la velocidad próxima a la de la luz habría que acelerar durante un año a 1 g, es decir, la fuerza de la gravedad terrestre, con lo que no sentiríamos nada raro. Si, una vez llegados a Andrómeda, nuestros hijos, nacidos en el espacio, quisieran viajar de vuelta al planeta de sus mayores, llegarían cincuenta años más viejos... pero en la Tierra habrían pasado seis millones de años desde que salieron de viaje sus padres. ¿Cómo es posible todo esto? ¿No es completamente absurdo y disparatado? Pues la explicación es aún más loca: lo que ocurre es que al aumentar la velocidad a la que uno viaja el tiempo se dilata. Parece sacado del libro *Alicia en el país de las maravillas*.

La teoría de la relatividad, por otro lado, es una teoría científica y lo fue desde el principio, porque en su propia formulación estaba implícita la manera en la que podía ser confrontada con los hechos y puesta a prueba. Ninguno de los experimentos que se han hecho desde entonces la ha desmentido. Y ahí sigue.

Y no hace falta que explique la mecánica cuántica (no creo que pudiera hacerlo bien, por otro lado) pero, desde luego, cuesta mucho más entenderla que la física tradicional que estudiamos en mi época, aunque la física cuántica es la base de la tecnología moderna y del futuro.

Otro ejemplo de que la ciencia va en contra del sentido común, y por eso los grandes descubrimientos parecen al principio absurdos, es la idea de que una persona pueda morir a causa de unos seres tan pequeños (los microbios) que no pueden verse, y no por el mal de ojo o por un castigo divino, explicaciones estas que siempre han parecido muy *lógicas* y muy *razonables* a la gente. ¿Y qué decir de la teoría de la generación espontánea? Hasta que el químico francés Pasteur demostró que era falso, todo el mundo creía que surgían seres vivientes a diario (en un charco, por ejemplo) a partir de la materia sin vida.

¿Hará falta entonces ser un superdotado para disfrutar de la ciencia? ¿La ciencia no es para la gente corriente? Afortunadamente, no es necesario tener una mente privilegiada para ser un científico, y esa es una maravillosa noticia, la más grande de todas. Como sucede en otros terrenos de la creación humana, hace falta ser un genio de verdad para concebir una gran teoría, pero todos podemos entenderla y gozar de ella con nuestras inteligencias normales. Incluso puede llegar a parecernos sencilla esa idea genial. Se cuenta que Thomas Henry Huxley, el defensor más combativo que tuvo Darwin en vida de su teoría de la evolución por medio de la selección natural, exclamó (me lo imagino dándose una palmada en la frente): «¡Qué estupidez más grande no haberlo pensado!».[10] También yo soy capaz de disfrutar de la música de Mozart o de Bach, aunque no me hago la ilusión de que hubiera sido capaz de componerla.

Podría pensarse que, con el tiempo, las teorías científicas, las explicaciones, se vuelven más complejas y difíciles, de manera que cada vez nos alejamos más de ellas. ¿Se nos escapa la ciencia? ¿Tenemos que renunciar a entender?

Afortunadamente, no es así, porque las explicaciones son cada vez más profundas y, por lo tanto, más simples y más *elegantes*, como se dice en el mundo de la ciencia.

Cuanto más sabemos, más sencillo parece todo y menos importan los pequeños detalles.[11] Eso es exactamente lo que ha ocurrido con la teoría de la tectónica de placas, que ha revelado el funcionamiento de la corteza terrestre de una manera que no podíamos imaginar antes, incluyendo en la explicación los volcanes y los terremotos. Gracias a esta gran síntesis unificadora de la geología, la última de las grandes síntesis científicas, el mundo de las rocas es ahora más fácil de entender y de estudiar, no más difícil, y da más placer conocer cómo funciona la Tierra. Lo mismo puede decirse de la biología después de Darwin. Ahora todo es más sencillo y más bello en el estudio del mundo orgánico. Y eso es, sobre todo, lo que les debemos a los grandes genios, el habernos regalado tanta belleza y tanto disfrute. Tanta felicidad.

Aceptemos por lo tanto la teoría de la evolución, que, como toda teoría científica, es provisional y tendrá que ser perfeccionada en el presente y en el futuro. Seguro que mucho, además. Los debates que se producen no quieren decir que el evolucionismo se haya precipitado en una crisis, sino que está permanentemente siendo puesto a punto.

Pero para que una teoría sea plenamente científica tiene que contener en su seno la causa de por qué ocurren los fenómenos que estudia. La explicación. La evolución de Charles Darwin no sería una teoría científica si se conformara con afirmar que las especies cambian con el tiempo y no nos dijera qué es lo que hace que las especies evolucionen. Así no se la creería nadie.

Según el insigne naturalista inglés, el motor de la evolución es la selección natural. Este es un concepto muy fácil de entender, está al alcance de cualquiera, porque se basa en una analogía con lo que podemos ver todos los días en una granja.

El nombre de selección natural viene de que el proceso, *el mecanismo* que impulsa la evolución, se asemeja al que han utilizado a lo largo de las generaciones los agricultores y los ganaderos para *mejorar* (de acuerdo con sus intereses) las razas animales y las variedades de plantas. Y tanto las han cambiado que ya apenas se parecen a sus antepasados salvajes.

Pues, razonaba Darwin, si el granjero en unos pocos miles de años ha podido transformar tanto a las especies, entonces la naturaleza, que ha dispuesto de un tiempo casi infinito (no miles de años, sino miles de millones de años), habrá llegado mucho más lejos.

Pero el ser humano ha actuado con consciencia a la hora de mejorar los animales domésticos y las plantas cultivadas. La naturaleza no tiene propósito, no sigue un plan, así que la comparación entre la selección artificial y la natural no puede ser del todo exacta.[12] Necesitamos algo más para entender la evolución.

¿Pero qué razón hay para excluir de entrada la idea de propósito en la naturaleza?

Es esta una cuestión de principio, y debe abordarse con decisión antes de dar cualquier otro paso. El Premio Nobel francés Jacques Monod lo explicaba con toda claridad en su famoso libro *El azar y la necesidad. Ensayo sobre la filosofía natural de la biología moderna* (1970) con estas palabras: «La pieza angular del método científico —dice— es el postulado de objetividad de la naturaleza.»

Hay que rechazar por lo tanto cualquier tentación de interpretar los fenómenos en términos de causas finales, de *proyecto*. Pero ¿qué explicación tiene esa resistencia?

¿Qué es lo que nos da tanto miedo? ¿Por qué se ha tardado tanto en adoptar el principio de objetividad?

La ciencia se basa en la naturaleza *objetiva* y *no proyectiva* (carente de proyecto) de las cosas, dice Monod. El pensamiento mágico precientífico, en cambio, atribuye intencionalidad a todo lo que existe, incluyendo no solo a los animales, sino también a las plantas, la roca, el río y la tormenta. Para el pensamiento mágico, todo está animado. Las fuerzas que operan por doquier pueden ser benévolas con nosotros o pueden ser hostiles. Pero esa hostilidad no es lo peor, no está ahí la gran dificultad para aceptar el principio de objetividad de la naturaleza. Lo más terrible, aquello contra lo que el pensamiento animista se rebela y no puede asumir, es la idea de un universo por completo indiferente al ser humano. En esa indiferencia es donde está el vértigo y el horror, pero es precisamente en esa indiferencia del universo hacia nosotros donde se asienta el pensamiento científico. También es la causa del rechazo que suscita.

Monod añade que se puede datar exactamente el momento histórico del descubrimiento de este postulado: fue cuando Descartes y Galileo formularon el principio de la inercia. No es que antes, desde los griegos, faltara razón o lógica o experimentación u observación, sino que el avance científico era imposible sin este principio de objetividad, que es lo que ha producido todo el desarrollo científico de los últimos tres siglos. Y no se puede prescindir de él «ni siquiera provisionalmente, o en un ámbito limitado, sin salirse de la misma ciencia». No se puede hacer una excepción al principio de objetividad para la especie humana.

Como digo, esta es una cuestión de principio, de planteamiento inicial, y este libro también pretende construirse sobre ese pilar, sin apartarse de él ni siquiera «provisionalmente, o en un ámbito limitado». El principio de objetividad de la naturaleza no admite excepciones porque es un punto de partida. No se llega a él, se empieza con él. Es un *a priori*. Como dice Monod: «Postulado puro, por siempre indemostrable, porque evidentemente es imposible imaginar un experimento que pueda probar la *no existencia* de un proyecto, de un fin perseguido, en cualquier parte de la naturaleza.»

Pascal Wagner-Egger, junto con otros colegas,[13] han llegado a la conclusión de que hay una relación cognitiva (mental) entre la teorías conspiratorias (como la del asesinato de Kennedy o la de que el hombre nunca pisó la Luna), el esoterismo, la pseudociencia (mejor llamarla anticiencia) y el pensamiento teleológico (o finalista). Este tipo de pensamiento, recordemos, consiste en la atribución de propósito y de una causa final a toda clase de sucesos y cosas, es decir, a los fenómenos naturales y al mundo en su conjunto, incluido el ser humano. Se trata de una manera de pensar característica de la niñez, es un razonamiento netamente infantil, pero que persiste hasta la edad adulta en forma de creencias e intuiciones. No es otra cosa, en el fondo, que la búsqueda de explicaciones sencillas, basadas en causas finales, para fenómenos que en realidad son muy complejos. Siempre tiene que haber una intención detrás de los acontecimientos, de las cosas que ocurren. Hay que encontrarle sentido a todo.

Así pues, el método científico excluye de entrada que la naturaleza tenga fines, pero no nos entrega a cambio al vacío, la nada, o la ignorancia absoluta, porque sustituye los fines por leyes, los propósitos por causas. No hay proyecto alguno en el mundo físico al que pertenecemos, no hay una voluntad de que pase esto o lo otro, pero hay leyes de la materia que regulan su funcionamiento. ¡Reglas que pueden ser conocidas por la mente del animal humano! La ciencia aspira a entender cómo funciona el mundo, cuáles son esas leyes, y no tiene la menor intención de darle un sentido (un significado) filosófico o moral.

Como decía el gran biólogo evolutivo americano George C. Williams,[14] imaginemos que el Sol está ahí para servir al propósito de iluminar la Tierra. Si esa fuera su función, ¿por qué es tan grande y está tan lejos? Cumpliría igual de bien su misión de hacer posible nuestra existencia si fuera más pequeño y estuviera más cerca. Ese diseño sería más eficiente. La mayor parte de los rayos solares se pierden en el espacio —y no se aprovechan— porque el Sol es una esfera. Cualquier ingeniero lo habría concebido como un disco luminoso (de una sola cara), mucho más pequeño y mucho más cercano.

¿Tampoco hay propósito en los seres vivos? ¿Cómo se explica entonces su asombrosa perfección? ¿Es lo mismo un planeta que da vueltas alrededor del sol o un trozo de cuarzo, que un animal o una planta?

Se podría pensar que toda la obra de Darwin es un alegato contra la teoría de un inglés anterior a él, William Paley, autor de un libro titulado *Natural Theology* (1802), en el que defendía la existencia de diseño en el mundo orgánico. El mejor ejemplo es el del ojo humano, con su asombrosa perfección *técnica*. Negar que ha sido diseñado por un ser inteligente (Dios) sería como si nos encontrásemos un reloj en el camino y, en lugar de pensar que lo ha tenido que hacer un relojero sabio, llegáramos a la conclusión de que ha estado siempre ahí, como una piedra, argumentaba Paley. Pero era en la necesidad de un diseñador en lo que Darwin discrepaba de Paley —y todos los que lo hemos seguido después.

Me parece a mí que Paley es el mayor representante del sentido común aplicado a los hechos de la naturaleza.[15] Su argumento se basa en una analogía, una metáfora. Si los organismos, y sobre todo los animales, *parecen* máquinas, tienen que tener un autor *parecido* a nosotros, un ingeniero. Como las criaturas vivientes son mucho más perfectas que nuestras máquinas (y más aún que las máquinas de principios del siglo XIX), su autor tiene que ser muy superior a nosotros, los seres humanos.

Es curioso, sin embargo, cómo este argumento se vuelve en contra del propio Paley, porque las máquinas humanas son, en cierto sentido, más perfectas que las biológicas. Me explico. A pesar de sus asombrosas prestaciones («*performances*», como dice Monod), cuando se las examina de cerca aparecen muchas *chapuzas* en la anatomía de los seres vivos, errores absurdos, incomprensibles, que ningún ser humano habría jamás cometido en un diseño industrial. Es lógico, porque un ingeniero trabaja sobre un papel o una pantalla de ordenador partiendo de cero. En cambio, las especies biológicas proceden de la transformación de otras anteriores, y eso se nota. Muy expresivamente, alguien dijo (el francés François Jacob, Premio Nobel con Jacques Monod) que la evolución hace bricolaje.[16] Como veremos más adelante, precisamente el ojo humano es un buen ejemplo de *diseño chapucero*.

Monod, en su libro *El azar y la necesidad*, realiza un interesante experimento mental. Se imagina que, procedentes del espacio, nos visitan unos artefactos programados por informáticos extraterrestres que no saben nada de biología. Uno de estos aparatos descendería, según el cuento de Monod, en el bosque de Fontainebleau y examinaría dos clases de objetos: casas y peñas. Siguiendo los criterios de regularidad, simplicidad geométrica y repetición llegaría a la conclusión de que las rocas son objetos naturales (porque no hay dos iguales y son totalmente irregulares en la forma, sin patrones) y las casas son objetos artificiales (formas simples, regulares y repetidas). Bajando la cámara a objetos más pequeños, se tropezaría con un panal de abejas, y el programa que lleva dentro lo tomaría acertadamente por un objeto que ha tenido que construir alguien. Luego, al estudiar a las abejas y ver que son todas iguales hasta el más mínimo detalle, hasta el último pelo, ¡llegaría a la conclusión de que se trata de maravillosas máquinas producidas en serie y que la industria del planeta Tierra es muy superior a la suya!

Regularidad y repetición son dos características de los seres vivos, pero también de las máquinas, así que ¿cómo podría distinguir el programa extraterrestre entre artificial y lo biológico? La solución sería que el artefacto extraterrestre fuera capaz de investigar no solo el objeto mismo, tal cual es (la abeja, por ejemplo), sino también su origen, historia y modo de construcción: cómo se ha formado. En particular, tendría que averiguar si las fuerzas que lo han creado actúan desde fuera o desde dentro. El panal ha sido producido ejerciendo una acción desde fuera, como en el caso de un vehículo, de una vivienda, de un hacha de piedra prehistórica, de la tela de araña o del dique de un castor, mientras que la abeja ha sido construida por fuerzas morfogenéticas (creadoras de la forma) que actúan desde dentro.

La organización de la abeja es extremadamente compleja, algo que no le pasaría desapercibido a un programa de exploración diseñado por un informático extraterrestre, para quien «organización» e «información» serían términos muy relacionados, casi equivalentes. ¿De dónde procede entonces la información de la abeja, se preguntaría? ¿Cuál es la fuente? Si la abeja ha *recibido* la información tiene que haber un emisor que se la haya *enviado*. La respuesta la encontraría al cabo de un tiempo: el emisor es un ser idéntico al receptor de la información. Así habría llegado a descubrir la propiedad de la *reproducción invariante* o invarianza, que define a los seres vivos: la capacidad de transmitir de una generación a otra la información correspondiente a su propia estructura (a través del ADN).

Pero, y esto lo añado yo, si el vehículo de exploración extraterrestre hubiera analizado a fondo la ingeniería de cualquier animal, no habría necesitado dedicar tiempo a descubrir si se construye desde fuera o desde dentro, ni cuál es la procedencia de la información, porque un análisis detallado de la organización del animal que fuera revelaría que está lleno de imperfecciones e incoherencias en el diseño y organización de sus piezas, de problemas de ingeniería mal resueltos, de *chapuzas*, y que, por lo tanto, tiene que ser el resultado de la evolución biológica.

Decía el filósofo Karl Popper que la vida puede ser definida como «un solucionar problemas» y que los seres vivos son las únicas *cosas* que solucionan problemas en este mundo. En efecto, no podemos aplicar esa definición a ninguna otra *cosa* (o entidad). Nada que no sea un ser vivo soluciona problemas, salvo las máquinas, que han sido creadas por unos seres vivos, los humanos, de los que son su extensión. Pero las máquinas no son autónomas como los organismos, no se reparan a sí mismas y no se reproducen.

La teoría de Darwin se dedica precisamente a demostrar cómo se puede producir diseño funcional en la biología (un diseño que sirva para una función concreta y práctica) sin que haya un diseñador detrás. Cómo la evolución no busca, animada de una voluntad, soluciones a los problemas de los seres vivos... pero las encuentra.

¿Y cómo explicaba Darwin que la naturaleza produzca el diseño biológico sin proponérselo? ¿Es una teoría complicada que requiere de grandes conocimientos de matemáticas o de filosofía?

En absoluto. El razonamiento de Darwin es muy sencillo. Nacen más individuos en cada generación de los que pueden alimentarse de los frutos de la naturaleza. El resultado inevitable será que se producirá una lucha por la supervivencia en la que vencerán los mejores; sus hijos heredarán sus cualidades y, así, las especies irán progresando en cada generación de forma imperceptible pero sostenida. Mejorar significa tener más probabilidades de sobrevivir.[17]

La lucha por la supervivencia no es, necesariamente, un despiadado combate cuerpo a cuerpo entre individuos (el «*nature red in tooth and claw*» del famoso poema de Tennyson), sino más bien una competencia por los recursos disponibles, que son muy variados: alimento, refugio, pareja, etcétera. Para las plantas que crecen en el suelo de un bosque tropical, el llamado en ecología factor limitante[18] no es otro que la luz, que tanto abunda por encima de las copas de los árboles y que tanto escasea por debajo de ellas.

El antes citado George C. Williams aporta una analogía interesante entre las herramientas que fabricamos los seres humanos y los diseños biológicos que produce la naturaleza. Efectivamente, dice, detrás de cada instrumento, sea un reloj, un anzuelo, un lápiz, una cafetera o una cámara de fotos (el equivalente industrial del ojo humano) hay un diseño previo, pero también hay mucho de experimentación, de prueba y error. Cuando un nuevo artículo se lanza al mercado, aunque sea un producto virtual como un programa de ordenador, empieza la experimentación por parte de los usuarios, y los fabricantes toman buena nota de los resultados para mejorar la siguiente versión de la máquina (o del *software* en cuestión), si no quieren que lo haga la competencia.

En la *evolución* de un dispositivo hay por tanto dos fases: 1) diseño inicial partiendo de cero; y 2) posterior ensayo (prueba) y error. No todo es el diseño, los resultados importan y mucho.

En la evolución biológica todo es éxito o fracaso, no hay diseño de partida, pero se cuenta con la variación natural de los individuos, ya que no existen dos iguales si hay reproducción sexual de por medio. A partir de ahí se produce la experimentación práctica, a ver quién es mejor, y de esta forma van cambiando los *modelos*, que son cada vez más eficaces en el sentido de que resuelven cada vez mejor los problemas de los individuos. Como decía François Jacob, los humanos aprendemos de los éxitos tanto como de los fracasos de la vida, pero la evolución solo *aprende* de los éxitos. No hay segundas oportunidades, en la selección natural. El que nace con una constitución inadecuada está condenado a no tener descendencia.[19]

También las montañas se han levantado poco a poco, los ríos han excavado sus cauces tajando el terreno y las mareas han formado playas a lo largo de un tiempo dilatadísimo. Y lo han hecho sin que haya ningún propósito detrás, sino gracias a las fuerzas subterráneas de la tectónica, creadoras del relieve, y de la erosión, que lo destruye todo y que tiene su origen en la atmósfera. Así pues, ¿no evoluciona todo lo que existe? ¿No hay una evolución geológica similar a la biológica? ¿Qué tiene de especial la evolución orgánica?

Darwin debe una parte muy importante de su teoría de la evolución orgánica a los libros del geólogo escocés Charles Lyell, que describía el mundo en cambio constante y apenas perceptible, de manera que las fuerzas naturales de la Tierra terminan, obrando poco a poco, por producir resultados enormes. Tanto le impresionó este pensamiento geológico que el joven Darwin aspiró en su fuero interno a ser el Lyell de la biología. Sin conocer la obra del geólogo escocés es imposible entender la génesis del pensamiento evolutivo de Darwin.[20]

Sin embargo, a pesar de la analogía, entre las maravillas del reino animal y las de la geología hay una diferencia enorme que no le pasó desapercibida a Darwin. Los seres vivos están adaptados a sus modos de vida, las rocas no. Los órganos de los animales y de las plantas realizan funciones (son *funcionales*), los minerales que componen las rocas no cumplen ninguna misión. El concepto de adaptación solo es aplicable en biología, nunca se puede usar en geología.

En realidad, lo que le asombraba a Darwin no era simplemente la *perfección* de los seres vivos —que, cada uno a su manera, nos parecen todos perfectos—, sino la correspondencia tan asombrosamente exacta —el *encaje*— que existe entre las especies y sus particulares modos de vida, «su lugar en la economía de la naturaleza», lo que ahora llamamos el nicho ecológico. Cada especie tiene el suyo, y no puede haber dos especies que ocupen un nicho exactamente igual en el mismo ecosistema, porque se excluyen mutuamente (es lo que se llama exclusión ecológica).

El nicho ecológico se ha solido comparar con el *oficio* de las especies (a semejanza de los trabajos humanos tradicionales), su forma de *ganarse el pan de cada día*, que no solo condiciona la anatomía de un animal, sino también su fisiología y su comportamiento —que también son elementos del *oficio*—. Nombres como pájaro carpintero, pájaro sastre o martín pescador aluden, evidentemente, a profesiones.[21] De modo similar, en el mundo de la mecánica y de la industria, lo asombroso de una máquina como el reloj no es lo bien que giran los volantes, sino que por medio de sus engranajes las manecillas dan la hora con absoluta precisión. Y, lógicamente, a un exprimidor de naranjas no se le pide que dé la hora. Su perfección es de otra clase. Y así podríamos ir analizando las diferentes máquinas que fabricamos los humanos con fines distintos, especializadas cada una en su tarea, ocupando su nicho de mercado.

El ejemplo favorito de adaptación de Darwin en el reino animal es el del pájaro carpintero, que es un auténtico *profesional* en el *oficio* de extraer larvas de insectos de los troncos de los árboles. También le asombraba la capacidad de algunas especies de ranas tropicales para abandonar la charca y trepar por los árboles. ¡Ranas arbóreas, como si fueran pájaros! Y entre las plantas, le maravillaban las que producen semillas con garfios para que las transporten, enganchadas en el pelo, los animales y las lleven lejos, o las que producen semillas con algo parecido a plumas para que las disperse el viento. Los ejemplos que daba Darwin, como puede verse, eran muy humildes, pero si se piensa bien, asombrosos.[22]

La «ley de la selección natural», como la llamaba Darwin, es la que mejor explica la adaptación y no tiene rival, ni siquiera alternativa, en la ciencia de la biología. El principal problema que quería resolver el naturalista inglés no era el de la *perfección*, en general, sino el de la *adaptación* en cada caso concreto. Darwin se sentía orgulloso de haber encontrado esa ley y creía nada menos que haber resuelto *el misterio de los misterios*[23] (recuerde la cita, al principio del todo).

Ese es en verdad el gran mérito de Darwin, el de dar con una explicación, una causa, un motor para la evolución. Darwin no fue el primero en defender la teoría de la evolución, hubo otros antes, pero sí en proponer la teoría de la evolución por medio de la selección natural. Hay que decir aquí que otro inglés, Alfred Russel Wallace, llegó a la misma conclusión en la misma época y, por lo tanto, es coautor de la teoría, pero Darwin hizo mucho más por argumentar y defender ante la comunidad científica la idea que ambos compartían. Por eso se llevó el premio gordo: ese *ismo* detrás del nombre propio Darwin con el que nos referimos a la teoría de la evolución por medio de la selección natural o darwinismo.

Pero hablaré también mucho de Wallace en este libro, porque su versión del evolucionismo no era exactamente la misma que la de Darwin, especialmente en lo que se refiere al origen de nuestra especie y de su inteligencia.

Entonces, y para ir terminando esta jornada, ¿evolucionismo no es lo mismo que darwinismo? ¿Hay alternativas científicas al evolucionismo darwinista?

A Darwin lo precedió en el evolucionismo un francés, Jean-Baptiste Lamarck, que murió en París cuando Darwin tenía veinte años y estaba estudiando en la Universidad de Cambridge. Lamarck propuso una explicación para la evolución de las especies que parece estar más de acuerdo con nuestro sentido común. Según Lamarck, son los propios animales los que cambian durante su existencia para sobrevivir, y así hacen mejorar a la especie a largo plazo. El ejemplo archiconocido es el de la jirafa, que habría desarrollado un cuello tan largo después de que generaciones de jirafas de cuello corto se hubieran esforzado en estirar la cabeza para alcanzar las hojas altas de los árboles, un recurso trófico que se encuentra fuera del alcance de los demás cuadrúpedos. Ninguno llegaba con la boca tan alto.

Según Lamarck, los avances que cada individuo realiza a lo largo de la vida para mejorar su adaptación no se pierden, así que los hijos no tienen que partir de cero, del mismo punto en el que empezó la vida su progenitor. Todavía en 1940, don Gregorio Marañón pensaba que los hombres tienen el pelo más corto que las mujeres (o al menos eso le parecía a él) porque después de muchos milenios de cortárselo ellos mismos para que no les molestase en la caza habían acabado por nacer con el pelo más corto que las mujeres (que tenían actividades menos rudas), del mismo modo que las mujeres chinas, dice también Marañón, tienen los pies más pequeños de nacimiento porque a lo largo de innumerables generaciones no han tenido que salir de casa para trabajar y además usaban zapatos apretados.[24]

La teoría de Lamarck da todo el protagonismo a los individuos, no a la selección natural, y por eso es tan reconfortante. En cambio, no funciona con las plantas, de las que no se puede decir que se *esfuercen*. Y hay también caracteres de los animales, como los colores de camuflaje o los que se usan para atraer a la pareja o para intimidar al agresor, acerca de los que es difícil concebir cómo podrían haber sido producidos por la *voluntad* de los individuos.

Pongamos otro ejemplo, también procedente de las sabanas africanas, como las jirafas. Se dice que los elefantes africanos tienen las defensas cada vez más pequeñas porque los cazadores prefieren elefantes de defensas grandes. De ser esto cierto,[25] el mecanismo que está detrás del acortamiento de las defensas no tendría nada que ver con la voluntad de los elefantes. No son ellos los que *deciden* tener defensas pequeñas para escapar a los cazadores. Simplemente ocurriría que los individuos que por su constitución genética desarrollaran defensas más pequeñas tendrían más oportunidades de sobrevivir a la caza y transmitir sus genes (los que prescriben defensas pequeñas). La explicación, por lo tanto, estaría en la selección natural de Darwin y Wallace.

Por atractiva que resulte la teoría de Lamarck, sin embargo, es falsa, porque (como ya hemos visto) no hay manera de que los cambios que se producen durante la vida en el cuerpo modifiquen los genes que se van a transmitir. Lamarck no sabía nada de genes, ni Darwin tampoco, pero resultó ser cierta la *ley* del biólogo inglés, y completamente falsa la del francés. Es decir, cada individuo nace distinto porque su genotipo es diferente, y luego, durante la vida, la selección natural actúa como un filtro, como un cedazo. Además, cada cierto tiempo se producen mutaciones —cambios al azar— en los genes, que producen novedades en los cuerpos que son sometidas a la criba de la selección natural.

De nuevo, el sentido común, en este caso del lado de Lamarck, nos lleva a un despeñadero. Y debe de ser muy intuitiva la teoría de Lamarck (y la de Darwin muy antiintuitiva) porque me he pasado la vida explicando que la evolución no se produce al modo del francés, por la herencia de los caracteres adquiridos, sino a la manera que dijo el inglés (por la selección natural). Y todavía sigo teniendo la necesidad de hacerlo, como en este libro, aunque sea en un par de páginas.

JORNADA III

LUCA

En la que por fin aparece la vida en la Tierra. ¿Cómo ocurrió? ¿Era un fenómeno altamente improbable o una consecuencia inevitable de la química orgánica? ¿Hay mucha vida en el cosmos? ¿Cuánta inteligencia hay fuera? ¿Por qué no han venido los E. T. a visitarnos, después de tanto tiempo?

Cada vez se conocen más planetas (ya van unos cuatro mil) en sistemas solares diferentes al nuestro, y la lista aumenta a ritmo acelerado. Pronto se contarán por decenas de miles. Son todos de nuestra galaxia, la Vía Láctea (¡que tiene la friolera de unos 300.000 millones de soles!), pero a los biólogos son los únicos que les importan. Las demás galaxias del universo, ¡cientos de miles de millones!, están todas demasiado lejos como para que lleguemos a saber algo de la vida en ellas.

La búsqueda de otras *tierras* es una aventura apasionante que tenemos la fortuna de poder seguir en directo en el curso de nuestras breves existencias. Es una cuestión de cinco o diez años que se descubran planetas parecidos al nuestro en tamaño y en cantidad de luz y calor recibidos desde su sol, de modo que podrían albergar agua en estado líquido y tener una atmósfera, condiciones ambas necesarias, si no estamos muy equivocados, para la vida (para cualquier cosa que podamos llamar «vida»). Podremos entonces contestar a una de las más grandes preguntas que se ha hecho la humanidad desde que se hace preguntas.

¿Cuántos de esos planetas albergarán seres vivos? En otras palabras, ¿cuál es la receta para la vida? ¿Estarán divididos en reinos como los nuestros: las bacterias, los protistas, los hongos, las plantas y los animales? ¿En cuántos planetas habrá seres inteligentes, civilizaciones tecnológicas, incluso viajeros del espacio? ¿Es la aparición de la vida inteligente un fenómeno extraordinario, excepcional, muy poco probable?

Se podría decir que cada científico que ha pensado sobre este tema tiene su propia respuesta, y todas juntas forman un espectro muy amplio. Empezaré por la de un paleontólogo, el norteamericano George Gaylord Simpson, al que admiro mucho (y se nota en este libro), además de por su inteligencia y su conocimiento, por su enorme sentido común. Simpson fue uno de los renovadores del darwinismo clásico, incorporando a la doctrina de la evolución los conocimientos paleontológicos que se habían ido acumulando desde la época de Darwin y, al mismo tiempo, eliminando ideas muy equivocadas que habían proliferado entre los paleontólogos.[1]

En 1964, en plena fiebre de los extraterrestres y los platillos volantes, Simpson, nada menos que el paleontólogo más prestigioso de su época, se convirtió, gracias a un artículo, en un aguafiestas al arrojar un cubo de agua fría sobre los muchísimos creyentes en marcianos y otros *hombrecillos verdes* (pero sigue habiendo una legión de ellos).

Simpson se quejaba de que en los debates sobre la posible existencia de los extraterrestres no se les diera la palabra a los paleontólogos, que son los que saben del único caso de evolución que conocemos, y por eso decidió alzar su voz en el célebre artículo que estamos comentando. Dicho sea de paso, yo no puedo estar más de acuerdo con él en que los paleontólogos tenemos algo, mucho, que opinar en este debate, como espero demostrar en este libro.

Su artículo se tituló «Sobre la no prevalencia de los humanoides»,[2] y venía a decir que no es nada probable que hayan aparecido seres semejantes a nosotros en otros planetas, ya que para ello se tendrían que haber producido, una detrás de otra, las mismas circunstancias ambientales que a lo largo de cuatro mil millones de años se han sucedido en la Tierra para que surgiera finalmente el *Homo sapiens* (y el resto de las especies de la biosfera actual). Y eso incluye grandes desplazamientos de las masas continentales, impactos de meteoritos, levantamiento de enormes cordilleras y cambios climáticos descomunales con glaciaciones apocalípticas.

En otras palabras, la historia de la vida estaría dominada por la contingencia, es decir, por los accidentes históricos, por las circunstancias que rodean a la vida pero que no son parte de la biología. O, siguiendo la metáfora teatral, hay actores decisivos en el drama que son geológicos y astronómicos. De hecho, no se atisba por ninguna parte un guion de esta historia, la función que se representa parece responder a una constante improvisación.

En «Sobre la no prevalencia de los humanoides» Simpson escribe:

> El registro fósil muestra muy claramente que no hay un eje central guiando la evolución continuamente hacia un objetivo, desde el protozoo al humano. Por el contrario, ha habido ramificación continua y extremadamente intrincada, y cualquiera que sea el recorrido que hagamos a través de las ramas, hay cambios repetidos en la dirección y en el ritmo de la evolución. El hombre es la punta de una de las ramillas finales.

Pero eso no es todo. La vida no se ha desplegado, certera e imparable, a lo largo del tiempo geológico, como si obedeciera a un plan infalible, de éxito garantizado. Por el contrario, ha habido mucho fracaso, mucho intento fallido, mucha vida inútil y desperdiciada, mucha extinción:

> Más aún, no encontramos que la vida simplemente se haya expandido, ramificándose más y más, con creciente diversidad, hasta la aparición de los organismos que ahora viven. Por el contrario, la gran mayoría de las primeras formas de vida se han extinguido sin descendencia.

Y, poco más adelante, concluye Simpson: «Si la evolución es el plan de creación [la manera de crear] de Dios —una proposición que un científico como tal no puede ni afirmar ni negar—, entonces Dios no es un finalista.»

Para resumir este largo argumento, para Simpson y los demás neodarwinistas las circunstancias externas han sido determinantes para el curso de la evolución. Estos científicos niegan absolutamente la existencia de fuerzas internas (y de naturaleza desconocida) en los organismos, como las que proponían los defensores de las teorías *vitalistas*. La principal razón en contra del finalismo es que la selección natural, el agente del cambio, no es finalista: la evolución es oportunista, improvisa. Si la contingencia, las circunstancias, lo son todo, ¿cómo esperar que se repita la historia de la vida terrestre en otro lugar?

Si Simpson representa un extremo del espectro en la dicotomía entre contingencia y necesidad en la evolución, ¿quién representa el otro extremo?

Lo cierto es que el *dictum* de Simpson pesó como una losa durante un par de generaciones de biólogos, pero ha surgido en los últimos años un paleontólogo que se ha atrevido a desafiarlo. Se trata de un profesor de la Universidad de Cambridge llamado Simon Conway Morris. Su especialidad es, precisamente, la explosión cámbrica, de la que hablaremos luego, donde se sitúa el origen de la mayoría de los grandes grupos animales actuales y fósiles.

En un libro reciente,[3] Conway Morris escribe: «Incluso entre los mamíferos, no digamos en el árbol de la vida en su totalidad, los humanos representan una pequeña ramilla de la enorme (y en gran medida fósil) arborescencia. Cada especie viva es la descendiente en línea recta de una inmensa ristra de antepasados extinguidos, pero la evolución en sí misma es todo lo contrario de lineal.»

¿No es casi exactamente igual que la antes citada frase de Simpson, anterior en más de medio siglo? Y sin embargo, a pesar de que ninguno de ellos es *direccionalista*, sino partidario del intrincado árbol de la vida, las posturas de los dos autores no pueden estar más separadas respecto del papel de la contingencia (las circunstancias, lo imprevisible) en la evolución. En efecto, al contrario que Simpson, su moderno colega Conway Morris defiende que la evolución, toda ella, es predecible y que la aparición de los humanoides en nuestro planeta era inevitable. Después del agua fría de Simpson, la cosa vuelve a ponerse interesante.

¿Pero cómo es posible que, a pesar de no ser finalista, este paleontólogo represente el otro extremo del espectro determinismo/contingencia en el problema del origen de los humanoides? ¿Por qué no está en el mismo lado que Simpson, y por qué no piensa que la aparición de algo parecido a nosotros, en este o en cualquier otro planeta en el que surja la vida, depende tanto de las circunstancias que no es en modo alguno previsible?

Para empezar, según el paleontólogo Conway Morris, es muy difícil que haya otras *tierras* con vida, ya que las condiciones para que esta prenda en un planeta son tan exigentes que la probabilidad es prácticamente nula, despreciable. En esto, Conway Morris va de la mano de Simpson y en contra de la opinión general, la que sostiene que tiene que haber vida en muchos otros lugares de la galaxia, y no digamos del universo, ya que, aunque las probabilidades de que aparezca sean pequeñas, el número de planetas debe de ser enorme. Un número... astronómico. Pero Conway Morris ha estudiado a fondo el problema y lo discute y razona con una ingente masa de datos en su libro *Life's Solution: Inevitable Humans in a Lonely Universe* (2003).

Y en segundo lugar, Conway Morris opina que una vez que surgió la vida en nuestro planeta era inevitable que evolucionaran los humanoides al cabo del tiempo (de mucho tiempo, desde luego). En el caso de que la vida haya aparecido en otro lugar —algo en lo que decididamente no cree Conway Morris—, y los extraterrestres se decidieran a visitarnos, estos serían como nosotros por debajo de la piel, es decir, estructuralmente, independientemente del aspecto exterior —epidérmico— que tuvieran.

En resumen, estaríamos solos en un universo vacío, pero nuestra aparición aquí era inevitable porque la inteligencia estaba ya implícita en la vida desde el comienzo (era «inherente» a la vida, dice él). Esa es también la solución de Conway Morris para la famosa paradoja de Fermi (formulada por Enrico Fermi, Premio Nobel de Física): si hay tanta vida en el universo como dicen muchos expertos, ¿dónde están *ellos*? (¿dónde se han metido los extraterrestres?). Para Conway Morris, simplemente no hay *ellos*, y por eso no han venido los E. T. a visitarnos.

Recordemos que Simpson se expresaba en los siguientes términos: «Si la evolución es el plan de creación de Dios —una proposición que un científico como tal no puede ni afirmar ni negar—, entonces Dios no es un finalista.» ¿Podría haber un creador que crease a través de la evolución, pero de una manera no finalista? ¿No es una paradoja?

No necesariamente.

Conway Morris, a pesar de no ver finalismo en la evolución, afirma que su *doble planteamiento*: 1) la vida solo era posible en nuestro planeta; y 2) la evolución inevitablemente tenía que conducir a un ser pensante como el *Homo sapiens*, tiene *implicaciones metafísicas* y es compatible con la idea de creación.

En lo que sigue del libro no voy a tratar esta cuestión de las supuestas *implicaciones metafísicas* de las que habla Conway Morris porque, como Simpson, opino que no son de la incumbencia de la ciencia y, además —por decirlo todo—, porque yo no veo esas implicaciones metafísicas. Pero sí me interesa el doble planteamiento de Conway Morris, por lo que seguiré hablando de él a lo largo del libro.

Solo al final, en el epílogo, trataré el *tema metafísico*, y si me ha acompañado en el viaje y he expuesto bien todos los planteamientos contrapuestos, el lector podrá juzgar por sí mismo.

Pero basta ya de especulación. Empezaremos por el principio, el origen de la vida. ¿Se puede considerar que representa algo parecido al *big bang* que dio origen al universo?

El origen de la vida y el origen del universo son dos de los tres *grandes orígenes* que nos interesan a todos. El tercero es, inevitablemente, el origen del pensamiento racional. Y del *pensamiento irracional*, añado; es decir, del pensamiento mágico, de la fantasía, de los sueños, de los mitos, de la creatividad artística, que también son patrimonio exclusivo de la humanidad.

Ahora sabemos que estos *tres orígenes* son sucesivos y que no se dieron en un acto único de creación: del mundo, de la vida y del pensamiento humano. Y, gracias al tercero, la materia se empieza a entender a sí misma.

El *big bang* con el que empezó el universo fue un verdadero principio, porque antes no había nada —o por lo menos no había materia—. Sin embargo, antes de la vida no había vida, eso es cierto, pero había química orgánica, es decir, existían ya los ladrillos de la vida, las moléculas prebióticas. Eran extremadamente simples, muchísimo más sencillas que las moléculas de los seres vivos, pero ya existían en ausencia de célula alguna.

¿Hay una receta, una fórmula magistral, unas condiciones iniciales que, de producirse, darán lugar a la primera célula inevitablemente, dondequiera que sea, en cualquier planeta?

Debería haberla, pero no debe de ser una receta sencilla, y lo digo por tres razones. La primera de ellas es que la vida en nuestro planeta solo apareció una vez, y de esto hace casi 4.000 millones de años. Para ser más precisos, habría que decir que todos los seres vivos que existen en la actualidad tienen un antepasado común, no varios, y que es extremadamente antiguo. Si la vida apareció más de una vez, al principio del todo, cuando la Tierra era aún muy joven, todos los tipos de seres vivos menos uno se extinguieron muy pronto (quizás porque una clase de organismo eliminó a las otras).

La segunda razón para pensar que la fórmula magistral de la vida es muy compleja es que la vida no ha vuelto a surgir a partir de lo no viviente desde entonces. La generación espontánea de la vida, aunque sea en forma de una célula muy sencilla, una bacteria, no se produce cada día en cada charco. Y es que una bacteria no es en absoluto una forma simple de vida, sino una maquinaria biológica extremadamente compleja. Cuando se la conoce un poco se ve lo imposible que resultaría que surgiera por generación espontánea, simplemente por agregación de unas cuantas moléculas orgánicas presentes en un charco.

Y en tercer lugar, nosotros, los científicos, no hemos conseguido producir en el laboratorio la vida —sintetizarla—, y ni siquiera logramos acercarnos a ese propósito, mientras que hemos avanzado enormemente en campos como la ingeniería, las comunicaciones o la informática. Podemos deducir de este hecho que un ser vivo es una máquina más compleja que cualquiera de nuestros aparatos, por asombrosos que sean. Y, de paso, hemos encontrado una manera rudimentaria de comparar complejidades: cuanto más nos ha costado a los seres humanos desarrollar una tecnología, más compleja podemos considerarla. Un ordenador sería así más complejo que un arco, una polea, una noria, un carro de ruedas, un barco de vela, incluso más complejo que un automóvil o un avión. Y una célula es aún más compleja porque de momento solo la naturaleza puede producirla.

Y no es, me apresuro a aclarar, porque los científicos pensemos que hay *algo* en una célula que se escapa a la investigación, algún fenómeno no material, algún extraño principio vital, sino porque una célula es un sistema de una enorme complejidad bioquímica.

Pero, entonces, ¿qué es la vida? ¿Dónde reside su complejidad?

Una manera de contestar a esta pregunta (o, mejor dicho, de aproximarnos a una respuesta satisfactoria que todavía no se ha encontrado del todo) es recurrir a la termodinámica, como hizo el físico Erwin Schrödinger en 1944 en su muy citado libro *Qué es la vida*. Este famoso físico (y Premio Nobel) hizo notar que una célula se enfrenta al *temible* segundo principio de la termodinámica, según el cual todo sistema completamente cerrado tiende inevitablemente al aumento de la *entropía*, es decir, se desliza hacia el estado de máximo desorden (o de mínima organización), que es el de equilibrio termodinámico o, si nos queremos poner dramáticos, de muerte.

Para que un animal viva es necesario que entre desde el exterior alimento, agua y oxígeno. Tiene que comer, beber y respirar. La vida está basada en el metabolismo, que, nos dice Schrödinger, significa en griego «cambio» y también «intercambio». Pero ¿qué es aquello que se intercambia y mantiene al organismo con vida?, se pregunta el mismo Schrödinger. Tradicionalmente se nos ha contado, recuerda Schrödinger, que el intercambio del ser vivo con el exterior es de materia y energía. Pero, en un organismo en estado estacionario (es decir, estable), ¿qué diferencia hay entre un átomo de dentro y uno de fuera, entre una caloría de dentro y una de fuera? ¿Por qué habría de intercambiar átomos y calorías con el exterior? La verdadera respuesta, dice Schrödinger, está en el segundo principio de la termodinámica. En efecto, para mantener constante el orden y la organización dentro del organismo, tiene que incrementarse la entropía (el desorden y la desorganización) fuera. Cualquier proceso o acontecimiento que ocurre en la naturaleza representa fatalmente un incremento de la entropía allí donde se produce. Un ser vivo está continuamente incrementando su entropía y, en consecuencia, tiende irremisiblemente hacia el estado de máxima entropía, que es la muerte. Para librarse de ella, todo el tiempo extrae del entorno *orden*. Así, mantiene su organización interna alimentándose de lo contrario de la entropía, *comiendo* lo que se podría llamar *entropía negativa*. O, puesto a la inversa, lo esencial del metabolismo es que el organismo intenta deshacerse constantemente de toda la entropía que no puede evitar producir mientras vive. La vida no viola las leyes de la física —las de la termodinámica, en este caso—, pero representa un caso muy especial.

La vida está pues en permanente desequilibrio termodinámico. Eso sí, en un estado de desequilibrio estable.

Por eso la membrana celular no puede ser hermética, tiene que permitir el intercambio. No es por lo tanto una barrera impermeable, ni totalmente permeable, sino semipermeable, o sea, permeable de forma selectiva. Es una membrana *inteligente*, como diría un fabricante de ropa deportiva, pero hecha de moléculas de lípidos y proteínas, y que nadie ha sido capaz —todavía— de sintetizar en un laboratorio. Su química es de una complejidad que nos supera.

De una manera más poética lo expresa el francés Edgar Morin,[4] el filósofo de la complejidad, al comparar la célula con la llama de una vela o el remolino que forma un río en torno al pilar de un puente. La vida es un sistema abierto como la llama o el remolino, porque mantiene su estructura (la llama y el remolino permanecen, mientras el río sigue corriendo y la vela se consume) a base de una constante alimentación exterior.

Así, en la llama, el remolino y la célula, la estructura se mantiene, aunque la composición interna (las moléculas constituyentes) se renueva continuamente. Nuestros átomos cambian, nuestras moléculas cambian, nuestras células cambian (excepto las del cerebro y algunas pocas más), pero nosotros permanecemos. Paradójicamente, el sistema se debe cerrar al mundo exterior para mantener sus estructuras interiores... pero es justamente su apertura la que permite el cierre. Un sistema completamente cerrado, como una piedra, está en estado de equilibrio, y los intercambios de materia y energía con el exterior no existen. De este modo, nos dice Morin, las leyes de organización de la vida no son de equilibrio, sino de desequilibrio, de dinamismo estabilizado.

Los seres vivos se diferencian de las máquinas en que se autoorganizan sin que intervenga un fabricante. Además, mientras que las máquinas artificiales mantienen su organización sin cambiar sus piezas, las máquinas biológicas las cambian continuamente. Las piezas de las máquinas artificiales son muy resistentes, pero cuando falla una, todo el sistema deja de funcionar, salvo que intervenga desde fuera el mecánico reemplazando la pieza averiada. Las moléculas son mucho menos resistentes, pero la célula las cambia sin que deje de funcionar la maquinaria biológica.

Para mantener la organización dentro, la célula necesita un flujo de materia, energía e *información* desde el exterior, desde el medio ecológico, y por eso es una máquina auto-eco-organizada. Por cierto, ha aparecido una nueva palabra en relación con la vida: información.

La célula tiene una increíble propiedad adicional, que se suma a su asombrosa maquinaria bioquímica, y es la de almacenar la información y replicarla. Y esa información autorreplicada debe servir para producir un nuevo ser idéntico al anterior. Es un programa de funcionamiento y, al mismo tiempo, un programa de desarrollo.

En efecto, todos los seres vivos, sean unicelulares o pluricelulares, se reproducen, aunque con una importante diferencia: solo los pluricelulares mueren (o por lo menos solo ellos dejan un cadáver). Reproducirse es, junto con la capacidad de conservar en su interior el orden, la otra característica principal de la vida. Y, para reproducirse, los seres vivos necesitan una molécula, el ADN, que conserva la información necesaria para funcionar... y para hacer otro ser vivo.

Y aún falta otra propiedad de la vida y del material genético por señalar: la evolución. En efecto, la vida cambia y se diversifica constantemente, y eso también está en *su naturaleza*. En otras palabras, los seres vivos tienen que ser capaces de adquirir nueva información del medio, alterando la información previamente almacenada en su genoma e incluyendo la nueva información en un sistema genético que se tiene que mantener —pese a los cambios que va experimentando— bien integrado. En inglés, para referirse a la información sobre el enemigo que se obtiene por medio del espionaje se utiliza el término «inteligencia». De eso se trata, precisamente, de *conseguir inteligencia* e incorporarla al genoma, y la forma de hacerlo es a través de la selección natural. Como decía el gran genetista Theodosius Dobzhansky (otro de los creadores de la síntesis moderna), «la selección natural es un proceso que transmite "información" sobre el estado del ambiente a los genotipos de sus habitantes».

Me gustaría que este concepto se entendiera bien, porque es muy sutil y, al mismo tiempo, muy importante. Dobzhansky no estaba diciendo que los individuos modificaran su genoma de acuerdo con la información que obtienen del entorno. No. La *memoria personal* de los individuos, lo que han aprendido en la vida, no se transmite a través de los genes de ninguna manera (ese fue, recuerde, el error de Lamarck). Pero, a lo largo de la evolución, las especies van mejorando la adaptación a su modo de vida, y solo en ese sentido metafórico se puede decir que *aprenden* (las especies, no los individuos). Un mono actual tiene uñas planas en lugar de garras porque las uñas planas son mejores que las garras para aferrar una rama, y por eso fueron seleccionados en el pasado los monos que tenían uñas planas. Los monos actuales se han encontrado, podríamos decir, el problema resuelto.

También metafóricamente, François Jacob consideraba al genoma como un *sistema de memoria* que acumula información sobre el ambiente a lo largo de la evolución. Hay otros dos sistemas de memoria en biología, pero son individuales (*personales*): los sistemas inmunológico y nervioso, que acopian información sobre el medio a través de la experiencia de la vida.[5]

Vemos por tanto que el material genético tiene tres características muy singulares. Por una parte, es un programa (expresado en términos informáticos) que controla el metabolismo celular, porque contiene la información para la producción de las enzimas que catalizan —aceleran— las reacciones químicas que se producen en el interior de la célula.

Por otro lado, es un mensaje que se transmite de un individuo a otro, del progenitor al descendiente, en la reproducción. Podemos decir que el mensaje genético se *envía* y se *recibe*. A veces el mensaje no llega con total fidelidad (se produce ruido, como se dice en teoría de la comunicación) y tienen lugar los cambios que llamamos mutaciones. Esa es la fuente de variación sobre la que trabaja la selección natural. De este modo, a través de la selección natural, el ambiente tiene su reflejo en el genoma (porque es el ambiente, nos dijo Darwin, el que ejerce esa selección).

Y, finalmente, el sistema genético es un sistema de memoria, que almacena información histórica, la de todo el pasado evolutivo de cualquier ser viviente.

El gran problema para entender el origen de la vida es que todas las formas de vida que conocemos, incluyendo las bacterias (un virus no es un ser vivo), son de una complejidad abrumadora. Ni las entendemos del todo ni somos capaces de producirlas en un laboratorio. ¡Si supiéramos de algún organismo unicelular sencillo de verdad! Pero la *vida simple* no existe, no la conocemos.

O es compleja, llena de orden, de organización, de información, o no es vida.

CINE MOLECULAR

Dice Richard Dawkins[6] que Francis Crick y James Watson (los descubridores, en 1953, de la estructura de la molécula de la herencia biológica) deberían ser venerados como Aristóteles y Platón porque gracias a ellos sabemos que los genes son largas cadenas de información digital y nada más. Le propinaron así el golpe letal definitivo al vitalismo, que es la creencia de que hay una diferencia fundamental entre la materia inanimada y la viviente.

Efectivamente, el código genético es digital, con cuatro letras (las bases del ADN). Y lo es de tal manera que se ha podido hacer lo siguiente: se partió de una corta película histórica de un minuto de duración,[7] que había sido digitalizada. A continuación se pasó del código digital binario (ceros y unos) al código genético de las cuatro bases (GACT). La información de la película, ahora escrita en lenguaje genético, fue enviada en un archivo de texto desde la universidad de Columbia en Nueva York a una compañía de San Francisco, que sintetizó la información en forma de molécula de ADN, que fue despachada de vuelta a Nueva York en un frasco. En la Universidad de Columbia se efectuó la lectura en sentido contrario, pasando del código genético al código binario, y de la molécula de ADN se llegó a la película digital sin ningún error.

Se dijo entonces, a la vista del éxito, que la cadena de ADN se podría insertar en el genoma de un organismo, que podría vivir con ella sin problemas y hasta multiplicarse, produciéndose así una población entera con la película (o un libro o cualquier otra información digital) en su genoma. Y efectivamente, eso fue lo que se hizo poco después (las dos noticias se han producido en el año 2017): insertar una secuencia de imágenes de un caballo galopando[8] en una bacteria (*Escherichia coli*) por medio de la técnica CRISPR de edición genómica (un corta y pega genético). La bacteria con la inserción se multiplicó, y muchas más bacterias llevaron la película del caballo al galope con asombrosa fidelidad.

Incluso se especula con que el ADN será el soporte de la información en el futuro, porque es una molécula estable que dura mucho tiempo y permite almacenar grandes cantidades de datos.[9]

No hay, pues, nada mágico, sino digital, en lo más íntimo de la materia viva, el soporte de la información, pero eso no la hace menos maravillosa.

¿Cuál es entonces la posibilidad de que estructuras tan complejas como la membrana celular y moléculas tan extraordinarias como el ADN surjan espontáneamente para que exista una célula viable y capaz de autorreplicarse?

Según Simpson, la aparición de moléculas orgánicas del tipo de los aminoácidos es casi inevitable, o por lo menos muy probable en cualquier planeta que tenga unas condiciones no muy diferentes de las de la Tierra joven, con disponibilidad de carbono, oxígeno, hidrógeno y nitrógeno junto a una fuente de energía, que es absolutamente necesaria para que se produzcan las reacciones generadoras de las moléculas prebióticas, los *ladrillos de la vida*.

Recientemente, la sonda espacial Dawn, que orbita alrededor del asteroide Ceres —el más grande de los que forman el cinturón de asteroides situado entre Marte y Júpiter—, ha obtenido pruebas de la existencia de hielo y de compuestos de carbono e hidrógeno en este planeta enano de 950 km de diámetro. Y no parecen haber venido de otro sitio, sino haberse formado *in situ*.

Es razonable pensar, opina Simpson, que a partir de estas subunidades elementales (o monómeros) terminarían apareciendo en un planeta macromoléculas (o polímeros) como los polisacáridos (largas cadenas de hidratos de carbono), las proteínas y los ácidos nucleicos (el ADN y el ARN) si se dispone de suficiente tiempo. Y para entonces, cuando escribía el paleontólogo, ya se sabía que la Tierra tenía miles de millones de años.

Así pues, que se diera el paso de los monómeros a los polímeros no era una dificultad insuperable para Simpson, pero le parecía que de ahí a la aparición de células había una gran distancia. No se puede descartar esa progresión, dice Simpson, porque ha ocurrido en la Tierra, pero las probabilidades son mucho más bajas. Debe de haber muchos planetas con macromoléculas orgánicas, pero muy pocos con vida. En resumen, es muy difícil que un planeta pase lo que vamos a llamar el *corte de Simpson*.

Se puede argumentar que Simpson se refiere a la vida tal y como la conocemos, pero no tiene mucho sentido hacerse preguntas sobre la vida tal y como *no* la conocemos.

Bueno, pero lo cierto es que en nuestro planeta ocurrió, apareció la vida, aunque no estábamos allí para ver cómo fue. ¿O tal vez sí esté en nuestra mano ver cómo fue? ¿No podríamos reproducir las condiciones iniciales del planeta en cuanto a temperatura, composición de la atmósfera, presencia de agua en estado líquido, añadir luego descargas eléctricas como fuente de energía y ver qué pasa, tranquilamente (o impacientemente) sentados en el laboratorio? Si no estamos seguros de cuáles fueron esa condiciones ambientales de hace 4.000 millones de años, y no lo estamos, podemos probar con varias combinaciones. ¿Conseguiríamos que se formaran espontáneamente proteínas, por ejemplo? ¿O secuencias de ADN?

Es fácil entender el alcance de esta pregunta. Imagine que recreamos las condiciones de la Tierra inmediatamente anteriores a la aparición de la vida, producimos unas descargas eléctricas y... zas, aparecen unas células —o, por lo menos, las principales macromoléculas orgánicas— como por arte de magia. Ya podríamos decir entonces que sabemos cómo empezó la vida, y además estaríamos seguros de que la vida es casi universal.

El primero que realizó un experimento así fue un joven químico americano llamado Stanley Miller que realizaba su tesis doctoral con el Premio Nobel Harold Urey.[10] Ocurrió en el año 1952, y Simpson lo tenía bien presente cuando escribía, aunque, como hemos visto, no parecía tan impresionado como otros, que han pensado o todavía piensan que el experimento de Miller resolvía el problema del origen de la vida. No es tan sencillo.

La condiciones de partida que Miller utilizó (su simulación de la Tierra primitiva) son muy discutidas hoy en día, porque el joven químico puso en su matraz agua, amoniaco, metano e hidrógeno. Todo el mundo está de acuerdo en que en aquella época primigenia no había oxígeno libre, pero el ambiente de Miller es muy reductor, y ahora se piensa que la atmósfera de la Tierra primitiva era bastante menos reductora y se componía más bien de monóxido de carbono, dióxido de carbono, vapor de agua y nitrógeno. Y en esas condiciones, el experimento de Miller y Urey habría fracasado, y la investigación se habría abandonado. De hecho, Urey había amenazado a Miller con cambiarle el tema de la tesis si no se obtenían resultados alentadores en poco tiempo, tan escéptico era Urey respecto de las posibilidades de reproducir los compuestos clave del origen de la vida.

Pero el resultado del experimento de Miller fue la obtención de azúcares (hidratos de carbono simples) y de aminoácidos (las subunidades de las que están hechas las proteínas). Quedaba probado que la formación de los ladrillos de la vida era posible de forma *abiótica* (sin intervención de organismos).

No es necesario contar las enormes expectativas que despertó la publicación de aquel trabajo pionero en la revista *Science*. Faltaban los nucleótidos, que son los monómeros[11] (las subunidades) de los ácidos nucleicos (ADN y ARN), pero, en 1959, el español Joan Oró logró, a partir del ácido cianhídrico, la formación espontánea de adenina, que es una de las bases nitrogenadas que forman los nucleótidos. La puerta a la solución del problema del origen de la vida parecía abierta. Pero aún no se ha conseguido dar en el laboratorio el siguiente paso, la formación en condiciones que reproducen las de la Tierra primigenia de proteínas o ácidos nucleicos. Y este es un problema realmente grave, porque el ADN no puede autorreplicarse (es decir, autoensamblarse) exclusivamente a partir de los nucleótidos, sus *ladrillos*. Necesita de la presencia de unas enzimas llamadas ADN polimerasas, que son proteínas que actúan de catalizadores en las reacciones químicas de replicación del ADN. El problema es que estas enzimas están a su vez codificadas por los genes del ADN y tampoco pueden replicarse a sí mismas. Por tanto, el ADN y esas enzimas (las ADN polimerasas) tendrían que haber aparecido a la vez y estar ya juntas en el caldo primitivo, como se llama al medio original, para haber dado comienzo al curso de la vida, pues una cadena de ADN que no tiene posibilidades de copiarse a sí misma muchas veces no puede ser el origen de nada.

Por eso se piensa que la vida giraba al principio en torno a otro ácido nucleico, el ARN,[12] que es capaz de autorreplicarse sin la colaboración de enzimas (de modo que el ARN puede ser a la vez el gen y la enzima). El ADN y el ARN se diferencian en una de sus bases nitrogenadas, es decir, en una de las letras del código genético —timina en el caso del ADN y uracilo en el del ARN—. Después del *mundo del ARN* (con las bases AGCU)[13] vendría el *mundo del ADN* (con bases AGCT),[14] que es el que conocemos.

Sesenta y cinco años después del experimento seminal de Miller-Urey vemos que no es nada fácil que una célula aparezca en algún remoto rincón de la galaxia. En contra de lo que dice casi todo el mundo (aunque no se tenga el más mínimo conocimiento de biología celular y molecular), la vida no es ni mucho menos inevitable. Hay, eso sí, tantas estrellas y tantos planetas que hasta una pequeña probabilidad, por ínfima que sea, puede llegar a materializarse en algún lugar.

¿CUÁNTOS UNIVERSOS HAY?

Los físicos han demostrado que muy pequeños cambios en cualquiera de las leyes básicas de la materia (en las cuatro fuerzas fundamentales o en la cantidad de la energía oscura, por ejemplo) harían imposible la existencia de la vida en cualquier rincón del universo. ¿No resulta intrigante que precisamente nuestro universo sea el único propicio para la vida?

Hay muchos intentos de contestar a esta pregunta —aparte de la obvia respuesta religiosa: ha sido la voluntad divina, por definición, inescrutable—. Si solo existe vida en la Tierra, como opina Conway Morris, o casi solo en la Tierra (como le parece a

Simpson), el hecho no dejaría de ser una anécdota, un accidente, un acontecimiento fortuito y excepcional, tan poco frecuente, tan raro, que lo que haya pasado en uno de los casi infinitos planetas no llega a plantear más problemas filosóficos que el de la forma rara de un grano particular de arena en una playa.

Ahora bien, si hay vida por todas partes resultaría que este universo sería perfecto para la vida, una asombrosa conjunción de leyes físicas que no podrían haber sido ni siquiera un poco distintas. ¿Cómo explicar este ajuste tan fino?

Una posible respuesta es la de la lotería. Todos los números del sorteo tienen la misma probabilidad, que es muy pequeña para cada uno de ellos, pero inevitablemente alguno de los números es el agraciado (y de los otros no se acuerda nadie). En la lotería de las leyes de la materia el afortunado fue nuestro universo, donde la vida es posible, y quizás frecuente, y por eso nosotros estamos aquí para devanarnos los sesos preguntándonos por qué estamos aquí. Pero la lotería cósmica tiene seguramente muchos más números que la Lotería Nacional, y es difícil creer que hayamos tenido tanta suerte.

También pudiera ocurrir que existiera alguna ley que no conocemos que estableciera que solo pueda existir un universo si tiene los parámetros del nuestro, aunque se repitiera el *big bang* muchas veces, porque todas las leyes y fuerzas de la materia están ligadas entre sí y subordinadas a otra superior y misteriosa (o mejor, desconocida).

La tercera posibilidad es que efectivamente existen todos los universos posibles, y nosotros vivamos en aquel que permite la vida, que solo es uno de tantos universos como hay. En el resto no hay vida. Algunos cosmólogos lo creen posible, pero la teoría del multiverso tiene un defecto mortal: no es falsable, al menos de momento.

En resumen, este de la vida en la Tierra es, una vez más, el problema de los sucesos únicos, donde no es fácil saber si pasó lo que tenía que pasar o fue fruto del azar y podía haber ocurrido cualquier otra cosa.

¿Podría tal vez haber llegado la vida a la Tierra desde el espacio? ¿Quizás desde Marte, a bordo de meteoritos procedentes del planeta rojo? ¿Seremos marcianos?

Hace 4.000 millones de años parece que había un océano en Marte, y entonces podría haber surgido la vida allí. De hecho, Marte habría sido, hace 4.000 millones de años, un planeta mucho más favorable para la vida que la Tierra, ya que al ser mucho menor su masa y su gravedad, Marte atraía menos meteoritos grandes. La Tierra, en cambio, era bombardeada sin piedad por cometas y asteroides, y algunos de estos cuerpos tenían un tamaño suficiente como para evaporar, con el calor liberado por el impacto, toda el agua del planeta y acabar con la vida que pudiera existir entonces.

En algún momento, un gran meteorito pudo haber golpeado Marte, lanzando al espacio rocas marcianas que podrían haber viajado hasta la Tierra transportando bacterias a bordo, que podrían —otro condicional— haber sobrevivido al viaje (las bacterias son increíblemente resistentes, como es sabido, aunque esa travesía espacial sería una dura prueba). La vida en la Tierra apareció entre hace 4.000 millones de años y hace tres mil quinientos millones de años, así que la hipótesis del origen extraterrestre de la vida en ese intervalo temporal no es descabellada. Haría falta analizar rocas de esas edades en Marte, porque las de hace tres mil quinientos millones de años ya lo han sido y no contienen, al menos de momento, trazas de vida.

La hipótesis de la panspermia, la de que la vida llegó a nuestro planeta procedente del espacio a bordo de un cuerpo celeste (meteorito o cometa) cuenta con respetables defensores. Y algunos fueron aún más lejos, como Francis Crick y Leslie Orgel en 1973.[15] Para estos dos autores no era descartable que la vida hubiera sido *sembrada* en la Tierra y en otros lugares del universo a bordo de vehículos espaciales por alguna civilización extraterrestre (sería una forma de panspermia que llaman «dirigida»). Enviar microbios al espacio es mucho más fácil que enviar animales (no digamos personas) porque pesan infinitamente menos. Los microorganismos han demostrado tener una gran resistencia, sobre todo si se los protege de la radiación y se los mantiene a temperaturas cercanas al cero absoluto.

Por otro lado, la existencia de un único código genético en la Tierra se explica mejor suponiendo que la vida hubiera sido sembrada con un solo tipo de organismo que aceptando que tan solo ha aparecido una vez en nuestro planeta, razonaban Crick y Orgel. (Entiéndase bien el concepto de código genético para apreciar lo que tiene de sorprendente el que sea universal aquí en la Tierra. No es solo que haya un «alfabeto» común de cuatro letras para todas las formas de vida, sino que hay un único «idioma» genético. Dos lenguas escritas pueden utilizar el mismo alfabeto pero las palabras pueden ser muy diferentes. En el caso del ADN, las mismas combinaciones de tres letras —llamadas «codones»— prescriben siempre [codifican] los mismos aminoácidos.)

Los autores se preguntaban incluso por las motivaciones de los E. T. sembradores de vida:

> En vista de la precaria situación de la Tierra nosotros podríamos sentirnos tentados de infectar otros planetas si llegáramos al convencimiento de que estamos solos en la galaxia (universo). Como ya hemos explicado, en este momento no podemos estimar cuál es esa probabilidad. Los hipotéticos sembradores de otro planeta pueden ha-

ber sido capaces de probar que seguramente estaban solos, y que continuarían estándolo, o pueden haberse equivocado.

Crick y Orgel enuncian un *teorema* que me parece muy atractivo en esta discusión: es el *principio de reversibilidad cósmica.* Con ese nombre tan pomposo puede parecer que se trata de alguna complicada fórmula matemática, llena de signos algebraicos. Sin embargo, es una idea muy sencilla. Los extraterrestres harían lo mismo que haríamos nosotros en su situación. En aquella época (1973) no se sabía en qué sistemas solares había planetas con posibilidades de albergar la vida (es decir, a la distancia correcta de su estrella y con las características de la Tierra), pero pronto se sabrá incluso si hay vida en ellos. Además, nos estamos acercando al momento de disponer de la capacidad técnica de sembrar la vida terrestre en otros mundos. ¿Lo haremos? Si viéramos que la especie humana corre peligro de desaparecer, tal vez nos consolaríamos enviando microbios al espacio, siempre y cuando pensáramos que no hay más vida que la nuestra.

Pero una vez que —de la manera que fuese— aparecieron las bacterias en la Tierra, que son los seres vivos más sencillos (aunque no simples en absoluto, como hemos repetido), ¿había quedado despejado el camino de la evolución? ¿Era ya inevitable que aparecieran algún día los humanoides?

Una forma simple de abordar el problema de si algo que ha ocurrido era inevitable es viendo cuánto tiempo transcurrió entre el momento en que se sentaron las condiciones de partida necesarias y el instante en el que el suceso realmente se produjo. Es decir, desde el momento en el que ya podía pasar hasta el momento en el que pasó.

Si transcurrió poco tiempo se puede defender que era probable que pasara, o incluso que era inevitable. Por el contrario, si transcurrió mucho tiempo desde que se dieron las condiciones iniciales hasta que tuvo lugar el acontecimiento, cabe pensar que la probabilidad era pequeña, hasta el punto de que podría perfectamente no haberse producido el resultado en cuestión.

No es un argumento irrefutable, sino especulativo, pero es que nos movemos por el terreno de la incertidumbre. Nos estamos preguntando en este libro si lo que ocurrió realmente tenía que pasar, si era fatal el desenlace, si estaba determinado dadas las condiciones iniciales; o si, por el contrario, no tenía por qué haber ocurrido. Si en el principio estaba ya escrito el fin o si el final era abierto.

La Tierra se formó hace unos 4.500 millones de años, pero hasta hace unos 4.000 millones de años el planeta era un infierno de volcanes en erupción apedreado por meteoritos. El cielo y la Tierra parecían conjurarse para prohibir la existencia de vida (Figura 1).

Las primeras pruebas —aunque controvertidas— de vida bacteriana en el planeta se encuentran en forma de fósiles en las rocas de Isua en Groenlandia, datadas en 3.700 millones de años. En todo caso, la mayor parte de los paleontólogos opinan que la vida tiene al menos 3.500 millones de años, y con esa cifra nos vamos a quedar ahora. De ser cierta, habrían pasado pocos cientos de millones de años desde que se terminó el bombardeo de grandes meteoritos —tan grandes como para acabar con la vida— hasta la aparición de los primeros organismos fósiles.

Aunque pueda parecer mucho tiempo para un ser hu-

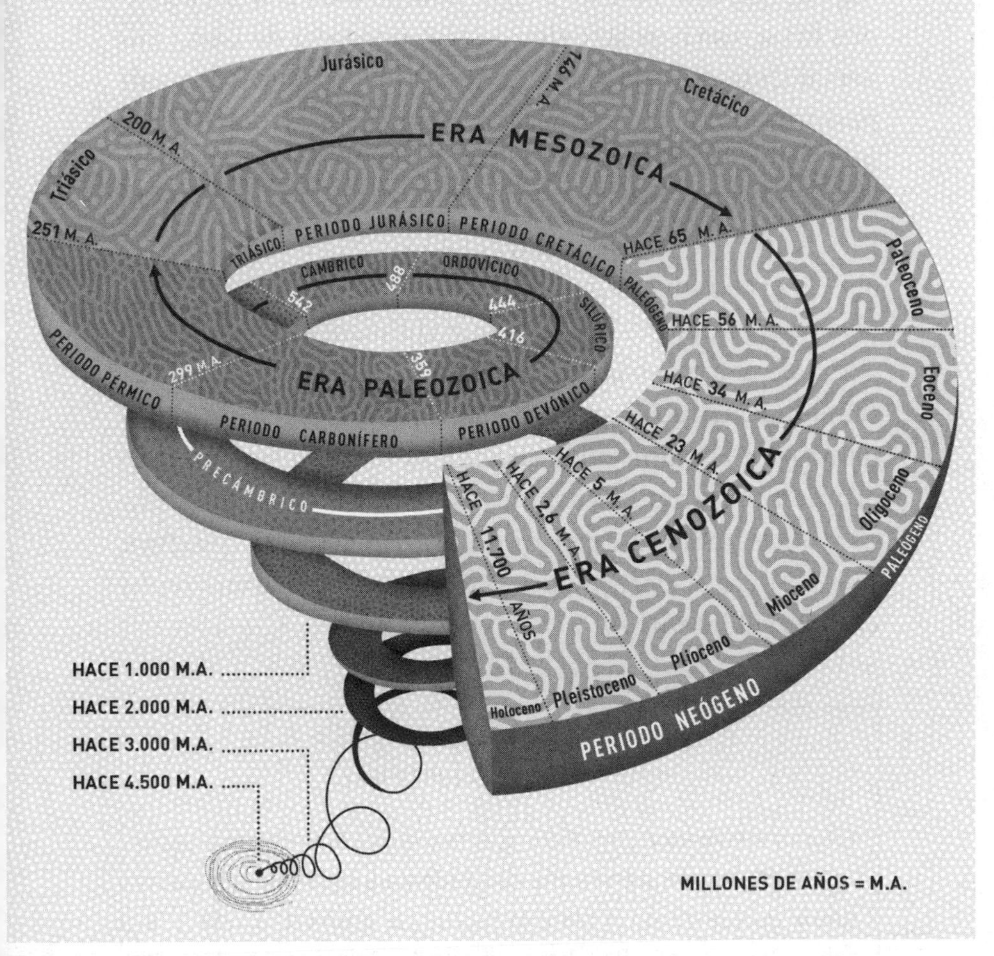

FIGURA 1. Tiempos geológicos

Cuando Darwin publicó *El origen de las especies* en 1859, la geología y la paleontología parecían oponerse a la teoría de la evolución por tres razones de peso: 1) Faltaban formas intermedias entre los diferentes tipos de organismos. 2) El registro fósil empezaba de manera súbita, con los principales grupos de animales ya formados, en un periodo geológico llamado Cámbrico. 3) La antigüedad de la Tierra se consideraba demasiado pequeña para permitir tanta evolución. Pero desde Darwin la ciencia ha removido los tres obstáculos. Para empezar, la vida en la Tierra se ha demostrado muy vieja (tiene más de 3.500 millones de años). Una detrás de otra, han ido apareciendo las formas intermedias: los *eslabones perdidos*. Además, la genética ha puesto de manifiesto que existen estrechas relaciones de parentesco entre todos los seres vivientes.

mano, sorprende lo relativamente rápido, a escala geológica, que apareció LUCA, el antepasado común de todos los seres vivos actuales. LUCA (iniciales de Last Universal Common Ancestor: antepasado común universal) pudo no ser el primer ser vivo, pero todos los seres vivos que conocemos, actuales o fósiles, descienden de él. Si hubo otras formas de vida, se extinguieron pronto o LUCA las hizo desaparecer.

Un gran número de paleobiólogos (incluyendo a Stephen Jay Gould)[16] piensan que quinientos millones de años (o menos) es un argumento a favor de que la vida tenía que aparecer, aunque aún no sepamos cómo se organizaron las moléculas orgánicas más simples en macromoléculas biológicas, y estas, a su vez, en una célula con un membrana exterior semipermeable (la abertura que permite el cierre) y un material genético autorreplicante en el interior.

CIVILIZACIONES EXTRATERRESTRES. ¿HAY ALGUIEN AHÍ FUERA?

El gran divulgador científico que fue el norteamericano Isaac Asimov[17] expresaba en forma de porcentaje el tiempo que pasó desde que se formó el planeta hasta que apareció la vida, y le salía el 8 por ciento. Para hacer el cálculo, Asimov estimaba que las condiciones para la vida se acabarán dentro de 7.500 millones de años, por lo que esos 1.000 millones de años (como mucho) que tardó la vida en aparecer solo representan un 8 por ciento del tiempo que va desde que se formó la Tierra hace 4.500 millones de años hasta el final de la vida cuando llegue, dentro de 7.500 millones de años (4.500 + 7.500 = 12.000).

Sin embargo, las estimaciones modernas de cuánto tiempo le queda a la vida en la Tierra antes de que el Sol explote no llegan tan lejos como las de Asimov, y oscilan entre 1.750 millones de años y 3.250 millones de años, así que lo podemos dejar en 3.000 millones de años para redondear. Aunque la Tierra se formó hace unos 4.500 millones de años, hasta hace 4.000 millones de años no reunía condiciones para la vida (demasiados volcanes en erupción y meteoritos impactando sobre la superficie y evaporando toda el agua de los océanos). Desde hace 4.000 millones de años hasta dentro de 3.000 millones de años se extiende un periodo de 7.000 millones de años disponibles para la vida en la Tierra. Si la vida surgió hace 3.500 millones de años (y seguramente lo hizo antes) eso representa el 7 por ciento del intervalo total del tiempo disponible. Es decir, muy poco en proporción; tuvo prisa, porque contaba con mucho más tiempo para nacer.

Si nuestro caso es *normal*, es decir, está más cerca del promedio de los planetas que de los valores extremos, sería esperable, según estas cuentas, que la vida existiera en muchos planetas similares al nuestro. Como curiosidad, daré las cifras que manejaba Asimov: el número de planetas que albergan vida en nuestra galaxia es de 600 millones, de los cuales 433 millones sustentan vida multicelular, en 416 millones hay abundancia y variedad de vida, y en 390 millones se habría desarrollado una civilización tecnológica. De esos 390 millones, en 130 millones la civilización sería más avanzada que la nuestra, por lo que debe de haber muchas inteligencias sobrehumanas por ahí.

¿Cómo se responde entonces a la paradoja de Fermi? ¿Dónde se han metido los E. T.? Por supuesto, es posible que toda civilización tecnológica se destruya a sí misma, bien por la guerra bien por un colapso económico debido al agotamiento de los recursos naturales, como Jared Diamond sostiene que ha ocurrido en múltiples casos de prósperas civilizaciones humanas que se hundieron. O quizás por ambas causas combinadas. Por ejemplo, durante los años de las guerras napoleónicas los ingleses esquilmaron muchos de sus bosques para construir barcos de guerra, como hicimos los españoles para mantener nuestra flota de ultramar (sorprendentemente, los bosques se están recuperando en Inglaterra y hay ahora más árboles que hace dos siglos, y lo mismo pasa en España).

Supongamos, dice Asimov, que una civilización tecnológica dura de media un millón de años. Entonces, el número de las que existen actualmente en la galaxia baja a solo 530.000. Puede parecer todavía un enorme número pero, si los planetas con civilización tecnológica se distribuyen homogéneamente en el espacio, habría una de estas civilizaciones cada 630 años luz. Una distancia muy grande, tal vez infranqueable.

El gran físico Stephen Hawking,[18] utilizando el mismo tipo de cálculos que Asimov, pensaba que hay vida simple en muchas otras partes de la galaxia. Aunque las probabilidades de que existan inteligencias extraterrestres son mucho más pequeñas (habida cuenta de lo que ha tardado la vida en la Tierra en producirla y de que la inteligencia, dice, no es el resultado inevitable de la evolución, sino tan solo una de sus posibilidades). De todos modos, Hawking confiaba en que haya algunas civilizaciones espaciales cerca y se preguntaba, como hacemos todos, por qué no sabemos nada de ellas a estas alturas. Hawking prefería pensar que hasta ahora hemos pasado desapercibidos. De cualquier modo, las distancias interestelares son inmensas, aunque el larguísimo viaje lo podrían hacer unas máquinas no tripuladas que se replicasen a sí mismas utilizando los recursos minerales de los planetas a los que fueran llegando y brincando de uno a otro. En lo que sí tenía esperanza Hawking era en detectar ondas de radio procedentes del espacio, pero advertía que deberíamos pensárnoslo dos veces antes de contestar. Nos podría pasar como a los indios americanos cuando llegaron los europeos. Es más prudente, aconsejaba, esperar a que estemos más preparados para recibir visitas.

¿El siguiente paso en la historia de la vida, tras la aparición de LUCA, fue ya el de la asociación de células para formar organismos multicelulares con tejidos, sistemas y órganos bien diferenciados que están formados por células especializadas como en las plantas, los hongos y los animales?

No, hay un paso intermedio, y quizás el más difícil de todos, la transición más importante de la historia de la vida, la que pudo haberse dado o no —y, entonces, todo habría sido diferente y nunca habría habido humanoides—. Este acontecimiento fue la aparición de las células complejas.

LUCA era un procariota, un organismo sin membrana nuclear que separase el núcleo (donde se encuentra el ADN) del citoplasma. En el citoplasma de LUCA tampoco había cloroplastos, orgánulos con clorofila que realizan la fotosíntesis, ni mitocondrias, los orgánulos donde se produce la energía de la célula, sus *baterías*. Este modelo de célula procariota (o procarionte) es el más abundante todavía en la biosfera, y a él pertenecen dos tipos (o reinos) de organismos: las bacterias y las arqueas. Estas últimas viven con mucha frecuencia en ambientes límite (en condiciones fisicoquímicas extremas).

Todos los demás organismos, formados por una sola célula (unicelulares) o por muchas (pluricelulares), son eucariotas (o eucariontes) y tienen un núcleo (con el ADN dentro) separado por una membrana y un citoplasma con orgánulos. En este conjunto se encuentran los eucariotas unicelulares (o protistas),[19] los hongos, las plantas y los animales.

La aparición de los eucariotas es bastante tardía, y se produjo hace unos 2.000 millones de años. Eso quiere decir que se necesitaron 1.500 millones de años (por lo menos) desde que surgió la vida para que apareciera el nuevo diseño celular que estaba llamado a cambiar para siempre la historia de la biosfera. Tanto tiempo de espera es demasiado, incluso para la larguísima paciencia de un paleontólogo. La contingencia, el azar (entendido como lo que podría no haber pasado), parece haber sido más importante en este momento de la historia de la vida que la necesidad (lo que tenía que pasar fatalmente).

Hay buenas razones para pensar, por lo tanto, que podría no haberse dado nunca ese paso. Si no se hubiera atravesado ese estrecho cuello de botella, la Tierra podría albergar mucha vida, pero toda ella unicelular y procariota.

Brian Cox, un físico de partículas inglés y divulgador científico de mucho éxito, piensa que la galaxia abunda en planetas con vida, pero ¡ay! se trata de vida bacteriana arqueana. En muy pocos casos, quizás solo en el nuestro, la vida habría pasado lo que podríamos llamar el *corte de Cox*. Así responde él a la pregunta de Fermi: «¿Dónde se han metido *ellos*?». ¿Es que estamos solos, después de todo? No estamos solos, pero nuestros compañeros galácticos son quizás solo bacterias.[20]

Cuando me pongo a pensar en estos temas, sobre todo si es de noche al aire libre, me viene siempre a la cabeza una tira de cómic con texto de James Miller y dibujos de The Oatmeal. Se ve un niño o niña que camina junto a su maestro bajo un cielo estrellado. El maestro lleva capa con capucha, y cayado, como corresponde. Encima de sus cabezas hay un cielo estrellado. El ambiente es mágico. El niño/a empieza el diálogo y el maestro contesta:

—Oráculo, ¿estamos solos en el universo?
—Sí.

—¿Entonces no hay otra vida ahí fuera?
—La hay. Ellos están solos también.

Pero ¿por qué se necesitó tanto tiempo para que la evolución produjera células complejas? ¿Por qué el proceso de cambio fue tan lento? ¿Por qué no hizo la selección natural su trabajo antes? ¿Tan difícil era producir una membrana nuclear y unos orgánulos citoplasmáticos?

La respuesta a la pregunta es sorprendente porque va en contra de la lógica darwiniana. La transformación no tuvo lugar poco a poco, muy lentamente, insensiblemente. No hubo un número casi infinito de formas de transición, de organismos intermedios entre el procariota y el eucariota. No se trató de que una línea de procariotas se fuera haciendo cada vez *más eucariota* hasta que lo fue del todo.

Al parecer, lo que sucedió fue que una arquea fagocitó (*se tragó*) una bacteria, pero no la digirió, así que esta última continuó viva en el interior de la arquea y se convirtió en su mitocondria, su central de producción de energía.

En todo caso, a las bacterias fagocitadas les fue bien, porque hay muchas mitocondrias en cada célula eucariota, y a la arquea también, porque disfrutaba del gran aporte de energía que le proporcionaban las mitocondrias. Y así nació la célula compleja. Este proceso se conoce como *endosimbiosis*,[21] y la prueba más clara de que ha ocurrido está en que las mitocondrias tienen su propio ADN, de tipo bacteriano, que está separado del ADN del núcleo, que se parece más al de las arqueas.

Las plantas y las algas tienen además cloroplastos, orgánulos con clorofila que realizan la fotosíntesis, y que proceden de fagocitar (sin digerir) una cianobacteria o bacteria con clorofila.

Podemos ya hacer un nuevo alto en nuestro camino, ahora que el azar (en la aparición de los eucariotas) y la necesidad (en el origen de la vida) parecen igualar sus éxitos en esta historia. Con la aparición de los animales, las plantas y los hongos la partida se jugará en otro tablero (el de los organismos pluricelulares) con nuevas reglas.

Trataremos del sexo, la muerte y unas partículas *inmortales* que se llaman genes; tan inmortales que nosotros los humanos tenemos muchos genes que son idénticos a los de cualquier otro animal, por muy alejado que esté de un mamífero, por lo que tienen que venir de un lejanísimo antepasado común que vivió hace una eternidad, más de 540 millones de años atrás. A pesar de haber transcurrido tanto tiempo desde que nos separamos, todavía podríamos intercambiarnos muchos genes con una mosca.

¿He dicho *tenemos* muchos genes idénticos? ¿Son ellos nuestros, o somos nosotros suyos? ¿No sería mejor decir *llevamos*, *transportamos*?

Muerte, inmortalidad, y sexo de por medio.

JORNADA IV

E PLURIBUS UNUM

En la que se manifiestan los animales en el registro fósil con una explosión de diversidad, una gran radiación adaptativa que produce todos los grandes tipos animales que conocemos hoy. Entre ellos estaba el de los vertebrados. ¿Podrían no haber aparecido o haberse extinguido pronto? ¿Qué habría sido entonces de nosotros*? Y también se trata aquí del sexo, un verdadero enigma biológico.*

¿Cuándo y cómo aparecieron los animales?

Los eucariotas son sin duda más complejos que los procariotas, porque los contienen, los llevan dentro en forma de mitocondrias y cloroplastos —según la teoría de la endosimbiosis que acabamos de ver—, pero los organismos formados por muchas células eucariotas son aún más complejos, puesto que se componen de ellas y, lo que es más importante, están organizados a base de células especializadas que forman tejidos, órganos y sistemas. El todo es más complejo que cada una de sus unidades,[1] por lo que hasta ahora no tenemos problema en establecer una escala de complejidad creciente con tres grados: procariotas, eucariotas y animales (o plantas y hongos).

Nos encontramos, pues, en el origen de los animales, con una de las grandes transiciones evolutivas, uno de los mayores acontecimientos de la historia de la vida, de esos que pudieron no haberse producido.

Entre la vida unicelular y los animales tal como son ahora, no hay nada. No hay, quiero decir, apenas registro fósil para saber cómo evolucionaron los organismos pluricelulares con tejidos diferenciados, incluidos los metazoos, los animales.

De pronto, las rocas empiezan a contener fósiles, eso es lo que vemos. Estamos hace 541 millones de años, en el Cámbrico, que abre una nueva etapa en la historia de la Tierra,[2] en la que las rocas sedimentarias están llenas de fósiles (Figura 1). Bulle el mar de criaturas que podemos reconocer en su gran mayoría. Casi todos (quizás todos) los grandes diseños animales, los diferentes planes corporales o formas de organización que hoy existen, están presentes ya en el Cámbrico. Incluidos los vertebrados, cuyos primeros fósiles se han encontrado en el yacimiento de Chengjiang, en China, y tienen 522 millones de años.

Porque, aunque nos parezca que la variedad de animales es infinita, resulta que todas las especies vivas y fósiles se pueden agrupar en un pequeño número de tipos biológicos mayores. Un pulpo, por ejemplo, es un molusco, igual que un mejillón o una ostra y que un caracol de mar o una babosa. Aunque superficialmente no se parecen en nada, si se mira con cuidado, se puede apreciar que todos los moluscos son estructuralmente iguales, están organizados de la misma manera. Las apariencias pueden engañar al principio, pero no cuando se va al fondo de las cosas. Lo mismo pasa con un cangrejo, un insecto, un ciempiés y una araña: estos cuatro animales son artrópodos.

Richard Owen, un paleontólogo inglés muy prestigioso que se oponía a Darwin ferozmente (su descomunal ego no podía soportar que Darwin lo apartara del centro del escenario) se dio cuenta de la existencia de estos *arquetipos*, de que el reino animal no era tan variado como podría parecer, de que en la creación solo se habían producido unos cuantos modelos animales. Owen elaboró con enorme rigor el arquetipo de los vertebrados, su mínimo común denominador, el modelo en el que todos ellos están basados y del que un tiburón, una merluza, una rana, un cocodrilo, un buitre, un canguro, un murciélago, un humano y un león solo son (por increíble que pueda parecer) variantes más o menos originales (ahora sabemos también que muchos de sus genes son iguales). Owen acuñó, por cierto, el término «dinosaurio».

Aunque después de la publicación de *El origen de las especies* Owen parecía aceptar la posibilidad de una evolución *dentro* de cada arquetipo para producir sus múltiples versiones, no admitía que se pudiera salir de un arquetipo para generar otro distinto. En eso tenía razón, porque ya está dicho que los animales actuales pertenecen en su casi totalidad a grupos que existían nada menos que en el Cámbrico, cuando se empieza a disponer de un buen registro fósil de los animales, con partes del organismo conservadas y no solo improntas de sus cuerpos en la arena, que son anteriores, como veremos pronto.

Pero es extraño que a Owen (que era creacionista) no le sorprendiera la escasa imaginación del Creador, aparentemente capaz solo de generar unos pocos arquetipos para repetirse mucho luego, como si se le hubiera agotado la inspiración. Lo mismo puede decirse de Linneo, el botánico sueco inventor de la sistemática utilizada por todos los biólogos, que basaba su método de clasificación precisamente en eso, en que las especies pueden agruparse por su semejanza estructural (Figura 2). ¿Cómo no se dieron cuenta ninguno de los dos de que esa similitud en la organización indicaba parentesco y, por lo tanto, una ascendencia común? La respuesta, bien conocida por los científicos y por los policías, es que solo se ve aquello que se busca.

En la sistemática biológica, después del reino animal (y a un nivel jerárquico inferior) vienen los filos (*phyla*), que son las grandes categorías de animales que existen, como los moluscos, los artrópodos, los anélidos, los equinodermos (erizos, holoturias y estrellas de mar) y otras muchas formas de invertebrados menos conocidas del gran público. Los vertebrados pertenecen al filo (*phylum*) de los cordados, siendo su grupo más importante, pero no el único (por eso los vertebrados solo formamos un subfilo). Por cierto, los equinodermos (y puede que esto le sorprenda) son el filo más cercano al nuestro, y juntos formamos un superfilo.[3]

Entre unos y otros filos (entre los *arquetipos* de Owen) no hay formas intermedias, ni vivas ni fósiles. Aunque sabemos que todos los animales proceden de un antepasado común, nos faltan los primeros momentos de la historia, cuando empezaron a separarse los linajes.

¿De dónde salieron los filos animales que aparecen en el Cámbrico? ¿De la nada? ¿Representan un problema para la teoría de la evolución?

Unos millones de años antes del comienzo del Cámbrico (es decir, entre hace 571 millones de años y hace

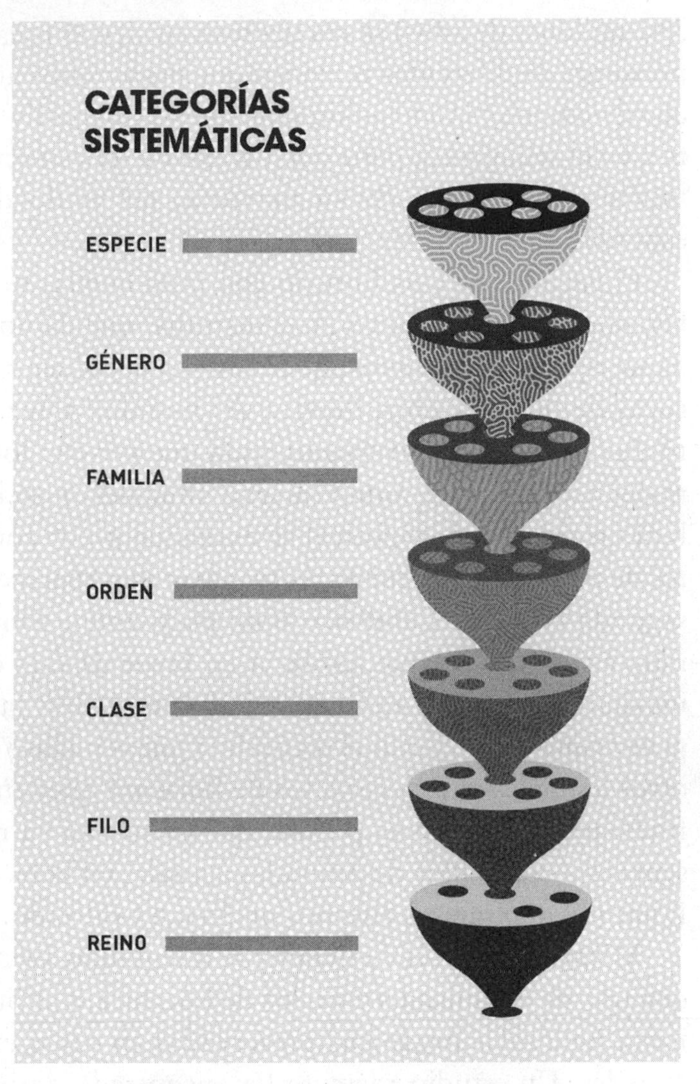

FIGURA 2. Categorías sistemáticas

El botánico sueco Linneo creó, en el siglo XVIII, un sistema jerárquico para clasificar a los seres vivos, que ha tenido tanto éxito que se sigue empleando en la actualidad. Consiste en una serie de categorías que se encajan unas dentro de otras. Las categorías sistemáticas que se muestran en este esquema pueden a su vez multiplicarse utilizando prefijos. Una familia, por ejemplo, puede dividirse en subfamilias. Y varias familias juntas forman una superfamilia.

541 millones de años) se encuentran en ciertas rocas impresiones de diferentes tamaños que organismos acuáticos de cuerpo blando —sin equivalencia actual— dejaron en el sedimento, pero que debían de ser estructuralmente muy simples en su mayoría, del estilo de las esponjas o las medusas.

El yacimiento más famoso con tales huellas es el de las montañas de Ediacara, en Australia, que da nombre a este tipo de organismos, que también se encuentran en rocas de otros muchos lugares del mundo.[4] Quizás los fósiles de Ediacara no tengan nada que ver con los animales actuales (o ni siquiera sean animales) y toda esa biota (conjunto de especies) se extinguiera por completo, de modo que los animales *tuvieron* que aparecer por segunda vez en el Cámbrico o un poco antes. Eso sería muy excitante, porque hablaría en favor de una cierta inevitabilidad en la aparición de los animales: falló el primer intento y triunfó el segundo. Quizás incluso hubo otros animales anteriores a los de Ediacara que también fracasaron.[5] Y hasta es posible que existieran ya representantes de los filos de animales actuales en la biota de Ediacara, aunque sus cuerpos no hayan fosilizado.

Mientras tanto, la ciencia sigue intentando averiguar qué tipo de organismos eran los de Ediacara, y se buscan hasta moléculas orgánicas preservadas en casos excepcionales. Un estudio reciente ha encontrado derivados del colesterol (colesteroides) en uno de estos fósiles (*Dickinsonia*, de hace 558 millones de años), y eso parece inclinar la balanza a favor de que estos extraños seres fueran animales, ya que los animales son los organismos que típicamente producen este lípido, que es necesario para la formación de sus membranas celulares.[6]

A Darwin le mortificaba mucho la explosión cámbrica, porque los animales parecían salir de la nada. Sigue siendo uno de los grandes problemas de la paleontología, pero nadie piensa que la explosión cámbrica represente un obstáculo para la teoría de la evolución. A falta de fósiles, la genética nos está descubriendo cómo son las relaciones evolutivas entre los filos animales, que sin duda comparten un antepasado común.

¿Podemos aplicar, de todos modos, el criterio del tiempo transcurrido entre una y otra de las grandes transiciones evolutivas para juzgar si el acontecimiento era inevitable o se debió al azar y podría no haberse producido nunca? ¿Cuál es la probabilidad —si se puede decir así— de que, en un planeta en el que han aparecido células complejas, estas evolucionen dando lugar a los animales, las plantas, los hongos o algún tipo de organismo pluricelular aquí desconocido?

Recapitulando, LUCA parece haber vivido entre hace 4.000 millones de años y 3.500 millones de años, y las primeras células complejas podrían haber aparecido hace unos 2.000 millones de años, lo que nos parece a algunos mucho tiempo transcurrido (al menos 1.500 millones de años) para decir que esa transición era inevitable. Sin embargo, esos 2.000 millones de años que van desde que el planeta empezó a reunir condiciones para la vida (hace 4.000 millones de años) hasta que *vinieron al mundo* las células complejas solo representan un 29 por ciento de todo el tiempo disponible para la vida en nuestro planeta (7.000 millones de años, aproximadamente).

En cualquier caso, podemos decir que un planeta tiene que tener mucha *paciencia* (es decir, mucha estabilidad y durante mucho tiempo) para que evolucionen las células complejas. Y si, además, creemos que el mecanismo de aparición no fue gradual, darwiniano, sino una *cena sin digestión*, se entienden las dudas de que haya muchos planetas con células complejas por ahí. Los casos de evolución gradual solo requieren tiempo, pero aquellos en los que tienen que darse determinadas circunstancias raras (accidentes históricos) necesitan además suerte.

No sabemos cuándo surgieron los animales, pero podemos suponer que tal cosa ocurrió más de 1.000 millones de años después de que aparecieran los eucariotas. Eso es bastante tiempo, y no se puede decir que, una vez que evolucionaron las células complejas, la aparición de los animales fuera inmediata. De nuevo el planeta tuvo que tener *mucha paciencia* para que aparecieran organismos del tipo de las esponjas y las medusas. Puede que haya unos pocos planetas por la galaxia con océanos poblados por esponjas, medusas, corales o algo parecido, pero desde luego eso no satisface nuestras aspiraciones de establecer contacto con ellos.

Traducido a porcentajes, la aparición de los primeros animales hace, pongamos, 600 millones de años representa casi el 49 por ciento del tiempo que va desde que se dieron las condiciones para la vida en el planeta hasta cuando se prevé la muerte de toda la biosfera. Ya es un porcentaje considerable: se ha necesitado prácticamente la mitad del tiempo disponible para que llegaran unos animales extremadamente simples al *teatro de la vida*, como suele decirse.

Para que evolucionaran animales más complejos que los de Ediacara,[7] quizás *solo* tuvieron que pasar unos 160 millones de años. El tiempo trascurrido entre etapas se va acortando, pero hicieron falta otros 540 millones de años para que se presentara el *Homo sapiens*. Había pasado mucho tiempo desde que se dieron en el planeta las condiciones para la existencia de la vida, pero todavía había margen, porque quedaba el 43 por ciento del tiempo disponible. No hemos aparecido los humanos al final de la historia de la vida, como se dice a menudo para señalar que somos la culminación del proceso, sino un poco pasada la mitad de la historia, en el centro del libro. Aún quedan muchas páginas, pero parece que el resto del libro lo vamos a escribir los seres humanos.

Pero hagamos un paréntesis. La vida es muy tenaz y muy activa. Ya hemos visto que mantiene el orden interior produciendo entropía negativa, es decir luchando contra la segunda ley de la termodinámica, y triunfando, casi milagrosamente, en un permanente equilibrio dinámico que requiere un continuo flujo de materia, de energía y de información (sin el cual muere). ¿No la estamos considerando, a la vida, demasiado pasiva en esta historia?

Efectivamente, la vida es un agente que ha modificado profundamente el planeta, incluyendo a su atmósfera. Como dice James Lovelock, desde un punto de vista estrictamente químico, la atmósfera de la Tierra es una anomalía.[8]

Durante mucho tiempo, ciertamente no hubo oxígeno en el aire. Eso duró hasta que hace más de 2.000 millones de años aparecieron unas bacterias, las cianobacterias, que tenían un tipo de fotosíntesis que producía oxígeno como subproducto. El oxígeno era tóxico para las bacterias y arqueas, que tuvieron que cambiar para sobrevivir (las que pudieron). Al principio de su aparición, el oxígeno reaccionaba con otros elementos químicos, oxidándolos, de manera que su concentración en la atmósfera era muy baja; no podía haber más gas porque era capturado inmediatamente.

Hasta que finalmente se formaron casi todos los óxidos minerales que se podían formar en la superficie de la Tierra, y así el oxígeno fue aumentando lentamente su presión en la atmósfera. Hace unos 600 millones de años ya había tanto oxígeno que los animales pudieron empezar a existir verdaderamente. Porque... ¿podría haber organismos multicelulares, en nuestro planeta o en cualquier otro, que no respirasen oxígeno y lo utilizasen para obtener la energía, las calorías, que necesitan?

Efectivamente, hay en este planeta nuestro seres que no dependen del oxígeno, pero son bacterias y arqueas. ¿Cabe imaginar un mamífero, es decir, un metazoo muy activo, con un metabolismo muy acelerado, que mantiene constante su temperatura corporal, en un planeta sin oxígeno en su atmósfera? Lo cierto es que no podemos. Pero ¿era necesario, era fatal, que aparecieran unas bacterias con una fotosíntesis *oxigénica* (generadora de oxígeno)? ¿Podemos imaginar un planeta sin oxígeno en el aire y sin metazoos?

Ciertamente podemos imaginar un planeta sin animales, entre otras cosas porque hacía falta algo más que dióxido de carbono en el aire y unas pocas bacterias con una fotosíntesis de un tipo especial para que la atmósfera del planeta se llenara de oxígeno. Para que proliferaran esas bacterias y también las algas del plancton, que producen enormes cantidades de oxígeno en los mares actuales, se necesitaban grandes cantidades de nutrientes en las aguas, y esos nutrientes vinieron, tal vez, del frío.[9]

Ha habido varias épocas heladas, grandes periodos glaciares, en la historia de la Tierra, algunos muy antiguos, anteriores a los animales. Esas glaciaciones fueron tan tremendas que convirtieron el planeta en una gigantesca bola de nieve —tal y como suele expresarse, porque desde el espacio sería visto como un cuerpo blanco orbitando alrededor del Sol, cuyo calor no habría sido capaz de derretir la costra de hielo de los mares y las tierras—. La banquisa (hielo flotante) habría cubierto todos los océanos y los mantos glaciares en los continentes habrían llegado hasta el ecuador.

Hubo dos de esas *bolas de nieve* en el periodo llamado Criogénico, entre hace 720 millones de años y hace 635 millones de años. Las glaciaciones habrían producido grandes erosiones en las tierras emergidas por la acción del hielo al *frotar* las rocas, de manera que, cuando la Tierra se desheló, todos esos minerales sueltos fertilizaron los océanos, como si fueran abono, y propiciaron la proliferación de las algas planctónicas marinas (que ya existían desde mucho antes, pero aún no eran *dominantes*).[10]

Se especula con que, al proliferar las algas, los flujos de materia y de energía en los ecosistemas se hicieron más complejos que cuando las bacterias dominaban las aguas, y eso permitió la aparición de los primeros animales —los que se registran en el periodo Ediacárico— y todo el desarrollo posterior de la vida animal en el Cámbrico.

La moraleja de toda esta historia de las *bolas de nieve*, sea o no cierto su papel determinante en el origen de los animales, es que no se puede entender la historia de la vida sin conocer la historia de la Tierra, porque la evolución no es algo que se haya producido al margen de todo lo demás. Antes, biología y geología formaban una sola ciencia, o mejor, varias, llamadas ciencias naturales. No estaría mal que volvieran, al menos en ocasiones, aquellos viejos tiempos. En todo caso, para un paleontólogo, me parece imprescindible tener esa *doble nacionalidad*.

Bien. Todos los animales actuales proceden de filos que ya existían en el Cámbrico, o en el Ordovícico (siguiente periodo geológico) como muy tarde (Figura 3). Pero ¿podrían haber existido otros filos que no han perdurado? Si queremos saber qué opciones tiene la vida (aquí o en otro planeta) sería importante conocer todos los filos que han existido, aunque ya no estén entre nosotros sus representantes. ¿Se puede ser animal de una manera completamente diferente de lo que conocemos en la Tierra ahora?

Importante cuestión, esta, de cuántos planes corporales, cuantos diseños biológicos diferentes son viables. Hay un yacimiento paleontológico que se ha hecho muy famoso entre el gran público gracias a un libro de 1989. Ya era conocido dentro de la profesión por su enorme importancia para el estudio de la evolución animal, pero el libro en cuestión lo catapultó a la fama. El yacimiento,

FIGURA 3. Los animales. Relaciones evolutivas

Existen muchos filos o tipos animales, pero la gran mayoría de las especies pertenecen a nueve filos: los siete que se muestran en el esquema y otros dos que no están aquí representados (y son: los platelmintos o gusanos planos, y los nematodos, también con forma de gusano). En el dibujo aparecen, de arriba abajo, los filos a los que pertenecen las esponjas (poríferos), las medusas (cnidarios o celenterados), los pulpos (moluscos), las lombrices (anélidos), los insectos (artrópodos), los erizos de mar (equinodermos) y los mamíferos (cordados). Como se puede ver, el filo más próximo al nuestro es el de los erizos (y las estrellas de mar). Todos los filos menos los de las esponjas y las medusas (con los corales) pertenecen al gran grupo de los animales bilaterales, los que tienen el cuerpo dividido en dos mitades iguales por un plano de simetría único. Los erizos y las estrellas de mar también fueron bilaterales en un principio. ▶

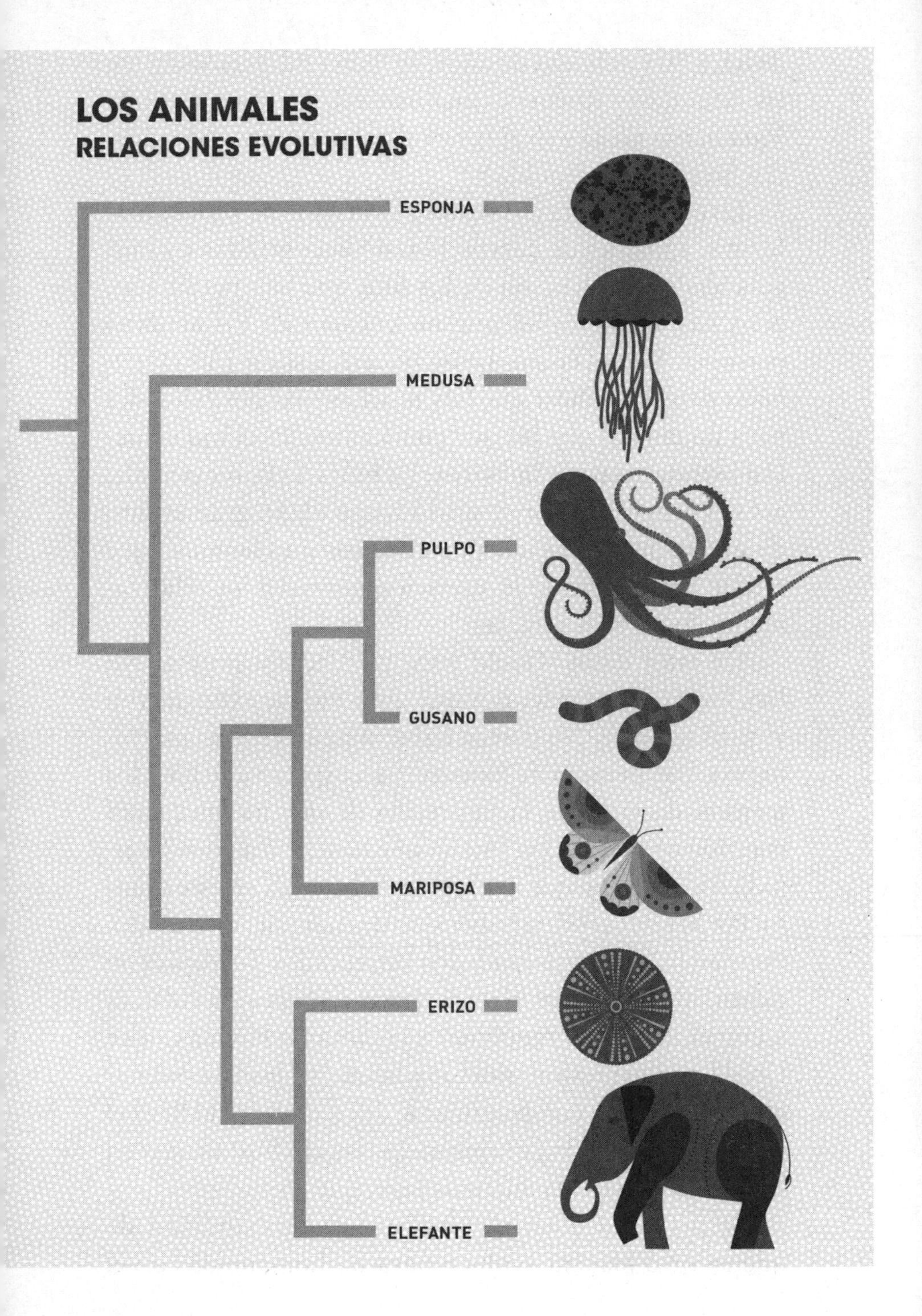
LOS ANIMALES
RELACIONES EVOLUTIVAS
ESPONJA
MEDUSA
PULPO
GUSANO
MARIPOSA
ERIZO
ELEFANTE

de hace 505 millones de años, se llama Burgess Shale (en las Montañas Rocosas canadienses). El libro se titula *Vida maravillosa* y su autor es el paleontólogo y divulgador Stephen Jay Gould.

Lo que se cuenta en ese libro es la enorme variedad de formas animales de cuerpo blando encontradas en Burgess Shale. Muchas son de los filos que han perdurado, pero hay otros fósiles que no encajan en los actuales patrones. Fósiles como *Anomalocaris* y sobre todo *Opabinia* parecen indicar que hay muchas más posibilidades para un animal que las que conocemos. Es como si fueran extraterrestres cámbricos. La biota de Burgess Shale, así se cuenta la historia, sufrió luego algún gran evento de extinción producido por cambios ambientales, que redujo drásticamente la variación animal a los relativamente pocos filos actuales.

De estos datos, Gould hace una lectura propia. No hay forma de entender por qué unos filos se extinguieron y otros no, dice. No parece haber ningún criterio morfológico que permita reconocer (retrospectivamente) los mejores diseños. Da la impresión de que fue una mera cuestión de suerte. Una lotería que benefició a unos y perjudicó a otros, sin que intervenga la biología en este asunto. Por lo tanto, podría haber sido de cualquier otro modo. Podrían haberse extinguido los vertebrados y entonces no existiríamos nosotros *ni nada parecido*. Si la vida volviera a comenzar, «si se rebobinara la cinta de la vida», dice Gould con expresión afortunada que se hizo popular,[11] el resultado sería completamente diferente. Gould lleva el protagonismo de la contingencia (las circunstancias) en la historia de la vida aún más lejos que Simpson.[12]

Se podría deducir de esto que la probabilidad de que en otro planeta evolucionara un humanoide con el que comunicarnos es mínima, porque las posibilidades de evolución son casi infinitas. No hay cauces ni limitaciones que condicionen la evolución. Todos los caminos son posibles, en todas las direcciones.

Pero tal vez Gould se equivoque. Para empezar, no está ahora tan claro que los fósiles *raros* (*extraterrestres*) de Burgess Shale no pertenezcan (muchos de ellos) a los filos que conocemos. Quizás no haya habido en el origen de los animales tantas posibilidades evolutivas. En segundo lugar, tampoco es tan evidente que el diezmado de los filos —si es que se produjo— fuera una lotería y no una competición en buena lid con vencedores y vencidos. ¿Cómo saberlo? Y por último, si la vida volviera a comenzar desde LUCA, o desde Burgess Shale, con toda seguridad no existiríamos *nosotros*. ¿Pero podría existir *algo parecido*? ¿Un humanoide?

Hay autores muy respetados que opinan que hay motivos para pensar que, fueran cuales fueran los filos que hubieran sobrevivido a la extinción de las faunas de Burgess Shale, *algo parecido a nosotros* habría evolucionado. ¿De veras? Esta cuestión es, verdaderamente, la cuestión central del libro, y tenemos que andar todavía mucho camino evolutivo para tener una cierta perspectiva, pero de momento vuelve a haber esperanza para los humanoides extraterrestres. Y emoción, espero.

Empecemos a preguntarnos por los vertebrados, que ya llegaremos a los mamíferos, a los primates y a los humanoides. ¿Qué sabemos de los primeros vertebrados? (Figura 4).

Los fósiles más antiguos se encuentran en el Cámbrico chino y carecen de mandíbulas, pero no de boca, claro. Las mandíbulas aparecieron más tarde y constituyeron una revolución en el mundo del diseño biológico. No es fácil que surja una mandíbula, así como así, y el origen de esta estructura está en la modificación de un arco branquial, una estructura de soporte de branquias, ni más ni menos (hablamos de las mandíbulas, en plural, porque del mismo arco branquial proceden los huesos que soportan los dientes superiores e inferiores).

Este es un magnífico ejemplo de cómo la evolución se produce por modificación de estructuras preexistentes, que a veces cambian de función completamente, como es el caso de este arco branquial que se convirtió en mandíbulas. La selección natural solo puede operar sobre las variaciones de lo que ya existe, no trabaja sobre planos, como los ingenieros. Además de las mandíbulas, los vertebrados desarrollaron pares de aletas, que les daban movilidad en el agua, de forma que podían convertirse en eficaces depredadores.

Los vertebrados con mandíbulas aparecieron en el Silúrico, y en el Devónico estaban ampliamente diversificados y eran muy numerosos y variados. Los vertebrados sin mandíbulas[13] se volvieron raros después de este periodo, pero aún quedan algunos; las lampreas, por ejemplo, que en algunas partes se comen, son vertebrados sin mandíbulas que no se han extinguido.

Esto nos lleva a hablar de un concepto muy popular, el de fósil viviente.

Cuando un nuevo diseño biológico aparece, el modelo anterior, aquel del que procede la novedad, ¿se convierte en una suerte de anacronismo? ¿Son las lampreas fósiles vivientes? ¿Lo son las esponjas y las bacterias? ¿Está la Tierra poblada de fósiles vivientes?

Esta es una pregunta que hay que abordar urgente-

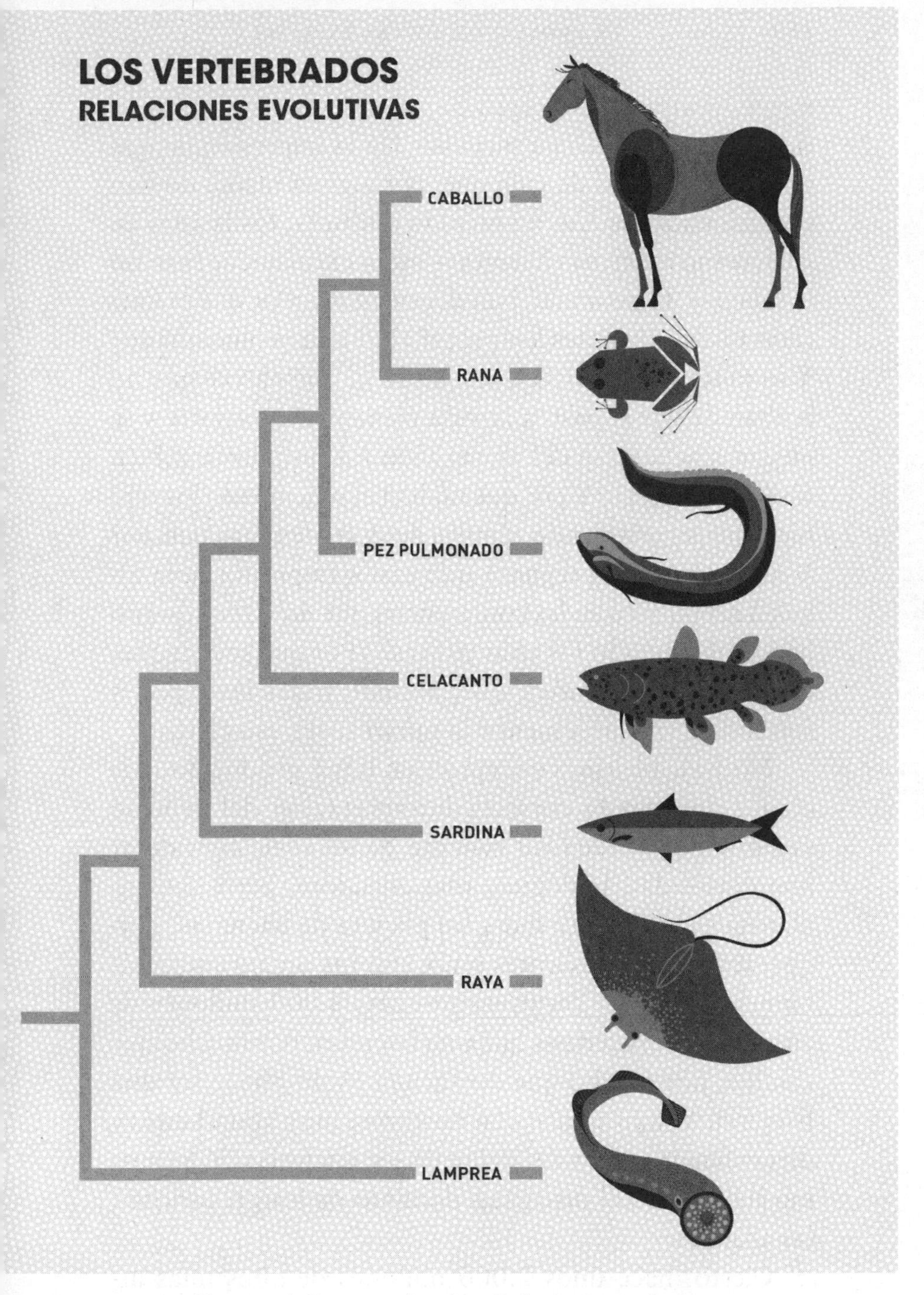

FIGURA 4. Los vertebrados. Relaciones evolutivas

En este árbol de relaciones evolutivas puede verse por qué ya no existen los *peces* como categoría sistemática en zoología (a efectos formales, se entiende, porque se siguen usando en el lenguaje normal). La razón es que los *peces* no forman un grupo natural, es decir, un grupo de especies que comparten un antepasado común. En efecto, la tradicional clase *Pisces* dejaba fuera a los vertebrados terrestres, como el caballo y la rana.

mente, porque el concepto de «fósil viviente» está muy extendido y se utiliza a menudo. Da la impresión de que se trata de formas de vida que, por alguna razón, no han evolucionado, se han mantenido estáticas, fosilizadas en vida, como muertos vivientes —están extinguidas pero no lo saben—. O peor aún, han *degenerado*. ¿Por qué razón? ¿Son fósiles vivientes los peces? ¿No han evolucionado? Y lo mismo les pasaría a los anfibios, que parece que no acaban de dar el paso a la vida plenamente terrestre y se niegan a separarse del agua. ¿Son los anfibios también fósiles vivientes? ¿Y por qué no han evolucionado los reptiles, que siguen siendo reptiles después de tanto tiempo? Y ahora viene la pregunta que casi siempre formula alguien del público en las conferencias que doy: ¿por qué no han evolucionado los chimpancés? ¿Por qué se han quedado en simios? Parece que, al final, todas las especies son fósiles vivientes menos la nuestra. ¿Es eso cierto?

No hay, pienso, concepto que haya producido más confusión para la correcta interpretación del proceso evolutivo que el de fósil viviente. Se los suele considerar una curiosidad biológica, una anécdota, pero nuestro planeta es hoy, sobre todo, un planeta de bacterias, porque, sean fósiles vivientes o no, son los organismos más numerosos. Y lo llevan siendo casi 4.000 millones de años. Lo que sucede es que una bacteria, por mucho que cambie, por mucho que evolucione, solo puede ser una bacteria. Y aquí siguen con nosotros, muy abundantes y diversificadas, pero sin dejar de ser bacterias. Y lo mismo sucede con el otro gran dominio de los procariotas, las arqueas.

Cierto, hace unos 2.000 millones de años unas arqueas *se comieron* y no digirieron unas bacterias y así, por endosimbiosis, aparecieron las células complejas, los eucariotas, que fueron una enorme novedad en la historia de la vida después de 2.000 millones de años en que solo hubo seres vivos del tipo procariota. De pronto, ya había eucariotas, y más adelante hubo organismos multicelulares que se alimentaban de otros seres vivos o de materia orgánica en suspensión en el agua —son los primeros metazoos, los animales, otra revolución en la historia de la vida—. Pero sigue habiendo, aún hoy, muchos tipos de eucariotas unicelulares, que sin duda también han evolucionado desde que aparecieron las primeras células complejas (con su núcleo, sus mitocondrias y, en los organismos fotosintéticos, sus cloroplastos).

Lo mismo sucede con los vertebrados sin mandíbulas. Las lampreas actuales se parecen muy poco a los vertebrados sin mandíbulas del Ordovícico,[14] del Silúrico y del Devónico. Las lampreas se alimentan de los peces, a los que se adhieren fijándose a ellos con la boca; son parásitos. Otros vertebrados vivientes sin mandíbula (llamados mixines) son necrófagos, y se alimentan de peces muertos. Esa no era la comida de los primeros vertebrados, que se alimentaban filtrando el agua a través de las branquias para retener el microplancton y la materia orgánica en suspensión. Así que las branquias tenían un doble uso: respiración y nutrición. De filtradores a parásitos y carroñeros hay un gran cambio morfológico, ecológico y de todo tipo, una gran evolución, pero desde el punto de vista estructural, de organización, son iguales.

Obviamente las lampreas no son nuestros antepasados, pero sí tenemos antepasados sin mandíbulas con total certeza (los primeros vertebrados).

Por supuesto, algún vertebrado sin mandíbulas, nuestro antepasado directo, evolucionó en una dirección completamente diferente, un arco branquial se dobló y se incorporó a la boca y así aparecieron los vertebrados con mandíbulas y con aletas pareadas, que de filtradores pasaron a ser depredadores. Esa fue una gran revolución biológica, que dio lugar a una radiación adaptativa, como se dice en paleontología, una explosión de formas, un *big bang* del que nosotros somos una de las consecuencias (como los demás grupos de vertebrados con mandíbulas). Mientras tanto, los vertebrados sin mandíbulas siguieron evolucionando, aunque sin salirse de su plan corporal básico. En los primeros momentos, tener mandíbulas era lo excepcional y filtrar el agua lo común. Pero el experimento tuvo éxito y se produjo la radiación adaptativa de los vertebrados con mandíbulas. Afortunadamente para nosotros.

¿Puede por lo menos decirse que los vertebrados sin mandíbulas representan un tipo de vertebrados inferior al de los vertebrados con mandíbulas?

En la zoología clásica se hablaba de grados evolutivos o grados estructurales, de manera que los vertebrados sin mandíbulas (los fósiles y los vivientes) estarían en un grado evolutivo inferior al de los vertebrados con mandíbulas. Hoy en día se prefiere no hablar de grados evolutivos por un par de motivos.

Uno de ellos es que en el pasado se ordenaban los grados evolutivos en una escala de progreso, de manera que cada grado nuevo que aparecía en la evolución era un peldaño que se ascendía hacia la perfección.[15] Por supuesto, los humanos constituiríamos el grado supremo. Ahora bien, si en vez de grado evolutivo inferior y grado evolutivo superior hablamos de grado evolutivo anterior y grado evolutivo posterior esquivaremos de momento el conflicto (en lugar de decir «todo tiempo pasado fue peor», decimos «todo tiempo pasado fue...

anterior»). En ese sentido sí podemos afirmar que los vertebrados sin mandíbulas son el grado evolutivo previo (en orden estrictamente temporal) al de los vertebrados con mandíbulas, aunque las lampreas y nosotros los humanos seamos contemporáneos.

El otro problema asociado con el concepto de grado evolutivo queda para el próximo capítulo.

Me imagino que muchos lectores estarán pensando que a qué vienen estos escrúpulos, que es evidente que una lamprea es inferior en todo a un ser humano, que su grado de organización es más bajo, que su complejidad es infinitamente menor. Pero veremos más adelante que no es tan sencillo ponerse de acuerdo acerca de cuáles son los criterios objetivos para medir la superioridad biológica de una especie respecto de otra. Los humanos somos muy inteligentes, sí, pero ¿no es prodigioso que un ave pueda orientarse durante sus migraciones por el campo magnético de la Tierra y que los murciélagos puedan volar a oscuras sin chocarse unos con otros? No, es mejor no entrar en ese terreno minado por ahora, aunque no lo esquivaremos en su momento, desde luego.

Una metáfora que me gusta, porque va en contra de la idea de que hay una jerarquía biológica, con especies aristocráticas y especies plebeyas, es la del filósofo de la biología Peter Godfrey-Smith.[16] Imagínese que usted está, como especie, sentado en el extremo de la rama de un árbol, arriba del todo. No se encuentra en lo más alto del árbol porque pertenezca a una especie superior, sino solo porque está vivo. A su misma altura, en la copa, están las demás especies animales de la biosfera actual. Si mira hacia abajo verá el punto en el que su rama se separa de la rama más cercana, la del chimpancé, su vecino. Esa horquilla corresponde a unos siete millones de años en tiempo geológico. Puede seguir mirando cada vez más abajo e irá viendo cómo se van separando las ramas que llevan a los diferentes animales que usted contempla a su mismo nivel en la copa, unos más lejos que otros. Las ramas, por cierto, representan las especies fósiles.

Muy abajo verá que hay una gran división del árbol en dos enormes ramas, gruesas como troncos, una especie de bifurcación basal que parte a la mayoría de los tipos animales en dos mitades. Por un lado están los vertebrados y los erizos y estrellas de mar (los equinodermos) y, por el otro lado, los insectos, cangrejos, arañas, escorpiones y otros *bichos articulados* (artrópodos), además de los caracoles, almejas y pulpos (moluscos), las lombrices de tierra (anélidos) y otros invertebrados. Esa división debe de ser muy antigua, pensará, por lo cerca de la base del árbol que está, y tiene razón.

Todos los animales que he mencionado (vertebrados, equinodermos, artrópodos, moluscos, anélidos y otros menos conocidos que no he citado, como por ejemplo los braquiópodos) tienen en común la simetría bilateral —es decir, que el cuerpo está dividido en dos mitades que son simétricas, como si cada una de ellas se mirase al espejo para ver a la otra—. Bueno, los erizos de mar y las estrellas de mar no tienen esa simetría bilateral, sino que son pentarradiados, así que se pueden dividir en dos mitades simétricas por cinco planos diferentes. Ahora bien, las larvas de los equinodermos, que son mucho más móviles que los adultos y forman parte del plancton (así es como se dispersan por el mar), tienen simetría bilateral, por lo que se piensa que los equinodermos actuales descienden de un animal con simetría bilateral.

A Godfrey-Smith le interesa explicar así la clasificación de los animales porque a él le preocupa la evolución de la mente y de la consciencia, y los animales con mayores capacidades cognitivas son los mamíferos y las aves (dos líneas separadas entre sí por 320 millones de años de evolución independiente), por un lado; y los pulpos (separados de aves y mamíferos desde hace por lo menos 520 millones de años), por el otro. Entre los insectos, los hay con comportamientos sociales muy elaborados (como las abejas, las hormigas y las termitas), pero su inteligencia es de un tipo muy diferente. Aquí es el grupo, más que el individuo, el que importa. De todo ello, de las inteligencias, hablaremos mucho en este libro, puede estar seguro. Descender del árbol de Godfrey-Smith es ir a la búsqueda de los antepasados comunes, de las horquillas donde se separan las ramas y se abre la frondosa copa.

Richard Dawkins, en su libro *El cuento del antepasado. Un viaje a los albores de la evolución* (2004), narra la historia de la vida desde el presente hacia el pasado siguiendo la confluencia hacia atrás de los diferentes linajes evolutivos, como si fueran peregrinos que se van encontrando por el camino que les lleva hacia el inicio de la vida, el antepasado universal. Y el resultado es interesante, porque de esa manera Dawkins evita contar la historia humana desde el principio de la vida, una narrativa que tanta impresión produce de que la evolución sigue una sola dirección (o, al menos, que hay una dirección preferente, la que lleva hasta nosotros).

En este libro ascendemos por el árbol de la vida, no descendemos hacia el tronco común, pero no perderemos de vista a las otras ramas.

Antes de seguir con la evolución de los vertebrados, abordemos una cuestión que quedó apuntada al final de la jornada anterior y que ya no podemos postergar ni un minuto más. ¿Cómo se reproducen los organismos pluricelulares, entre ellos los animales? Una célula que vive libre puede dividirse, y así de una se pasa a dos células sin que muera nadie, pero un ser que está formado de muchas células no se divide. ¿Qué hará entonces para multiplicarse? ¿Y por qué tiene que morirse?

Como Darwin no conocía el modo en que funciona la herencia biológica, no podía responder adecuadamente a estas preguntas.[17] Quien se acercó en el siglo XIX mucho a la verdad fue un biólogo alemán llamado August Weismann, al diferenciar dos clases de células en el cuerpo de un animal. Por un lado, están las células del cuerpo (las del soma), que forman los tejidos y órganos, y que no participan en absoluto en la reproducción. Por lo tanto, nada de lo que le pase al cuerpo durante la vida tiene reflejo en las características de los hijos (en contra de lo que pensaba Lamarck). Las células somáticas mueren con el individuo y forman el cadáver, ¡ay!, porque desde que existen los organismos multicelulares hay cadáveres. La vida del cuerpo es, por lo tanto, limitada, como todos sabemos,[18] porque el cuerpo es caduco.

Aparte de las células somáticas, hay otras células, diferentes, que forman la línea germinal, la que produce las células sexuales, los gametos. Esas células transmiten los caracteres hereditarios del individuo, que, de ese modo, son inmortales (los caracteres hereditarios, no el individuo). En resumen, lo que queda de cada uno de nosotros es la información que pasamos a nuestros hijos, el mensaje genético que les enviamos y que ellos reciben.

El cuerpo es desechable, la información genética es potencialmente eterna. De esta idea de Weismann —en principio, solo una contribución más al progreso de la biología— vienen muchos planteamientos modernos sobre la evolución en general, incluyendo la evolución humana.

Las leyes de Mendel fueron redescubiertas en 1900, y a partir de aquí ya podemos ponerle nombre a esas entidades que se transmiten (mejor sería decir que se copian) de padres a hijos. Primero se llamaron factores, y luego, desde 1909, genes. Son, pues, los genes los que son inmortales, o mejor, la información de la que son portadores, porque la molécula de la que están hechos los genes (el ADN) muere con el individuo.

Pero si de lo que se trata en el juego de la evolución es de trasmitir el mayor número de genes a la siguiente generación (de hacer la máxima contribución posible al acervo génico o *pool* de la población, en dura competencia con los demás), ¿qué explicación tiene la reproducción sexual? Si suponemos que la reproducción sexual surgió a partir de la asexual, ¿qué gana un individuo compartiendo con otro la información genética que va a heredar su hijo? ¿Por qué no existe solo la reproducción asexual? ¿Por qué no se copia, se clona, el individuo a sí mismo? ¿Para qué necesitan las hembras al macho? Hay en la actualidad numerosas especies de insectos y de lagartos que son partenogenéticas —sin contribución genética del macho en la descendencia—, ¿por qué no lo son todas?

Antes de intentar contestar a la difícil pregunta de por qué existe el sexo (o mejor, cómo es que ha aparecido en la evolución y ha tenido tanto éxito) le voy a contar la historia[19] del pulgón de los rosales (*Macrosiphum rosae*), al que seguramente conocen porque lo han visto y combatido si tienen un huerto.

En el otoño la *madre pulgón* deposita unos huevos de cáscara resistente que logran sobrevivir al invierno. Nacen en primavera nuevos pulgones, que son hembras en su totalidad. Estas se reproducen partenogenéticamente, es decir, sin que el macho fecunde los huevos, a un gran ritmo. Además, las hembras *paren* directamente pulgones completamente desarrollados, es decir, que los pulgones en esta fase, además de partenogenéticos, son vivíparos como los mamíferos (y no son los únicos insectos vivíparos, hay otros que también lo son). Así se suceden, a gran velocidad, muchas generaciones de hembras partenogenéticas, y por eso los pulgones pueden convertirse en una plaga que arruine la rosaleda. Pero cuando llega el otoño aparecen por fin pulgones macho que copulan con las hembras, y estas producen los huevos de cáscara dura preparados para superar el invierno. Volveremos a hablar de los pulgones, pero ¿por qué —nos preguntamos ahora— no continúan reproduciéndose los pulgones partenogenéticamente? ¿Qué necesidad tienen de la reproducción sexual del otoño con lo bien que les ha ido desde la primavera (demasiado bien para los jardineros)?

El caso es que no sabemos siquiera en qué momento apareció el sexo y cómo ocurrió. Los organismos eucariotas se reproducen, por lo general, sexualmente, pero las bacterias lo hacen asexualmente, por división, y cada una de las dos células resultantes es portadora exactamente de la misma información genética —aunque en ocasiones las bacterias pueden intercambiar genes, eso no altera sustancialmente lo dicho.

En la reproducción sexual, cada progenitor (masculino y femenino) aporta la mitad de los cromosomas (y de los genes) al hijo o hija.[20] En consecuencia, los animales —en la mayoría de los casos— tienen los genes duplicados, con una dotación paterna y otra materna[21] (Figura 5).

Por supuesto, la reproducción sexual tendría lógica si al colaborar el padre y la madre en la crianza de los hijos comunes el número de supervivientes fuera al menos el doble de los que saldrían adelante ocupándose solo la madre. De este modo cada progenitor transmitiría, por lo menos, tantos genes como en la reproducción asexual. Pero el caso es que en las especies animales acuáticas con fecundación externa normalmente ninguno de los padres se ocupa de los óvulos fecundados. Y en muchas especies terrestres únicamente la hembra se ocupa de las crías. En estos supuestos le interesaría más ser partenogenética, porque así solo se transmitirían sus genes, no los del padre, es decir, la hembra transmitiría el doble de genes que en la reproducción sexual. De acuerdo con esta lógica, los machos pueden ser considerados en muchos casos parásitos genéticos de las hembras.[22]

La explicación de George C. Williams de cómo surgió el sexo es que tener dos copias de cada gen pudo serle útil a una bacteria antigua para reparar daños en el ADN cuando estos se producen. ¿Cómo saber cuál era la secuencia de letras (bases AGCT) que había antes del daño? La respuesta es que si hay dos juegos de cromosomas la maquinaria molecular que repara el material genético (como un corrector de texto) tiene a su disposición una copia para comparar procedente de otra línea genética.

Veamos otro argumento que se repite mucho. La reproducción sexual (o biparental) aumenta sin duda la variedad de los individuos en las poblaciones. No hay dos individuos iguales (salvo los gemelos univitelinos). De otro modo, una población se compondría de una serie de clones[23] que no intercambian genes entre sí. En realidad no se podría hablar de poblaciones, entendidas en el senti-

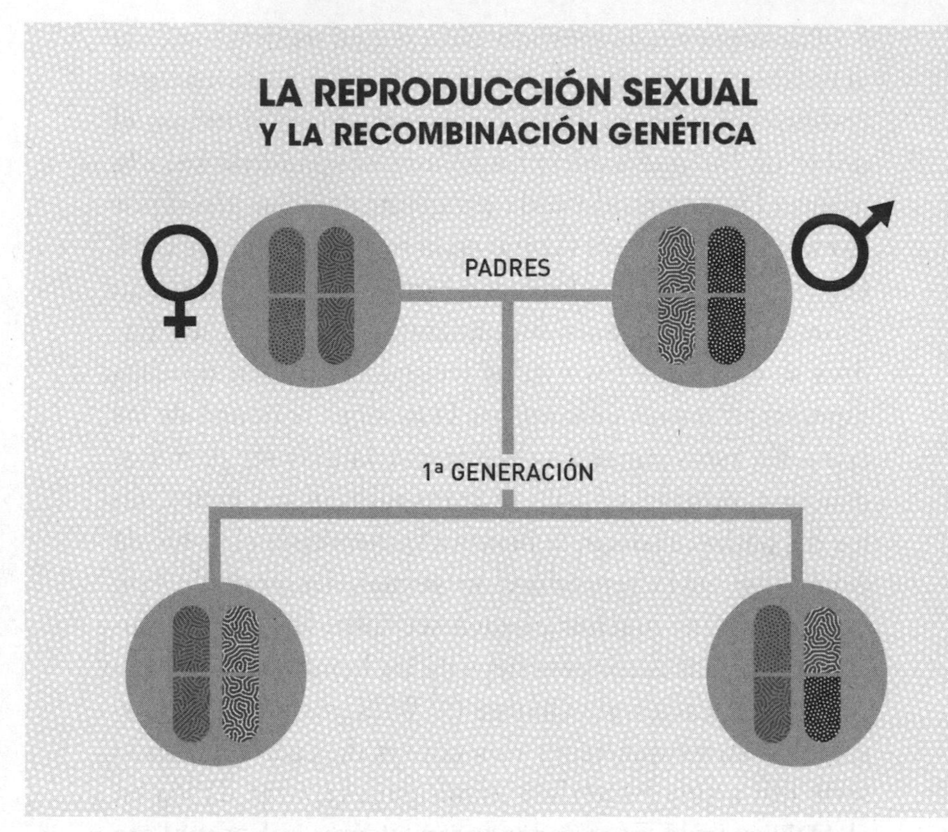

FIGURA 5. La reproducción sexual y la recombinación genética

La reproducción sexual hace que el padre y la madre contribuyan por igual a la dotación genética de los hijos. Además, en la producción de los espermatozoides y los óvulos los cromosomas pueden intercambiar genes entre sí, formándose nuevas combinaciones. Este fenómeno se llama recombinación genética y se produce durante la meiosis. Ambos conceptos —contribuciones iguales de los dos padres y recombinación genética— se muestran en el esquema. El hijo de la izquierda ha recibido un cromosoma del padre y otro de la madre. También el hijo de la derecha ha recibido un cromosoma de cada progenitor, pero en este caso los cromosomas han experimentado antes (al formarse el espermatozoide y el óvulo) recombinación genética. Estoy seguro de que si se fija bien en el dibujo entenderá estos conceptos. Y es divertido el juego.

do genético del término, es decir, como un conjunto de individuos que se reproducen entre ellos, sino de clones.

Puestos a buscar una ventaja a la reproducción sexual, la diversidad genética de la especie (al combinarse los genes de los individuos) puede ser útil para afrontar cambios inesperados en el ambiente, cuando llegan, o resistir la acción de parásitos y patógenos: siempre habrá individuos que sobrevivan entre tanta variedad de combinaciones de genes como hay en las poblaciones.

En cualquier caso, es un hecho tozudo que la reproducción asexual en los animales y plantas no tiene mucho éxito, porque aparece con cierta frecuencia pero luego no dura lo suficiente como para producir una radiación de formas, una explosión de líneas evolutivas, que es la gran expresión del éxito biológico. No queda ninguna de las estirpes con reproducción asexual que a partir de antepasados normales surgieron en el largo pasado de los eucariotas, y las que hay ahora no se han diversificado, no han tenido por lo tanto apenas éxito evolutivo y son recientes.

Y esa puede ser la clave para entender el sexo. No se trata de que la reproducción sexual aparezca como una ventaja *para* favorecer el futuro evolutivo del linaje (es decir, con la vista puesta en el porvenir), sino que *a posteriori* resulta que los linajes con reproducción asexual tienen menos éxito que los normales (quizás porque tienen menos diversidad genética y menos resistencia a los cambios ambientales y a los patógenos y parásitos) y por eso duran poco. En todo caso, en las especies pluricelulares hay un *sesgo filogenético* (es decir, en la evolución) a favor de las que tienen reproducción sexual.

Todo esto nos lleva a plantearnos, con relación al sexo, las preguntas de siempre: ¿Era inevitable que apareciera el sexo en los animales? ¿Podría haber animales sin reproducción sexual? ¿Tal vez los extraterrestres que nos visiten serán asexuados? ¿O tendrán quizás tres sexos?

Me atrevo a decir que los hipotéticos visitantes extraterrestres serían seres con reproducción sexual, al menos si su sistema de la herencia biológica es del mismo tipo que el nuestro, porque, siendo la reproducción sexual la que produce mayor número de combinaciones genéticas en el seno de las especies, las líneas evolutivas con reproducción sexual habrán tenido a la larga más éxito que las que tienen reproducción asexual y serán las predominantes, tal como ha ocurrido en la Tierra. No esperaría una invasión de hembras partenogenéticas venidas del espacio, y me pregunto si hay alguna novela de ciencia ficción en la que aparezcan. En cambio, no hay nada que se oponga en teoría a que haya más de dos sexos, salvo la dificultad añadida de encontrar no uno, sino dos compañeros sexuales. Solo sabemos seguro que, desde que existen los organismos pluricelulares, hay reproducción sexual en la Tierra. Y cadáveres, algunos de los cuales se han conservado como fósiles que nos permiten conocer el curso de la evolución. Es hora de que volvamos a ella.

JORNADA V

TIERRA FIRME

En la que se produce uno de los grandes acontecimientos de la historia de la vida, ni más ni menos que la ocupación de los continentes por numerosos grupos biológicos, entre los que se encuentran los vertebrados. La jornada termina con la extinción en masa de los dinosaurios y otros grandes reptiles. *Entre medias sucedieron muchas cosas que nos darán que pensar.*

¿Cuándo salieron del agua los *peces* (algunos de ellos, no todos, claro) y desarrollaron patas?

El Devónico ha merecido el nombre de Edad de los peces, pero no solo había vida en las aguas. También los continentes se llenan de plantas y de animales en este periodo, y entre ellos se encuentran los tetrápodos —los vertebrados que no nadan, sino que caminan sobre sus cuatro extremidades luchando contra la gravedad—. El peso del cuerpo aplasta el vientre contra el suelo, la vida no es fácil para los animales de *fondo de aire*, sobre todo si vienen del agua, si sus antepasados eran *peces*.

Pero he escrito el término *peces* así, en cursiva, como si fuera un término poco recomendable en un libro científico, y eso le habrá extrañado, sin duda. Se merece una explicación. Es esta:

La sistemática biológica moderna aspira a que sus clasificaciones reflejen las relaciones evolutivas entre las especies, es decir, que las agrupen por niveles de parentesco (o ascendencia común) y no simplemente por el parecido superficial, que es muy subjetivo (en ciencia siempre hay que sospechar de las apariencias, como hemos repetido tantas veces).

Nosotros, los mamíferos, por ejemplo, estamos más estrechamente emparentados con los celacantos y los peces pulmonados (ya los conoceremos) que estos con los besugos, aunque celacantos y peces pulmonados sean —para cualquiera que no sea zoólogo— tan *peces* como los besugos. Y todos juntos formamos un grupo evolutivo diferente de los tiburones, mantas, rayas y demás peces cartilaginosos. Finalmente, las lampreas son una línea aparte, sin mandíbulas. La sistemática filogenética (escuela creada por el entomólogo alemán Willi Hennig) se basa en los clados, y por eso a esta escuela se la llama también cladística o cladismo. Los clados son conjuntos de especies que comparten un antepasado común.[1] Ese término, clado, lo vamos a utilizar mucho en el libro, y significa lo mismo que grupo evolutivo, estirpe o linaje. O familia evolutiva, si lo prefiere.

¿Qué diferencia de fondo hay entonces entre la sistemática clásica y la filogenética? ¿Merece la pena desterrar nombres tan arraigados como el de *peces*, que todo el mundo entiende? ¿No se tratará de un bizantinismo de biólogos puristas? No, y lo va a entender enseguida, espero.

La sistemática tradicional se fundamentaba en los

grados evolutivos o grados estructurales, que es lo mismo. Así, todos los vertebrados pisciformes formaban antes una clase propia, la clase *Pisces*, que se basaba en el parecido superficial de lampreas, tiburones, esturiones y sardinas. Todos ellos son, en efecto, de vida acuática, y eso los asemeja porque tienen que moverse velozmente en un fluido que ofrece resistencia, y de ahí el cuerpo alargado y en forma de torpedo.

Pero, sobre todo, lo que hace que a los vertebrados pisciformes se los considere un grado evolutivo es que no han salido del agua, que no son anfibios, ni *reptiles* (otra vez la cursiva), ni aves, ni mamíferos. En otras palabras, los llamados comúnmente *peces* tienen en común *lo que no son* (no son animales terrestres, tetrápodos), y esa no es una manera de clasificar que refleje la historia evolutiva de los vertebrados. La mejor forma de clasificar las especies es agruparlas por *lo que son*, o mejor, por *lo que han llegado a ser*, por lo que su evolución les ha proporcionado de único y diferente de las demás especies. Además de por razones de vocabulario biológico, necesitamos distinguir entre grados y clados porque las radiaciones evolutivas (las grandes explosiones de vida) corresponden, precisamente, a clados que surgen a partir de un antepasado común, el fundador del clado, y luego florecen. El fundador del clado no lo verá, pero sus hijos heredarán la Tierra.

Nunca mejor dicho en el caso del primer tetrápodo, el primer vertebrado terrestre, el primer *pez* que salió del agua y dejó a sus parientes en ella. En esta ocasión se trató de una expansión sin competidores, porque en la tierra firme no había otros vertebrados.

Aparte de las lampreas y sus parientes, en la actualidad existen dos clases de vertebrados pisciformes, cuyos antepasados se pueden remontar hasta el Devónico.[2] Por un lado tenemos los *peces* de esqueleto interno cartilaginoso (como los tiburones y rayas) y, por otro, los *peces* de esqueleto interno óseo.[3]

De estos *peces* de esqueleto interno óseo existían en el Devónico —y siguen existiendo en la actualidad— dos *modelos*.

Uno de estos grupos de *peces óseos* tiene aletas con radios (o rayos) de quitina (la proteína que forma pelos, uñas y cuernos), que se conforman a modo de *varillas* que soportan el *abanico* de la aleta.

El otro grupo de *peces óseos*, el que más nos importa ahora, se caracteriza porque las aletas pares (las del vientre) son carnosas y contienen huesos, que forman un esqueleto interior a modo de eje. Por eso se los llama informalmente peces óseos de aletas lobuladas.[4] Ocurre además que los huesos de las aletas ventrales de estos pisciformes son homólogos (es decir, idénticos en número y posición) de los huesos de las extremidades de los tetrápodos y, como en estos, se articulan con la cintura escapular (la anterior) y con la cintura pelviana (la posterior). No hace falta decir, con estas pistas, que los vertebrados terrestres proceden de alguno de estos animales acuáticos y que las aletas se convirtieron en patas. Además, y por si fuera poco, tenían un par de pulmones que les permitían respirar fuera del agua.

Estos peces óseos de aletas carnosas, con huesos dentro, están representados en la actualidad sobre todo por los peces pulmonados,[5] que viven en las masas de agua dulce de América del Sur, de Australia y de África. Cuando los lagos y charcas se secan respiran el oxígeno del aire con sus pulmones. Si toda el agua se evapora, algunos de estos peces pulmonados se entierran en el fango hasta que vuelvan las lluvias. Del resto de los peces óseos de aletas lobuladas se pensaba que no quedaba ninguna especie viva, hasta que en 1939 se encontraron los celacantos, que viven en las profundidades del océano Índico y se parecen superficialmente a los antepasados devónicos de los vertebrados terrestres.

¿Estos celacantos no han cambiado desde el Devónico? ¿Puede la selección natural, el motor de la evolución en la teoría de Darwin, dejar de actuar? ¿No es la selección natural un principio universal, una ley, que se aplica a todas las especies, o solo funciona con algunas?

Por supuesto, los celacantos fueron declarados fósiles vivientes con gran entusiasmo (a la gente le encantan los fósiles vivientes porque les parece que es como viajar en el tiempo), pese a que los celacantos han cambiado mucho, una enormidad, ecológica, anatómica y fisiológicamente respecto de sus antepasados del Devónico, que vivían generalmente en aguas dulces y no en las profundidades marinas. Pero siguen siendo celacantos, naturalmente.

¿Qué otra cosa se esperaba que fuera un celacanto? Si tuviera pelo, placenta, mantuviera la temperatura corporal constante, alimentara a sus crías con leche y volara en la oscuridad emitiendo ultrasonidos y orientándose por sus ecos sería un murciélago.

FÓSILES VIVIENTES

Un famoso fósil viviente que aparece en todos los libros es el cangrejo cacerola o cangrejo de las Molucas, que no es un cangrejo sino un quelicerado (está más cercano a las arañas que a los crustáceos). Su caparazón es muy parecido al de los fósiles de cangrejo de las Molucas más antiguos que se conocen (del Paleozoico), pero ¿qué otra cosa podrían ser los cangrejos de las Molucas?

Si no se hubieran extinguido los trilobites en la gran catástrofe que se produjo a finales del Paleozoico seguirían siendo trilobites (aunque no las mismas especies). Lo mismo podría decirse de los amonites, que aparecen en el Devónico y casi se extinguen con los trilobites; pero quedaron unas pocas especies, sin competencia, que volvieron a diversificarse en una nueva radiación adaptativa —sin dejar nunca de ser amonites—, para caer, con los grandes saurios —esta vez sin supervivientes— en la gran extinción de finales del Mesozoico.

La lista de fósiles vivientes es larga, pero yo recuerdo que me interesaron mucho unos invertebrados que estudié en la carrera universitaria (¡hace 45 años!), y todavía me acuerdo de ellos. Son los onicóforos o gusanos aterciopelados (*velvet worms* en inglés). Tienen aspecto de orugas con patas, y se piensa que están emparentados con los artrópodos (y con los tardígrados u osos de agua). Es probable que algunos fósiles del yacimiento cámbrico de Burgess Shale (*Hallucigenia* y *Aysheaia*) fueran onicóforos que vivieron hace 505 millones de años, y se han encontrado restos de posibles onicóforos aún más antiguos en China. Por supuesto que se trata de especies muy diferentes a las actuales.

Entre las plantas, siempre se cita al árbol *Ginkgo bilova* como un fósil viviente porque es la única especie actual de su grupo, cuyos orígenes se remontan al periodo Pérmico. Hoy, procedente de China, adorna nuestros jardines.

En resumen, los que llamamos fósiles vivientes son simplemente los representantes actuales de grupos que han desaparecido casi por completo, es decir, los perdedores de la evolución... por ahora, porque a veces los perdedores se recuperan y en ocasiones los ganadores se extinguen en masa sin que quede uno solo.

El término fósil viviente, por cierto, fue acuñado por el mismísimo Charles Darwin en *El origen de las especies* para referirse a los peces pulmonados y a los ornitorrincos. A falta de fósiles verdaderos que hicieran de puente entre los grandes grupos biológicos, Darwin recurría a los fósiles vivientes, formas intermedias que habrían llegado sin apenas cambios hasta nuestros días.

¿A partir del Devónico solo han ocurrido cosas importantes en los continentes? ¿Los únicos que han cambiado son los tetrápodos? ¿La vida acuática dejó de evolucionar cuando algunos peces óseos de aletas lobuladas invadieron la tierra firme?

Alguna especie de pez óseo de aletas lobuladas del Devónico es sin duda el antepasado común de todos los tetrápodos terrestres vivientes, a pesar de la enorme variedad de formas que existen —y aún son más las que existieron en el pasado—.[6] De aquel pionero fundador del clado descendemos las ranas, los cocodrilos, las gaviotas, y los humanos (no me resulta posible hablar de este momento de la *salida del agua* sin pensar en el desternillante dibujo de Gary Larson que tengo encima de la mesa). Pero eso no quiere decir en modo alguno que la vida acuática se estancase evolutivamente, porque el otro grupo de peces óseos siguió evolucionando y cambió mucho.

En efecto, la mayor parte de los peces óseos de aletas

de radios actuales (como la sardina de la Figura 4) pertenecen al grupo de los teleósteos, que experimentó una gran radiación en el Cretácico, gracias a la cual reemplazó a casi todos los otros linajes. Una de las pocas excepciones son los esturiones, cuyas huevas comen algunos afortunados en forma de caviar; deben pues alegrarse de que no se extinguieran.

En la actualidad, los teleósteos son los vertebrados más abundantes en términos de especies (unas 20.000), y no digamos en número de individuos, que alcanzan cifras enormes en algunas especies debido a su enorme fecundidad. Si lo que cuenta es el número, la Tierra continúa siendo el planeta de los peces.

Pero volvamos a los *peces* «conquistadores» (a los vertebrados terrestres). ¿Era inevitable la conquista de la tierra firme por los vertebrados? ¿Tenía que pasar? ¿Fue necesidad o contingencia (accidente histórico)? ¿Podemos decir que si aquellos pioneros no hubieran salido del agua lo habrían hecho otros *peces* antes o después? ¿Los abocaban sus aletas lobuladas, sus dos pulmones y su vida en las aguas dulces —que además se desecaban periódicamente— a dar el salto a la vida terrestre? En ese caso, ¿no deberíamos esperar que existieran muchos modelos de tetrápodos, cada uno procedente de un vertebrado acuático diferente, tal vez incluso muy diferente? ¿No imaginaríamos distintas especies asaltando los continentes aquí y allá, en diferentes playas, como en el desembarco de Normandía?

Quizás habría que preguntarse más bien por qué tardaron tanto. Antes lo hicieron las plantas, que son la base de las cadenas alimentarias, y los artrópodos, de los cuales los insectos son los grandes representantes terrestres, junto con los escorpiones, arañas y ciempiés, pero no los crustáceos (salvo algunos isópodos: las cochinillas de la humedad o *bichos bola*). También algunos moluscos —los caracoles de tierra y las babosas— salieron, pero en menor proporción. No todos los filos se expandieron y *radiaron* en la tierra seca. Los equinodermos, por ejemplo, no lo hicieron. En cambio, los anélidos cumplen un papel importante en los suelos: son las lombrices de tierra (aunque las sanguijuelas también son anélidos).

Los primeros tetrápodos del Paleozoico eran clasificados *de toda la vida* como anfibios, junto con las ranas, sapos, salamandras y tritones vivientes, porque ese era el criterio de clasificación tradicional, el basado en grados evolutivos. Los anfibios eran los tetrápodos, vivientes o fósiles, *que no eran reptiles*, aves o mamíferos. Es decir, se agrupaban especies actuales y fósiles por la ausencia de algo. De lo que carecen los anfibios es de una serie de adaptaciones para vivir lejos del agua y, lo que es aún más importante, para reproducirse fuera de ella. Lo que no tienen es, sobre todo, el *huevo amniótico*, del que hablaremos enseguida.

Ahora, en las clasificaciones modernas, solo se llama anfibios a las ranas, sapos, salamandras y tritones que conviven con nosotros. Forman un grupo con un antepasado común, es decir, son un clado. *Reptiles*, aves y mamíferos forman otro clado, el de los amniotas, que son los tetrápodos con un tipo de huevo especial. En la jerga de la sistemática filogenética, un clado es un grupo natural,[7] es decir, con un solo origen (una filiación única) y con *todas* sus derivaciones; una familia con todos sus miembros.

Los primeros vertebrados terrestres se diversificaron de forma extraordinaria, experimentaron una gran explosión evolutiva una vez que sus aletas se transformaron en patas y adquirieron otras adaptaciones a su nuevo medio, en el que no tenían competencia. No daré los nombres de los grupos extinguidos porque son verdaderamente muy raros. Lo que importa ahora es que de esa gran radiación adaptativa han quedado dos grupos, dos linajes que han llegado hasta nuestros días. Uno de ellos es el de los anfibios actuales, que son de varios tipos (unos con cola, otros sin ella y hasta los hay sin patas). El otro grupo es el de los vertebrados amniotas, que a su vez son muy variados.

El mensaje de este párrafo es de hondo calado: no descendemos de los anfibios (ranas, sapos, salamandras, tritones, y demás), sino que tenemos un antepasado común con ellos. Ese lejano ancestro universal de los tetrápodos no era amniota, no ponía ese tipo de huevo que resultó tan importante en la evolución, así que, en ese sentido,[8] el ancestro se parecía a los anfibios que tenemos a nuestro alrededor. Pero nuestros vecinos, los habitantes de ríos y charcas, no son en absoluto primitivos, no han permanecido estáticos. Un buen ejemplo son las cecilias de las regiones tropicales, que son anfibios que han perdido las extremidades y sus cinturas correspondientes. Más claro aún: los anfibios no son fósiles vivientes, sino que, por el contrario, han evolucionado mucho.

Conway Morris argumenta que si no hubiera sido una especie concreta de pez de aletas lobuladas la que salió del agua, otra parecida habría llevado a cabo la *proeza* del desembarco, y no parece descabellado pensarlo. Sin embargo, si los tetrápodos forman un clado (por definición un grupo con una única filiación u origen), eso querría decir que solo hubo una especie que diera el paso a la tierra firme (y tal vez solo una población pequeña o unos pocos individuos).

Podría ser que los tetrápodos, una vez asentados, impidieran que cualquier otro *pez* hiciera ese viaje. Hemos empleado este argumento también para el origen de la vida. Es posible que una vez que apareciera LUCA no permitiera que prosperara ninguna otra forma de vida y por eso todos los seres vivos tienen, por ejemplo, la misma molécula de la herencia biológica, el ADN, con las mismas cuatro letras y el mismo código genético. Pero ¿cómo podríamos saberlo?

Lo único cierto es que solo hay un tipo de tetrápodos, y eso arroja dudas sobre la inevitabilidad de la conquista del mundo seco por los vertebrados.

¿Puede considerarse un gran acontecimiento la *salida del agua*? ¿Hay en la evolución *momentos estelares*?

Richard Dawkins ha creado el concepto de «evolución de la evolucionabilidad» (*evolution of evolvability*), que se puede resumir así:[9] se produce un avance, mejora, incremento o progreso en evolucionabilidad cuando una innovación (tanto si mejora mucho la supervivencia del individuo portador —el mutante— a corto plazo, como si no) tiene la capacidad de producir múltiples ramas evolutivas, de modo que sus descendientes heredarán la Tierra.[10] En otras palabras, cuando da lugar a una radiación adaptativa. A ese tipo de innovaciones es a lo que el filósofo de la mente y de la evolución Daniel Dennett[11] llama *grúas*, porque permiten grandes cambios evolutivos (subir a grandes *alturas* en el paisaje del diseño biológico).

El primer ejemplo que le viene a la cabeza a Dawkins de una característica con un gran potencial evolutivo es el de la aparición (*invención*, mejor, porque la evolución inventa sin proponérselo) de los animales segmentados, como los vertebrados y los artrópodos. Un animal segmentado es como un tren, con su locomotora, su vagón de cola y sus vagones de pasajeros, todos ellos exactamente iguales por dentro y por fuera. A Dawkins le parece que el diseño segmentado es un perfecto ejemplo de cómo funciona la evolución, porque el número de segmentos puede aumentar o reducirse sin que hagan falta grandes mutaciones ni cambios mayores en el desarrollo. Hay unos genes, llamados homeóticos, que controlan los segmentos y, sorprendentemente, son iguales (literalmente intercambiables) en un ratón y una mosca del vinagre (la famosa *Drosophila*, tan utilizada por los genéticos). El lenguaje humano es el siguiente ejemplo que pone Dawkins de evolución de la evolucionabilidad, y es un caso particularmente *dramático*. Su aparición lo cambió todo en la evolución humana. Claro que hablaremos de él cuando toque.

Y para que se entienda mejor el concepto de evolución de la evolucionabilidad, añade Dawkins un tercer caso: «Las adaptaciones que permitieron a los vertebrados dejar el agua e invadir la tierra no solo beneficiaron a aquellos pioneros en el presente, proporcionándoles una nueva fuente de alimento o una manera de escapar de los depredadores, sino que produjeron un florecimiento de clados [radiaciones adaptativas] en el futuro».[12]

LA RUEDA DE LA EVOLUCIÓN

Decía Alfred S. Romer (el gran especialista en vertebrados americano que todos los de mi generación y de las dos anteriores hemos estudiado en zoología y paleontología) que el origen de los tetrápodos no responde a ningún impulso que empujara hacia la vida terrestre a sus antepasados acuáticos, es decir, que no era inevitable, sino que parece haber sido, en esencia, un feliz accidente, el resultado de las sequías estacionales que se fueron generalizando hacia el final del periodo Devónico. Algún remoto antepasado fue capaz de vivir en parte fuera el agua, aunque solo fuera para buscar otro charco que no se hubiera secado todavía. Romer quería decir que son las circunstancias ambientales las que dirigen la evolución, no la voluntad de los organismos.

Sin embargo, Jacques Monod desea atribuirles un poco de protagonismo a los animales. Es fácil entender que los miembros de cada especie tienen sus propias presiones de selección, sus desafíos, las pruebas a las que les somete la vida: no vive igual el topo que el murciélago, ni este igual que el león o que el chimpancé. Y puede decirse que, al abandonar el agua y aventurarse fuera de ella, el pez de aletas lobuladas cambió las presiones de selección que recibía (las *pruebas de la vida*), y eso determinó que algún día sus descendientes tuvieran patas en lugar de aletas.

Por supuesto, lo mismo se podría decir de los primeros mamíferos que empezaron a trepar a los árboles y que luego se convertirían en nuestros antepasados, y una historia parecida se podría contar para los orígenes de cualquier otro grupo, por ejemplo de los que volvieron al agua, como los delfines o los ictiosaurios. Los precursores no eran diferentes de los demás miembros de su especie, excepto en su comportamiento.

¿Eso quiere decir que la conducta precede a la adaptación? ¿O más bien fueron algunos individuos nacidos con determinadas características, los que se metieron en líos? ¿No será más bien que la adaptación es previa al comportamiento?

La respuesta es que las dos cosas son ciertas. En realidad, la evolución avanza como una rueda, es decir, como un circuito que se retroalimenta (un mecanismo de *feedback*). Una vez que los peces de aletas lobuladas empezaron a darse paseos por tierra, las presiones de selección cambiaron y cualquier modificación de las aletas —a través de la mutación— que facilitara la marcha a cuatro patas era bienvenida. O al revés. Un individuo nacido con determinado tipo de aletas levemente modificadas fue capaz de acceder, fuera del agua, a nuevos recursos alimenticios vedados a los demás, pero que al mutante le dieron una larga vida y una copiosa descendencia.

En todo caso, la rueda se puso en marcha, y a mayor capacidad física de moverse en tierra más largos se hicieron los paseos y mayor fue el éxito reproductor. Lo importante de esta reflexión es que la imagen que mejor describe la evolución es una rueda que gira y avanza con un movimiento circular, no una flecha con su movimiento lineal. Normalmente, la rueda gira despacio, pero a veces parece que se acelera.

¿Es la aparición del huevo amniota otro caso de revolución en la evolución, de aparición de una estructura con un gran potencial evolutivo?

El huevo de tipo amniota es el de las aves, los lagartos, los cocodrilos, las tortugas y también el de los monotremas, unos curiosos mamíferos de Australia, Tasmania y Nueva Guinea conocidos como ornitorrincos y equidnas (que, ya lo hemos dicho, fueron considerados fósiles vivientes por Darwin, aunque están muy especializados, enormemente cambiados con respecto a sus primeros antepasados) (Figura 6).

La cáscara del huevo amniótico es dura y porosa, y el embrión respira a través de ella el oxígeno del aire, no el del agua (¡si se sumerge en agua un huevo amniótico,

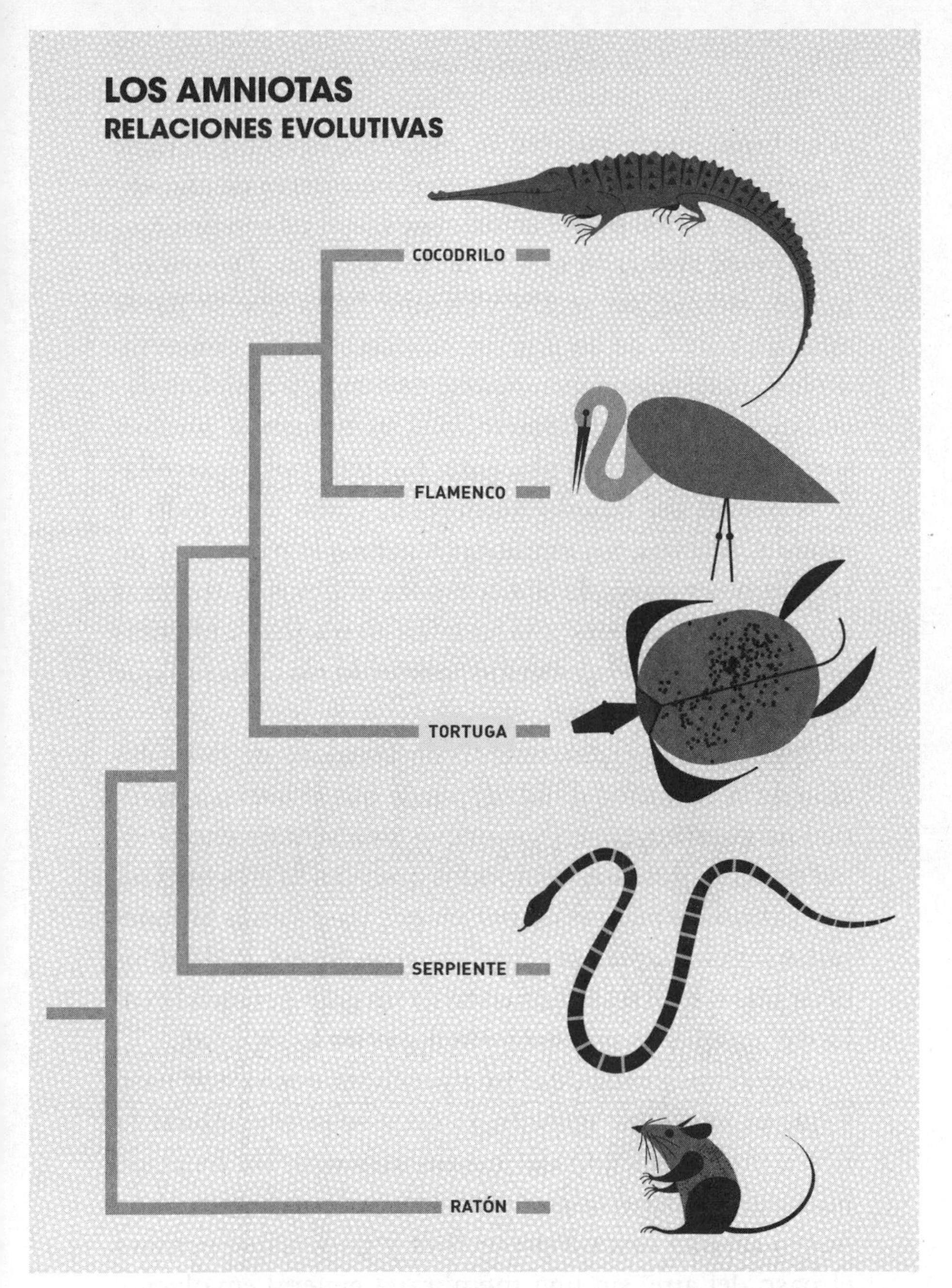

FIGURA 6. Los amniotas. Relaciones evolutivas

Los amniotas comparten un tipo de desarrollo que les ha permitido alejarse del agua. El término *reptiles* se ha abandonado como categoría formal en zoología por la misma razón que ha decaído el término *peces* (aunque ambos se suelen usar en contextos que no son de clasificación y de evolución). Como puede verse, las aves están más estrechamente emparentadas con los cocodrilos que estos con las tortugas y las serpientes, por lo que sería incorrecto agrupar cocodrilos, tortugas y serpientes en una misma categoría dejando fuera a los pájaros. La posición evolutiva de las tortugas no está clara y es objeto de disputas científicas; tal vez las tortugas deban intercambiar su lugar con las serpientes en el esquema.

el embrión muere asfixiado!). Además, el embrión tiene a su disposición la yema, un saco con reserva de alimento gracias al cual puede eclosionar en un estado de desarrollo más avanzado que el de los anfibios. Dentro del huevo, el embrión se aloja en una bolsa que se llama amnios, rellena de líquido amniótico. Así han conseguido los amniotas independizarse por completo del medio acuático durante el desarrollo. Los humanos, aunque somos mamíferos con placenta, también nos desarrollamos dentro del líquido amniótico, como sabe todo el mundo. Además, los amniotas tenemos la piel seca y no respiramos a través de ella como los anfibios, entre otras muchas adaptaciones a la vida en tierra (hay amniotas incluso en el desierto tórrido, que es lo más alejado que se puede estar del agua).

Siguiendo el razonamiento de Dawkins de la evolución de la evolucionabilidad, puede que el huevo amniótico no constituyera en sus inicios una ventaja excepcional para los primeros tetrápodos que ponían esos huevos, pero abrió las puertas de par en par para varias grandes radiaciones adaptativas que vinieron luego. Podríamos decir que el huevo amniótico tenía un gran potencial evolutivo aunque los primeros amniotas *no lo supieran*.[13]

Dejo consignada aquí una pregunta que sale al paso y que es imposible ignorar: la de si se puede habitar la tierra firme, viniendo del medio acuático, sin tener un huevo amniótico (o algo parecido), es decir, poniendo un huevo sin una cáscara protectora y porosa que permita el paso del aire, sin una membrana general envolvente (corion), sin una membrana respiratoria (alantoides) y sin una membrana amniótica que contenga al embrión dentro de un líquido.

¿Cómo se clasifican los amniotas? ¿Cuántos tipos de amniotas hay?

Tradicionalmente —cuando yo estudiaba— se reconocían tres clases (en el sentido técnico del término) de amniotas: la clase de los *reptiles* (considerada la más primitiva), la clase de los mamíferos y la clase de las aves. Pero hoy en día ya no se utiliza el término *reptiles* en la sistemática biológica, aunque sí en el lenguaje habitual y en otras ramas de la biología.[14]

Puede que esto le resulte nuevo y le extrañe un poco al principio, aunque en realidad la sistemática filogenética, la que sigo, es la más natural, la que más se parece a una familia. Pero, además de porque creo que debo seguir la filosofía biológica más moderna, no ocultaré —a fuer de ser sincero, como me he propuesto en este libro— que al suprimir los grados evolutivos del relato aspiro también a sustituir una narración clásica, en cierto modo la que yo recibí, articulada como una sucesión —una progresión— de grados evolutivos puestos en fila, por una visión ramificada de la vida, un árbol sin eje principal ni guía. Es decir, sin dirección única. Lo siento mucho si le complico la vida, pero la secuencia peces - anfibios - reptiles - mamíferos simplemente no es cierta, como tampoco lo es la secuencia peces - anfibios - reptiles - aves. Así no se puede explicar la evolución de los vertebrados.

En consecuencia, los amniotas se dividen ahora en dos clases: saurópsidos y sinápsidos. Entre los segundos, los nuestros, se cuentan los mamíferos y sus antepasados (aunque estos tuvieran aspecto de *reptil*, es decir, nada de pelo, ni leche, ni sangre caliente, y arrastraran la panza por el suelo). Entre los primeros, los saurópsidos, están las tortugas, los lagartos y serpientes, los cocodrilos y, ¡oh sorpresa!, las aves.

El problema que impide usar el término *reptil* para referirse a todos los vertebrados amniotas vivientes que *no son* mamíferos, *ni* aves, es que las aves *son* dinosaurios y, por lo tanto, la airosa golondrina es tan *reptil* como los feroces tiranosaurios. No solo eso, ¡sino que las aves están más cerca de los cocodrilos que los cocodrilos de las tortugas y de las serpientes! Por *más cerca*, en la filogenia (la genealogía de las especies), se entiende que tienen un antepasado común más cercano (Figura 6).

¿No es sorprendente que una golondrina sea un pariente más próximo del caimán que el caimán de la iguana? Pues esta idea de que el parecido no lo es todo, y de que los grados estructurales no reflejan bien la historia de la vida y confunden (todo el mundo diría que el caimán y el lagarto pertenecen al mismo grupo evolutivo y la golondrina a otro grupo muy distinto), es una maravillosa aportación de la sistemática filogenética, que nos ha permitido ver la evolución con mucha más claridad. Ese es el poder de las grandes ideas, que pueden hacer que interpretemos los mismos datos de una forma totalmente diferente. Por la misma razón, a los antepasados de los mamíferos ya no se los llama *reptiles* como antes, sino sinápsidos fósiles.

Como el nombre saurópsido tiene que ver etimológicamente con «saurio», voy a utilizar esta palabra a partir de ahora para facilitarle la lectura. Pero recuerde que si le quito las comillas al saurio (si lo libero de esos grilletes) es porque lo considero un clado y, por lo tanto, tiene que incluir a las aves, que serían tan saurios como los cocodrilos.[15] Desgraciadamente, no tengo un término familiar para sustituir a sinápsido, que se queda como está.

Entonces, ¿los sinápsidos evolucionaron a partir de los saurios? Tal y como se decía antes, ¿los mamíferos proceden de los reptiles?

En modo alguno, porque saurios y sinápsidos son líneas divergentes. Su separación es antigua, se produjo ya en el Carbonífero, todavía dentro del Paleozoico. Tengo que insistir en que los sinápsidos (que darán lugar a los mamíferos mucho más adelante, más o menos al mismo tiempo que aparecían las aves) no proceden de los saurios (ni de los *reptiles*), sino que se separaron de ellos para emprender su propio camino.

Los primeros sinápsidos[16] no se parecían mucho a los mamíferos, entre otras cosas porque sus cuatro patas no estaban verticalizadas (con las articulaciones extendidas), sino que se disponían a los lados del tronco, no bajo él, como en los mamíferos. He aquí lo que les daba el aspecto y locomoción —*andares*— de lagarto, y por eso, entre otras cosas, se metían antes en el grado estructural de los *reptiles*.

Se reconocen estos sinápsidos antiguos por las grandes crestas dorsales, a modo de velas, de sus especies más características, razón por las que se los llama informalmente *reptiles con vela dorsal*. Quizás, cubiertas de vistosos colores, las velas sirvieran para el cortejo, o tal vez se utilizaran como *paneles solares* para calentar la sangre.

Lo que hace que los *reptiles con vela dorsal* sean relacionados evolutivamente con los mamíferos por los paleontólogos e incluidos entre los sinápsidos es la ventana del cráneo, o fenestra temporal, una abertura que nosotros los humanos también tenemos,[17] porque somos sinápsidos como el resto de los mamíferos (Figura 7). Nada había en ese tipo de cráneo que permitiera adivinar que algún día llegarían a ser los tetrápodos dominantes, y que aparecerían los seres pensantes a partir de ellos, porque la ventana temporal no tiene relación alguna con el cerebro. Pero les fue muy bien en el Pérmico (el último

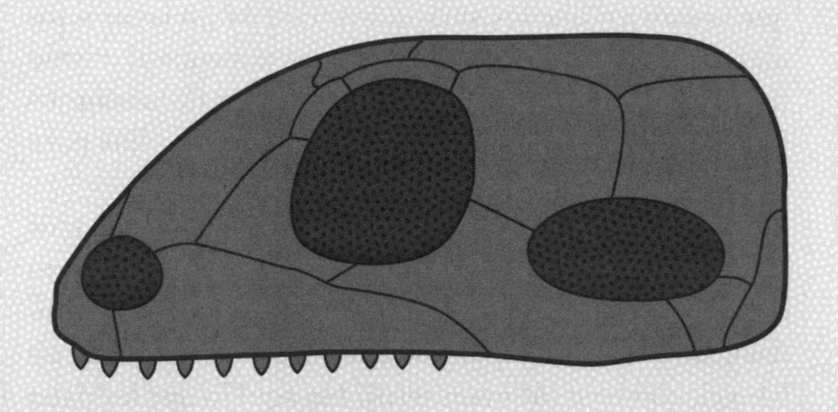

FIGURA 7. Cráneo sinápsido

Lo que caracteriza a los sinápsidos es que tienen una ventana (llamada fosa temporal o fenestra temporal) a cada lado del cráneo, por detrás de las aberturas nasales y de las cuencas orbitarias. Los demás amniotas tienen dos ventanas, una encima de otra, aunque las tortugas no tienen ninguna (algunos investigadores piensan que tuvieron dos, pero que se cerraron en el curso de su evolución).

periodo del Paleozoico), y eran los amniotas más importantes y diversos, con formas carnívoras y herbívoras. Uno de ellos, el terrible dimetrodonte, popular entre la chiquillería aficionada a los dinosaurios, era un depredador formidable de tres metros (pero no era un dinosaurio).

Todo iba sobre ruedas en los comienzos de nuestro grupo evolutivo, cuando todavía teníamos aspecto reptiliano. Sin embargo, todos los reptiles con vela dorsal se extinguieron antes de que acabara el Pérmico, y si sobrevivieron los sinápsidos fue porque habían aparecido otras formas (más parecidas a los mamíferos) que los relevaron.

Hace 252 millones de años se produjo una extinción en todo el planeta de proporciones apocalípticas, que barrió a la mayor parte de la especies animales terrestres y marinas. Pero algunos sinápsidos sobrevivieron a la catástrofe (¿tuvieron suerte?) y volvieron a florecer en el Triásico, manteniendo el dominio de los ecosistemas terrestres, con especies tanto carnívoras como herbívoras. Algunos de los sinápsidos de esta época muestran caracteres claramente mamiferoides —como se decía antes— en el cráneo y en las extremidades, que ya levantan el tronco del suelo al extender las articulaciones de las patas. Se encuentra también en estos *reptiles mamiferoides*[18] un paladar secundario, es decir, un tabique de nueva creación que separa la cavidad oral de la cavidad nasal y permite a los mamíferos respirar con la boca llena de comida (los cocodrilos también lo han desarrollado por su cuenta, como comentaremos).

Es posible que ciertos *reptiles mamiferoides* triásicos tuvieran pelo y control sobre la temperatura corporal, y así se los reconstruye modernamente. Es el privilegio de los paleoartistas, que, aunque trabajan sobre bases científicas, se ven obligados a aventurarse en el terreno de la conjetura. Ahora bien, en paleontología hay que utilizar caracteres óseos para identificar *oficialmente* un esqueleto fósil como de mamífero, y tienen que ser especializaciones que existan en todos los mamíferos vivientes, y solo en ellos. El rasgo más importante de todos los que se usan para esta identificación consiste en que la mandíbula está formada por un solo hueso (llamado dentario) que hace juego con otro hueso de la base del cráneo (escamoso). Los huesos que antes, en los *reptiles mamiferoides*, relacionaban la mandíbula con el cráneo (huesos articular y cuadrado) pasan (maravillas del bricolaje de la evolución) a convertirse en dos de los tres huesecillos del oído medio (martillo y yunque), y a transmitir el sonido.

El éxito arrollador de esta radiación adaptativa de los *reptiles mamiferoides* parece *lógico*, dado su parecido cada vez mayor con los mamíferos. ¿No ha demostrado el plan de organización de los mamíferos tener una gran evolucionabilidad? ¿No se podría presagiar una gran radiación adaptativa de los mamíferos, una gran inflorescencia de especies, en cuanto aparecieron estos? Y, sin embargo, no fue así como sucedieron las cosas, para nuestra enorme sorpresa (retrospectiva).

La larga historia de éxito de los sinápsidos se truncó a mediados del Triásico, cuando inesperadamente (visto hacia atrás desde el presente, claro) empezaron a perder su supremacía en favor de los dinosaurios, que ya eran los reyes absolutos de los ecosistemas terrestres cuando comienza el Jurásico. De los sinápsidos solo sobrevivió a largo plazo un grupo, el de los mamíferos, que no alcanzaría gran importancia en los ecosistemas terrestres hasta después de la extinción que marca el final del Mesozoico, cuando los dinosaurios (excepto las aves) y todos los demás vertebrados medianos y grandes sucumbieron en tierra, mar y aire.

Entonces sí, los mamíferos y las aves heredaron la Tierra. Lo importante en este momento del libro es la lección que parece extraerse de esta historia. Los mamíferos no estaban llamados al éxito evolutivo desde el Triásico, o incluso desde el Carbonífero, con la aparición de los primeros sinápsidos. No parece que la radiación evolutiva de los mamíferos y su supremacía sobre las faunas de saurios (los *reptiles*) se tuviera que producir fatalmente, que fuera inevitable. Más bien parece que la explicación del éxito actual de los mamíferos está en un accidente histórico (nunca mejor dicho para referirse a la caída de un meteorito), es decir, en la contingencia.

Para mí, estas *vidas paralelas* de mamíferos y dinosaurios son un golpe casi mortal contra el *direccionalismo*, la vieja idea de que la evolución solo podía seguir un camino, de que estaba fatalmente encauzada hacia los mamíferos. A pesar de lo cual, no todos los paleontólogos están de acuerdo, como se verá pronto, en que los dinosaurios dominarían la Tierra hoy en día si no hubiera sido por ese bólido que se estrelló contra nuestro planeta.

¿Podemos imaginar cómo sería hoy el mundo sin la gran extinción de finales del Cretácico? ¿Existirá tal vez un planeta de esas características, el planeta de los dinosaurios, fuera del Sistema Solar?

Me encantan estos experimentos mentales o de sofá, a los que no queda más remedio que recurrir cuando nos preguntamos por el curso que ha tomado la historia de la vida, con la que no podemos experimentar de verdad, sino solo examinarla retrospectivamente. Nunca se llega a una conclusión irrefutable, pero se aprende mucho por el camino. y tienen una respetable tradición en ciencia desde Galileo.[19] Son por definición ensayos que no se pueden hacer en la práctica, pero que dan lugar a especulaciones interesantes.

Vamos allá con esta conjetura de cómo habría sido la evolución sin el meteorito que puso el punto final al Cretácico. Exploremos este futurible que quedó obsoleto porque nunca se realizó, por lo que se ha convertido en *paleofuturo*.[20]

De haberse conservado las condiciones ambientales

del planeta de entonces, habría dinosaurios avianos (o sea, los pájaros) y no avianos, que son el resto de los dinosaurios. Tal vez algunos grupos de dinosaurios de los grandes habrían alcanzado cierto control de la temperatura corporal (endotermia), ya que las aves, a fin de cuentas también dinosaurios, lo hicieron. De hecho, hay discusión acerca del grado de endotermia alcanzado por los dinosaurios no avianos del Mesozoico.

Pero en mi opinión —nunca lo sabremos—, ningún dinosaurio —aunque fuera endotérmico— se habría convertido en un mamífero, o algo parecido, como tampoco lo hicieron las aves. Simplemente, los saurios del Cretácico no tenían un diseño biológico que les permitiera evolucionar hacia un mamiferoide. Los organismos están limitados por sus genes y no pueden transformarse en cualquier cosa. Así que yo no creo en la posibilidad de los reptiles humanoides, tal como se imagina a veces en la ciencia ficción. Para ser humanoide es necesario ser primero un mamiferoide.

Y tampoco les era posible regresar hasta el antepasado común con los sinápsidos y desde ahí seguir la senda que llevó hasta los mamíferos. Hay una especie de norma en biología evolutiva, llamada pretenciosamente «ley de Dollo», sobre la irreversibilidad de la evolución. Le pongo comillas porque no es una ley verdadera, sino simplemente una regularidad que se observa en el registro fósil. No hay nada en principio que impida la reversibilidad de la evolución,[21] Simplemente, resulta tan difícil que se vuelvan a dar las mismas combinaciones genéticas de los antepasados que repetir hacia atrás la evolución es estadísticamente imposible (la probabilidad es prácticamente cero).

Pero, aparte de los dinosaurios no avianos —de no haber sido liquidados por el meteorito que cayó en

Yucatán hace 65 millones de años—, habría otros saurios, algunos de los cuales aún están presentes en la biosfera, como los cocodrilos (los más cercanos de todos los grupos vivientes a los dinosaurios y, por lo tanto, los parientes actuales más próximos de las aves), tortugas, lagartos y serpientes. Y habría otros espléndidos saurios, desaparecidos junto con los dinosaurios (salvo las aves), en los aires (pterosaurios) y en las aguas (mosasaurios y plesiosaurios).

Por supuesto, todos estos vertebrados habrían experimentado sus extinciones y sus expansiones. Pero, al igual que una tortuga sigue siendo una tortuga a día de hoy, un cocodrilo sigue siendo un cocodrilo y un ave sigue siendo un ave, un tricerátops (de existir) sería todavía un tricerátops. Por cierto, ¿habrían sustituido por completo las aves a los pterosaurios? Durante mucho tiempo convivieron, así que quizás no.

Ahora bien, no se puede descartar la posibilidad de que de alguno de esos grupos hubiera surgido un diseño biológico nuevo, una innovación, un nuevo *invento* de la evolución que, como no ocurrió, nosotros no podemos ni imaginar.

Entre los *inventos* de la evolución en aquellos tiempos hay uno que literalmente cambió el planeta. Una creación que, *vista con los ojos humanos*, es maravillosa. Sucedió en el Cretácico, y fue la aparición de las angiospermas, las plantas con flores.

Antes, la vegetación era casi monocroma (para el ojo humano). Dominaba el verde de los musgos y las hepáticas, unos y otras plantas sin vasos (es decir, no vasculares) y con reproducción por esporas. También era el verde el color predominante de los licopodios, helechos, equisetos y otras plantas vasculares con reproducción por esporas. Y de los cipreses, tejos, pinos, araucarias, ginkgos, cicas y otras gimnospermas, que son plantas vasculares sin flores pero que se reproducen por semillas.

Tal vez las velas dorsales de los primeros sinápsidos pusieran una nota de color, y seguro que los dinosaurios, en sus cortejos nupciales, añadieron cromatismo al paisaje. Pero la explosión de color llegó sin duda con las plantas con flores. Las angiospermas[22] son hoy las plantas dominantes, y produjeron también una revolución en el mundo de los insectos. En mis tiempos estudiantiles se especulaba con que las angiospermas podrían haber tenido alguna relación con la extinción de los dinosaurios (podrían ser tóxicas para ellos), pero hoy en día se piensa en una causa mucho más rápida, una catástrofe de escala planetaria. (Aprovecho para decir que no está descartada la hipótesis de que fuera una actividad volcánica extraordinaria la causa principal de la catástrofe. En la meseta del Decán [India] podría estar la prueba de esas gigantescas erupciones, si se demuestra que coinciden con la extinción en masa de finales del Cretácico.)

¿En el planeta de los dinosaurios habría también mamíferos?

Por supuesto, porque estaban muy diversificados en el Cretácico. Ya habían empezado su radiación adaptativa, que no se produjo después de la extinción de los dinosaurios y demás grandes *reptiles*, como se podría pensar, sino antes. Eso sí, cabe imaginar que habrían mantenido su tamaño pequeño y sus hábitos —en gran parte nocturnos—. Pero dinosaurios y mamíferos no eran incompatibles. De hecho, llevaron existencias paralelas, no sucesivas.

En la actualidad hay tres tipos de mamíferos. Los que ponen huevos, que ya he mencionado, los marsupiales y los placentados (o placentarios). Los primeros se separaron hace mucho tiempo, al poco de aparecer los mamíferos (y cuando todavía ponían huevos). Placentados y marsupiales se separaron más tarde, en el Cretácico, de modo que cuando se extinguieron los dinosaurios ya habían empezado a evolucionar muchos de los principales órdenes de placentados, incluyendo a los primates (el orden al que pertenecemos los humanos).

Los continentes ocupaban diferentes posiciones entonces, y estaban conectados entre sí mucho más que ahora. Los marsupiales se originaron en el Nuevo Mundo, y de ahí pasaron a Australia a través de la Antártida (que aún no estaba helada). También se extendieron por Europa y África, pero no perduraron. Actualmente viven en Australia, Tasmania, Nueva Guinea e islas cercanas, además de las zarigüeyas americanas. Los placentados se originaron en el Viejo Mundo y se extendieron al Nuevo Mundo, pero no a Australia, a donde solo llegaron los murciélagos.

«De haberse conservado las condiciones ambientales del planeta de entonces», se ha dicho hace poco. ¿Es que no fue así? ¿Es que cambió radicalmente el ambiente? ¿Se desvanece entonces el sueño del planeta de los dinosaurios que acabamos de tener?

El clima actual, por mucho que se hable del cambio climático y del calentamiento global, no tiene nada que ver con el que había en el Cretácico. El planeta se ha vuelto mucho más frío y más seco. En los últimos dos millones y medio de años se han sucedido las glaciaciones, especialmente terribles en el último millón de años (hasta diez se encadenaron).

Durante las glaciaciones la mayor parte del hemisferio norte era inhabitable para los humanos, no digamos para los dinosaurios (el hemisferio norte importa más que el sur, porque representa la mayor parte de la superficie emergida del planeta, y un porcentaje mayor aún si descontamos la Antártida). Este periodo marcado por el frío se llama Pleistoceno, aunque los últimos 11.700 años se conocen en geología como Holoceno.[23] Pero el enfriamiento global, el deterioro climático (para los ecosistemas del tipo de los cretácicos) empezó mucho antes, millones de años antes, con la formación de un casquete polar permanente en la Antártida. La concentración de dióxido de carbono empezó a caer, y como este gas crea un efecto de invernadero, la temperatura descendió.

Simon Conway Morris se basa en la historia del clima para defender una tesis osada, que favorece su teoría de que la llegada de los humanoides al planeta era inevitable. Los dinosaurios y demás grandes saurios, dice Conway Morris, estaban condenados a ser relevados por los mamíferos a causa *del deterioro climático que se iba a producir*. El meteorito simplemente adelantó los acontecimientos en unos cuantos millones de años. Acortó la evolución, se podría decir.

La extinción de los dinosaurios y demás saurios de tamaño mediano y grande se produjo hace 65 millones de años. ¿Cuánto tiempo habrían resistido los ecosistemas de los que ellos formaban parte de no ser por el meteorito? Es difícil contestar, pero tal vez treinta millones de años más. Da igual, opina Conway Morris, la supremacía de los mamíferos era inevitable de todo punto. La contingencia, es decir, las circunstancias imprevistas, el azar (tomado en el sentido de accidente histórico), pueden retrasar lo inevitable, pero no impedirlo. Para él, la necesidad es más fuerte que el azar.

Se acaba de decir «el deterioro climático que se iba a producir». Nosotros lo sabemos porque nos consta que ha ocurrido (mirando por el espejo retrovisor), pero no queda más remedio que preguntarse, ¿es que el enfriamiento global que habría acabado con los dinosaurios (con la excepción de las aves), plesiosaurios, pterosaurios y demás grandes saurios, no fue un accidente histórico? Lo cierto es que todavía no está clara ni siquiera la causa del descenso del dióxido de carbono en la atmósfera. ¿Qué tenía de inevitable este cambio?

La hipótesis que más me gusta, de Maureen Raymo y William F. Ruddiman, es la que relaciona *la bajada* de la concentración de este gas en el aire con *la subida* en altitud de la meseta del Tíbet y la formación de las grandes cadenas montañosas asociadas. Se trata, sin duda, de un fenómeno tectónico de enorme escala, y que —con esas dimensiones— ha sucedido pocas veces en la historia de la Tierra. No sería inverosímil, por tanto, que su impacto sobre el clima haya sido enorme. William F. Ruddiman es un paleoclimatólogo que también defiende[24] que los humanos hemos estado calentando el planeta produciendo gases de invernadero desde el comienzo del Holoceno con la agricultura y la ganadería, y que si no fuera por eso ya habría empezado la glaciación.[25] El que nos hayamos salvado de esa tremenda catástrofe climática (el enfriamiento global) no quiere decir que no deba preocuparnos la contraria (el calentamiento global), porque hay miles de millones de personas (la mayor parte de la humanidad vive en regiones cálidas) en situación de riesgo climático por el calentamiento y, sobre todo, por la falta de agua para los cultivos y para el consumo industrial y humano.

¿Pero cómo podría la tectónica geológica, que actúa sobre la corteza terrestre, modificar el clima, que depende de la composición de la atmósfera? ¿Por medio de qué mecanismo?

El efecto sobre el clima del levantamiento de la meseta del Tíbet se produciría a través de la meteorización o acción química de la atmósfera sobre los minerales de las rocas. Al crearse grandes relieves también aumenta la fracturación mecánica de las rocas, que por la acción de las cuñas de hielo se parten en muchos trozos, aumentando así la superficie expuesta. Un gran bloque de piedra tiene menos superficie que la suma de las superficies de los trozos pequeños en los que se parte. Es fácil comprobarlo descomponiendo un cubo en muchos pequeños cubos. Juntos tienen el mismo volumen que el cubo grande, pero sus superficies suman mucho más.

De este modo, el volumen de dióxido de carbono que reaccionaría con los minerales para formar compuestos aumentaría, con lo que se produciría un *secuestro* de este gas atmosférico de efecto de invernadero y su correspondiente impacto en el clima, enfriándolo.

Lo importante para nosotros de esta teoría es que relaciona el clima con el choque de las placas asiática e india, que levantó la meseta del Tíbet y los Himalayas. Se trata, desde luego, de un accidente histórico que nada tiene que ver con la biología, sino con la tectónica de placas y los movimientos de los continentes, y que a mi juicio le resta fuerza al argumento de Conway Morris. Si no hubiera caído el meteorito hace 65 millones de años tal vez los humanoides estaríamos aquí, sí, pero no por nuestros *propios méritos*, sino por la tectónica de placas. Por la contingencia, no por la necesidad.

JORNADA VI

LA MEDIDA DEL PROGRESO

En esta jornada abordaremos una de las grandes preguntas planteadas en el libro, y también en las teorías de la evolución. Ya se ha aludido al problema, es inevitable, pero ahora que hemos llegado hasta los mamíferos sabemos lo suficiente de la historia de la vida como para tratarlo. ¿Hay progreso constante y general en la evolución? ¿Se puede decir que la evolución es sinónimo de progreso? ¿Lidera la inteligencia el progreso evolutivo?

Para empezar, ¿qué nos cuenta la paleontología sobre la evolución? ¿Qué ve esta ciencia en el registro fósil? ¿No es todo una historia única que va desde la bacteria al ser humano, o incluso desde el átomo a la mente? ¿No revela un proceso de complejidad creciente?

Ningún paleontólogo del siglo XX ha expresado tan abiertamente una tesis finalista como el escocés Robert Broom,[1] médico de profesión hasta que abandonó la medicina por la paleontología. Broom fue un gran descubridor de fósiles en Sudáfrica, tanto de los ancestros de los mamíferos (los *reptiles mamiferoides*), como de los primeros homininos. Estudiaba, por lo tanto, dos *puntos calientes* de la evolución (en lo que respecta a nuestros orígenes, se entiende), y en estos dos campos podía ser considerado una de las máximas autoridades de su tiempo.

Para Broom no cabía duda de que la evolución, tal y como la mostraban los fósiles, había sido guiada por *agentes espirituales* en los momentos clave, empezando por la aparición de los peces de aletas lobuladas, alguno de los cuales se convertiría andando el tiempo en el primer anfibio. De hecho, Broom pensaba que las aletas carnosas eran pésimas como órganos para la propulsión acuática. No valían gran cosa como remos, porque su función era la de convertirse en las patas de los anfibios que vendrían luego.[2]

Pero, una vez llegados al *Homo sapiens*, la evolución habría terminado, porque el resto de las líneas evolutivas están, nos dice Broom, tan especializadas que han perdido todo su potencial evolutivo. Solo pueden evolucionar las especies generalistas, las que no tienen un nicho ecológico estrecho. El pensamiento de que la evolución *a lo grande*, o sea, la capacidad de producir auténticas novedades biológicas, solo le está reservada a las especies generalistas era muy común en la época de Broom, y se conoce en biología evolutiva como ley de los no especializados o «ley de Cope», por haber sido formulada por primera vez en 1874 por el paleontólogo norteamericano Edward Drinker Cope. Yo no creo que existan leyes de la evolución, pero sí me parece que se pueden encontrar patrones en la historia de la vida. La llamada «ley de Cope» podría ser un patrón a tener en cuenta, porque puede que se cumpla muchas veces. El problema es definir qué se entiende por especializado o no especializado.

En todo caso, según Broom, ningún pez actual podría ya producir un anfibio, ningún anfibio vivo podría evolucionar hacia un reptil, ningún reptil estaría en condiciones de convertirse en un mamífero, no quedan mamíferos que puedan evolucionar hacia los monos, y un chimpancé, gorila u orangután, pensaba Broom, jamás podría dar lugar a una especie del tipo humano.

No había científico de la época que estuviera de acuerdo con esa extraña idea suya de que la evolución había llegado a su final, reconocía el paleontólogo escocés-sudafricano, pero añadía a continuación que por mucho que preguntaba a los zoólogos y a los botánicos más eminentes, nadie sabía decirle qué especie viviente podría dar lugar a un nuevo grupo biológico. El otro argumento que apuntaba hacia el cierre de la evolución era que no ha aparecido ningún grupo biológico importante desde hace muchos millones de años (volveremos sobre esta cuestión en la jornada final).

Del hecho de que la evolución, quitando detalles poco importantes, esté acabada se infiere, según Broom, que el hombre (¿quién si no?) es el producto final del proceso que esa instancia espiritual había pilotado con sabia previsión, incluso poniéndoles aletas disfuncionales a unos *peces* para que pudieran salir a poblar la tierra firme cuando fuera oportuno.

Por un manuscrito[3] que quedó sin publicar, escrito en 1947 o 1948, también sabemos que Broom no consideraba culminada la evolución humana, sino que calculaba que solo se habían completado las tres cuartas partes (las especies de homininos que él estudiaba en Sudáfrica, los australopitecos y parántropos, iban por la mitad). Al producto final de la evolución humana, al que llama *superman*, Broom le puso fecha: llegará dentro de 50.000 años.

Un paleontólogo contemporáneo suyo, el jesuita

francés Pierre Teilhard de Chardin, también creía que la historia de la vida tenía una dirección preferente, de la que no se desviaba nunca, y que apuntaba desde el principio al ser humano, pero su finalismo era mucho más refinado que la cruda versión de la evolución conducida por una sabia mano que defendía el escocés Robert Broom. El finalismo de Broom requería de un poder sobrenatural (la providencia) actuando aquí y allá en el curso de la historia, cuando fuera necesario, y asegurándose de que la evolución no se desviaba de la senda trazada. Para Teilhard de Chardin no hacía falta esa vigilancia y control exterior, porque la evolución se orienta ella sola, impulsada *desde dentro* —es decir, siguiendo sus propias leyes— hacia su destino, un blanco que Chardin llamaba el punto Omega.

¿Pero cómo podría habernos producido la evolución sin un control exterior que impidiese que el proceso se extraviara, habida cuenta de la gran cantidad de cambios geológicos y climáticos que se han producido en el planeta Tierra a lo largo de los miles de millones de años que ha durado la evolución? ¿No podría, con tanta inestabilidad geográfica y ambiental, haber pasado cualquier cosa?

Para Teilhard de Chardin la historia de la vida tiene un argumento principal, y es el del aumento de la complejidad. Pero Chardin va más allá, y defiende que la historia del universo, desde el principio, responde al mismo guion, el de la complejidad creciente. Se podría hablar de una *evolución cósmica* que lo abarcaría todo, desde el principio del mundo. La historia del universo sería una *historia de la complejidad*. De este modo quedaría contestada la Gran Pregunta: ¿por qué estamos aquí? La respuesta sería que no podría ser de otro modo, teníamos que estar aquí. Somos el resultado inevitable de la evolución hacia la complejidad.

Chardin no creía que la evolución hubiera terminado con la llegada de nuestra especie al escenario de la vida, sino que, por el contrario, defendía que lo mejor estaba aún por llegar, porque la complejidad, lejos de haber alcanzado su máximo, puede seguir creciendo para producir algo verdaderamente asombroso, algo deslumbrante sobre lo que él, Chardin, tenía una visión esperanzada que necesitaba comunicarnos. No se lo permitieron en vida más allá de sus círculos más íntimos, pero esa visión que Chardin albergaba se hizo pública después de su muerte.[4]

El pensamiento de Teilhard de Chardin logró mucho seguimiento en la Europa latina —y ninguno en el resto—, pese a la oscuridad —y belleza— de su prosa. Yo creo que precisamente por eso no tuvo éxito en el mundo anglosajón, por lo abstracto (y, si se quiere, lírico) de sus planteamientos. Los anglosajones son, en general, más concretos y más prácticos.

En el año 1949 Teilhard de Chardin escribió un libro titulado *El grupo zoológico humano* (no publicado hasta después de su muerte), que es un buen resumen de su pensamiento, que él consideraba científico. Podemos empezar por ver qué entendía el autor por complejidad, porque nos va a hacer falta toda la ayuda que podamos conseguir para definir este concepto. ¿Cómo vamos a saber si ha habido o no aumento de la complejidad (y cuánto) con el paso del tiempo si no somos capaces de medir la complejidad?

La definición de complejidad que buscaba Chardin para describir la evolución cósmica tenía que valer tanto para lo animado como para lo inanimado, y lo mismo para un átomo que para un animal. El jesuita francés empezaba por decir lo que no era complejidad: ni la simple *agregación* de elementos no ordenados (como un montón de arena... o un montón de estrellas), ni la *repetición* indefinida de unidades (como en los cristales minerales).

No, la complejidad hay que buscarla en la *combinación* de un número fijo de elementos en un conjunto cerrado de radio determinado. Y el mismo Chardin pone los ejemplos en un orden de complejidad creciente: «Como el átomo, la molécula, la célula, el metazoo, etcétera.» Un metazoo es un animal, y se compone de muchas células que están diferenciadas en varias líneas. Y al final de ese etcétera de Chardin es donde estaríamos los seres humanos.

Cada uno de esos pasos en la escala de complejidad es lo que Chardin llamaba un corpúsculo. El corpúsculo más simple sería el átomo. Chardin no sabía si en la *evolución atómica* se había empezado por el hidrógeno, que es el más simple de todos los átomos, o de átomos más complejos que por desintegración radiactiva se habrían simplificado hasta llegar al hidrógeno. Hoy en día sabemos que el átomo de hidrógeno fue el primero que se formó.

Podríamos pensar que el corpúsculo más complejo de todos en la escala de «corpusculización» creciente sería para Teilhard de Chardin el ser humano, el organismo supremo, pero no es así. Más allá de la persona hay un corpúsculo más complejo, la red formada por todos los seres humanos conectados, una malla aún en proceso de construcción, lo que Chardin llamaba la noosfera, que será, cuando se complete, tan corpúsculo y tan real como el primer átomo, que fue el principio de toda la evolución cósmica. El corpúsculo más complejo, el final de la evolución, aún no existe, lo estamos creando entre todos.

De ahí la grandeza y el poder de fascinación de la prosa del paleontólogo francés. Después de todo, el universo y la historia —incluyéndonos a cada uno de nosotros— tendrían un sentido, significarían algo. Formaríamos parte de un gran plan cósmico. Y no solo en el pasado, en los orígenes, sino —sobre todo— en el presente, porque Chardin escribía para los humanos del siglo XX y de los siglos siguientes, para su generación y para los que ahora vivimos, luchamos, padecemos, nos angustiamos, morimos. Nosotros, nosotros mismos, estaríamos haciendo progresar al universo. Ni más ni menos, seríamos ahora los protagonistas del cambio, la fuerza del avance (la vanguardia) hacia una meta cada vez más cercana, después de casi catorce mil millones de años de evolución (la edad del universo). Hemos tenido suerte de incorporarnos al proceso en este grandioso momento, cuando la noosfera empieza a cerrarse sobre sí misma, pero más suerte tendrán los humanos del futuro.

Teilhard de Chardin dibuja su árbol evolutivo en los libros, y su aspecto es muy singular. No es un árbol con ramas, sino que es, en realidad, una alcachofa, una piña, con un eje central del que se van separando escamas. Ese eje central es la guía del árbol, por donde sube la savia, el «eje de corpusculización cósmica», que atraviesa primero el «punto de vitalización» (con la aparición de la vida) y, más tarde, el «punto de reflexión» (con la llegada del pensamiento humano). Para Teilhard de Chardin las adaptaciones no existen, o no cuentan para la historia de la vida, que sigue su propio curso impulsada por una fuerza misteriosa sobre la que no cabe preguntar: simplemente existe y obra. Ese eje pasa por los mamíferos y por los primates hasta llegar al *Homo sapiens*.

El gran problema del pensamiento de Teilhard de Chardin (y la causa de su escasa repercusión fuera de los países católicos) es que, simplemente, no es pensamiento científico, porque recurre a una explicación que no es materialista (o naturalista, para quitarle toda connotación política al término), sino mística, fundamentada en la fe. El paleontólogo americano George Gaylord Simpson[5] escribió lo siguiente: «Teilhard y yo fuimos amigos cercanos a pesar del hecho, que los dos conocíamos, de que diferíamos completamente en filosofía y religión (Teilhard no hacía separación entre ambas) y casi completamente en temas científicos (Teilhard nunca entendió el concepto de selección natural y tampoco distinguía entre ciencia y religión mística).»

¿Pero hay que abandonar por completo la idea de progreso que todo el mundo asocia con la idea de evolución? ¿No podría haber progreso en la evolución sin que obedezca a un plan cósmico, sin recurrir a una causa final?

«Progreso» es una palabra que se ha asociado a menudo (en el pasado) a la palabra «propósito». Pero desde el principio de este libro dejé claro que la ciencia no espera propósito en la evolución, ni en el mundo en general. No se interroga sobre las causas finales de las cosas (su propósito). Busca leyes en la naturaleza y las considera inherentes a la materia, e inseparables de ella. Simplemente la materia es como es y tiene sus leyes.[6]

Ahora bien, puede haber progreso general en la evolución sin que haya propósito en la naturaleza.[7] Es concebible, en principio, que exista una *tendencia* al progreso sin necesidad de salirse de las leyes que rigen el universo. Simplemente ocurriría que las formas de vida son cada vez más perfectas a causa de la competencia entre los individuos y de la selección natural que resulta de ella. ¿No podría ser que la biología tuviera una flecha en el tiempo, igual que la física? La flecha de la física es el segundo principio de la termodinámica, que ya conocemos, y que apunta hacia la entropía, el desorden, la desorganización, el frío, la muerte. Los seres vivos, en todo momento —recuerde el bello pensamiento de Schrödinger—, luchan contra la termodinámica creando orden, y para ello se *alimentan* de entropía negativa. ¿No podría ser que la flecha en el tiempo de la biología fuera el aumento de organización y de complejidad (incluyendo, especialmente, la complejidad psíquica)?

Una cuestión relacionada, y que tratamos en este libro, es la de si la Historia cultural tiene una flecha, y si esa flecha apunta hacia una complejidad social creciente, o sea, hacia sociedades cada vez más organizadas y numerosas. ¿No podría darse el mismo caso en la historia de la vida?

El filósofo y economista escocés del siglo XVIII, Adam Smith, defendía la idea de que hay una *mano invisible* que guía el mercado en la dirección del progreso de las naciones. ¿No podría la selección natural ser una *mano invisible* que guiara la evolución biológica hacia el progreso de las especies?

Muchas personas afirmarían sin dudarlo que, por supuesto, evolución biológica y progreso son sinónimos. De ahí la pregunta tan frecuente de «por qué los monos no han evolucionado», es decir, por qué no se han convertido en humanos, que se considera el máximo nivel de progreso posible, al menos por ahora. Hay que explicar entonces que todos los monos han evolucionado, y de ahí la enorme diversidad de este grupo de mamíferos. Si no hubieran evolucionado, todos los monos serían iguales. Y lo mismo se puede decir de los mamíferos, aves, tortugas, tritones, etcétera. El razonamiento es simple: si la evolución produjera siempre progreso, el mismo tipo de progreso, ¿cómo explicar la asombrosa variedad de la vida en el planeta?

En realidad, todos los seres vivos progresan para ser mejores murciélagos (es decir, mejores mamíferos voladores y nocturnos) o mejores hipopótamos o ardillas o caballos o delfines o saltamontes o helechos. Y un chimpancé, por supuesto, evoluciona para ser mejor chimpancé.

En el mundo de la publicidad, evolución es mejora y avance. Pero si lo pensamos bien, se trata de mejora del producto sin cambiar su naturaleza, el tipo de producto que es, su utilidad o función. Un ordenador *evoluciona* para ser mejor ordenador, un automóvil para optimizar sus prestaciones como automóvil, una cámara de fotos para hacer fotos con más calidad. Entendemos por evolución tecnológica una mayor eficacia de la máquina en cuestión, pero en su correspondiente sector o nicho del mercado.

Pero no es tan evidente, en el caso de la tecnología del automóvil, por ejemplo, qué es lo que se trata de optimizar. ¿Que consuma menos combustible? ¿Que contamine menos? ¿Que sea más veloz? ¿Que cueste menos dinero? ¿Que dure más tiempo? ¿Que sea más pequeño? ¿Más grande? ¿Más seguro? ¿Más bonito?

A un coche todo terreno se le piden unas prestaciones diferentes de las que esperamos de un deportivo, incluyendo el lujo en la ecuación. Desde luego, es posible que todos los coches hayan mejorado en muchas cosas, no solo en las propias de su especialidad, y por ahí podríamos empezar a hablar de progreso general, pero no está tan claro. ¡Aquellos coches grandes de antaño eran mucho más cómodos! Da la impresión de que para mejorar en algo haya que empeorar en otra cosa (con los años le cuesta a uno cada vez más entrar y salir de un deportivo).

Si sustituimos máquina por organismo, tipo de máquina por plan corporal, sector del mercado por nicho ecológico, piezas o partes de la máquina por órganos o sistemas y prestaciones por funciones, podemos pasar un buen rato dándole vueltas al asunto. Comparar las dos tecnologías, la industrial y la biotecnología, me parece una excelente idea, que puede aportarnos un punto de vista fresco a la cuestión.

A fin de cuentas las máquinas que hacemos los humanos cambian con el tiempo (*evolucionan*) modificando los modelos anteriores en función de los resultados que hayan dado (es decir, por simple prueba y error), y compiten unas con otras por un sector del mercado (su especialidad). De vez en cuando aparecen diseños revolucionarios (grandes inventos) que florecen en una radiación adaptativa, bien sin competencia bien sustituyendo al tipo de máquina que realizaba su función antes. Y todo el tiempo se producen extinciones de marcas, algunas veces en masa —un sector entero, como pasó con los dinosaurios—. Un buen ejemplo, al que todos los que tenemos cierta edad hemos asistido, es la sustitución casi total y casi instantánea (*catastrófica*) de la película fotográfica de emulsión química por los chips de la fotografía digital.

Lo que nadie va a discutir es que no se puede comparar un coche con una barca, ni una rueda con un remo, ni un volante con un timón, ni el casco con la carrocería, ni el ancla con el freno de mano, ni el motor de vapor o de explosión con la vela. No tiene sentido preguntarse si un automóvil es mejor que un bergantín. Cuando comparemos animales, tienen que ser... comparables, y eso plantea un grave problema porque ¿cómo comparar una libélula con un topo?

En fin, le propongo al lector que busque sus propios ejemplos. La comparación de la ingeniería industrial con la ingeniería biológica es apasionante y todavía está por desarrollar. Darwin comparó la evolución biológica con la evolución de las lenguas (la filogenia con la filología) pero, que yo sepa, no lo hizo con las máquinas, y eso que conoció la revolución industrial de la máquina de vapor. Tal vez las máquinas le recordaran el reloj de Paley, y por eso no le gustaban como ejemplo. Pero estoy convencido de que Darwin, hoy, se interesaría por la evolución tecnológica impulsada por el ser humano como en su día se obsesionó con las razas de las ovejas o de palomas domésticas.

En *El origen de las especies* (estoy refiriéndome a su sexta edición, de 1872), Darwin reflexiona sobre el tema del progreso evolutivo extensamente en dos ocasiones y le da todas las vueltas posibles sin llegar a estar del todo convencido de que la evolución es progreso en el tiempo geológico, sin más. A veces se inclina a ello, pero enseguida se le ocurre un contraejemplo que lo pone en duda. Darwin es siempre un hombre que duda, es decir, un verdadero científico, y esa es su grandeza: «Vemos, así, [escribe Darwin] lo desesperadamente dificultoso que es comparar con completa justicia, en relaciones tan sumamente complejas, el grado de la organización de las faunas, imperfectamente conocidas, de los sucesivos periodos.» Desde luego, no se puede hacer el experimento de poner a competir animales y plantas de diferentes periodos geológicos para comprobar si las especies modernas son mejores que las fósiles, pero se pueden comparar animales y plantas vivientes de diferentes partes del mundo para ver qué pasa. Es posible que así se encuentre algún criterio que permita decir, solo con mirarlos, qué tipos de organismos son *superiores* y cuáles son *inferiores*. Porque, si hay especies o grupos de especies claramente *superiores* y otras manifiestamente *inferiores*, debería ser evidente para cualquier biólogo, y lo mismo le pasaría al paleontólogo con los fósiles.

Recurriendo al experimento (desdichado) que ha hecho el ser humano de trasladar especies de un lugar a otro por todo el globo, observa Darwin que las *producciones* de animales y plantas de origen europeo introducidas en Nueva Zelanda han tenido éxito y han reemplazado a las locales, mientras que «apenas ningún habitante del hemisferio sur se ha hecho salvaje en ninguna parte de Europa».[8] ¿Por qué será?

Y entonces Darwin extrapola a partir de estos datos y realiza el siguiente experimento mental: ¿qué ocurriría si se soltasen todas las especies de Gran Bretaña en Nueva Zelanda y al revés? El resultado previsible para Darwin, a tenor de los resultados de las introducciones, es que se produciría una gran extinción de especies autóctonas en Nueva Zelanda, mientras que le parece dudoso que lo mismo ocurriese en Gran Bretaña. «Sin embargo, el más hábil naturalista, mediante un examen de las especies de los dos países no podría haber previsto este resultado [la superioridad de las producciones europeas sobre las neozelandesas].»

La moraleja de esta historia es que no hay forma de saber *a priori*, simplemente comparando la biología de dos especies, cuál prevalecería en la lucha por la vida si tuvieran que competir, cuál es la más adaptada, qué diseño es mejor. Ni «el más hábil naturalista», como dice Darwin, podría anticipar el resultado. Eso es algo que solo se puede ver después de ponerlas en contacto, *a posteriori*. No hay criterio posible, en consecuencia, para decir de antemano que una especie es dominante sobre otra, aunque estén ambas vivas y las podamos estudiar a fondo, en el campo y en el laboratorio.

«La selección natural solo tiende —dice Darwin en *El origen de las especies*— a hacer cada organismo tan perfecto como, o ligeramente más perfecto que, los demás habitantes del mismo país con los que entra en competición.» Y a continuación pone el ejemplo de Nueva Zelanda, donde las producciones de allí (las especies endémicas) son perfectas unas comparadas con otras, pero que ceden rápidamente el terreno a las especies de animales y plantas importadas de Europa. «La selección natural —prosigue Darwin— no produce perfección absoluta, ni nos encontramos nunca, hasta donde podemos juzgar, con este alto estándar en la naturaleza.»

EL GRAN INTERCAMBIO

En realidad, ya se ha producido un experimento real, no mental, de comparación de faunas para ver cuál es mejor, y fue cuando se restableció el istmo de Panamá (hace unos tres millones de años) y se pusieron en contacto los mamíferos de las dos Américas. La mitad meridional llevaba mucho tiempo en aislamiento, como un continente isla, con carnívoros que eran marsupiales y herbívoros que eran placentados, pero de grupos que se diversificaron en América del Sur y se suelen llamar arcaicos. Del intercambio de faunas a través del istmo se derivó la total extinción de los carnívoros marsupiales y un considerable diezmado de los placentados arcaicos. Parece que los carnívoros con placenta son más competitivos que los carnívoros con marsupio, y que los herbívoros modernos lo son más que la mayoría de los herbívoros arcaicos de Sudamérica.

Sin embargo, hay que tener cuidado a la hora de sacar conclusiones demasiado drásticas. George C. Williams escribía en 1966 que habría que estudiar a fondo el número de especies que había a un lado y otro del istmo porque podría darse el caso de que, simplemente, antes del intercambio hubiera más especies en la biota de América del Norte (al pertenecer a un mundo más amplio que incluye también a Europa, gran parte de Asia y el norte de África y que en biogeografía se llama región holártica) que en la biota de América del Sur (región neotropical). Eso explicaría el resultado final, con victoria del norte, más que la superioridad de unas faunas sobre otras. Es tentador sacar la conclusión de que los placentados están mejor adaptados que los marsupiales, dice Williams, pero también advierte de que podría ser una cuestión meramente estadística.

También Stephen Jay Gould rompe una lanza por los marsupiales.[9] No es que estén estructuralmente peor adaptados que los placentados, dice, no es que su diseño sea inferior, se trata más bien de que la evolución de los marsupiales en Sudamérica y en Australia fue más tranquila, con menos sobresaltos (extinciones en masa) y menos competencia, por lo que había menos diversidad y estaban menos especializados. Si la situación hubiera sido geográficamente la inversa —con los carnívoros con marsupio al norte y los carnívoros con placenta al sur—, Gould sospecha que el intercambio a través del istmo se habría saldado igualmente con la derrota de Sudamérica y la victoria de Norteamérica.

¿Pero ni siquiera tenía claro Darwin que la especie humana era superior a todas las demás del mundo?

En *El origen del hombre* (1871), Darwin adopta el criterio del naturalista Karl Ernst von Baer para definir el grado de progreso o avance de un organismo «en la escala biológica» (en palabras del propio Darwin). La definición de von Baer se basa en la diferenciación y especialización de las partes del organismo y coincide con lo que todos entendemos hoy por complejidad o grado de organización de un sistema cualquiera (sea biológico o no): cuantas más partes tenga el sistema y más diferentes sean las partes entre sí, mayor será la complejidad u organización.

A partir de aquí, Darwin dice que la evolución por selección natural ha llevado a que cada vez haya más diversidad biológica, conforme se van adaptando las diferentes líneas evolutivas a sus particulares modos de vida, que cada vez son más variados (la economía de la naturaleza se amplía con la evolución). Esa adaptación se traduce en especialización, naturalmente.

Y ahora recurre Darwin a la «división del trabajo fisiológico», del que ya había dicho en *El origen de las especies* que era un principio generalmente aceptado por los naturalistas. Lo que quiere indicar Darwin es que las diferentes estructuras del individuo *se reparten el trabajo* de la adaptación. El resultado, según Darwin, es que los organismos van con el tiempo diferenciando y especializando sus órganos y, por lo tanto (siguiendo la definición de Von Baer), progresando en complejidad, aunque cada organismo conserva siempre el patrón general del *progenitor* del que desciende. Eso no quiere decir que todos los grupos con organización simple tengan que desaparecer ante la llegada de formas más complejas, aclara Darwin, porque pueden conservarse en ambientes protegidos.

Así pues, concluye Darwin, cuando miramos la evidencia geológica, parece que «la organización en su conjunto ha progresado a lo largo de todo del mundo por pasos lentos e intermitentes». Planteado así, no parece que haya una línea principal de progreso, sino muchas. Y sin argumentarlo, como si fuera evidente, añade: «En el gran reino de los vertebrados [el avance en organización] ha culminado en el hombre.»

No sabemos por qué pensaba Darwin que el ser humano tenía más diferenciadas sus partes que las demás especies, pero en todo caso no dice que seamos la especie más compleja del mundo, sino tan solo de los vertebrados, nuestro grupo biológico (un filo[10] entre todos los filos animales, que a su vez forman, formamos, uno de los cinco reinos de la vida). En el último párrafo de su libro Darwin dice que somos la cúspide del mundo orgánico... para terminar recordando que llevamos en nuestra estructura corporal el sello indeleble de nuestro bajo origen.

¿Y qué dicen los biólogos posteriores a Darwin? Han pasado muchos años desde *El origen de las especies* y se sabe mucho más de biología, sobre todo de genética. Tal vez ya se haya podido establecer una buena base de comparación entre diferentes tipos de organismos. Es más, ¿no deberíamos haber progresado en el tema del progreso biológico? ¿Seguimos estancados?

Aunque Michael Ruse[11] afirma que todos los grandes neodarwinistas sin excepción[12] creían en una evolución ascendente, yo no veo tanta unanimidad, ni me parece que se pueda generalizar una postura a todo el movimiento. No pensaban igual Julian Huxley que G. G. Simpson. Según Ruse, el libro de Ronald Fisher *The Genetical Theory of Natural Selection*, del año 1930, es un himno al progreso evolutivo. Yo creo que Ruse no ha leído bien a Fisher. A lo que llama Fisher «progreso» (su parámetro «W») es a la mejora de la adaptación de una especie al lugar que ocupa en la economía de la naturaleza. Yo solo veo genética y ecología en el libro de Fisher, nada de *progresionismo*. Lo que sí hay es una gran preocupación por el porvenir biológico de la especie humana, que es una constante en los evolucionistas de la época, casi sin excepción.[13]

Por su parte, J. B. S. Haldane en su obra más importante, *The Causes of Evolution* (1932), se expresa así:

> He venido usando palabras tales como «progreso», «avance» y «degeneración» como pienso que se debe hacer en esta discusión, pero soy muy consciente de que semejante terminología más bien representa la tendencia del ser humano a darse un empujón a sí mismo en la espalda que un pensamiento claramente científico. El cambio del mono al hombre muy bien podría parecerle un cambio para peor al mono. Y lo mismo podría parecerle a un ángel. [...] Debemos recordar que cuando hablamos de progreso en la evolución estamos cambiando el terreno relativamente firme de la objetividad científica por las arenas movedizas de los valores humanos.

Julian Huxley sí que creía firmemente que había progreso en la evolución, y ponía a nuestra especie en la punta de flecha de este. Lo que no significa, ¡cuidado!, que Huxley fuera finalista, porque no pensaba en absoluto que esa flecha hubiera sido lanzada hacia una diana (un *telos*) por un arquero sobrenatural al principio del todo, cuando empezó la vida, ni pensaba que la flecha tuviera propósito.

Pero, a la frase de Haldane citada un poco más arriba, Huxley respondía:

> Haldane no se ha percatado de que el hombre posee mayor poder sobre la naturaleza y vive con más independencia de su ambiente que el mono. El uso del método inductivo de investigación resta toda su fuerza a objeciones tales como esas [las de Haldane sobre la subjetividad de la idea de progreso]. Las definiciones de progreso que hemos sido capaces de elaborar como resultado de un análisis, aunque sea muy general, de los hechos evolutivos, no son de carácter subjetivo sino objetivo. Que la idea de progreso no es un antropomorfismo se puede ver inmediatamente si nos paramos a pensar qué visión del asunto tendrían una tenia o una medusa filósofas. Si tales organismos pudieran razonar, habrían de reconocer que no eran grupos dominantes, ni dotados de capacidad para avanzar más, sino un degenerado callejón sin salida...
>
> *Evolution. The Modern Synthesis* (1942)

Es frecuente entre los partidarios del progreso en la evolución el uso de términos despectivos para referirse a los grupos animales que no están en línea con los seres humanos, y se han ido por otro lado: «callejones sin salida» y «formas degeneradas», si están vivas; y «experimentos fallidos de la evolución» o «formas abortivas», si son fósiles.

Para Julian Huxley, la superioridad de un grupo biológico puede expresarse como su capacidad de evolucionar y producir formas nuevas de organismos, por su potencial evolutivo. Es decir, por lo que es capaz de hacer en el futuro.

Como siempre, Simpson era más cauto. Opinaba que la historia de la vida es —incluso tautológicamente— progresiva porque las especies van *progresivamente* convirtiéndose unas en otras, a través de una serie de etapas. Pero la pata de un mamífero no puede considerarse mejor que la aleta de un pez, porque son apéndices que cumplen funciones diferentes. Sí puede, desde luego, considerarse superior el ojo de un vertebrado a la pequeña mancha de pigmento fotosensible de un protozoo, pero ni siquiera de este ejemplo le parece a Simpson que puedan extraerse conclusiones generales. El ojo es mejor si hay un sistema nervioso de vertebrado detrás, no en sí mismo. Las plantas no tienen sistema nervioso, por lo que un ojo no representaría mejora alguna.

A pesar de todo —y teniendo en cuenta estas restricciones—, Simpson piensa que en la historia de la vida es común la existencia de progreso. La mayoría de los acontecimientos de la evolución son *mejoras* (avances) o *transformaciones*. Ello no está en contradicción con el hecho de que pueda haber reversiones (marchas atrás) o estancamientos.

Pero quiero detenerme en los dos términos que utiliza Simpson para referirse al progreso que se aprecia en el registro fósil.

Uno es «*improvement*» y lo podemos traducir aquí como «mejora». A eso es a lo que llamaríamos «retoques», simples cambios que se producen para mejorar la adaptación de una especie a su nicho ecológico. Los cambios son menores, pero ocurren en todas las generaciones. Es un proceso habitual; eso es lo que hace la selección natural actuando *al modo ordinario*.

La otra palabra que utiliza Simpson es «*transformation*», o «*breakthrough*». Esto ya ocurre mucho menos a menudo (es un *modo extraordinario*) y representa «cambios de funciones y cambios en las vías de mejora». Es lo mismo que los avances en la evolucionabilidad de Richard Dawkins y las *grúas* de Daniel Dennett. Se trata de la aparición de un nuevo jugador que cambia las reglas de juego. ¿Cuál es su efecto en el registro fósil, en lo que un paleontólogo ve?: las radiaciones adaptativas.

Esas trasformaciones de Simpson son las que de verdad marcan el paso de la evolución.

Con respecto al ser humano, Simpson no tiene duda de que representa el punto máximo de progreso evolutivo. Pero ¿por qué lo dice? ¿En qué somos superiores? Lejos de cualquier misticismo (no le gustaban en absoluto los misticismos en ciencia), Simpson utiliza un criterio puramente funcional: podemos hacer más cosas de las que cualquier animal o planta puede hacer, y, generalmente, las que puede hacer un animal las podemos hacer nosotros mejor. Y añade para terminar su reflexión sobre el tema: «La capacidad del ser humano de utilizar herramientas es, por supuesto, uno de sus avances *biológicos*».

En otro lugar,[14] Simpson opina que hay criterios generales y objetivos para medir el progreso de las especies: «Una mayoría de ellos [...] muestran que el ser humano está entre los más elevados productos de la evolución y su suma garantiza la conclusión de que el ser humano es, en conjunto pero no en todos los aspectos, el pináculo del progreso evolutivo hasta ahora.»

Alguna especie, después de todo, tenía que ocupar el pináculo, pero eso no quiere decir que nosotros seamos el lugar al que la evolución se dirigía desde el principio, porque en el párrafo anterior Simpson había dicho de esos mismos criterios objetivos que «no designan la línea humana como la línea central de la evolución, ni tampoco revelan la existencia de línea central alguna».

¿Pero no debería salir de la competición eterna entre especies alguna forma de mejora general con el tiempo?

Para un neodarwinista solo hay una fuerza que interviene en el curso que toma la evolución: la selección natural. ¿Y cómo podría la selección natural impulsar el progreso? Julian Huxley y J. B. S. Haldane dan respuesta con sencillez a esta pregunta en un libro precioso que escribieron en 1927 para escolares, titulado *Biología animal* (los niños españoles lo leían traducido solo dos años después). *Biología animal* es un manual perfecto y completo, bien razonado y con ejemplos, de *progresionismo*. Yo creo que todo lo relativo a lo que en el libro se llama «el método de la evolución» lo escribió Huxley, porque será su filosofía en todas sus obras posteriores, mientras que el pensamiento de Haldane, como acabamos de ver, fue otro muy diferente, mucho menos entusiasta respecto de la idea de progreso evolutivo.[15]

En *Biología animal* se hace un uso abundante de la analogía entre la evolución biológica y la evolución tecnológica e industrial para concluir que evolución, en cualquiera de los dos casos, es sinónimo de progreso imparable.[16] Para explicar cómo la selección natural lleva al perfeccionamiento se recurre al ejemplo del avance incuestionable en el terreno militar. En los tiempos de Nelson, se dice en el libro, los barcos eran de madera y los cañones disparaban bombas esféricas de hierro con un alcance de unos pocos cientos de metros. Ahora (en 1927) los cruceros tienen cañones mucho más poderosos y blindajes más gruesos. El proceso es idéntico al de los organismos, exponen Haldane y Huxley: los progresos en la familia del caballo fueron acompañados por avances semejantes de los carnívoros, sus depredadores, en el mismo periodo geológico. De ese modo, en ambas líneas (perseguidores y perseguidos) se produjeron mejoras evidentes en tamaño, potencia y velocidad: más grandes, más fuertes, más rápidos.

El progreso biológico y evolutivo es una consecuencia necesaria de la lucha por la vida, se concluye en el libro. Así pues, se puede ser *progresionista*, como lo era Julian Huxley, sin ser finalista (esto es, sin defender que los seres vivos *tienden* hacia la perfección por alguna misteriosa razón). El progreso no viene, según Huxley, de urgencias internas de los organismos, sino de la selección natural, el motor de la evolución de Darwin, que actúa desde fuera. Es un progreso sin propósito.

Muchos años después (en 1979), Richard Dawkins y J. R. Krebs[17] recurrían también al lenguaje militar en su estudio sobre las «carreras armamentísticas» (*«arms races»*) en la evolución. Dawkins y Krebs ilustraban el concepto con la metáfora de la zorra y la liebre (inspirada en la vieja fábula de Esopo). La liebre corre más que la zorra porque la liebre se juega la vida, y la zorra solo la cena. La zorra se puede permitir un fracaso y pasarse sin cena una noche, a la liebre no se le consiente fallar nunca. Curiosamente, también Dawkins y Krebs ponen el ejemplo de los buques de guerra, pero sin citar a Haldane y Huxley (a los que no parecen haber leído.)[18] Las zorras serían los submarinos, y las liebres los barcos de superficie que los submarinos quieren hundir. Su *cena*.

Una carrera armamentística es una escalada evolutiva que no termina nunca, porque a una adaptación por el lado de la presa responde el cazador con una *contraadaptación* (o al revés), razón por la que «si en general los depredadores modernos no son mejores cazando presas que los depredadores del Eoceno eran cazando presas del Eoceno, a primera vista podría esperarse de la carrera armamentística que los depredadores modernos masacrarían a las presas del Eoceno. Un depredador eoceno cazando una presa moderna podría estar en la misma situación que un Spitfire cazando un jet.» El Spitfire era un legendario caza británico de la segunda guerra mundial, que se enfrentaba a los Messerschmitt alemanes en la batalla de Inglaterra.

Entonces, ¿no podrían ser las carreras armamentísticas un motor del progreso general?

La respuesta de Dawkins y Krebs es muy prudente, pero no lo descartan:

> El sentido común *direccionalista* seguramente gana en una escala temporal grande: donde hubo solo películas de bacterias cianofíceas ahora hay metazoos de ojo de águila. Pero esta no es la cuestión. A más corto plazo, digamos en el Cenozoico [los últimos 65 millones de años], ¿hay alguna tendencia general que pueda llamarse en algún sentido mejora? Ante cualquier intento que se haga de responder empíricamente esta cuestión, sugerimos que incluso si no hay otras razones teóricas para esperar tales tendencias, las carreras armamentísticas proporcionan una.

Años más tarde, Dawkins[19] utilizó la pareja guepardo/gacela como ejemplo de una carrera armamentística que ha dado soberbios resultados, espectaculares *performances* en los dos lados. Por supuesto —y perdón por no haberlo dicho aún—, la carrera armamentística, o mejor, la *carrera adaptativa*, se produce entre los linajes evolutivos de los guepardos y de las gacelas, no entre un guepardo y una gacela en particular (entre ellos dos solo hay una persecución, con el resultado de *cena* o *hambre*). Es, como se dice técnicamente, un fenómeno macroevolutivo,[20] porque se trata de una escalada de adaptaciones y *contraadaptaciones* que tiene lugar en el *tiempo evolutivo*, mientras que la persecución entre un guepardo y una gacela concretos se produce en el *tiempo real*.

Como en la famosa carrera de la Reina Roja y Alicia (en *A través del espejo*), de lo que se trata aquí es de correr todo el tiempo para permanecer siempre en el mismo sitio. El biólogo evolutivo Leigh Van Valen desarrolló en 1973 una teoría —llamada precisamente teoría de la Reina Roja— para explicar por qué se extinguen las especies. En la gran competición macroevolutiva no está permitido quedarse atrás, por lo que la extinción sobreviene cuando, a una línea, su potencial genético no le da ya más de sí y es incapaz de mantener la velocidad de cambio. (Esta metáfora de la Reina Roja y la necesidad de correr sin parar para no extinguirse se utiliza mucho en los cursos de formación de las empresas, para motivar a los ejecutivos. Cuando las doy yo lo que cuento es otra cosa: que explorar, innovar y superar retos y dificultades forma parte de la condición humana, y que lo inhumano es la estabilidad, la monotonía y el tedio.)

Bien. Sin duda, de la competencia entre gacelas y guepardos saldrán mejores gacelas (o por lo menos más rápidas en la carrera y en el quiebro) y mejores guepardos (en el mismo sentido). Eso nos hace pensar que una gacela actual no podría ser capturada por un félido del Mioceno, o que un guepardo actual cazaría con facilidad a los herbívoros de esa misma época geológica, igual que un avión de caza a reacción no tendría enemigo en la segunda guerra mundial. ¿Pero estamos seguros?

Desde luego, este experimento mental es un tanto problemático porque aunque los órdenes de mamíferos (como por ejemplo, los carnívoros) existen desde el Cretácico o principios del Cenozoico, ha habido muchos cambios en la estructura de los ecosistemas. No cabe duda de que los guepardos actuales son mejores cazadores de gacelas que sus antepasados, pero solo de gacelas, que es la presa en la que están hiperespecializados. Con otros herbívoros (por ejemplo, del tipo de los búfalos) no serían tan buenos cazadores, ya que de hecho no lo son en los ecosistemas actuales. Cabe pensar que un guepardo se moriría de hambre si no hubiera gacelas o presas similares.

Pero aceptemos (con alguna reserva) que una manada de leones sería feliz en el Eoceno, como lo sería una de cebras. ¿Podemos decir lo mismo del Mesozoico? Ampliemos la ventana de tiempo geológico más allá de los límites que se autoimponen Dawkins y Krebs. ¿Podrían triunfar los leones y las cebras en los ecosistemas jurásicos? Nos sentimos inclinados a decir inmediatamente que sí, pero cabe dudarlo, de entrada, en el caso de las cebras, porque hasta el Cretácico no se generalizan las plantas angiospermas (las plantas con flores), y el pasto que comen los ungulados africanos (antílopes, búfalos, cebras y demás) está hecho de angiospermas (gramíneas, leguminosas y otras hierbas y juncos). Y si a las cebras les va mal, les va también mal a los leones, que se alimentan de ellas. ¿Podrían cebarse tal vez en los dinosaurios herbívoros? Y los dinosaurios carnívoros, ¿los dejarían tranquilos?

No es tan fácil asegurar que las especies de un periodo geológico son superiores a las del periodo anterior si ha tenido lugar una gran extinción por causas ajenas a la biología, como en el caso de la sustitución de los dinosaurios por los mamíferos, pero cuando se produce un reemplazamiento generalizado, como el que protagonizaron los teleósteos en los mares, ríos y lagos, sí se podría afirmar que el grupo que experimenta la explosión de especies es superior al que retrocede y se extingue en su mayor parte.

Pero pongamos otro ejemplo de reemplazamiento de un gran grupo biológico por otro, esta vez en tierra firme. Los ungulados dominantes durante la primera mitad del Cenozoico fueron los perisodáctilos, que incluyen a los équidos, es decir, caballos, cebras y asnos africanos y asiáticos; también a los rinocerontes y a los tapires. Pero más tarde fueron relevados por los artiodáctilos, como los bóvidos, cérvidos, jiráfidos y otros ungulados rumiantes (además de los cerdos e hipopótamos, que son artiodáctilos pero no rumian). En número de especies, los artiodáctilos son los ungulados más diversificados hoy, con mucha diferencia. ¿Superioridad biológica de los artiodáctilos? ¿Mejor diseño? No necesariamente. Parece muy probable que la expansión de los artiodáctilos tenga más que ver con el cambio climático que desde hace unos 30 millones de años va enfriando el planeta y haciéndolo cada vez más seco. El resultado ecológico ha sido la expansión de las praderas (ecosistemas herbáceos) en grandes regiones del globo, en detrimento de los ecosistemas forestales. Las plantas que forman el pastizal son difíciles de digerir, porque sus tallos contienen demasiada fibra, y ahí los estómagos con cámaras de los rumiantes tienen ventaja. No podemos decir entonces que el diseño de los artiodáctilos sea mejor que el de los perisodáctilos en abstracto, sino que cambió el medio y les convino más a los rumiantes.

Volvemos pues a Darwin. En la naturaleza, ninguna especie es superior a otra en términos absolutos (y por eso ningún biólogo puede emitir un juicio *a priori*). Todo depende de las circunstancias. El grupo de especies dominante hoy puede extinguirse mañana si cambia la dirección en la que sopla el viento del clima, y eso puede tener que ver con algo tan poco biológico como los movimientos de las placas de la litosfera terrestre. Pura geología. No es verdad que el aleteo de una mariposa en Pekín produzca una gran tormenta en Nueva York (por referirnos al famoso ejemplo de la teoría del caos), pero el levantamiento de una meseta como la del Tíbet sí puede cambiar muchas cosas en la biosfera.

Pero, en el fondo, piensa Richard Dawkins, lo que importa es que las carreras armamentísticas existen siempre, aunque los protagonistas cambien y sean mamíferos placentados o mamíferos marsupiales o dinosaurios o *reptiles mamiferoides* los que compiten. Y esta persistencia de las carreras armamentísticas, aunque haya de cuando en cuando grandes extinciones que obliguen a empezar de nuevo el juego con otros protagonistas, es lo que le da Dawkins argumentos para acariciar la idea de que no es tan descabellado pensar que *a grandes rasgos* —no en el detalle— la historia de la vida se repite, y que lo volvería a hacer (por lo menos a partir de cierto momento, que podría ser el del origen de los animales, o incluso el de los eucariotas: desde la aparición de la primera célula compleja, que ocurrió hace dos mil millones de años).

La evolución no se puede representar como una línea de progreso ascendente que culmina en el ser humano, pero puede que se ajuste a un patrón de dientes de sierra, en el que uno de los dientes (por referirnos solo a ecosistemas terrestres) fueron los *reptiles mamiferoides*, el siguiente los dinosaurios y, finalmente (después de la caída del meteorito, que sería una muesca entre dos dientes), los mamíferos, el último diente de la sierra por ahora. Y dentro de cada diente, visto de cerca, habría dientes más pequeños, uno detrás de otro. En ese sentido, puede decirse, según Richard Dawkins, que unas carreras armamentísticas riman a lo largo del tiempo con otras carreras armamentísticas.

¿Comprenden ahora, después de todo lo argumentado, por qué Darwin dudaba sobre si había habido progreso a lo largo del tiempo geológico? Porque es una pregunta condenadamente difícil de contestar. Por muchas vueltas que se le dé no hay manera de encontrar un punto débil por el que llegar al corazón del problema.

En lo que muchos, la mayoría, de los biólogos evolutivos y paleobiólogos actuales (pero quizás no todos) estamos de acuerdo es en que no ha habido eso que podríamos llamar progreso general en la evolución. Nos parece que esa no es una buena manera de contar la historia de la vida, y no nos gustan expresiones como «callejones sin salida» y «formas degeneradas». El árbol de Darwin, con muchas ramas, una amplia copa y sin guía, es la imagen que preferimos. Como lo describe Darwin en *El origen de las especies*: «El gran árbol de la vida, que llena con sus ramas muertas y rotas la corteza de la Tierra y cubre su superficie con sus bellas y repetidas ramificaciones.»

Simpson, a quien sigo casi en todo,[21] lo expresa con certeras palabras:

> Es bastante fácil mostrar que, aunque la evolución [de un grupo biológico concreto] es direccional, como todo proceso histórico tiene que ser, la evolución [en su conjunto] es multidireccional; cuando todas las direcciones se

tienen en cuenta, la evolución es errática y oportunista. Obviamente, puesto que existe el hombre, una de las direcciones va desde la célula primordial al hombre, o más bien una serie de direcciones, porque no hay una secuencia en línea recta.

En resumen, dice Simpson en otro lugar, «la evolución no siempre se acompaña de progreso, ni parece caracterizarse por el progreso como un rasgo esencial. Ha habido progreso dentro de ella, pero no es su esencia.»

En el fondo, la idea de progreso general es anterior a Darwin, y fue defendida por Lamarck, quien estaba convencido de que la vida ascendía por una especie de escalera. Esa sí sería una buena descripción de la corriente principal de la evolución para el biólogo francés. Las adaptaciones, como la famosa del cuello de las jirafas, no eran el argumento central de la historia, sino pequeñas anécdotas más o menos triviales y locales. Para Darwin, en cambio, evolución es en esencia adaptación por medio de la selección natural, y por eso no tenía, no podía tener, una dirección preferente, ya que la adaptación es oportunista, muy variada y esencialmente local.

Lamarck se equivocaba en el mecanismo que producía la adaptación, que no es la herencia de los caracteres adquiridos por medio del uso y desuso, sino la selección natural actuando sobre las mutaciones imprevisibles (algo tan sencillo como variación seguida de criba). Pero, sobre todo, se equivocaba en la creencia de que toda la evolución es una escalera única de progreso.[22]

En fin, se le han dado tantas vueltas a la idea de progreso en la evolución que algunos autores como Gould han llegado a considerarla inabordable e incluso nociva. Es decir, que sería mejor no hablar de ello porque no se va a llegar a nada y puede envenenar toda la biología evolutiva. Es posible, pero a mí me parece una pregunta, de entrada, inevitable. No es posible eliminar tan fácilmente las inquietudes que nos incomodan. En segundo lugar, yo me lo estoy pasando muy bien analizando lo que se ha dicho sobre el tema, y aún tengo ganas de seguir un poco más. Espero que le siga interesando también a usted.

¿Qué decir de la inteligencia? ¿No es la mejor medida de la complejidad biológica? ¿No es la guía de la evolución que estamos buscando?

Los mamíferos son un grupo de vertebrados amniotas (un enorme clado, una mata grande de especies) con características únicas que afectan a la locomoción (el cuerpo levantado), la estructura ósea del cráneo (incluyendo el paladar secundario) y la mandíbula, los huesecillos del oído medio, la dentición (que se complica por multiplicación de cúspides en los molares, que son de este modo más eficaces en la masticación), el control de la temperatura corporal, la forma de crecer de los huesos, la epidermis, la gestación (aunque los monotremas todavía ponen huevos), la alimentación de las crías a base de leche, y la encefalización, es decir, el extraordinario desarrollo del encéfalo. Los hemisferios cerebrales (que es a lo que se llama en español «cerebro») forman la mayor parte del encéfalo humano, pero no están tan desarrollados en otros grupos de mamíferos, en los que los bulbos olfativos (la parte más anterior del encéfalo) son grandes; los mamíferos son, por lo general, unos animales en los que el olfato es el sentido dominante.

La superficie de los hemisferios cerebrales es de corteza gris, y en los primates esta corteza es casi toda ella de un tipo especial que se llama neocorteza o neopalio (para diferenciarla de la paleocorteza o paleopalio, que tiene que ver con el sistema olfativo, y de la arquicorteza o arqueopalio, que es el hipocampo, del que hablaremos en su momento). Es precisamente en la neocorteza donde residen las funciones superiores, como son percibir los estímulos sensoriales (del tacto, visión y audición), interpretarlos y coordinar las reacciones del animal (es, pues, una corteza perceptivo-cognitiva). Y solo los mamíferos tienen neocorteza verdadera, un dato que habrá que tener en cuenta cuando hablemos de la consciencia.

Se puede decir que el número de neuronas existentes en el planeta no ha cesado de crecer en el Cenozoico, la llamada popularmente Era de los Mamíferos (seguimos en ella), y que hay ahora mucha más materia gris en la Tierra de la que hubo en el Mesozoico, la Era de los Dinosaurios, y no digamos en la Era de los Peces. Eso se debe a que los mamíferos están, en general, más encefalizados que cualquier otro vertebrado, y a que en varias líneas de mamíferos ha habido un claro aumento de tamaño de los hemisferios cerebrales, notablemente en el caso de los cetáceos, los proboscídeos (elefantes) y los primates. Es interesante a este respecto el caso de las neuronas en huso o neuronas Von Economo, que se encuentran en los homínidos (orangutanes, gorilas, chimpancés y humanos), en los elefantes africanos y asiáticos y en los delfines y otros cetáceos con dientes. Parecen ser neuronas que facilitan una rápida comunicación en cerebros que son grandes, y lo más importante es que habrían aparecido por evolución independiente en los tres grupos de mamíferos mencionados.

También está claro que la nuestra es la especie más encefalizada de la biosfera y, junto con los neandertales, de la historia de la vida. La encefalización de una especie, por cierto, es el tamaño del encéfalo en relación con el peso del cuerpo.[23]

Henry J. Jerison,[24] el gran experto en el tema, encontró que los mamíferos y las aves estamos por encima de los otros vertebrados y somos, por lo tanto, los animales más encefalizados de la Tierra. Efectivamente, pese a su pequeño tamaño, hay aves que son sorprendentemente listas. Por detrás de los humanos quedan, bastante parejos, los chimpancés, los delfines y los elefantes, todos ellos muy inteligentes, aportando muchas neuronas a la biosfera. Es interesante saber que, hace dos millones de años, los antepasados de los delfines superaban a los nuestros en grado de encefalización, así que les hemos ganado en el *sprint* final. Podemos así admitir que vivimos en el edad de oro de la neurona, el momento de la historia de la vida con más neuronas existiendo a la vez. El planeta se hace gris.

¿Pero ha habido una *tendencia* a la encefalización en todos los mamíferos desde el momento mismo de su aparición, o tan solo se ha producido en algunas líneas?

Hubo un tiempo, antes de la síntesis moderna, en el que se definían los grupos biológicos por sus *tendencias evolutivas*, es decir, se caracterizaban *a posteriori* (mirando hacia atrás desde el presente) por lo que habían llegado a ser: corredores, voladores, nadadores, zapadores, comedores de hojas, comedores de pasto, comedores de frutos, comedores de larvas que viven en troncos de árboles, carnívoros, etcétera. En los primates, nuestro grupo, se manifestarían *tendencias evolutivas* a la vida arbórea y a la encefalización.

Nadie cree, desde que Simpson combatió con eficacia esta idea de raíz vitalista, que haya direcciones preferentes de cambio, *inercias evolutivas*, en los grupos, que estos grupos *tiendan* a algo (como movidos por un impulso interno), pero, así y todo, la encefalización podría ser un fenómeno muy general en los mamíferos, sea cual sea su ecología, simplemente porque es una adaptación útil. Ser inteligente casi siempre le viene bien a un animal, podríamos resumir (aunque lo mismo valdría para otras cualidades, como las de ser rápido, ser hábil, un oído fino o una buena vista).

No es nada fácil responder a la pregunta de si *tienden* los mamíferos, evolutivamente, hacia el aumento del encéfalo, por interesante y apremiante que sea esa pregunta. Para ello necesitaríamos un registro fósil casi perfecto que no tenemos, pero Henry J. Jerison ha intentado durante años estudiar el fenómeno.

Los dinosaurios, para empezar, no tenían un encéfalo tan pequeño como se suele decir, «del tamaño de una nuez», y, por supuesto, no se extinguieron por ello. El encéfalo de un tiranosaurio era más bien como un pomelo. Pero los mamíferos los superaban ampliamente. La primera especie fósil de mamífero en la que se puede conocer el tamaño del encéfalo, *Triconodon mordax*, de hace casi 150 millones de años, estaba cuatro veces más encefalizada que un saurio de su tamaño, y su encefalización era comparable a la de una zarigüeya (marsupial sudamericano) o un erizo actuales. Los mamíferos experimentaron una radiación adaptativa que les permitió ocupar muchos nichos ecológicos ya en el Mesozoico, bastante antes de que los dinosaurios se extinguieran, pero eran nocturnos y de pequeño tamaño, siempre por debajo del de un gato. Sin embargo, entre esos 150 millones de años del *Triconodon* y los 65 millones de años de la extinción de los dinosaurios y demás saurios grandes no parece que se registre una *tendencia* fuerte a la encefalización en los mamíferos (o dicho más propiamente: una encefalización generalizada), sino que se mantuvieron en el nivel basal del grupo, en el que por cierto permanecen muchas especies vivientes con gran éxito ecológico.

Luego, en el Cenozoico (últimos 65 millones de años) la desaparición de los dinosaurios no entrañó una encefalización inmediata de *todas* las líneas evolutivas de los mamíferos, sino que en su mayoría permanecieron bastantes millones de años sin crecimiento sustancial de sus encéfalos. En los cetáceos, por ejemplo, la impresionante encefalización que los caracteriza empezó hace 20 millones de años, cuando se produjo su radiación adaptativa en el agua, donde pasaron a ocupar múltiples nichos.

En los primates, la gran encefalización de los llamados *primates superiores* tuvo lugar después de que aparecieran las características dentales y del esqueleto que los definen, no al revés. Y algo similar ocurrió con nuestros antepasados directos, los australopitecos, que eran dental y esqueléticamente casi como nosotros, pero cerebralmente no muy diferentes de los chimpancés.

«La conclusión general sobre el aumento de tamaño del encéfalo en los primates —dice Jerison— es que la encefalización probablemente fue por detrás de otros cambios [...], lo que querría decir que algunos nichos de primates no se caracterizaron inicialmente por la selección para un encéfalo grande, sino que la encefalización tiene que ver más bien con una mejora en la adaptación a esos nichos.» Es decir, primero vino la modificación esquelética y dental para ocupar un nuevo nicho ecológico y luego creció el encéfalo para mejorar la adaptación. Así es como ve Jerison el papel del encéfalo en la evolución: como un refuerzo para la adaptación ya iniciada, no como el motor del cambio. La encefalización fue por detrás de la radiación adaptativa de los mamíferos en el Cretácico, de la radiación de los primates superiores y de los cetáceos muchos millones de años después, y de la radiación de los humanos aún más recientemente. Eso querría decir, de estar Jerison en lo cierto (lo que se puede comprobar con más y mejores fósiles, ya que este no es un experimento mental), que la inteligencia no ha guiado la evolución de los mamíferos, ni siquiera la de los más inteligentes.

En un trabajo bastante más reciente, se ha investigado con detalle la evolución del encéfalo en los mamíferos. Se utiliza el momento de aparición de cada género en varios linajes de mamíferos, aquellos de los que se tiene un registro fósil aceptable, que no son todos ni mucho menos. El resultado es que la norma de aumento general del encéfalo con el tiempo se cumple en algunos grupos pero no en otros; es decir, no es un fenómeno universal en los mamíferos.[25] Los autores del estudio han encontrado también una correlación marcada entre tamaño del encéfalo y sociabilidad. Los mayores desarrollos en encefalización se han dado en mamíferos cuya vida se desarrolla en grupos estables, es decir, los que no llevan existencias solitarias o solo se asocian ocasionalmente.

Si en un osado experimento mental nos atreviéramos ahora a hacer un pronóstico de cómo será el mundo viviente dentro de millones de años, y utilizáramos para una proyección de futuro las tendencias macroevolutivas, podríamos suponer que en algunos grupos biológicos su encefalización será mayor y sus sociedades más complejas todavía. Pero nada indica que tendrán (salvo los primates) unos órganos prensiles que les permitan fabricar herramientas, porque esas no son sus tendencias macroevolutivas. ¿Y qué decir de los mamíferos acuáticos? ¿Es ese un medio propicio para la tecnología? Pero no adelantemos acontecimientos, porque ya llegará el momento de tratar esas cuestiones.

Recordemos también que el éxito arrollador en los ecosistemas de los mamíferos, el grupo en el que se ha producido la mayor expansión cerebral (es decir, de los hemisferios), no parece que fuera inevitable a tenor de lo que se ha dicho antes. Fue necesaria la llegada de un meteorito, o habría sido necesario, en otro caso, un cambio climático que acabara con los dinosaurios y otros grupos de vertebrados no mamíferos. Pero tanto la catástrofe del tránsito del Mesozoico al Cenozoico como el enfriamiento posterior del planeta son fenómenos ajenos a la vida, accidentes.

Aunque, por supuesto, se puede también pensar que los mamíferos se habrían impuesto de todas formas *en buena lid* a los dinosaurios y demás saurios porque eran *superiores*, aunque no los favoreciera ningún cambio ambiental. Lo que no hay es manera de demostrarlo, porque la historia no ocurrió así y ya no hay vuelta atrás. Ahora, retrospectivamente, solo es un experimento mental. ¡Pero qué gran experimento de sillón!

La parte más grande del encéfalo es, en los humanos, el cerebro, constituido por los hemisferios cerebrales, que es donde residen las funciones superiores; así que podemos preguntarnos: ¿es el desarrollo del cerebro la tan buscada vara de medir de la complejidad biológica, al menos para los animales?

Aunque se oye decir una y otra vez que el cerebro humano, el de cada uno de nosotros, es el sistema más complejo del universo (cada neurona está conectada con miles de neuronas y el número total de neuronas es de casi cien mil millones), este de si la *cerebralización* es la medida de la complejidad biológica es un tema que se puede someter a discusión y en el que las grandes mentes no han sido capaces de ponerse de acuerdo, por más vueltas que le han dado (¡y le han dado muchas!).

Teilhard de Chardin, que como sabemos creía en la complejidad creciente de la evolución cósmica (desde el átomo más simple hasta el ser humano y más allá), se veía obligado a proceder a un cambio de variable cuando la curva de complejidad llegaba a los mamíferos. A partir de ese momento la complejidad se mide, dice Chardin, como psiquismo, y su aumento se produce en la línea de los mamíferos y, dentro de estos, en los primates, y, finalmente, en la estirpe humana. Ese es el cambio de variable, porque antes no se aplicaba la regla del psiquismo. Desde luego no a los átomos, las moléculas o los animales anteriores a los mamíferos.[26]

Es obvio que no todos están de acuerdo en aceptar ese cambio de variable sin más y lo encuentran un truco para favorecernos (o para explicarnos) y situarnos como la cúspide de la evolución o, más bien, la punta de lanza de la evolución (ya que, para Chardin, no somos el final del camino, sino una forma de tránsito).

Julian Huxley utilizaba otros criterios aparentemente más objetivos, pero igualmente difíciles de cuantificar, como la capacidad de un animal para controlar el medio interno y externo e independizarse del ambiente. Por supuesto, los humanos ganamos también en esta competición porque podemos vivir hasta en la Luna.[27]

Pero Chardin y Julian Huxley son ya antiguos, pertenecen a otra época. ¿No habrá alguien más moderno que haya abordado la cuestión de la complejidad biológica utilizando conceptos de la teoría de la información?

Dos autores se lo han propuesto en 1995, y su intento ha despertado mucha atención, así que merecerá la pena que le dediquemos unos párrafos. Ellos son Eörs Szathmáry y John Maynard Smith, y se plantean así el problema:

> No hay razones teóricas para esperar que las líneas evolutivas incrementen su complejidad con el tiempo, y no hay evidencia empírica de que lo hagan. Sin embargo, las células eucariotas son más complejas que las procariotas, los animales y las plantas son más complejos que los protistas, etcétera. Este aumento en complejidad puede haberse conseguido como resultado de una serie de transiciones evolutivas. Estas implican cambios en la forma en la que la información es almacenada y transmitida.[28]

No hay una medida de la complejidad biológica aceptada por todos, empiezan diciendo. Dos posibles medidas podrían ser, por un lado, el número total de genes que codifican proteínas y, por el otro, la diversidad morfológica (número de tipos celulares de un organismo) y del comportamiento (flexibilidad en las acciones). La variedad en la morfología y en la conducta son ideas bastante intuitivas, pero arduas de cuantificar. A los autores les parece que es difícil ir más allá de la conclusión obvia de que la complejidad ha aumentado *en algunas líneas*.

En cambio, saber el número de genes de las diferentes especies está al alcance de la ciencia actual. Lo que vemos, decían Eörs Szathmáry y John Maynard Smith, es que los seres eucariotas tienen más genes que los procariotas, las plantas *superiores* y los invertebrados tienen más genes que los procariotas y el genoma de los vertebrados es más grande que el de los invertebrados. Los autores se preguntan si no se deberá la diferencia entre invertebrados y vertebrados en el número de genes al sistema nervioso de los últimos (que seguramente requiere de genes extra).

Las grandes transiciones (o umbrales) en la historia de la vida, según Eörs Szathmáry y John Maynard Smith son: 1) el paso de moléculas replicadoras sueltas a poblaciones de moléculas, reunidas en compartimentos; 2) el paso de replicadores (genes) aislados a conjuntos de replicadores asociados en cromosomas; 3) el paso del ARN como gen y a la vez como enzima al ADN como gen y las proteínas como enzimas (es decir, al código genético); 4) de procariotas a eucariotas; 5) de clones asexuales a poblaciones sexuales; 6) de protistas a animales, plantas y hongos (en los que hay ya diferenciación celular en tejidos); 7) de individuos solitarios a colonias (con castas de individuos no reproductores); o alternativamente; 8), de las sociedades de primates a las sociedades humanas (con la aparición del lenguaje). En todas las transiciones ocurre que entidades que *antes* eran capaces de replicarse por sí mismas solo pueden hacerlo *después* formando parte de una entidad mayor (las bacterias que se convirtieron en mitocondrias ya no se pueden reproducir por su cuenta, por ejemplo, dado que han transferido parte de su genoma al núcleo de la célula).[29]

Sin embargo, no es verdad que la especie humana sobresalga en número de genes, elevándose por encima de los demás mamíferos, como tampoco los mamíferos tienen *siempre* más genes que los demás vertebrados, ni *todos* los vertebrados tienen más genes que *todos* los invertebrados (hay insectos y moluscos con grandes genomas). Así que esta contabilidad no sirve, me parece, para expresar la suprema complejidad, real o supuesta, de nuestra especie. Pero Eörs Szathmáry y John Maynard Smith hacen aquí un número de prestidigitación: unir genes y lenguaje humano bajo la etiqueta común de sistemas de almacenamiento y transmisión de la información. De este modo nos ponemos a la cabeza de la complejidad biológica gracias a nuestro lenguaje, que sin duda es un gran sistema para almacenar y transmitir la información.

También Richard Dawkins en *El río del Edén* (del mismo año 1995) recurre a la teoría de la información, de gran prestigio en biología, para identificar una serie de umbrales que unen la aparición de los genes hace varios miles de millones de años con la mucho más reciente adquisición del lenguaje humano, que sería «el sistema de interconexiones por el cual los cerebros intercambian información». Dawkins incluso va más allá, porque el último umbral, que ya hemos atravesado sin proponérnoslo, sería el de la emisión al espacio de información en forma de las ondas de radio de las comunicaciones humanas.

Después de todo no hay grandes diferencias entre el planteamiento antiguo de Julian Huxley o Teilhard de

Chardin, y el más moderno de Eörs Szathmáry y John Maynard Smith o Richard Dawkins. En todos los casos parece que cuando se llega a los vertebrados hay que recurrir al cerebro y a sus manifestaciones —como el lenguaje— para situar al ser humano en la cúspide de la complejidad, con lo que complejidad se convierte en sinónimo de encefalización. Pero que somos la especie más encefalizada de la historia de la vida —como lo son los mamíferos entre los vertebrados y los vertebrados entre los animales; las plantas y los hongos ni siquiera tienen sistema nervioso— es algo que ya conocíamos de antemano. Lo que nos preguntamos es si no será hacer trampas en el solitario escoger para medir la complejidad precisamente aquella variable que sabíamos desde el principio que nos favorece.

Por fin llegamos al *quid* de la cuestión. ¿Qué es la complejidad, en general? ¿Cómo se mide?

Lo frustrante de esta discusión es nuestra incapacidad para definir y medir la complejidad, al menos en biología. Acudo a Edgar Morin, el filósofo de la complejidad, y me encuentro con que, según sus reflexiones, «complejidad» no es una palabra-respuesta, sino una palabra-problema. Morin opina que hace falta todavía desarrollar una teoría de la complejidad. No cabe duda de que la teoría de la información y la teoría de sistemas han hecho una gran contribución al problema, pero es necesario dar más pasos.

Daniel Dennett[30] utiliza la expresión «acumulación de diseño», que parece tener cierta utilidad a este respecto, porque evoca aumento de complejidad. A fin de cuentas, a los humanos nos parece que las máquinas modernas tienen más ingeniería que las antiguas. Por lo tanto, al menos en la industria, complejidad y diseño[31] parecen sinónimos. Según Daniel Dennett, algunas líneas evolutivas han acumulado más diseño que otras porque han tenido la suerte o la desgracia (según se mire), de competir en carreras armamentísticas que exigían más y más diseño, mientras que otros linajes «tuvieron la fortuna —o la mala fortuna, la elección es suya— de haber dado con una solución relativamente simple a los problemas de la vida y, habiéndolo logrado hace dos mil millones de años no han tenido nada más que hacer en el camino del diseño desde entonces». La nuestra es de las especies que se han visto envueltas en una espiral de diseño creciente. Los seres humanos, dice Dennett, como somos complejos, apreciamos la complejidad, pero «otros linajes pueden ser tan felices como las almejas con su cuota de simplicidad.»

Por otro lado, podemos pensar que toda gran radiación adaptativa se origina de resultas de la aparición de una innovación revolucionaria en el diseño biológico,[32] por lo que habría en la evolución un aumento de diseño por cada modelo biológico que aparece. El diseño sería, pues, acumulativo: el nuevo se superpone (se suma) al anterior. Recurriendo a los grados estructurales clásicos, un ave o un mamífero son *reptiles* modificados, así que deben de tener más diseño que los *reptiles* de los que se partía, igual que sucedía en el siglo XIX cuando a un barco de vela le incorporaban una máquina de vapor y una hélice que añadían al viento una nueva forma de propulsión. Y los *reptiles* serían anfibios modificados, que a su vez serían *peces* con mandíbula modificados, que habrían mejorado el diseño de los *peces* sin mandíbula, y suma y sigue.

La evolución se asemejaría así a un trinquete (Figura 8), una de esas ruedas dentadas que funciona con un gatillo que hace que no se pueda volver atrás cada vez que avanza un diente, como un piñón de bicicleta o un cabrestante. El mecanismo del trinquete obliga a que el engranaje solo gire en un sentido, diente a diente. Como dice Dawkins, después de la aparición del cromosoma, de la célula con membrana, de la meiosis, de la *diploidía* (dos juegos de cromosomas), de la reproducción sexual (gametos haploides, con un solo juego de cromosomas), de la célula eucariota, de la multicelularidad, de la gastrulación (un tipo de desarrollo embrionario), de la segmentación, etcétera, la evolución nunca volvió a ser la misma porque *se* cruzaron *líneas divisorias* (umbrales) en cada uno de esos pasos evolutivos, de esos dientes del piñón.[33]

El problema, como siempre, es llevar a la práctica este concepto de los umbrales. Nos parece que se puede aplicar el criterio a un grupo de organismos en relación con sus antepasados directos (un mamífero actual comparado con un *reptil mamiferoide* del Triásico, por ejemplo), porque cabe pensar que sí ha habido acumulación de diseño con el tiempo, pero es más difícil cuando se comparan diferentes líneas evolutivas entre sí.

Los dinosaurios y aves, los pterosaurios y los cocodrilos son arcosaurios (nombre técnico del clado), y todos ellos proceden de un antepasado común. ¿Cuál ha acumulado más diseño desde que se separaron: el pterodáctilo, el colibrí, el tricerátops o el cocodrilo?

Seguro que muchos pensarán que el cocodrilo es el que menos diseño ha acumulado, que es el animal más arcaico, más *primitivo*, pero recuerden que tiene un paladar secundario que separa las cavidades oral y nasal

FIGURA 8. El trinquete de la evolución

Algunos autores como Daniel Dennett plantean que en la evolución de algunas líneas se produce acumulación de diseño biológico, mientras que otras líneas alcanzan un cierto nivel de complejidad y se mantienen en él. Esta perspectiva sugiere que el diseño es acumulativo, de forma que la evolución funcionaría como un trinquete (o cabrestante o piñón), que puede girar solo en un sentido, el de que cada vez haya más diseño. Sin embargo, la realidad no es tan simple. Las aves, por poner un ejemplo, han adquirido la capacidad de volar, pero a cambio han perdido la de usar las manos para manipular objetos, o para agarrarse a una rama, o para apoyarse en el suelo. Algo parecido puede decirse de los cetáceos o de los carnívoros marinos en relación con sus extremidades, que se han convertido en aletas o se han perdido. Y las barbas de las ballenas, ¿acumulan más diseño que los dientes de sus antepasados terrestres?

para respirar y comer al mismo tiempo... ¡como los mamíferos! Y están perfectamente adaptados al modo de vida que llevan. ¡Si hasta se comen a los mamíferos! Piensen en esos documentales de las grandes migraciones de los ñúes en África y lo mal que lo pasan los pobres mamíferos (a pesar de todo su diseño) cuando tienen que cruzar esos ríos, de escarpados taludes, infestados de cocodrilos.

La realidad es que los cocodrilos y caimanes (y gaviales, comedores de peces) son unos arcosaurios extremadamente especializados, empezando por su modo de vida anfibio, que no es en absoluto el de los primeros arcosaurios, el tronco basal del que derivan dinosaurios (entre ellos las aves), pterosaurios y cocodrilos. En un buen puñado de características los cocodrilos están más *evolucionados* (han acumulado más diseño) que las propias aves, y de ninguna manera se pueden considerar unos fósiles vivientes. Las aves, en cambio, no están tan *evolucionadas* como puede parecer a simple vista por el hecho de tener plumas. Porque también las tenían otros dinosaurios. Y en muchas cosas que estudian los biólogos, los pájaros son muy *reptilianos*.

Lo cierto es que da la impresión de que en la evolución, más que acumulación de diseño, lo que se ha producido es la sustitución de unas adaptaciones por otras.

El vertebrado pisciforme estaba bien adaptado a la vida acuática, mientras que un brontosaurio, con su enorme tamaño, estaba bien adaptado a la vida terrestre. Los mamíferos mantenemos constante la temperatura del cuerpo, pero al precio de necesitar más calorías, que no son nunca fáciles de conseguir. ¿Es eso una ventaja? ¿No sería más *inteligente* que nos calentara el sol?

Para adaptarse al vuelo, las aves y los quirópteros

han perdido el uso de sus manos, y los murciélagos apenas pueden andar, como tampoco los extintos pterosaurios. Estaban bien adaptados al vuelo, sin duda, pero pésimamente al suelo, lo que es un problema.

Además, siguen existiendo y medrando demasiados tipos biológicos que se solían considerar *inferiores* en las clasificaciones antiguas como para creer en la superioridad de los pretendidos organismos complejos. Como dice George C. Williams: «Si el número de individuos o de especies es un criterio, como se asume a menudo, hoy vivimos tanto en la era de los anfibios como en la de los mamíferos. Los anfibios compiten con los reptiles, aves y mamíferos por la comida y otros recursos esenciales, y no parecen estar en gran desventaja.»

¡Qué desesperación! Es como si, cada vez que creemos haber *progresado* en este problema del *progreso*, cayéramos en un pozo y volviéramos a la casilla inicial, como en el juego de la oca.

¿Pero no es cierto que, al menos en los campos de la tecnología y de la ciencia, lo complejo se descubre mucho más tarde que lo simple? ¿No es, en la industria, lo moderno siempre más complejo que lo antiguo? ¿Pasará lo mismo en la evolución?

Ya hemos comentado que una manera de valorar la complejidad de algo es el tiempo que les ha costado a los científicos entender cómo funciona esa cosa. No es una idea del todo mala, creo, aunque se trate de una solución de andar por casa porque no se puede expresar como una ecuación. ¡Ay, si tuviéramos una fórmula matemática que nos sirviera para comparar las complejidades de las especies biológicas! Pero para ello antes habría que definir la complejidad de una manera satisfactoria y que pudiera medirse. El problema es filosófico, más que matemático.

Aplicando mi modesta aportación, la fotosíntesis de las plantas y el código genético, aunque tienen miles de millones de años, son problemas muy complejos porque los hemos entendido modernamente —y, por cierto, la fotosíntesis después que el código genético—. Y la verdad es que estamos muy lejos de entender cómo funciona el cerebro humano, muy moderno en el tiempo geológico, así que debe de ser muy complejo.

Acudamos de nuevo a la analogía entre biología e ingeniería. El barco de vapor es posterior al de vela y ¿quién no lo considera más complejo? Los coches y el motor de explosión también son inventos relativamente recientes en la Historia de la humanidad, como los aviones o las naves espaciales.

Por otra parte, sentimos un gran aprecio por la electrónica, las telecomunicaciones y la computación, que consideramos grandes progresos modernos de la tecnología, aún en plena *evolución*, y de los que esperamos todavía mayores maravillas. La informática lo controla absolutamente todo. Está *a la cabeza* del desarrollo. El ordenador, con su *hardware* y su *software*, con su circuitería y su programación, es la máquina que anuncia la era futura, la de la inteligencia artificial, que hasta podría dominar al ser humano, dicen algunos profetas (entre los que no me cuento). Todo esto se parece, aunque sea superficialmente, al sistema nervioso (la electricidad) y al cerebro (la computadora), así que, de nuevo, la evolución tecnológica, y sus últimos avances, parecen darle la primacía a la inteligencia[34]. Pero contengámonos, solo es una analogía y, en todo caso, no es una tendencia general de todas las máquinas, solo de algunas (aunque cada vez más aparatos incorporan un componente informático).

¿En qué quedamos entonces? ¿Hay una tendencia general al aumento de la complejidad en la evolución? ¿Hay por lo menos (como piensan Eörs Szathmáry y John Maynard Smith) una serie de umbrales de complejidad que han ido atravesando *algunos* tipos de organismos, *no todos*, hasta que nuestra especie cruzó finalmente el último umbral, el de la complejidad máxima?

La gran verdad, decía Simpson, es que el único patrón reconocible de la vida en su conjunto, desde sus orígenes, la única tendencia verdaderamente apreciable es la de expandirse continuamente, ocupar todos los rincones posibles del planeta, para lo que esa vida tiene que diferenciarse cada vez más y más, explorando todos los extremos del diseño biológico. Si ha progresado en algo, es en diversidad y en espacio habitado. Si la historia de la vida tiene un *leitmotiv*, un argumento, es ese. Si ha habido un aumento general de complejidad, sería un aumento de la complejidad ecológica.

Más modernamente, Robert Wright extiende el razonamiento de Simpson y lo lleva aparentemente mucho más allá.[35]

La evolución, en su conjunto, muestra una tendencia al aumento de complejidad orgánica en cuatro órdenes, sostiene Wright. El aumento de la complejidad ecológica de Simpson (la biodiversidad creciente con el tiempo) es uno de ellos. Otro aspecto es el aumento de la complejidad promedio de las especies (según eso, la especie media actual sería más compleja que la especie media de cualquier otra época). Un tercer aspecto es llevar el límite de la complejidad cada vez más allá (los organismos más complejos, son cada vez más complejos). Y el cuarto es llevar más lejos el límite de la flexibilidad del comportamiento (los organismos más inteligentes, son cada vez más inteligentes).

La evolución, según Robert Wright, muestra una gran persistencia en esa cuádruple tendencia a la complejidad, y lo hace en circunstancias variables, a pesar de los cambios en el ambiente físico. Y lo más importante, avanza procesando información. Aquí recurre a la ya citada frase de Dobzhansky de que «la selección natural es un mecanismo que transmite "información" sobre el estado del ambiente a los genotipos de sus habitantes». Es decir, todo el tiempo se está enviando individuos (genotipos, algunos de ellos mutantes) *ahí fuera*, y la selección natural elimina a los que no son adecuados en cada circunstancia concreta: la selección natural ajusta los organismos a los cambios ambientales por el sistema de prueba y error.[36]

La evolución por selección natural mostraría, por lo tanto, *direccionalidad flexible* hacia el aumento de complejidad. Cuando un sistema persiste en la persecución de un fin, en circunstancias cambiantes, y lo hace procesando información ambiental, entonces estamos autorizados a decir que ese sistema tiene un propósito —un proyecto, un *telos*—, que es un sistema con un comportamiento teleológico, dice Wright.

Pero hay una gran diferencia entre la idea de propósito de Wright y la idea de propósito de los finalistas. Como dice Wright: «Si la evolución tiene un propósito, por lo que sabemos no ha sido imbuido por una divinidad, sino por un proceso creativo amoral.» Es decir, por la selección natural.

Después de todo, yo no aprecio apenas diferencia

entre lo que decía Simpson hace más de medio siglo y esta nueva definición de progreso que nos propone Robert Wright. A fin de cuentas, se trata de lo mismo: la vida tiende a ensanchar sus límites. Como el límite de la simplicidad no se puede llevar más lejos, porque empezó siendo simple, la vida se amplía solo por el lado de la complejidad. Stephen Jay Gould razonaba de la misma manera: un borracho que camina tambaleándose por la acera no se puede caer por el lado de la pared, tiene que caerse necesariamente por el de la calzada.

En resumen, yo no creo que la esencia de la evolución sea el progreso incesante, salvo que por progreso se entienda aumento de la biodiversidad y ocupación de todo el planeta. Pero no pretendo convencerlo a usted. Le he contado lo más importante que se ha dicho sobre el tema, y tiene un cerebro extremadamente complejo, con casi cien mil millones de neuronas conectadas entre sí, para pensar por usted mismo.

EL BARRIL DE LA VIDA

Se suele atribuir a Thomas Henry Huxley (abuelo de Julian Huxley) la comparación de la biosfera con un barril. Se puede llenar hasta arriba de manzanas. Pero en los huecos que dejan las manzanas caben piedrecillas, y hay todavía espacio sobrado para que entre mucha arena. Finalmente, se puede meter agua en el barril hasta que rebose. En la metáfora del barril, las manzanas podrían ser los filos, y la gravilla, la arena y el agua las categorías sistemáticas que quedan por debajo (clases, órdenes y familias).

La única tendencia que puede apreciarse en la evolución es la de rellenar el barril, la de diversificarse y ocupar todo el espacio disponible para la materia viviente en el planeta. En esto coinciden Darwin y Simpson.

¿Cuándo se llenó hasta arriba el barril de la vida? Desde luego, no antes de que las plantas, los hongos y los animales colonizaran la tierra firme, un acontecimiento que supuso un gran aumento en el número y variedad de formas de vida. En el caso particular de los animales, todos los filos estaban ya dentro del barril al comienzo del Paleozoico (periodos Cámbrico y Ordovícico). Desde entonces no han aparecido nuevos filos (ni siquiera cuando se poblaron los continentes), por lo que podemos imaginar que lo que entró en el barril de la metáfora a partir de entonces fue gravilla, arena y agua, no manzanas.

Después de llenarse el barril hasta arriba se produjeron grandes reemplazamientos de unos grupos biológicos por otros, como por ejemplo ocurrió después de las grandes extinciones de faunas terrestres y marinas que se produjeron al final del Pérmico y del Cretácico. En el barril puede darse, por lo tanto, suma, resta y sustitución, ¿pero podría ocurrir que el barril no fuera de paredes rígidas, sino de paredes extensibles, de forma que cada vez cupiera más vida dentro de él? Esa es la opinión de Simpson, y seguramente también sería la de Darwin.

¿Tiene un límite el volumen del barril, por muy flexibles que sean sus paredes? Parece razonable pensarlo. Y, si es así, ¿cuándo se alcanzó ese tope? Para Simpson, todavía no se ha llegado a ese límite:

> Las bacterias y los protozoos existen desde mucho antes que los vertebrados. La aparición de los vertebrados ha creado una nueva posibilidad para ellos, que han explotado a fondo: la de la vida en los intestinos y sistemas sanguíneos de los vertebrados. Estos desarrollos justifican el escepticismo respecto de la opinión de algunos investigadores que dicen que el mundo está ya atestado de vida y que la evolución ha llegado a su final en lo esencial. Los modos de vida que son posibles llevan probablemente millones de años abarrotados, pero al mismo tiempo no han dejado de aumen-

> tar las posibilidades de modos de vida. Es una cuestión de falta de imaginación no ver que esas posibilidades aún pueden incrementarse.[37]

El juego de la evolución, entonces, no sería para Simpson un juego de suma cero, como se dice en la teoría de juegos.[38] No solo habría reemplazamiento de unos grupos biológicos por otros, también podría producirse un aumento indefinido de la suma total. No preveía todavía Simpson, cuando escribía esto (y no hace tanto tiempo, menos de tres cuartos de siglo) la sexta extinción, la que estamos llevando a cabo los seres humanos. Leo en estos días que se estima que para el año 2100 no va a quedar ningún mamífero de tamaño grande viviendo en libertad. Solo en los zoos y en pequeñas reservas, islas de naturaleza en un planeta totalmente transformado.

JORNADA VII

LA METÁFORA DE LOS NAVEGANTES POLINESIOS

En la que se examinan las convergencias adaptativas, que demuestran que la evolución se repite y produce una y otra vez las mismas formas, como si solo existiera un número limitado de posibilidades para la vida. Si las convergencias son muy numerosas, habría motivo para pensar que la evolución no podría haber sido muy diferente de como ha sido. Esa sería, quizás, la manera de crear de un dios no finalista.

Si la evolución —por su propia naturaleza— no es unidireccional, sino multidireccional, ¿quiere eso decir que cualquier resultado pudo haberse dado? ¿Que había muchas historias de la vida posibles, una infinidad de ellas que no se cumplieron, muchos exfuturos?

No obligatoriamente.

Simon Conway Morris opina lo contrario. El argumento que esgrime para defender que la evolución es predecible (se sabe desde el principio lo que va a pasar) es el de la existencia (en enorme abundancia) de lo que se conoce en biología como convergencias adaptativas. Basándose en ellas, Conway Morris afirma que, si la vida comenzara de nuevo —o, como decía Stephen Jay Gould, «si se rebobinara la cinta de la vida»—, la historia general apenas cambiaría. Solo lo harían los detalles secundarios.

Volverían, podemos suponer según esta tesis, los vertebrados housepisciformes (o algo parecido) a asaltar los continentes apoyándose en sus dos pares de aletas ventrales, y los aires de nuevo se llenarían de insectos (o algún invertebrado del mismo tipo, con un exoesqueleto hecho de hidratos de carbono) y de vertebrados voladores parecidos a los pterosaurios, a las aves y también a los murciélagos. Y algo que nos recordaría a un mamífero (un mamiferoide) terminaría por evolucionar en tierra, quizás no con tres huesecillos en el oído medio pero que en todo caso oiría, pariría crías vivas y tendría pleno control de su temperatura corporal. Y desarrollaría algo parecido a unos hemisferios cerebrales, y estos se irían arrugando cada vez más. Y generaría una mente propia que le proporcionaría una perspectiva individual del mundo, además de una sensibilidad y de unos sentimientos. El final de la historia ya se lo imaginan. Volverían a aparecer los humanoides. Algo parecido a los seres humanos. Muy parecido.

Cabe pensar que, en algún momento, los humanoides acabarían descubriendo la evolución y sabrían *cómo* han llegado hasta aquí. Y tal vez se preguntarían *por qué* están aquí: si su aparición es producto del azar o de la necesidad.

Si Conway Morris está en lo cierto, la respuesta verdadera a la pregunta de esos humanoides sería que estarían aquí por necesidad, porque la evolución tenía fatalmente que producirlos a ellos o crear algo parecido. Algo parecido a los humanoides y, por supuesto, a las demás ramas del árbol de la vida porque, repitámoslo una vez más, la evolución es multidireccional y las convergencias adaptativas se producen por igual en todos los grupos biológicos, no solo en el nuestro, el de los vertebrados.

Este viaje intelectual de Conway Morris parte de una premisa necesaria: que las soluciones a los problemas ecológicos (los que impone el medio a las criaturas) son limitadas, es decir, que hay restricciones en la evolución y que, por lo tanto, esas pocas soluciones posibles (dada la naturaleza de la materia viviente y sus propiedades) *tienen* que repetirse una y otra vez. La evolución estaría así encauzada, porque no todos los diseños biológicos son posibles y las pocas soluciones disponibles a los problemas funcionarían como *atractores*, como imanes evolutivos. Y de ahí que las convergencias adaptativas sean, según Conway Morris, la señal predominante de la evolución. Todo lo demás es ruido.

Conway Morris no es finalista ni vitalista (las dos ideas incompatibles con la ciencia biológica), y además es un espléndido paleontólogo y un científico inteligente y sabio, así que habrá que tomarse en serio sus reflexiones.

Empecemos entonces por el principio. Parece que la fuerza del argumento de que la evolución es predecible reside en la universalidad de las convergencias adaptativas. Entonces, hay que preguntarse qué es una convergencia adaptativa. ¿Cómo se reconoce?

La convergencia adaptativa es lo mismo que en biología se llama «analogía», y se da cuando de forma independiente dos líneas evolutivas muy separadas producen adaptaciones muy semejantes, que cumplen la misma función en relación con los «hábitos de vida» de la especie, como diría Darwin.

Los casos de convergencia más citados en los libros son las alas de pterosaurios, aves y murciélagos entre los vertebrados (más los insectos, claro, en los invertebrados), que han aparecido de forma independiente en la evolución. Otro ejemplo clásico es el de las aletas de los diversos housesciformes, de los ictiosaurios, los delfines y los pingüinos. Pero conocemos nosotros un caso no tan famoso, pero igual de impresionante: el paladar secundario de cocodrilos y mamíferos, que cumple la función de (o *sirve para*) separar las cavidades nasal y oral y permitir la respiración con la boca llena de alimento.

Órganos homólogos, por el contrario, son en biología aquellos que comparten las especies que tienen una historia evolutiva común. Precisamente la cladística se basa en las homologías para establecer los clados, los grupos naturales (los ramilletes de especies). Para ello se recurre a lo que se conoce como caracteres derivados.[1] Las especies que comparten un rasgo exclusivamente suyo, una especialización que no se encuentra fuera de ellas, tienen un antepasado común del que han heredado esa especialización (el carácter derivado).

Por poner un ejemplo que nos afecta directamente, todos los hominoideos (la superfamilia en la que estamos agrupados los humanos y los simios) muestran un tipo de molar (como se llama en zoología a las muelas) característico, en el que las cúspides se organizan de una manera determinada, como pequeñas colinas separadas por valles dispuestos según un patrón propio y exclusivo.[2] Por sorprendente que pueda parecer, ningún otro tipo de primate, ni de mamífero, exhibe en sus muelas el mismo esquema de cúspides. Ese modelo, esa especialización del molar, indica que los hominoideos son un grupo natural, un clado, porque tal carácter derivado es herencia del antepasado común de todos los hominoideos, que vivió en África hace unos 20 millones de años. Floreció luego el grupo de los hominoideos —dando lugar a diferentes líneas— porque tuvo su propia radiación adaptativa. Muchas líneas se extinguieron, la mayoría, pero otras permanecen. Sus descendientes vivientes (desde el gibón al humano) son muy diferentes entre sí y del fundador del clado, pero todos conservan el mismo tipo de molar.

En resumen, la radiación adaptativa es lo contrario de la convergencia adaptativa, y de las dos hablamos mucho en este libro, porque son los dos grandes patrones de la evolución.

Los que dicen, basados en la abundancia de convergencias adaptativas, que la evolución es predecible, ¿sostienen que hay *programas evolutivos*, como hay programas genéticos de desarrollo? ¿Que la evolución está encauzada, como lo está el crecimiento del individuo desde el cigoto?

Solo es inevitable que se produzca lo que está de alguna manera canalizado, aquello que no puede salirse de ciertos senderos, como el agua que se distribuye por medio de acequias para regar las huertas, o los trenes que circulan, encarrilados, por la red ferroviaria. Sabemos que de un óvulo humano fecundado se desarrollará, si no se malogra, un ser humano adulto, capaz de reproducirse, y del óvulo fecundado de golondrina, una golondrina adulta. Pero nadie sostiene que haya programas evolutivos a semejanza de los del desarrollo, porque el mecanismo de Darwin, la selección natural, es la única explicación de la evolución y no hay un guion escrito en ninguna parte ni nada parecido a unos *genes para la evolución*.

Lo repetiré bien alto: la evolución *no* está programada como *sí* lo está el desarrollo. Precisamente por esa razón, Darwin no utilizaba en las primeras ediciones de *El origen de las especies* el término evolución,[3] que en su época se refería al desarrollo y tenía el significado de algo que se despliega de una forma predecible, de acuerdo con ciertas instrucciones. Prefería por eso Darwin la expresión «descendencia con modificación», que es más neutra y no implica dirección ni programa, solo cambio de una especie a otra.[4]

No hay una *programación evolutiva*, en efecto, pero la existencia de las convergencias adaptativas parece indicar que la evolución está canalizada o, por lo menos, que hay limitaciones importantes a lo que un organismo puede ser.

Cualquiera puede ponerse a pensar en quimeras, animales híbridos de diferentes especies existentes, o incluso híbridos de diferentes reinos (animales, plantas, hongos), que no han tenido nunca lugar, al menos en el planeta Tierra. Los unicornios, los pegasos o las sirenas no existen, salvo en la mitología, como tampoco los árboles que piensan, que miran, que hablan o que andan. Aunque Tolkien les diera vida en la saga de *El señor de los anillos*, en la biología real no hay vegetales con sistema nervioso y ojos. Nada que pese tanto como un dragón puede volar en nuestro planeta (ha habido pterosaurios enormes, pero no tanto) y ninguna especie de la historia ha escupido fuego. Tampoco hay carnívoros con cuernos.

A este respecto, déjeme que le cuente una historia, que tiene un contenido científico. El francés George Cuvier, un científico anterior a Darwin, está considerado el padre de la paleontología. Suyo es además el principio de correlación orgánica, la idea de que los organismos son un todo integrado, por lo que las partes están relacionadas entre sí y no pueden variar independientemente. Se cuenta, para ilustrar este concepto, que un estudiante acudió una noche a su dormitorio disfrazado de diablo con la intención de darle un susto de muerte. «Cuvier, te voy a comer», le dijo. A lo que el sabio francés contestó sin inmutarse: «Tienes pezuñas y cuernos, todos los seres así son herbívoros, no me puedes comer.»

No todos los modelos biológicos imaginables serían posibles en la práctica, y de ahí las repeticiones que llamamos convergencias adaptativas. En el caso de las aletas y de las alas está claro que son las leyes de la física (sostenerse en el aire o impulsarse en el agua) las que encarrilan la evolución y fuerzan las convergencias adaptativas, pero el *viviparismo* (parir crías vivas), por ejemplo, o controlar la temperatura corporal y mantenerla constante —así como desarrollar mucho los hemisferios cerebrales, la rumia, el parasitismo, las sociedades complejas o tirar las hojas en el otoño (o no hacerlo)— son pura biología, y no constituyen unos *movimientos forzados* por las leyes de las otras ciencias.

No podemos, por lo tanto, caer en el reduccionismo, en tratar de explicar los fenómenos biológicos simplemente por las leyes fisicoquímicas. Lo que no quiere decir que incurramos en el error opuesto, el vitalismo, la creencia en fuerzas vitales que no tienen existencia material y que serían exclusivas de los seres vivos.

Pero en el caso de las adaptaciones que no son puramente biomecánicas y que no están regidas por las leyes de la física, ¿quién pone los límites a lo que un organismo puede ser? ¿Hay una estructura oculta en alguna parte que funciona como una plantilla que moldea la materia viva en forma de especies? ¿Existe alguna realidad preexistente a las especies que condiciona la evolución?

Al principio de este libro me hacía preguntas sobre la Historia de la humanidad y el papel de la contingencia en ella, con el fin de detectar posibles analogías entre la Historia social humana y la historia de la vida.

Si Cervantes no hubiera existido o si hubiera muerto en la batalla de Lepanto (puras contingencias), el *Quijote* nunca se habría escrito. Eso es seguro, pero también puede considerarse muy probable que el teorema de Pitágoras se hubiera descubierto, aun sin Pitágoras (ya he comentado que es posible que fuera descubierto anteriormente por los babilonios).

¿Por qué? Pues porque es *verdad* que, en un mundo plano (euclídeo), la suma de los cuadrados de los catetos de un triángulo rectángulo es igual al cuadrado de la hipotenusa. Y lo mismo podría decirse de cualquier otro descubrimiento científico, como por ejemplo que el universo se expande desde que se produjo el *big bang*, o que el tiempo se dilata con la velocidad. Descubrir, a fin de cuentas, significa mostrar lo que está tapado u oculto. Descubrir es desvelar.

La ciencia es universal y la tabla periódica de los elementos se explica igual en todas las culturas y países porque la ciencia se refiere a realidades (la materia y sus leyes) que están, o deberían estar, al margen de las ideologías y las creencias. La ciencia no es materia de fe. Esos grandes descubrimientos se habrían producido, claro está, siempre y cuando existieran científicos que pudieran hacerlos. La ciencia moderna empezó a desarrollar su método en la Europa del siglo XVII. Esta es una contingencia puramente histórica, que no afecta a las leyes de la materia, sino a su descubrimiento por los seres humanos.

Pero así como el sol *está* en el centro de nuestro sistema y los planetas como la Tierra giran alrededor de nuestra estrella, la novena sinfonía de Beethoven *no estaba* en lugar alguno, había que *crearla*, no *descubrirla*.

Entonces, ¿a qué se parece más la evolución de las especies, al descubrimiento científico o a la creación artística? ¿La evolución *descubre* o *crea* (inventa) las especies? ¿No es un poco, o un mucho, platónico (en referencia a la teoría de las esencias del filósofo griego Platón) creer que las especies preexisten de alguna manera y la evolución las *descubre* y las materializa?

Sewall Wright, en un trabajo clásico de 1932, creó la metáfora más poderosa de toda la historia de la teoría evolutiva. Se trata de la metáfora de los paisajes adaptativos, todavía muy en uso. Sewall Wright veía los individuos de una población o de una especie como combinaciones de genes, más que como cuerpos. Algunas de esas combinaciones eran adaptativas (combinaciones «armoniosas», las llamaba él) y aseguraban el éxito de su afortunado portador. Otras combinaciones de genes no eran adaptativas y conducían al fracaso. Las combinaciones de genes podían representarse en forma de curvas de nivel, como en los mapas topográficos, formando esos paisajes adaptativos. Cada curva representaría un nivel de adaptación (de *fitness* darwinista). Las mejores combinaciones estarían en los picos del mapa de genes, y las peores, en el fondo de los valles. En realidad, en estos espacios adaptativos hay tantas dimensiones como genes más una (la altura), por lo que se trata de *hiperespacios* o espacios multidimensionales (hay decenas de miles de genes en un vertebrado). Pero los hiperespacios no se pueden representar gráficamente, porque solo somos capaces de imaginar espacios de tres dimensiones, y por eso representamos el relieve geográfico con curvas de nivel (en los mapas).

Theodosius Dobzhansky,[5] en 1937, transformó esos paisajes de Sewall Wright, que eran combinaciones de genes (genotipos), en paisajes ecológicos, en los que los picos representaban nichos, porque la variedad de nichos ecológicos, nos cuenta Dobzhansky, no es solo inmensa, sino también discontinua. Una especie de insecto, prosigue, puede alimentarse de hojas de roble, y otra especie de insecto de acículas de pino, pero un insecto que necesitara para comer una hoja intermedia entre la de roble y la de pino se moriría de hambre, porque no existe tal hoja.

En el ejemplo que desarrolla Dobzhansky (Figura 9), cada una de las especies de félidos (la familia de los gatos) ocuparía un pico (con su correspondiente nicho), y todas juntas formarían una especie de sierra (la de los félidos, que ocupan un conjunto de nichos bastante próximos entre sí, porque un gato, un lince, un guepardo, un león y un tigre tienen mucha ecología en común aunque sus presas sean distintas). A su vez, los félidos pertenecerían a la cordillera de los carnívoros, en la que también estarían las sierras de los cánidos, úrsidos y mustélidos, entre otros. Esta cordillera de los carnívoros, por su parte, estaría separada de las cordilleras de los roedores, los murciélagos, los ungulados, los primates, con todos los cuales formaría el gran sistema adap-

FIGURA 9. Felinos en el paisaje adaptativo

El genetista Theodosius Dobzhansky imaginaba que las especies vivientes se distribuían en paisajes adaptativos, en los que los picos representarían nichos ecológicos. Poniendo un ejemplo de nuestros tiempos, un nicho es como una especialidad deportiva (correr, saltar, nadar, luchar, levantar peso, etcétera). Las especies que están cercanas evolutivamente tienen por lo general nichos ecológicos parecidos y por eso se agrupan en una misma zona del paisaje adaptativo, ocupando un conjunto de picos que forman una sierra o cadena montañosa. Es el caso de los felinos. Pero, si los felinos se extinguieran, sus picos adaptativos quedarían vacantes, y podrían ser ocupados por otras especies. Además, en un continente donde no haya felinos, como Australia (o Sudamérica cuando era una isla), otros tipos de animales (por ejemplo, los marsupiales), podrían escalar los picos adaptativos vacíos. Este fenómeno es lo que se conoce como convergencia adaptativa y explica por qué el delfín y el extinto ictiosaurio se parecen tanto. No porque ambos vertebrados sean marinos (en el mar hay muchos tipos de vertebrados, con formas radicalmente distintas), sino porque los ictiosaurios nadaban muy rápidamente en el mar y comían peces, como los delfines; practicaban la misma *especialidad deportiva*.

tativo de los mamíferos, que también estaría segregado ecológica y biológicamente de los sistemas de las aves, reptiles, etcétera. Podríamos seguir así, ampliando el foco, siguiendo con los filos y luego los reinos hasta imaginar el paisaje de todas las especies vivientes, porque cada una ocupa un nicho ecológico propio. Por medio de esta metáfora la sistemática biológica se convierte en una geografía.

En los paisajes ecológicos de Dobzhansky las especies parecen adaptarse a los nichos ascendiendo a los picos, para lo que tienen que modificar sus diseños biológicos. Por eso se producirían las convergencias, porque dos especies pueden escalar el mismo pico adaptativo en diferentes lugares de la Tierra, o en diferentes épocas.[6]

Quizás se haya dado ya cuenta de que estamos hablando como si los paisajes adaptativos precedieran a las especies, como si de hecho las estuvieran esperando. ¿Pero dónde estaban esos picos y valles adaptativos antes de que llegaran a ellos las especies?, se preguntará con razón.

Nos movemos por mundos ideales, platónicos, irreales, aunque la abundancia y espectacularidad de las convergencias adaptativas en todo tiempo y lugar son fenómenos muy *reales* que habrá que explicar de alguna manera.

Sin embargo, no es necesario imaginar a los picos y valles adaptativos formando una especie de paisaje desierto que aguarda pacientemente a que los organismos lo conquisten. Si eso fuera así, una vez que todos los picos estuvieran ocupados se habría acabado la evolución, salvo que algún cataclismo acabara con todas las especies de un paisaje adaptativo (por ejemplo, los dinosaurios) y este tuviera que ser recolonizado (por los mamíferos).

Por supuesto, el gran Dobzhansky era consciente de que el mundo no ha permanecido nunca estático, sino que «los hábitats cambian con el tiempo, y sus habitantes a menudo cambian mano a mano con los cambios ambientales».

George Gaylord Simpson[7] imaginaba que el paisaje adaptativo de la metáfora de Wright/Dobzhansky no está quieto, sino que se parece más a un mar picado. Esta visión del paisaje adaptativo que va cambiando muy lentamente —y las especies con él— está mucho más acorde con la idea original de Darwin, que tenía muy en cuenta la importancia de los cambios en el ambiente a la hora de explicar la evolución de las especies. El fenómeno de las convergencias adaptativas también puede entenderse dentro de un paisaje en movimiento si dos picos acaban en el mismo sitio en diferentes lugares o épocas, y es una manera muy elegante de hacerlo, que además explica por qué se dividen las especies (la especiación) y por qué se extinguen: porque un pico se divide, en el primer caso, y porque una especie no puede seguir a su pico en movimiento y se queda atrás (Figura 10). Pero volvamos a las convergencias.

El ejemplo quizás más famoso de convergencia adaptativa es también el más triste, porque se trata del tigre o lobo de Tasmania (el tilacino), un carnívoro marsupial de Nueva Guinea, Australia y Tasmania con pelaje atigrado que tenía notables semejanzas morfológicas con los lobos placentados. Y digo «tenía» porque desgraciadamente se extinguió en los años treinta del siglo pasado en Tasmania, su último refugio.

Pero en Australia hubo otro carnívoro marsupial (el

tilacoleo, extinguido hace unos 45.000 años) de tamaño mucho más grande, que ha sido llamado león marsupial por su semejanza con los grandes gatos. Lo curioso es que el león marsupial y el lobo marsupial no estaban emparentados entre sí, sino que procedían de diferentes estirpes (órdenes) de marsupiales, por lo que habían convergido entre ellos, además de con los lobos y leones placentados, que sí pertenecen al mismo orden, el de los carnívoros.

Todavía más interesante es que, hace unos siete millones de años, en Sudamérica vivió y cazó un carnívoro marsupial grande y de enormes caninos (el tilacosmilo), con claras convergencias con los tigres de dientes de sable placentados (curiosamente, dentro de los dientes de sable placentados también se dieron las convergencias porque, aunque fueran todos félidos, desarrollaron sus grandes caninos a partir de diferentes antepasados que no los tenían tan grandes). El tilacosmilo tampoco estaba relacionado evolutivamente con los marsupiales australianos que acabo de citar (tilacoleo y tilacino). Increíble.

Cuando Norteamérica y Sudamérica se unieron por medio de un ancho puente continental, en las dos Américas había especies de características similares pero de linaje distinto. Ya nos hemos referido a este gigantesco experimento geológico y biológico que constituyó el levantamiento del istmo de Panamá, y a la competencia que se produjo inmediatamente entre las faunas del sur y las del norte. Ahora vamos a hablar de las convergencias que existían antes de la formación del istmo.

Además de los lobos y dientes de sable (carnívoros) que acabamos de comentar, las musarañas (orden de los insectívoros), y las ardillas y ratones (roedores) del norte

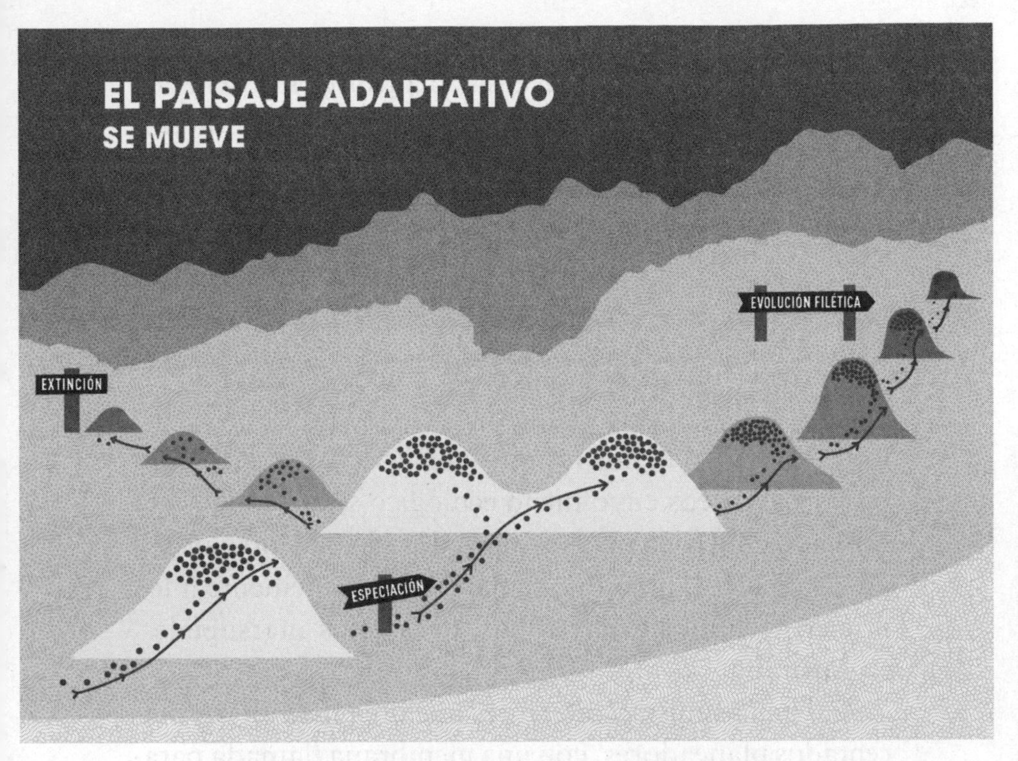

FIGURA 10. El paisaje adaptativo se mueve

El genetista Richard Lewontin publicó en 1978 (dentro de un histórico número de la revista *Scientific American* dedicado a la evolución) un dibujo que pretendía explicar cómo funciona la evolución. Esa ilustración se ha reproducido mucho, aunque la que presentamos aquí es nuestra propia versión. La idea es que los paisajes adaptativos no son estáticos, sino que se mueven porque cambian el clima, la geografía y la composición de los ecosistemas. Las especies *persiguen* a los picos adaptativos en sus desplazamientos y de este modo van evolucionando gradualmente (de forma lenta e imperceptible) a lo largo del tiempo geológico. Puede ocurrir que un nicho ecológico se desdoble y que los picos sigan trayectorias divergentes, con el resultado de que la especie original se divida en dos. Esto es lo que se conoce como especiación, y es una multiplicación de especies (o ramificación). Pero también puede ocurrir que llegue un momento en el que una especie sea incapaz de *perseguir* por más tiempo a su pico adaptativo en fuga, y entonces se produce la extinción. Si la *persecución* continúa durante mucho tiempo en una dirección más o menos constante, tendremos como resultado una evolución en línea (aproximadamente) recta, que el paleontólogo George Gaylord Simpson denominaba "evolución filética", y que él consideraba el modo más frecuente de evolución. Dos paleontólogos posteriores, Niles Eldredge y Stephen Jay Gould, han defendido, por el contrario, que la especiación (o ramificación) es el modo evolutivo más importante.

tuvieron —en diferentes épocas— su equivalente marsupial (hoy extinguido) en el sur. Y otros tres órdenes de placentados del norte, a saber: mastodontes y dinoterios (proboscídeos); camélidos (artiodáctilos); y rinocerontes, caballos y calicotéridos (perisodáctilos), también fueron replicados en el sur por parte de tres órdenes de placentados hoy desaparecidos: piroterios, litopternos y notongulados.

Otros ejemplos magníficos de convergencia adaptativa a gran escala no requieren del estudio del registro fósil. Es el caso de los topos, unos insectívoros cavadores euroasiáticos cuyo nicho ecológico subterráneo está ocupado en África por los topos dorados, de otro orden (afrosorícidos), pero que se parecen enormemente a los primeros. También hay topos, pero estos marsupiales, en Australia.

Existen asimismo diferentes líneas de mamíferos placentados planeadores, con una membrana llamada patagio que une las extremidades de delante y de detrás: los colugos (dermópteros), las ardillas voladoras y las falsas ardillas voladoras (que son roedores pertenecientes a dos grupos diferentes). Y, por supuesto, hay ardillas voladoras marsupiales.

La biología y la paleobiología nos enseñan que la convergencia puede darse al mismo tiempo y en diferentes lugares (como muestran las especies vivas), o en momentos diferentes (como indican los fósiles). Pero ¿hasta dónde puede llegar la convergencia? ¿Desde qué distancia pueden partir los antepasados para llegar a converger en el mismo diseño biológico?

De entrada, es de conocimiento general lo parecidos

que son los ictiosaurios y los delfines, uno de los ejemplos más utilizados de convergencia. Y sus antepasados no pueden estar más alejados. Pero los ictiosaurios eran ictívoros (comedores de peces) y ocupaban nichos ecológicos bastante similares a los de los delfines. Incluso se parecían en el tipo de reproducción. Cierto, los ictiosaurios se reproducían por huevos y no tenían placenta como los delfines, pero la madre guardaba los huevos en su interior, en el conducto reproductor, hasta que eclosionaban y, entonces, los *paría* vivos. Los ictiosaurios eran ovovivíparos, y así no tenían que salir a una playa a enterrar sus huevos, como hacen las tortugas marinas. Ni las crías tenían que arrastrarse por la arena acosadas por peligrosos depredadores hasta que ganaban la protección del mar.

Recientemente[8] se ha descubierto que al menos algunos ictiosaurios tenían una piel lisa y sin escamas, con grasa subcutánea del mismo tipo que los cetáceos y las focas (y la tortuga laúd, también convergente en eso) lo que seguramente quiere decir que eran de *sangre caliente* (endotermos). Además, el color de su piel era oscuro por el dorso y claro por el vientre, como el de los delfines y los tiburones, para no ser vistos desde abajo (contra la luz) o desde arriba (contra la oscuridad del mar).

Sin embargo, pese a sus múltiples convergencias con los delfines, que hace que nos parezcan muy *avanzados*, los ictiosaurios se extinguieron hace 90 millones de años, mucho antes de que cayera el meteorito que hizo desaparecer a muchos grupos de grandes saurios, y los delfines tardaron decenas de millones de años en aparecer, de modo que su pico adaptativo estuvo vacío mucho tiempo.

Otro ejemplo menos conocido de convergencia es el del pájaro no volador llamado kiwi, a quien Conway

Morris no ha dudado en nombrar «mamífero honorario». Es un caso viviente de convergencia entre dos grupos muy alejados de vertebrados, las aves y los mamíferos. Los kiwis (de los que se reconocen cinco especies) viven en Nueva Zelanda, dos grandes islas del Pacífico a las que no han podido llegar otros mamíferos que no sean los murciélagos. Como dice Jared Diamond, Nueva Zelanda es lo más parecido a otro planeta que se puede encontrar sin salir de la Tierra.

Para empezar, las plumas de los kiwis tienen una semejanza superficial con los pelos. Son pájaros que parecen greñudos. Además son nocturnos, como lo son en general los mamíferos pequeños. Habitan en madrigueras, algo muy raro para un pájaro pero no para un mamífero pequeño y nocturno, y tienen un buen olfato, del que dependen (cosa sorprendente, porque las aves por lo general no son buenas olfateadoras). De hecho, sus orificios nasales están en el extremo del pico, y no en la base —como suele ser lo común en las aves—. Cerca de la base del pico exhiben, en cambio, unas plumas especiales que se parecen a las vibrisas (bigotes) de los mamíferos. Además, también en convergencia con los mamíferos, los kiwis son las aves que ponen los huevos más grandes en relación a su tamaño, y algunas especies de kiwi solo ponen un huevo.

Aunque los kiwis, desde luego, no tienen placenta, y ni siquiera son ovovivíparos. Por alguna razón —que sería magnífico poder conocer—, ningún ave es ovovivípara, a diferencia de lo que ocurre en el grupo de los escamados (lagartos, camaleones, iguanas y serpientes), en el que es muy frecuente parir crías vivas. Debe de haber alguna limitación genética que impide la evolución de esa característica en las aves, y probablemente en todos los arcosaurios, grupo que —recordemos— incluye también a los dinosaurios no avianos y a los cocodrilos. Es un ejemplo que se podría poner de las restricciones que existen a la evolución —o, dicho de otro modo, de los cauces por los que tiene que discurrir—. El ave ovovivípara parece tan imposible como el ave con cuernos.

Quizás sea mucho pedirles a un pájaro, a un primate y a un marsupial que converjan en un mismo diseño general del cuerpo, aunque ocupen el mismo nicho ecológico, como es el del pájaro carpintero (que tanto asombraba a Darwin). No hay picos carpinteros en Australia, Madagascar, las islas Hawái o las Galápagos, pero en la corteza de los árboles de esos lugares viven escondidas jugosas larvas de insectos que podrían alimentar a mucha *gente*. ¿No habrá alguien que se las coma?

Lo hay.

En las islas Hawái, unos pájaros que nada tienen que ver evolutivamente con los carpinteros han desarrollado un pico hasta cierto punto semejante en forma y función. Asimismo, en islas Galápagos, una especie de pinzones utiliza espinas de cactus para ensartar a las larvas; ha desarrollado pues una adaptación convergente con los pájaros carpinteros, pero aquí basada en la etología, en la conducta, y en el uso de instrumentos. También los aye-aye, unos misteriosos lémures nocturnos de Madagascar (de aspecto *brujeril*), tienen el tercer dedo de la mano alargado para pinchar las larvas xilófagas (comedoras de madera) con la uña. E, increíblemente, el oposum rayado de Australia (un marsupial) ha hecho lo mismo con el cuarto dedo de la mano.

¿Quiere todo esto decir que no hay límites a la convergencia, que casi cualquier animal puede converger con otro?

Ni mucho menos. Las convergencias se dan más entre líneas evolutivas cercanas que entre las lejanas. Sabemos que el nicho del lobo lo ocupaba en Nueva Guinea, Australia y Tasmania el lobo marsupial, que tiene un gran parecido anatómico (excepto en la bolsa para las crías, claro) con *nuestro* lobo, y este es un maravilloso ejemplo de convergencia en el diseño final partiendo de diseños biológicos muy diferentes. Pero no hay nada morfológicamente parecido en Australia a los antílopes.[9] Allí ese nicho lo ocupan los canguros, que son los que se comen la hierba. Y es que los problemas ecológicos admiten diversas soluciones (diferentes *llaves* para la misma *cerradura*, podríamos decir), y por eso no siempre se llega a las mismas formas. Hablando en términos de los paisajes adaptativos, los picos adaptativos de los antílopes africanos están ocupados en Australia por los canguros.

Finalmente, no hay convergencias a destacar en los ecosistemas terrestres entre los dinosaurios del Mesozoico y los mamíferos del Cenozoico, más allá del parecido muy superficial de tricerátops y rinocerontes[10].

¿Qué queda entonces de la inevitabilidad de la aparición de los humanoides?

Los que defienden que los humanoides eran inevitables, como Conway Morris, no sostienen que un dinosaurio tuviera, necesariamente, que acabar dando lugar a un humanoide. Ni mucho menos.

La estrategia de Conway Morris y otros autores es la de analizar *por separado* cada característica, no el diseño completo del organismo. Así, exploran los *hiperespacios del diseño biológico* de los órganos de los sentidos, de la locomoción, del viviparismo, de la sociabilidad, de la inteligencia, de la comunicación, de la capacidad de utilizar herramientas, etcétera. Y aprecian que para cada uno de esos *problemas biológicos* hay un número muy limitado de soluciones, que han sido descubiertas una y otra vez por especies muy alejadas evolutivamente.

Si las posibilidades biológicas fueran infinitas, entonces sería muy difícil que la historia se repitiera y que la evolución estuviera determinada. Ahora bien, si la evolución está limitada, constreñida, porque no todos los diseños son viables en un organismo, entonces la evolución pierde grados de libertad (como se dice en matemáticas). Tal vez analizando de este modo las cosas descubramos que un mamiferoide tenía que existir antes o después y que, una vez que apareciera, los otros rasgos de nuestra especie tenían que llegar a reunirse en un humanoide. La evolución, finalmente, sería predecible.

Richard Dawkins, también fascinado por la abundancia de las convergencias, ve una diferencia entre su visión y la de Conway Morris. Para Dawkins[11] son las presiones selectivas, es decir, la necesidad de adaptarse al mismo nicho ecológico, las que producen las convergencias, mientras que Conway Morris se fija más en las restricciones a la evolución: dada la naturaleza de la materia viviente y las características del desarrollo embrionario hay un número reducido de soluciones a un problema particular. Esta distinción es muy importante, porque mientras que para Conway Morris el origen de las restricciones es de alguna forma interno (ya que le parece que las restricciones son inherentes a la materia viviente), para Dawkins son solo las presiones selectivas que vienen de fuera las que producen las convergencias. El ambiente puede cambiar, pero la naturaleza de la materia viviente no, y eso es lo que lleva a Conway Morris a defender tajantemente que la evolución es previsible, mientras que Dawkins es mucho menos determinista, aunque la proliferación de carreras armamentísticas le sugiera la existencia de ciertas repeticiones (o rimas) en la evolución a gran escala (la macroevolución).

La metáfora que Conway Morris escoge para ilustrar su tesis es una variante de la metáfora de los paisajes adaptativos, porque es una metáfora marina en lugar de una terrestre. Se trata de la metáfora de los navegantes polinesios, que fueron capaces de encontrar las islas del Pacífico, una tras otra, hasta llegar a la última de todas ellas, la isla de Pascua —o Rapa Nui, para ellos—. Por prodigioso que parezca, y lo es, los navegantes polinesios, sin mapas ni instrumentos de navegación, supieron descubrir unos minúsculos trozos de tierra dispersos en un océano casi infinito. Del mismo modo, los seres vivos dieron con las pocas islas *habitables* en el vasto hiperespacio del diseño biológico. Y lo hicieron por medio de la selección natural, al modo que nos contaran Darwin y Wallace. Sin mapas de navegación. Sin saber a dónde iban.

EL EXTRAÑO CASO DE LOS PARALELISMOS

Los tres movimientos evolutivos *geométricamente* posibles son la divergencia adaptativa (propia de las radiaciones), la convergencia adaptativa y el paralelismo. Simpson era perfectamente consciente de la abundancia de convergencias en zoología, pero no le parecía un fenómeno particularmente importante para entender la evolución. Son fáciles de detectar, argumentaba, ya que la semejanza es solo superficial, no estructural. Y de la existencia de las convergencias, desde luego, no sacó ninguna conclusión en el sentido de que la evolución se repitiera y por lo tanto fuera predecible, como hace Conway Morris. A Simpson no se lo parecía.

Lo que de verdad preocupaba a Simpson a comienzos de la década de los sesenta del siglo pasado era el fenómeno de la evolución paralela, que consiste en que hay linajes que evolucionan durante muchísimo tiempo en la misma dirección.

Mientras que la convergencia adaptativa claramente está determinada por la selección natural, y se produce porque diferentes tipos de organismos están sometidos a presiones selectivas parecidas (aunque vivan en diferentes lugares o en diferentes tiempos), los paralelismos parecían no ser adaptativos y no depender de la acción del ambiente.

Algunos paleontólogos y antropólogos incluso habían utilizado este modelo para explicar por qué nos parecemos a los chimpancés, gorilas y demás primates: no porque tengamos un antepasado común muy reciente, no porque nuestro parentesco sea muy grande, no porque sean nuestros hermanos, sino porque hemos evolucionado en paralelo a partir de un remotísimo antepasado común, una forma primitiva de mamífero que ni siquiera tenía mucho aspecto de mono. No es que nos parezcamos a los chimpancés, es que ellos nos han copiado; burdamente, eso sí. De ese modo se conjuraba el horror que les producía a muchos científicos y no científicos nuestro *sonrojante* parecido con los monos del zoo.[12]

El mismo Simpson pensaba que habían sido varias las líneas (al menos cuatro, tal vez seis) de reptiles mamiferoides que en el Triásico habían dado independientemente el paso para convertirse en mamíferos. Pero Simpson añadía con énfasis que no había que ver en esta forma de evolución nada raro, es decir impulsos vitales, inercias o mutaciones direccionales que hicieran que diferentes grupos biológicos evolucionaran en paralelo, como si se dirigieran hacia el mismo objetivo (como si tuvieran un *telos*). Es todo una cuestión de adaptación, insistía Simpson, tanto la radiación, como la convergencia y el paralelismo.[13]

Esta idea de los paralelismos que tanto preocupaba a Simpson fue perdiendo importancia con los años y ya nadie habla de ella, ni piensa en serio en ella, ni se utiliza para interpretar el registro fósil. No se considera un fenómeno a tener en cuenta, si es que existe en algún caso. El propio Simpson, al final de sus días,[14] decía: «La evolución paralela no era un fenómeno común en el registro fósil. Los casos que podrían atestiguarla son objeto de discrepancia interpretativa; por no hablar del problema semántico que se plantea a la hora de distinguirla de la convergencia o, por la misma razón, de la divergencia.» La convergencia, en cambio, tiene más vigencia que nunca, como estamos viendo.

¿Por dónde empezar el análisis de las limitaciones (restricciones) a la evolución? ¿Al nivel de las células, al de los organismos? ¡Al nivel molecular, el más básico de todos! Y de ahí para arriba.

Para empezar, el código genético, que es universal en la biosfera, le parece a Conway Morris extremadamente bueno. Hay, en teoría, muchos otros códigos posibles (a fin de cuentas, se trata de un sistema digital de codificar la información, como el morse de la telegrafía y como los diferentes alfabetos y numeraciones que han creado las sociedades humanas), pero el código genético terrestre forma parte, según él, del exclusivo grupo de los mejores. Tenía que ser así, o muy parecido.

Podríamos seguir con una molécula muy importante en la vida de nuestro planeta, la clorofila, que se encuentra en las plantas terrestres, en las algas, y en las cianobacterias. Gracias a la clorofila, que atrapa la energía solar y hace posible la fabricación de materia orgánica a partir del agua y del dióxido de carbono, hay oxígeno en el aire, que es el subproducto (un deshecho) del proceso fotosintético, como sabemos.

Pero, según Conway Morris, la clorofila no es ni mucho menos perfecta. Si hubiera sido diseñada por ingenieros químicos, dice, los directivos de la empresa fabricante los habrían convocado para pedirles explicaciones. Pero es la mejor molécula de todas las posibles en un planeta que no ha sido diseñado por ingenieros químicos. Incluso la variante de clorofila que se usa en la fotosíntesis oxigénica terrestre es la mejor (haciendo balance) cuando se compara con otras clorofilas. Por lo tanto, la fotosíntesis tenía que basarse en la clorofila. O en algo bastante parecido.

El corolario de Conway Morris es que si viajáramos a otro planeta donde hubiese vida (posibilidad esta, la de la vida extraterrestre, que se le antoja extremadamente improbable, como hemos repetido), nos encontraríamos con nuestra vieja amiga la clorofila capturando la energía solar para la producción de materia orgánica y un código genético similar al de toda la vida en la Tierra.

Yendo al diseño de los planes corporales de los animales (los *bauplanes*, como se dice, recurriendo a una palabra alemana de uso en arquitectura), Conway Morris se asoma a la cuestión del esqueleto, que da rigidez a los individuos. Se puede hacer una tabla con todas las variantes estructurales posibles, que incluyen, para empezar, esqueletos externos, como los de los artrópodos, e internos, como los de los vertebrados (de hueso y de cartílago). De todas las soluciones imaginables al problema de proporcionar al cuerpo una rigidez que haga al mismo tiempo posible la movilidad, solo unas pocas son funcionales y el resto, inviables. Y esas pocas cimas adaptativas que tienen *sentido biológico* en el paisaje morfológico funcional del esqueleto (el *paisaje esquelético*) han sido ocupadas repetidamente, convergentemente.

Más aún, se dan casos tan curiosos como el de las cecilias (el grupo de anfibios que se han vuelto ápodos), que han desarrollado un sistema de movilidad que, pese a tratarse de un vertebrado con columna vertebral, converge con el modelo hidrostático de las lombrices, con quienes comparte hábitos subterráneos. Así pues, una cecilia es un vertebrado que se ha *transformado* en lombriz.[15]

No pretendo abrumar con ejemplos al lector, Conway Morris cita muchísimos, en realidad se dedica a coleccionarlos, porque prefiero pasar cuanto antes a la cuestión de la evolución de los humanoides. Pero, por lo menos, hay que referirse, una vez más, al viejo problema de los órganos de los sentidos, que tienen sus propios paisajes del diseño biológico. En todos los casos, las soluciones —los picos en el paisaje— son limitadas, lo que provoca repetidas convergencias.

Y puesto que los humanos, como buenos primates antropoideos, somos unos animales audiovisuales, en los que la vista es el sentido predominante —seguida por el oído—, empecemos por el ojo, que es un tema clásico, y continuemos por la voz.

Los contrarios a la teoría evolutiva de Darwin siempre se han referido al ojo humano como un instrumento óptico de tal perfección que la evolución por selección natural *nunca lo podría haber hecho*. Por eso el propio Paley escogía el ojo humano como argumento de una *excelencia en el diseño* que era imposible de alcanzar por medios naturales. Sin embargo, la evolución lo ha producido, y más de una vez, como veremos enseguida. A lo que se añade que, precisamente el ojo humano, por ser resultado del bricolaje evolutivo, está muy lejos de ser un dechado de excelencia en el diseño y tiene algunos fallos muy graves. En todos los vertebrados, incluidos los humanos, las fibras nerviosas que proceden de los conos y bastones de la retina se reúnen en un nervio óptico que va hacia el cerebro, pero las fibras no forman un haz por detrás de la retina, sino por delante, dentro de la cámara del ojo, por lo que tienen luego que atravesar la retina por un agujero que es ciego para la visión.

Si hablamos de convergencia, el ojo con cámara y lente, el nuestro, ha evolucionado independientemente en vertebrados, moluscos y anélidos. Pulpos y calamares tienen ojos con una configuración similar a la de los vertebrados, pero el punto ciego en la retina por donde las fibras nerviosas salen del interior del ojo no se encuentra en los cefalópodos, es un fallo solo de los vertebrados. Otros moluscos, pero gasterópodos en vez de cefalópodos, han convergido en este diseño tres veces: los heterópodos (babosas y liebres de mar), que son caracoles nadadores de mar abierto con pie en forma de aleta y casi sin concha; nuestro familiar bígaro; y la caracola tropical *Strombus*.

Pero es menos conocido que en algunos poliquetos (unos anélidos marinos muy lejanamente emparentados con las lombrices de tierra y las sanguijuelas) también se ha desarrollado por evolución independiente un ojo de estructura similar. Y hasta existen ciertos parientes lejanos de las medusas (las llamadas cubomedusas), con ojos de tipo cámara fotográfica.

La principal alternativa a este modelo de órgano de la visión, el otro gran pico en el *paisaje* del diseño ocular, es el ojo compuesto de los artrópodos, como los insectos. Con este modelo, sin embargo, para que la visión humana tuviera la misma calidad que nos proporcionan nuestros ojos semejantes a cámaras fotográficas, tendríamos que tener ojos compuestos de un metro de diámetro por lo menos (y esta es una cuestión puramente de óptica, no de biología), quizás de más de diez metros, por lo que si los *aliens* nos visitan seguramente tendrán unos ojos como los nuestros, y tal vez podamos empatizar con ellos a través de la mirada. O por lo menos nos parecerán menos robóticos que los insectos.

El que los pulpos, que son moluscos, tengan unos ojos del mismo tipo que los vertebrados no significa, por supuesto, que los pulpos serían capaces de evolucionar hacia los humanoides, transformando todo su cuerpo para ser, primero, un mamiferoide con tentáculos. Solo demuestra que ese órgano de la visión, por extraordinariamente complejo que sea, no es una rareza que apareció una sola vez, por casualidad o accidente histórico, como podría no haber aparecido nunca.

Todo lo contario. Se podría pronosticar que volvería a aparecer un ojo como el nuestro (o el de los pulpos) si la evolución empezara de nuevo. Y lo que vale para el ojo vale para cualquier otra característica, incluyendo —¿por qué no?— la inteligencia.

Los pulpos dan mucho juego en el terreno de las convergencias. Para Conway Morris los pulpos pueden ser considerados «vertebrados honorarios», y no solo por los ojos de cámara, sino por muchas inquietantes semejanzas de su comportamiento. Sí, los pulpos no solo nos ven, también nos miran. Incluso sus tentáculos, dice, se comportan más bien como brazos, con «segmentos articulados» que funcionalmente se parecen a las extremidades de los vertebrados.

Los mamíferos tampoco somos los únicos que emitimos sonidos por la boca, porque todos sabemos que las aves se comunican muy bien por el canto. Es posible que también hicieran grandes ruidos algunos dinosaurios no avianos que presentan estructuras que podrían funcionar como cajas de resonancia, pero, si no fuera por las aves y los mamíferos, hoy en día este sería un planeta biológicamente muy silencioso. Siempre quedaría el estallido rítmico de las olas del mar, el murmullo del río y el susurro del viento entre las hojas de los árboles (los vegetales no emiten sonidos), además del *canto* de chicharras y grillos (que se produce con las alas, no con la boca), pero les faltaría algo esencial a los paisajes sonoros de la naturaleza. ¿Habrá *planetas mudos*?

Lo mismo pasa con el viviparismo, es decir, parir crías vivas, en vez de poner huevos, de uno u otro modo. El ovoviviparismo, ya comentado, consistente en mantener los huevos dentro del tracto reproductivo de la madre hasta que esos huevos eclosionan, ha evolucionado independientemente un centenar de veces en los escamados. Hay, por otro lado, muchos casos de viviparismo en tiburones y rayas. Los pulgones y otros insectos, recuerde, también pueden ser vivíparos. Incluso la matrotrofia —la alimentación directa del embrión por la madre—, propia de los mamíferos placentados, ha aparecido varias veces en otros grupos de vertebrados.

En palabras de Conway Morris, de todas estas convergencias se desprende que la *exploración* de los espacios del diseño biológico por los organismos conduce, como regla general, a que todas las posibilidades evolutivas, una vez que se descartan las que son físicamente imposibles o no adaptativas, sean inevitablemente *descubiertas*. De esta manera es como consigue Conway Morris argumentar coherentemente, sin ser finalista, que la evolución es previsible. Todos los anteriores defensores de que era necesario que aparecieran los humanoides eran *direccionalistas*, es decir, creían que el tema principal de la evolución era una progresión constante y en línea recta hacia la inteligencia humana.

Lo que piensa Conway Morris es que la evolución es multidireccional, por supuesto, ¡pero que la mayoría de las direcciones eran previsibles, no solo la nuestra! Sería toda la biosfera la que se repetiría en sus rasgos principales (no hasta el más mínimo detalle, claro) si la vida volviera a empezar. La frase de Simpson podría ser cierta al pie de la letra: «Si la evolución es el plan de creación de Dios —una proposición que un científico como tal no puede ni afirmar ni negar—, entonces Dios no es un finalista.»

Conway Morris no lo puede decir más claramente: «si *nosotros* no hubiéramos emergido, podemos estar seguros de que una especie vivípara, de sangre caliente, que emite vocalizaciones e inteligente lo habría hecho.» Aquí o en cualquier otro planeta con vida, si es que lo hay.

Así pues, nos toca ahora ocuparnos de la evolución humana tal como realmente sucedió.

SEGUNDA PARTE

La evolución humana

JORNADA VIII
ARDI Y LUCY

En la que se plantea la pregunta de por qué solo hay una especie humana y si siempre ha sido así. Dada la enorme distribución geográfica que alcanzaron nuestros antepasados hace más de un millón de años, sorprende que no se dividieran en varias especies. Algunos autores lo explican diciendo que nuestro modo de evolucionar es diferente al de los demás animales, que no nos regimos por las mismas leyes.

¿Por qué somos tan diferentes unos de otros, los seres humanos? ¿Por qué, a pesar de ello, no se ha escindido el grupo evolutivo al que pertenecemos en múltiples especies? ¿No es cierto que representamos una verdadera novedad evolutiva, algo enteramente revolucionario? ¿Por qué entonces no se ha producido una radiación adaptativa humana?

Son muchas dudas a la vez, pero la verdad es que están relacionadas entre sí y no se pueden tratar completamente por separado, así que es mejor que las planteemos juntas.

Habría que empezar, eso sí, no dando por bueno, sin analizarlo a fondo antes, el enunciado de las preguntas.

Porque... ¿realmente somos muy diferentes unos de otros, los seres humanos? ¿De verdad representamos una gran novedad en la evolución, un tipo de organismo sin precedentes? ¿Es cierto que no se ha producido ninguna radiación en el curso de nuestra historia evolutiva? Aunque parezca contradictorio contestaremos «no» a la primera pregunta (*no*, apenas somos diferentes) y «sí» a la tercera (*sí* que ha habido radiaciones en nuestro propio grupo evolutivo). Y también responderemos afirmativamente a la segunda pregunta (*sí* somos una gran novedad evolutiva).

En el año 1941, en plena segunda guerra mundial, Julian Huxley publicaba un libro de recopilación de artículos anteriores titulado *The Uniqueness of Man* (publicado en español como *La singularidad del hombre* y *El hombre está solo*), que contiene la siguiente rotunda afirmación: «La especie humana es la más variable de las especies salvajes conocidas.» Somos, además, dice Huxley, una «especie dominante», como lo demuestra el que tengamos un rango ecológico muy grande (podemos vivir en muchos ambientes y, en consecuencia, estemos repartidos por todo el planeta). Sin embargo, sigue diciendo Julian Huxley, mientras que los demás tipos de «animales dominantes» se han dividido y subdividido muchas veces, produciendo cientos o miles de especies pertenecientes a diferentes géneros e incluso a diferentes familias y órdenes, nosotros hemos mantenido la enorme variedad humana dentro de la unidad de nuestra especie. En consecuencia, concluía Huxley, nuestro *método* (patrón) evolutivo debe de ser diferente del de los demás *animales superiores* (dominantes), y esa diferencia formaría una parte fundamental de la excepcionalidad del ser humano.

¿A qué se refería Julian Huxley cuando decía que nuestro *método* de evolución era único?

Lo que este autor sostenía es que, mientras la evolución animal es en general divergente, la humana es reticulada. Es importante el concepto de evolución reticulada, porque habrá que hablar de él en nuestro recorrido por la evolución humana, ya que ha habido y hay todavía en nuestros días paleoantropólogos que la defienden (más aún, parece que, después de un largo eclipse, vuelve a estar de moda). La evolución reticulada consiste en que las poblaciones de una misma especie, aunque estén separadas geográficamente y parezcan muy distintas en su ecología, aspecto y conducta, mantienen todo el tiempo flujos de genes entre ellas, de manera que no se llega a producir el aislamiento reproductivo completo, es decir, la imposibilidad de que individuos pertenecientes a diferentes poblaciones puedan cruzarse entre sí.

No se da nunca, en otras palabras, el paso de una subespecie a una nueva especie, porque no es hasta el momento en el que se levantan barreras infranqueables al intercambio de genes cuando una subespecie pasa a convertirse en una nueva especie de pleno derecho. Tal definición genética de especie se debe al biogeógrafo Ernst Mayr,[1] que fue uno de los padres de la síntesis neodarwinista junto con el propio Julian Huxley, el paleontólogo George Gaylord Simpson y el genetista Theodosius Dobzhansky.

En la evolución humana, dice Julian Huxley, se sigue un patrón diferente al de los animales: después de una incipiente divergencia, todas las ramas se vuelven a conectar, generando una gran variación por las nuevas combinaciones genéticas de los cruces, para luego volver a repetirse el proceso de divergencia y posterior reunión, haciendo que la geometría de evolución humana sea una retícula de líneas verticales (representando las evoluciones locales) y horizontales (flujos de genes entre unas poblaciones y otras).

Todas las peculiaridades del ser humano, prosigue Huxley, están relacionadas entre sí. Por un lado está la propensión del ser humano a viajar (a migrar), que a su vez deriva de sus rasgos fundamentales, como el lenguaje, la vida social y la independencia respecto del ambiente, que le permite ocupar muchos espacios ecológicos diferentes. Y por otro lado está su capacidad, cuando se empareja, de olvidar grandes diferencias de color y aspecto que detendrían a otros animales a la hora de la reproducción. En otras palabras, lo que caracteriza al ser humano es una doble tendencia: a la migración (salir de la región donde se ha nacido) y a la exogamia (reproducirse fuera del grupo en el que se ha nacido). Como resultado, continúa argumentando Huxley, las migraciones humanas han creado grandes diferencias geográficas entre las poblaciones, por un lado, mientras que, por el otro, los cruces entre unas y otras líneas genéticas han dado lugar a una enorme variabilidad de la especie *Homo sapiens*, que no tiene comparación posible en el reino animal.

Julian Huxley no aporta ningún argumento paleontológico en favor de su modelo de la evolución humana, sino que lo deduce de lo que se ve en las poblaciones vivientes. Le parece simplemente que tanta diversidad dentro de una misma especie como muestra el *Homo sapiens* exige un patrón evolutivo reticulado. Pero un famoso paleoantropólogo, el judío alemán —y luego norteamericano— Franz Weidenreich, proporciona las pruebas[2] en una monografía de 1943. En ella, Weidenreich estudiaba los fósiles más importantes del momento, los procedentes del yacimiento de Zhoukoudian, cerca de Pekín.

Un par de décadas más tarde, en un libro titulado *The Origin of Races* (1962), el antropólogo americano Carleton S. Coon recurría para su teoría del origen independiente de las llamadas razas humanas al esquema de Weidenreich de cuatro líneas evolutivas principales. De este modo, los grandes *troncos raciales* (a los que Coon añadía un quinto, el de los bosquimanos) tendrían historias evolutivas muy antiguas y separadas.

El modelo de la evolución reticulada, es decir, de evoluciones locales con flujos de genes entre ellas que mantienen todo el tiempo la unidad de la especie desde el *Homo erectus* hasta el *Homo sapiens*, ha sobrevivido hasta nuestros días, y aún tiene partidarios entre los paleoantropólogos —el más conocido de los cuales es el norteamericano Milford Wolpoff, que la mantiene con la denominación de modelo de evolución multirregional—. Después de mucho tiempo de oscuridad, los nuevos datos genéticos, como veremos, parecen darle la razón al modelo multirregional, aunque yo no lo creo.

¿Pero es frecuente esta integridad de una especie a todo lo largo de su historia evolutiva? ¿Es normal el modelo *una única especie todo el tiempo*? ¿O predomina, por el contrario, la división de los linajes, es decir, el modelo *varias especies todo el tiempo*?

Necesito ahora, para poder seguir adelante, distinguir entre las dos geometrías posibles en la evolución de un linaje cualquiera, sea humano, animal o vegetal. Y es imprescindible que lo hagamos, porque la gran pregunta de la evolución humana es esta, precisamente, la de qué modelo evolutivo ha seguido. Establecer ese patrón es la prioridad de la investigación paleoantropológica, mucho más que conocer todas las especies fósiles que han existido (en realidad es al revés, el conocimiento del registro fósil debe servir para entender el patrón). Pregunta que por otro lado tiene importantes implicaciones para responder a la Gran Pregunta: ¿por qué estamos aquí? No es lo mismo, obviamente, que seamos el producto final y más acabado de una línea evolutiva única que ha evolucionado constantemente en nuestra dirección (sin apenas desviarse) que ser la única especie superviviente entre las muchas que ha habido, bien porque la nuestra ha tenido más suerte que las otras o bien porque se ha deshecho de ellas.

He aquí los dos modos evolutivos:

1) Hay una geometría de la evolución llamada anagénesis, en la que las sucesivas especies se van transformando gradualmente unas en otras sin que se produzca la especiación, es decir, la escisión del linaje, su división. «Especiación» significa lo mismo que ramificación, y debe recordar este nombre. La representación gráfica de la anagénesis es una línea más o menos recta, aunque se admiten ciertas sinuosidades. Si no le gusta el nombre técnico de anagénesis, puede referirse a este modo como «evolución lineal». Lo importante en este modo propuesto de evolución es que no existe realmente una discontinuidad entre la especie antecesora y la descendiente, habida cuenta de que la transformación está ocurriendo todo el tiempo, ya que se supone que las especies evolu-

cionan sin cesar, generación tras generación. Pero, como solo se dispone de fósiles muy espaciados en el tiempo, cuando se ponen en secuencia, como fotogramas de una película, el registro da una sensación de cámara rápida, o modo *time lapse*, como se dice ahora.

2) La alternativa a la geometría lineal es la geometría ramificada (Figura 10), con especiaciones, técnicamente conocida como cladogénesis (porque produce clados, *ramas*, que es lo que significa la palabra en griego). De nuevo, si no le gustan los tecnicismos, quédese con «modo ramificado de evolución». Según el antes mencionado Ernst Mayr, las nuevas especies, genéticamente incomunicadas por definición, aparecen por lo general a partir de poblaciones locales que ya estaban incomunicadas geográficamente.

¿Cómo es posible que en la evolución humana, pese a la amplia distribución por el planeta que alcanzó el *Homo erectus* hace más de un millón de años (gran parte del Viejo Mundo), no se produjera especiación geográfica, según dicen algunos autores?

En el año 1950 se celebró en el laboratorio Cold Spring Harbor (Nueva York) un importante simposio dedicado al «Origen y evolución del hombre», que ha sido considerado histórico por suponer la llegada a la paleoantropología de la síntesis moderna. Uno de los ponentes era ni más ni menos que Ernst Mayr y su aportación consistió en revisar la clasificación de las numerosas especies que se habían ido creando a partir de los fósiles. En el simposio, Mayr propuso reducirlas a tres especies sucesivas: *Homo transvaalensis* (para los australopitecos sudafricanos), *Homo erectus* y *Homo sapiens*.

Mayr afirmaba rotundamente que el único evento de especiación del que se puede hablar en realidad, en el sentido de aislamiento genético completo, es el que separó nuestra estirpe del tronco de los *grandes simios*. Desde ese momento solo ha habido, en cada momento de la historia evolutiva, una especie humana en toda la Tierra.[3]

La subdivisión de la especie humana en tribus independientes, dice Mayr, favorece la diversificación. ¿Cuál es entonces la causa —se pregunta— de este sorprendente rasgo humano de no permitir la especiación y de evolucionar en línea recta? Mayr recurre entonces a la gran plasticidad ecológica del animal humano, que se habría especializado, por decirlo así, en la *desespecialización* y, de este modo, ocupa más nichos ecológicos que cualquier otro animal. El humano, según Mayr, al haber conseguido una gran independencia del ambiente, está menos necesitado de adaptaciones biológicas a las condiciones locales que los demás animales, por lo que una subespecie humana puede extenderse rápidamente si, en palabras de Mayr, «consigue mejoras adaptativas como las descritas por los antropólogos sociales». Es decir, los humanos nos adaptamos culturalmente desde que un australopiteco talló una piedra y la acopló a su mano. No necesitamos modificar nuestros órganos biológicos para adaptarnos a cada ecosistema, para eso disponemos de las herramientas que fabricamos, que a todos los efectos pueden considerarse órganos artificiales, prótesis, sean un palo para cavar o una cantimplora.

Además, continúa Mayr, el humano es aparentemente lento a la hora de establecer mecanismos de aislamiento, como demuestran los numerosos ejemplos de especiación incompleta de nuestra historia evolutiva. En ningún caso se completó la especiación porque las poblaciones que se empezaban a segregar fueron absorbidas por medio de emparejamientos... o aniquiladas, como en el caso de la eliminación de los neandertales por los cromañones invasores, señala. Mayr da mucha importancia al exterminio para explicar que no se haya producido la ruptura de la especie.

En resumidas cuentas, estos cuatro factores: la cultura, la migración, la exogamia y las guerras, explicarían, según Mayr, por qué nuestro linaje nunca se ha dividido. «Los autores que han afirmado que el hombre es único en su patrón evolutivo tienen sin duda razón», concluye Mayr.

Esta es, desde luego, una gran afirmación. Aunque hayamos evolucionado como las demás especies, y en eso seamos unos animales corrientes, volvemos a ser únicos, recuperando finalmente el pedestal del que parecía habernos expulsado Darwin para siempre.

Así es como nos encontramos, paradojas de la vida, con un defensor de la especiación geográfica argumentando a favor de la evolución lineal en el caso humano en 1950, cuando la síntesis moderna se imponía como la versión definitiva de la teoría evolutiva de Darwin.[4]

¿Pero no nos estaremos topando de nuevo con el viejo problema de la confusión de grados con clados? ¿No serán las tres especies de Mayr grados evolutivos como los *peces* o los *reptiles* (aunque de una escala menor)?

Muchos paleoantropólogos han dividido la evolución humana en varios grados estructurales, lo que da siempre una sensación de progreso evolutivo hacia el ser humano actual, como si los grados fueran equivalentes a etapas sucesivas (o a escalones). Es muy difícil, no cabe duda, que una clasificación basada en grados no sugiera una evolución lineal y progresiva (ascendente) del estilo peces - anfibios - reptiles - mamíferos - lémures - monos - simios - australopitecos - *erectus* - neandertales - *sapiens*. Y no hace falta decir que esa geometría absolutamente lineal de la evolución humana es más compatible que su alternativa ramificada con una interpretación finalista[5] de la evolución humana, aunque no fuera esa la intención de Mayr.

Solo la paleontología tiene respuestas a estas preguntas. Habrá pues que revisar el registro fósil de humanos y parientes desde el principio (Figura 11).

¿Pertenecemos, de entrada, a un grupo zoológico de éxito? ¿Son los primates un grupo evolutivo triunfador? ¿Se podía adivinar ya desde el principio lo que llegaríamos a ser? ¿Se veía claro (si *alguien* hubiera estado mirando) que los humanoides tenían que aparecer inevitablemente a partir de los primeros mamíferos que se subieron a los árboles?

El orden de mamíferos al que pertenecemos los humanos, el de los primates, seguramente se originó en el Cretácico, como otros órdenes de mamíferos. En el Cenozoico, la siguiente era, y en su primera época, el Paleoceno, el registro fósil nos muestra fósiles de unos animales llamados plesiadapiformes que se parecen solo un poco, en algún rasgo aislado, a los primates actuales, por lo que se los ha llamado tradicionalmente *primates arcaicos*. En la segunda época cenozoica, el Eoceno, ya podemos reconocer animales semejantes a dos tipos de primates vivientes, poco numerosos en la actualidad: 1) los lémures y loris); y 2) los tarseros.

Y a finales del Eoceno aparecen en el registro los primeros fósiles del gran grupo de los antropoideos,[6] que en la actualidad está formado por tres clados: 1) los monos del Nuevo Mundo; 2) los monos del Viejo Mundo; 3) los *simios*, grandes y pequeños y, con ellos, los humanos.

Así pues, en el Eoceno se produce la radiación de los *primates verdaderos* o euprimates, y la desaparición de los *primates arcaicos*. Los euprimates ocupan cada vez más nichos, o los crean, en este espacio ecológico a mitad de camino entre el cielo y la tierra que es el medio arbóreo. No hay que volar ni caminar. Se trata de trepar, de saltar y de colgarse de los brazos (o de la cola en algunos monos sudamericanos). Es un mundo aéreo, pero unido al suelo.

No hay en este momento, digamos hace 40 millones de años, nada especial en los primates que les augure un gran futuro evolutivo, o la posibilidad de desarrollar una inteligencia superior, pero los primeros representantes del grupo de los antropoideos ya empezaban a tener algo que nos hace diferentes del resto de los mamíferos: un cerebro que procesa sobre todo información visual y auditiva. No se representa el mundo básicamente en forma de olores (como es lo habitual en los mamíferos terrestres, y por eso a su perro no le interesa la televisión), sino en gran medida en forma de imágenes y sonidos.

Algún día sus descendientes humanos utilizarán esas capacidades para imaginar el futuro y planificarlo. Pero eso no quiere decir que los antropoideos de finales del Eoceno estuvieran ya, hace 40 millones de años, preadaptados para ser inteligentes. Estaban adaptados a la vida arbórea diurna y contaban con una cada vez más

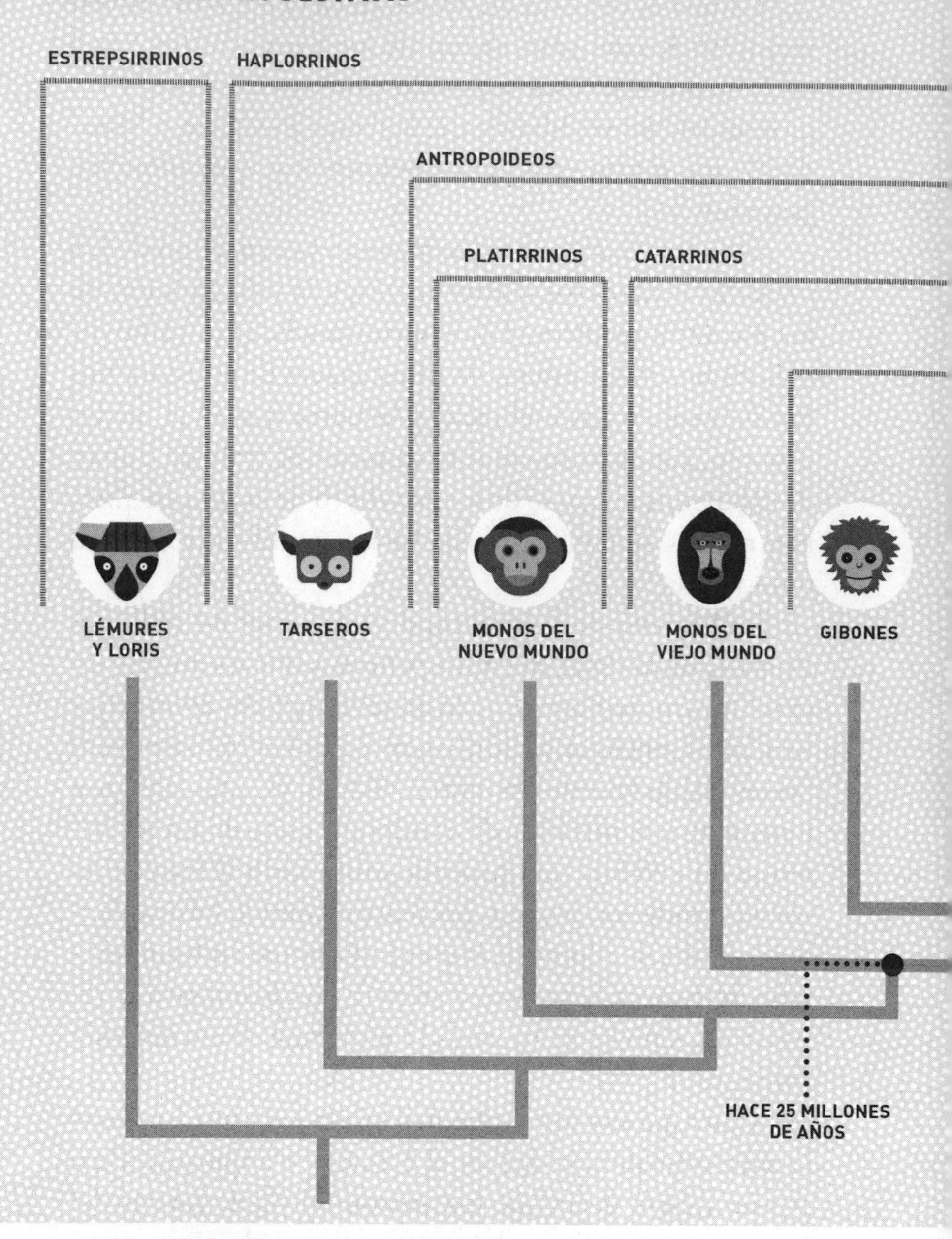

FIGURA 11. Los primates. Relaciones evolutivas

La especie humana forma parte de la familia de los homínidos, que a su vez pertenece a la superfamilia de los hominoideos cuando se añaden los gibones. En un tiempo no muy lejano, los primatólogos agrupaban juntos a los otros homínidos (chimpancés, bonobos, gorilas y orangutanes) en una categoría común, que excluía a los humanos. Pero, desde el punto de vista de las relaciones evolutivas, los humanos estamos más emparentados

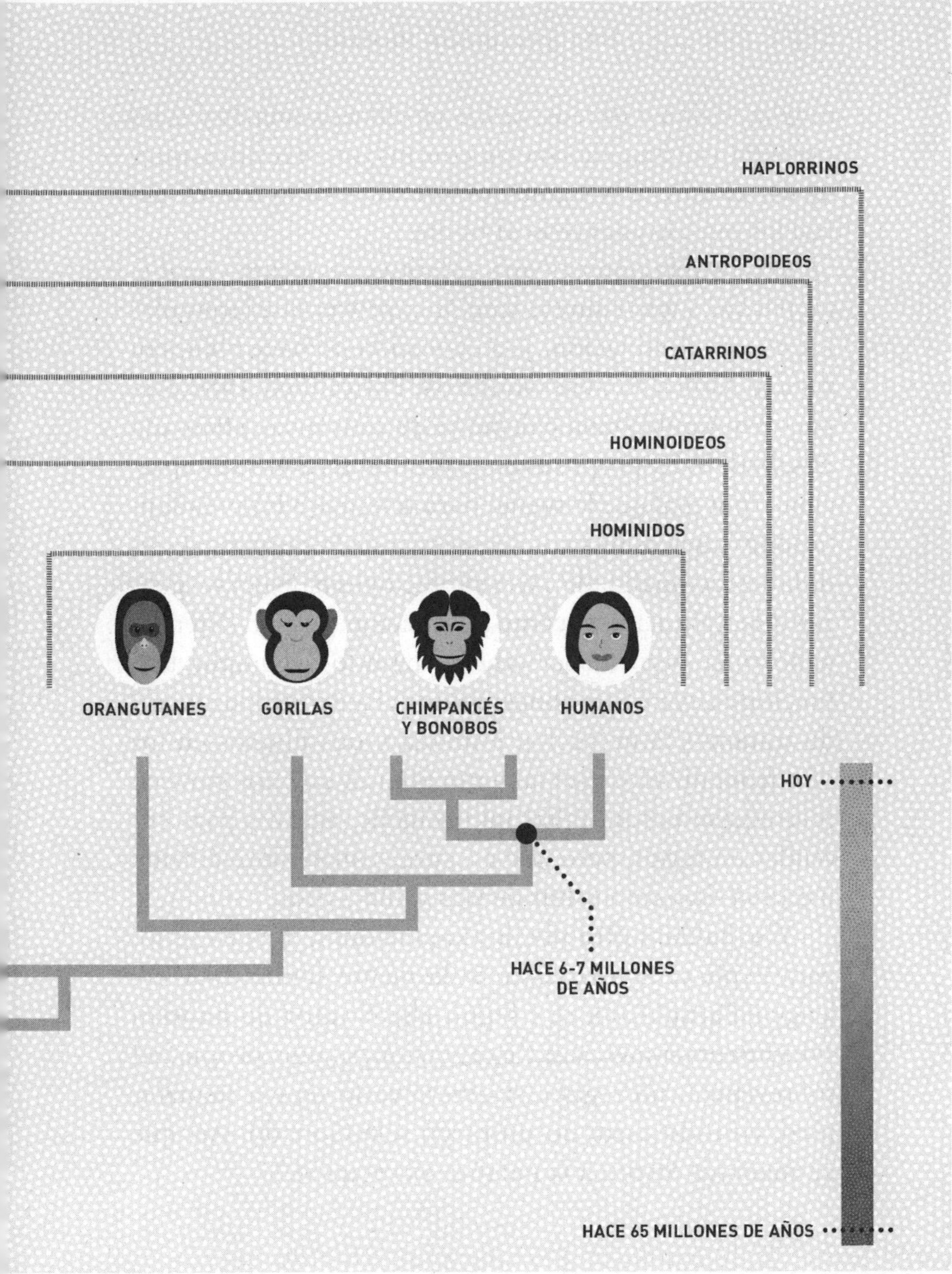

HAPLORRINOS

ANTROPOIDEOS

CATARRINOS

HOMINOIDEOS

HOMINIDOS

ORANGUTANES

GORILAS

CHIMPANCÉS
Y BONOBOS

HUMANOS

HOY

HACE 6-7 MILLONES
DE AÑOS

HACE 65 MILLONES DE AÑOS

con los chimpancés y los bonobos que estos con los gorilas. Por eso, en un libro de 1991, Jared Diamond nos definió a los humanos, acertadamente, como «el tercer chimpancé» (el segundo sería el bonobo). Y los gorilas están más cercanos al conjunto que formamos chimpancés, bonobos y humanos que a los orangutanes. En realidad, los humanos somos tan *grandes simios* como un orangután, un gorila, un bonobo o un chimpancé.

amplia visión estereoscópica (tridimensional) que les permitía calcular distancias con mayor precisión antes de dar el salto a la siguiente rama. Para ello frontalizaron los ojos, los llevaron al frente.

«Preadaptación» es una palabra con regusto finalista, porque sugiere una intención o proyecto a largo plazo, una predestinación, y la evolución no hace planes ni mira al futuro ni tiene objetivos. Por eso, en 1982 Stephen Jay Gould y una paleontóloga sudafricana llamada Elisabeth Vrba propusieron utilizar el término «exaptación» (por mal que le suene) para referirse a las preadaptaciones clásicas una vez despojadas de la carga finalista, de la intencionalidad.[7] Las exaptaciones habrían surgido por selección natural como adaptaciones de un determinado tipo, pero luego habrían pasado a cumplir una función nueva.[8] Este concepto nos viene muy bien cuando tratamos la evolución humana y nos fijamos en los ojos frontalizados y en la mano prensil, que nos parecen prerrequisitos para tallar un hacha de piedra o para encender un fuego, pero que no surgieron evolutivamente para eso sino para saltar de una rama a otra.

Y se hablará otra vez de exaptaciones, muy en serio, para explicar la aparición de la mente simbólica y del lenguaje articulado, que según algún autor no habrían sido adaptaciones, sino exaptaciones: una propiedad sobrevenida, un regalo, si quiere verlo de esa manera, pero, en todo caso, no un rasgo seleccionado. Así que permanezca atento a la palabra exaptación.[9]

LAS PECHINAS DE SAN MARCOS

En un célebre artículo,[10] Stephen Jay Gould y Richard Lewontin (genetista de poblaciones) propusieron en 1979 una nueva metáfora para explicar algunas de las características de los organismos (Figura 12). Lo que se proponían era combatir la idea de que todos los rasgos que vemos en los fenotipos de los individuos han sido seleccionados para cumplir la función que ahora tienen. Puede ocurrir que determinadas estructuras cambien de función —algo que, por cierto, ya había observado Darwin—, pero también puede pasar que algunas estructuras hayan aparecido sin función alguna y luego hayan sido puestas al servicio de alguna función.

¿Cómo es posible que surja en la evolución una estructura sin utilidad? La analogía que utilizan estos dos autores es la de las pechinas, que son espacios triangulares y cóncavos que quedan entre los arcos que sostienen una cúpula construida sobre una base cuadrada. No tienen más misión que la puramente estructural, ocupar el espacio entre los arcos pero, como ocurre en la iglesia veneciana de San Marcos —y en tantas otras—, pueden ser utilizadas (o no) para decorarlas con imágenes, es decir, para transmitir alguna idea religiosa. Fíjese en las pechinas la próxima vez que vaya a una iglesia con cúpula.

En resumidas cuentas, las pechinas biológicas serían una categoría dentro de las exaptaciones, porque no fueron creadas (por la evolución) para cumplir ninguna función específica, sino por razones estructurales, como las pechinas arquitectónicas. Estos matices parecen muy exquisitos, pero tienen su importancia para el tema que nos ocupa en este libro, porque luego veremos que dos paleontólogos que ya han aparecido aquí, Niles Eldredge e Ian Tattersall, sostienen que nuestra mente simbólica y nuestro lenguaje son unas capacidades que no fueron seleccionadas, simplemente aparecieron como consecuencia de otros cambios, y al principio no se les daba ningún uso.

Todos los autores citados, y alguno más, achacan al ala dura del neodarwinismo (representada sobre todo por *ultradarwinistas* como George C. Williams y Richard Dawkins) la tendencia a ver una adaptación en toda estructura biológica. A la corriente que en biología se opone a ese *panadaptacionismo* (o *adaptacionismo* para todo) algunos la llaman estructuralismo biológico. El problema es que mientras que la idea neodarwinista de la evolución se puede resumir en pocas palabras como adaptación por selección natural, dentro del estructuralismo biológico caben muchas cosas, algunas de las cuales bordean peligrosamente el creacionismo, al menos según denuncian los neodarwinistas. Espero que todo esto no le parezca demasiado técnico, porque son debates que siguen de plena actualidad en la biología evolutiva.

En el Eoceno final, los primeros antropoideos solo son unos mamíferos arborícolas que viven en selvas tropicales del Viejo Mundo, con manos y pies prensiles y dedos dotados de uñas planas en lugar de garras, de vida diurna y sentidos visual y auditivo predominantes sobre el olfato. Jerison, el paleoneurólogo, nos dice que también en este caso la encefalización vino después de los cambios evolutivos en huesos y dientes, así que no fue el motor del proceso, sino un refuerzo posterior que mejoró la adaptación a los nuevos nichos ecológicos que los antropoideos empezaban a colonizar en el bosque diurno. De hecho, los primeros antropoideos no estaban más encefalizados que los lémures y loris actuales, lo que quiere decir que permanecían en el nivel basal de encefalización de los primates. No necesitaban invertir más recursos metabólicos (el *dinero* del cuerpo) en un órgano tan costoso de producir y tan ávido de glucosa como es el cerebro.

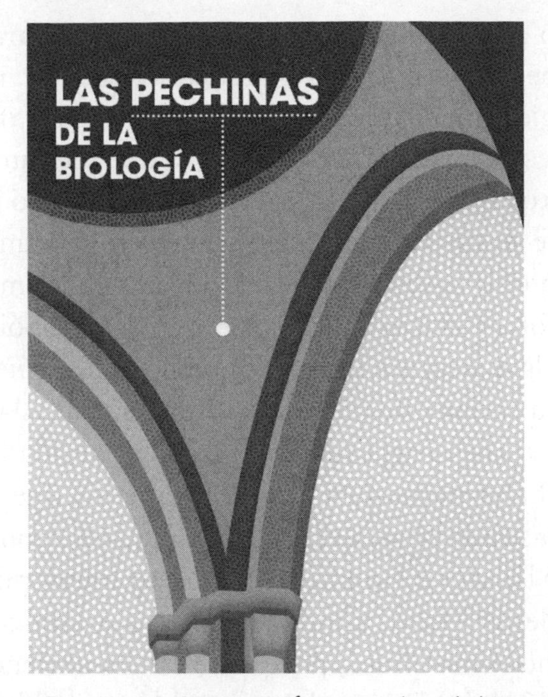

FIGURA 12. Una metáfora arquitectónica

Las pechinas son los triángulos que quedan bajo una cúpula. Su existencia es inevitable por razones puramente estructurales, pero lo que busca el arquitecto es construir la cúpula, no la pechina. Ahora bien, una vez que existe, la pechina puede (o no) decorarse con imágenes que formen parte del discurso del edificio (una iglesia, por ejemplo). Stephen Jay Gould y Richard Lewontin pusieron este ejemplo para combatir lo que llamaban «el programa adaptacionista», la idea de que toda estructura biológica, por el mero hecho de existir, tuvo que ser seleccionada en su tiempo para la función que actualmente lleva a cabo. Ian Tattersall ha llegado a decir que la mente simbólica de los seres humanos, con el lenguaje incluido, no fue seleccionada para cumplir ninguna función, sino que es un mero subproducto o efecto colateral de la evolución y *no entró en servicio* hasta muchos miles de años después de aparecer las estructuras cerebrales que la hacen posible. Sería como una pechina que no fue decorada hasta que pasó mucho tiempo.

Visto así, un antropoideo del Eoceno no parece gran cosa, ¿pero habría podido desarrollar una civilización tecnológica una especie terrestre con pezuñas o zarpas, una especie para la que el mundo es un laberinto de rastros olorosos, o una especie que tiene un campo muy pequeño de visión tridimensional? Nunca lo sabremos, pero el hecho es que seres así (todos los demás animales) no lo hicieron, mientras que nosotros, unos antropoideos, sí.

De alguna forma los antropoideos consiguieron llegar hasta Sudamérica, entonces una enorme isla. Tuvieron que atravesar el océano con toda seguridad (quizás en una balsa natural de árboles trabados que habrían sido arrastrados hasta el mar, con algunos monos encima, por los ríos). No había entonces ningún puente terrestre desde África, aunque el océano Atlántico no era tan ancho como ahora, porque se estaba abriendo (y sigue haciéndolo). Más adelante volveré a hablar de los monos americanos, porque son importantes para este libro, así que no se olvide de ellos, por favor.

Los antropoideos del Nuevo Mundo se llaman platirrinos (o micos, como los llaman en América) y los del Viejo Mundo, catarrinos. Los platirrinos experimentaron su radiación adaptativa en Sudamérica, donde no había primates, mientras que los catarrinos radiaron en el Viejo Mundo, reemplazando a los antepasados de loris y tarseros, que por eso están hoy mucho peor representados.[11] En la clasificación de los catarrinos se distinguen dos grandes grupos o superfamilias: 1) los monos (cercopitecoideos); y 2) los *simios* más los humanos (hominoideos).

Los monos del Viejo Mundo tienen cola (con la excepción de algún macaco) y los hominoideos no la tienen —no la tenemos—. Dentro de los cercopitecoideos se encuadran los macacos, babuinos, mandriles, geladas y guenones, por un lado, y los langures y colobos por otro. Estos últimos han desarrollado un aparato digestivo especializado para comer hojas que les ha proporcionado un gran éxito evolutivo.

Los hominoideos son el grupo formado por los grandes y pequeños *simios* más los humanos. Se llama *simios pequeños* (o menores) a los gibones, y *grandes simios* a los orangutanes, gorilas y chimpancés.

Pero los *grandes simios* no forman un grupo natural, sino artificial, porque los humanos estamos más cerca evolutivamente de los chimpancés que estos de los gorilas (Figura 11). Y los gorilas están más emparentados con nosotros y con los chimpancés que con los orangutanes. *Gran simio* no es un clado, sino un grado, y por eso lo he castigado con la cursiva a pesar de su uso común (pero solo usaré esa cursiva en este libro, y por razones de coherencia). Sería un clado si incluyera a los humanos, si el término *gran simio* también se nos aplicara a nosotros.

En resumen, no descendemos de los *grandes simios*, formamos todos juntos (humanos, chimpancés, gorilas y orangutanes) un grupo natural, que modernamente se llama de los homínidos (familia Hominidae).[12]

A la vista del éxito de nuestra especie, cabría pensar que los hominoideos fueron radiando y progresivamente sustituyendo a los monos, puesto que somos los *primates superiores dentro de los primates superiores* (dicho al modo tradicional). ¿Es así como ocurrió? ¿Es la de los hominoideos una historia de éxito arrollador y predecible desde el principio?

Curiosamente, la historia de los hominoideos tiene un cierto parecido con la de los sinápsidos (el clado de los mamíferos y sus antepasados): éxito, desgracia y, finalmente, la gloria. Recordemos cómo los reptiles con vela dorsal, primero, y los *reptiles mamiferoides*, después, parecían darle a nuestros antiguos parientes la ventaja sobre los dinosaurios y demás saurios. Pero luego la cosa cambió, y solo la extinción ¡accidental! de los dinosaurios les concedió finalmente la primacía a los mamíferos. (Si se hubiera producido de todos modos antes o después es algo que nunca sabremos.)

Es a finales del Oligoceno o principios del Mioceno (las siguientes dos épocas), en torno a hace 23 millones de años, cuando en África se produce la separación de los monos del Viejo Mundo y de los hominoideos.

No les fue nada mal a los hominoideos en el Mioceno, y se diversificaron mucho, habitando las pluvisilvas (selvas húmedas todo el año), laurisilvas (con árboles de hoja perenne del tipo del laurel) y bosques estacionales de Europa, África y Asia. Eran los primates *dominantes*, y la Tierra, «el planeta de los simios». Luego cambió el clima, como sabemos, y las selvas tropicales y subtropicales no han hecho más que retroceder desde entonces. (Es imposible imaginar en las actuales España, Hungría, Italia, Grecia o Turquía una selva con hominoideos como los que vivieron allí en el Mioceno; pero, si quiere hacerse una idea de cómo era una laurisilva, puede viajar a Tenerife o a La Gomera, donde se conservan este tipo de bosques, aunque nunca hubo primates en las islas Canarias hasta la llegada de los humanos). El resultado es que la diversidad actual de los hominoideos es muy baja, sobre todo en el caso de los *grandes simios*. Por el contrario, el número de especies es muy grande en el otro gran grupo de catarrinos, los que tienen cola —o cercopitecoideos—, a pesar del cambio de clima. Es difícil saber por qué, pero les ha ido mejor que a los hominoideos... si excluimos al *Homo sapiens*, claro.

Los *grandes simios* (chimpancés, gorilas, orangutanes) están más encefalizados que los monos, pero eso no hace que les vaya mejor, porque los hominoideos han perdido mucha diversidad respecto de la que tuvieron hace, digamos, 10 millones de años. Y es que la encefalización no es, en sí misma, ni mejor ni peor que otras adaptaciones como, por ejemplo, el estómago modificado para consumir hojas de los colobos y langures. A ambos les va muy bien en términos de éxito evolutivo, que se mide (¿de qué otro modo podría hacerse?) en número de especies y en distribución geográfica. ¡Si los colobos reflexionaran podrían preguntarse por qué nosotros, los humanos, no hemos *evolucionado*, por qué no hemos explorado la capacidad de comer hojas, con lo abundantes que son, modificando el aparato digestivo en lugar del cerebro!

¿Y por qué no han *evolucionado* los chimpancés y los gorilas tanto como lo hemos hecho los humanos?

Esa es una pregunta habitual, porque muchas personas piensan que evolucionar es hacerse humano, no hacerse gorila. Los genomas de chimpancés, gorilas y humanos, los miembros del clado africano de los hominoideos, son muy semejantes, así que el último antepasado común no puede estar muy alejado en el tiempo. Vivió en África hace diez millones de años, o incluso menos, todavía en el Mioceno, en los buenos tiempos de los hominoideos. La línea de los gorilas se desgajó primero, pero casi inmediatamente (hace unos siete millones de años, según los cálculos genéticos) nos separamos chimpancés y humanos. Hace aproximadamente dos millones de años (de nuevo basándose en el *reloj molecular*) los chimpancés se dividieron en dos especies separadas por el río Congo: chimpancés comunes y bonobos.

El último antepasado común de gorilas, chimpancés y humanos no era como ninguno de ellos, y así contesto a la pregunta (tan frecuente) de por qué no han evolucionado los chimpancés y los gorilas, y sí lo hemos hecho nosotros. Chimpancés y gorilas no son ¡en absoluto! fósiles vivientes, un concepto este que, junto con el de grado estructural, nos impide ver con claridad la evolución. Por eso he insistido tanto en ellos —los he combatido tanto— en este libro. El de preadaptación es otro concepto tóxico si se entiende del modo equivocado. En realidad los tres están muy relacionados. En los relatos finalistas aparecen los grados evolutivos (que son los peldaños de la escalera de progreso), las preadaptaciones (que preparan a los organismos para el destino que les aguarda) y los fósiles vivientes, que dan cuenta de por qué hay tanta diversidad biológica: algunas especies no siguieron el camino de perfección y se quedaron tal cual, congeladas, o peor aún, degeneraron. Con esos tres ingredientes se construye una narración con final feliz: nuestra aparición y triunfo.

A partir del último antepasado común hemos cambiado (evolucionado) mucho *en las tres líneas*. Los chimpancés son muy diferentes de los gorilas en tamaño, ecología y comportamiento social. Se parecen, desde luego, en que tienen pelaje negro y en que cuando se mueven por el suelo lo hacen apoyando las plantas de los pies y el dorso de las falanges intermedias de todos los dedos de la mano menos el pulgar; no los nudillos, como se dice erróneamente.[13]

Pero los chimpancés son más frugívoros (comedores de frutos maduros) que folívoros (comedores de retoños), al revés que los gorilas; son más arbóreos y más pequeños que los pesados gorilas (que pasan mucho tiempo en el suelo); tienen menos diferencias de tamaño entre los dos sexos; y forman sociedades en las que hay machos y hembras, mientras que los gorilas viven en grupos en los que solo hay un macho reproductor y muchas hembras, o unos pocos machos si es muy grande el número de hembras.

Por nuestra parte, los humanos no tenemos demasiado pelo en el cuerpo, nuestra piel es oscura (a diferencia de la piel de los chimpancés, que es clara, despigmentada), no vivimos en los árboles sino en el suelo, caminamos de forma bípeda y nuestro cerebro es muy grande para nuestro tamaño. En general vivimos en grupos que están formados por varias familias. Se trata de un modelo social con dos niveles (grupo y familia) que no se conoce en ningún otra especie de hominoideo vivo. Los gorilas viven en familias y los chimpancés en grupos. Los gibones son monógamos, pero no forman grupos, solo parejas con la cría.

Una gran pregunta es la de cómo se movería en el suelo el antepasado común de chimpancés y humanos. Puede que al modo de los chimpancés y los gorilas: apoyando los dorsos de las falanges intermedias de los dedos índice a meñique. Así, ese extraño modo de locomoción cuadrúpeda solo habría evolucionado una vez. La hipótesis alternativa que es que lo hiciera dos veces: en la rama de los gorilas primero y, más tarde, en la de los chimpancés.

¿Cuándo aparecieron los primeros antepasados directos de nuestra especie? ¿Cómo eran?

Los primeros fósiles atribuidos, no sin controversia, a nuestro linaje tienen entre siete millones de años, como mucho, y algo menos de cuatro millones y medio de años. Vivieron en Etiopía, Kenia y Chad en lugares que entonces eran selvas lluviosas y hoy son secarrales. Se han descrito cuatro especies hasta ahora, que podemos llamar en conjunto ardipitecos porque el esqueleto más completo,[14] apodado Ardi, es de una hembra de la especie *Ardipithecus ramidus*. En este esqueleto se aprecia que los ardipitecos llevaban una vida muy arbórea, con brazos muy largos (más que las piernas) y muy fuertes. Las muelas, comparables a las de los chimpancés en tamaño y grosor del esmalte (en ambos casos pequeñas), indican un nicho ecológico que no sería muy diferente. Los caninos de Ardi y sus congéneres, en cambio, son pequeños comparados con los de los *grandes simios* vivientes, y su forma y función son más parecidas a las nuestras. Pero los ardipitecos anteriores a Ardi tienen caninos más grandes, y similares en morfología a los de los chimpancés.

Mi opinión es que apenas bajarían a tierra, los ardipitecos, mucho menos que los gorilas —e incluso menos que los chimpancés—. Eran sobre todo habitantes del dosel arbóreo. ¿Qué sistema de locomoción tendrían en el suelo? Los descubridores de Ardi defienden que se moverían sobre sus piernas, pero de una manera poco airosa. Lo que distingue la marcha humana de la de cualquier otro animal que intente andar de pie (los chimpancés y los gorilas lo hacen a veces) es la firmeza, amplitud y potencia de la zancada, que los ardipitecos aún no poseerían. Pero no me sorprende, a pesar de ello, que adoptaran una forma torpe de moverse como una solución a un problema, el de bajar al suelo, que se les presentaría muy pocas veces, razón por la que no sufrirían demasiada presión selectiva.[15]

En cambio, los chimpancés y los gorilas pasan mucho tiempo en el suelo, con lo que reciben una mayor presión selectiva, y por eso su locomoción cuadrúpeda (de ese tipo tan especial que tienen) está muy conseguida y supone la modificación de toda la extremidad anterior, no solo de los dedos, para darle estabilidad y rigidez cuando el peso del cuerpo se trasmite a través ella, formando un verdadero pilar.

¿Cuándo aparecieron los primeros bípedos verdaderos? ¿En qué momento caminar sobre las piernas, dando zancadas, se hizo obligatorio?

Los primeros *de los nuestros* que no ofrecen dudas sobre su filiación son los australopitecos, que vivieron desde hace algo más de cuatro millones de años hasta hace poco menos de dos millones de años en una parte considerable de África: por lo menos en la central, oriental y meridional. El fósil más famoso de australopiteco es un esqueleto apodado[16] Lucy, una hembra de *Australopithecus afarensis* que vivió en lo que hoy es Etiopía hace tres millones y cuarto de años. Pero se dispone ahora de un esqueleto —también de una hembra— mucho más completo, prácticamente entero (más del 90 por ciento), que se ha encontrado en Sudáfrica y es apodado Little Foot (Pequeño Pie). Su antigüedad es mayor que la de Lucy, según se dice, y gracias a él vamos a poder conocer todavía mejor la locomoción de los australopitecos.[17]

No se duda de que los australopitecos sean de nuestro propio linaje porque su postura era completamente bípeda, y en lo esencial igual a la humana actual, con todas las adaptaciones que hacen posible este tipo único de locomoción (un espléndido trabajo de bricolaje evolutivo). Estas modificaciones van desde la base del cráneo (orientada hacia abajo) hasta los pies (con su bóveda plantar y su dedo gordo alineado con los otros), pasando por la columna vertebral (con tres curvaturas, más la del hueso sacro, que es la cuarta), la pelvis (totalmente transformada) y las piernas (con fémures que convergen, en diagonal, desde la cadera hacia las rodillas).

Las extremidades inferiores eran cortas, sin embargo, con una longitud similar a la de los brazos, lo que sugiere que los australopitecos todavía eran buenos trepadores y pasaban una parte considerable de su tiempo en las copas de los árboles, donde consumirían frutos maduros y se pondrían a salvo de peligros.[18] También las falanges de manos y pies presentaban aún cierta curvatura, que es un rasgo ancestral relacionado con la capacidad de aferrarse a una rama.

Pero sus muelas eran grandes y de esmalte grueso, lo que indica que una parte de su dieta la obtenían en medios menos forestales, más abiertos. Todo esto hace pensar que el hábitat de los australopitecos estaba en los bosques fragmentados, es decir, en un mosaico ecológico. Los antepasados de gorilas y chimpancés, en cambio, permanecieron en las selvas lluviosas y continuas, sin grandes claros, del cinturón tropical africano, donde siguen sus descendientes.

Una cosa es el bricolaje evolutivo y otra el cambio radical. ¿Cómo pudo aparecer la locomoción bípeda con todas sus numerosísimas adaptaciones, que afectan a casi todo el esqueleto? ¿No estamos ante otro reloj de los de Paley en su *Teología natural*, como el ojo? O, por dejar a los humanos un instante, ¿cómo pudieron aparecer los cetáceos (delfines y ballenas) a partir de mamíferos que no eran nadadores, o los quirópteros (murciélagos) a partir de mamíferos no voladores en absoluto? El origen de los nuevos diseños biológicos siempre es un problema, porque aparecen de una manera brusca cuando se pasa la película de la historia de la vida a cámara rápida. De pronto aparece un murciélago o un delfín a partir de un mamífero cuadrúpedo.[19]

Cuando yo era niño, y también de joven, se censuraban en España las películas, que se cortaban en las escenas *escabrosas*. Por esta causa, se producían *saltos* en la proyección, que hacían difícil entender qué había pasado. En la evolución humana, conforme se han ido encontrando fósiles intermedios, *eslabones perdidos*, cada vez hay menos *saltos*, pero persiste aún un *salto* importante en el origen de la postura bípeda. Y no es pequeño, porque supone un rediseño completo del esqueleto, desde la cabeza hasta el dedo gordo. No se trata solo de ponerse de pie, como se suele decir.[20] Hay que dar zancadas, adelantando un pie y dejándolo en el aire hasta que se posa en el suelo, sin que se desplome el cuerpo.

Nos vamos a tener que entretener un momento para analizar por qué el registro fósil tiene estas lagunas. ¿Faltan fósiles intermedios porque el registro es pobre? ¿Hay cortes en la *película de la vida* o es que se producen cambios bruscos, saltos, en la realidad? Y de ser así, ¿cómo ocurrirían?

El gran paleontólogo norteamericano George Gaylord Simpson en su histórica obra *Tempo and Mode in*

Evolution (1944) añadía un nuevo modo evolutivo a los dos que ya conocemos: especiación (ramificación) y evolución lineal (Figura 10).

La especiación, recordamos, consiste en la división de una especie en dos o más especies, no muy diferentes entre sí, que ecológicamente ocupan subzonas adaptativas próximas, nichos muy semejantes, picos gemelos en el paisaje adaptativo. Ya hemos visto que hay autores que han defendido que eso no ha pasado nunca, o rara vez, en la evolución humana.

La evolución lineal es, seguimos recordando, la transformación gradual y continua a lo largo del tiempo, de forma insensible, de unas especies en otras, permaneciendo casi siempre dentro de la misma zona adaptativa (o zona ecológica). Para Simpson, este modo evolutivo es, con mucha diferencia, el más frecuente e importante, el que más obra en la evolución en general.[21]

Las genealogías de especies (las filogenias, como se dice técnicamente) que dibujan los que creen que en la evolución humana predomina la evolución lineal tienen pocas ramas, o ninguna, mientras que los partidarios de la especiación en la evolución humana representan nuestra genealogía como un árbol ramificado. También el relato que hacen los primeros es lineal, sencillo, porque solo hay una especie en todo el mundo en cada momento de nuestra evolución, mientras que la narración de los segundos es más compleja, con muchas historias produciéndose en diferentes lugares al mismo tiempo.

¿Pero cómo podría producirse un cambio de zona adaptativa? ¿Cómo se podría cambiar radicalmente de modo de vida y dejar de ser *simios* para convertirse en otra cosa? ¿Cómo pasar de ardipitecos a australopitecos? ¿Y de los australopitecos a los humanos? Y, en general, ¿cómo surgen los grandes diseños biológicos, las grandes innovaciones de la evolución? ¿Cómo *inventa* a lo grande la evolución?

Para responder a estas preguntas, Simpson propone un nuevo modo evolutivo, que sirve para explicar las grandes revoluciones biológicas. Recordemos que precisamente era en estas «transiciones evolutivas principales» donde Robert Broom veía necesaria la intervención de un *agente espiritual* para dirigir el proceso hacia su fin, su *telos*. A este tercer modo, el más radical, lo llama Simpson evolución cuántica, y supone el paso de una zona adaptativa a otra *de manera muy rápida* (en tiempo geológico, se entiende, que es un tiempo muy lento comparado con el de las generaciones humanas) (Figura 13).

Así pues, Simpson pensaba, en 1944, que, de una manera excepcional, podían aparecer grandes novedades evolutivas de esta forma, que no sería la más habitual, pero sí la más *creativa*, y de la que apenas quedaría registro fósil por ser tan breve el tiempo de transformación.

¿Fue así, por medio de la evolución cuántica, como dejamos la zona adaptativa de los *grandes simios* y entramos en la de los homininos, la nuestra, que ya nunca abandonaríamos?

El problema de la evolución cuántica es que, para pasar de un pico adaptativo a otro, una especie tiene que descender al valle. Pero bajarse de un pico es perder adaptación, y eso va contra la lógica de la selección natural, que siempre empuja *hacia arriba*, favoreciendo a los más adaptados (a los que están a un nivel más alto), de ninguna manera a los menos adaptados.

Así, en la evolución del ojo humano, por poner un ejemplo clásico de disputa entre creacionistas y evolu-

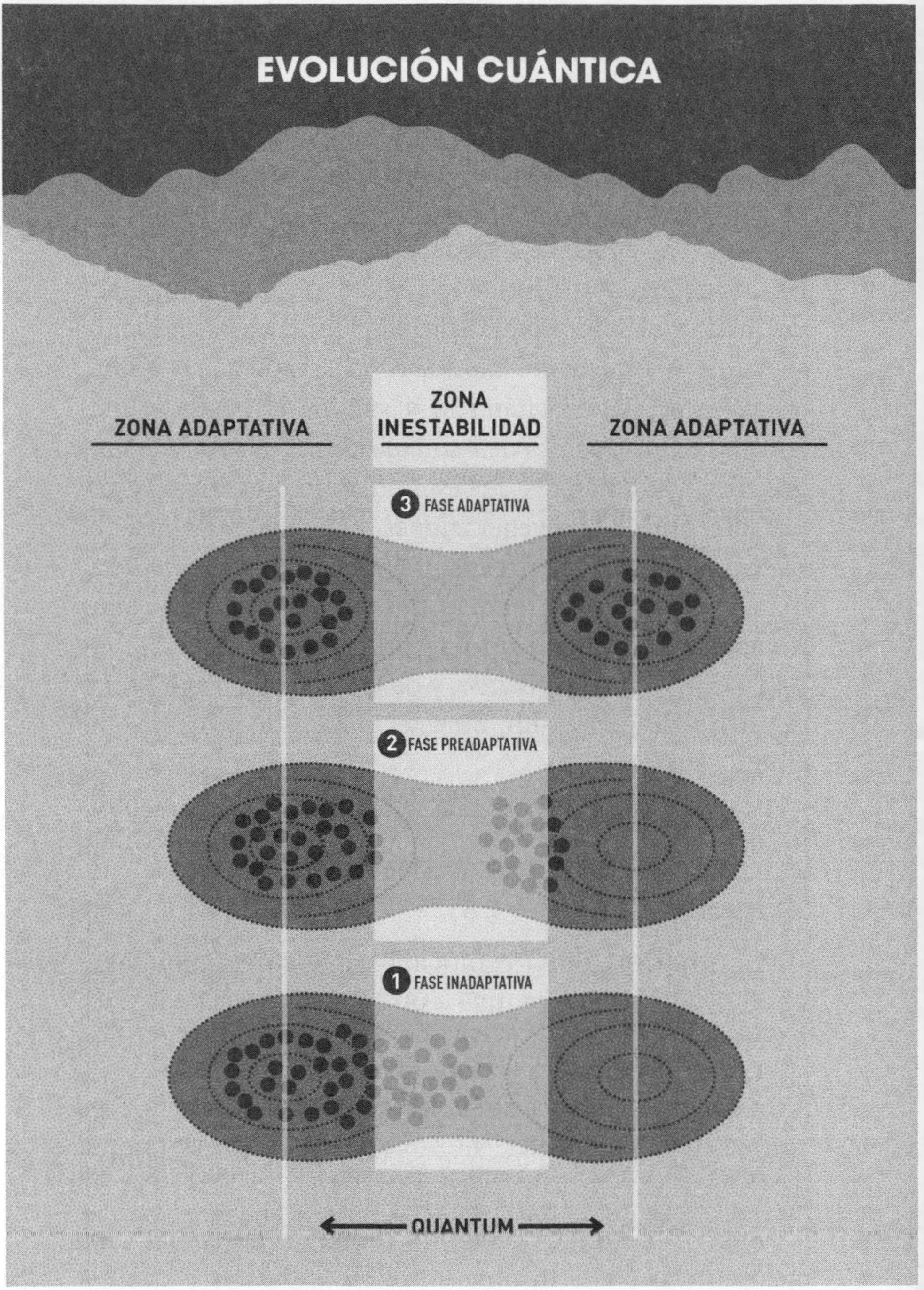

EVOLUCIÓN CUÁNTICA

ZONA ADAPTATIVA

ZONA INESTABILIDAD

ZONA ADAPTATIVA

3 FASE ADAPTATIVA

2 FASE PREADAPTATIVA

1 FASE INADAPTATIVA

QUANTUM

cionistas, todas las etapas intermedias tienen que suponer una ventaja, desde el ojo más simple, el de las *planarias* (unos gusanos planos acuáticos), hasta el ojo de cámara de los vertebrados y los pulpos. La biología moderna es capaz de explicar esa evolución del ojo a través de una serie de órganos de la visión que representan siempre un perfeccionamiento respecto del diseño anterior. Por supuesto, la mejora hay que ponerla en relación con el nicho ecológico: los primates antropoideos, cuando se hicieron diurnos, perdieron una capa reflectante de la retina que sirve para ver mejor en la oscuridad[22] y que tenían sus antepasados, de hábitos más nocturnos; en ese sentido empeoraron, pero ya no necesitaban ese tejido, y la biología es muy avara con los gastos; nunca despilfarra recursos.

La selección natural, pues, nunca puede ir cuesta abajo. Por ese motivo, solo una mutación casi milagrosa podría explicar el salto de un pico adaptativo a otro sin tener que cruzar el valle. Pero Simpson no era *saltacionista*,[23] sino seleccionista, como todos los neodarwinistas.

Entonces, ¿cómo justificar científicamente este modo evolutivo?

FIGURA 13. Evolución cuántica

Para explicar cómo podrían producirse grandes cambios de nicho ecológico en poco tiempo, el paleontólogo George Gaylord Simpson propuso en 1944 una modalidad evolutiva a la que llamó evolución cuántica, y que se añadía a la especiación y a la evolución filética (ver Figura 10). Según Simpson, normalmente las especies se mueven montadas sobre los picos que se desplazan por el paisaje adaptativo, como si estuvieran *surfeando* olas. Pero en ocasiones se pueden *bajar* de un pico adaptativo para dirigirse a otro que está libre. Para ello están obligadas a atravesar un valle, donde tienen a la selección natural en contra, por lo que han de darse mucha prisa. Buenos ejemplos de evolución cuántica serían, según Simpson, los murciélagos y las ballenas, que se habrían originado rápidamente a partir de cuadrúpedos terrestres que ni volaban ni nadaban. Otros autores propusieron en 1950 que el modelo de evolución cuántica también valía para explicar el origen de la postura vertical de los humanos, pero ahí Simpson dio marcha atrás.

Para resolver la paradoja, Simpson recurre a un mecanismo que había propuesto Sewall Wright en el mismo artículo de 1932 en el que presentó la metáfora de los paisajes adaptativos. Se llama deriva genética y permite a pequeñas poblaciones vagabundear al margen de la selección natural en torno a un pico adaptativo hasta dar, por casualidad, con otro. Este es un concepto un poco técnico, lo admito, pero muy importante en biología evolutiva, por lo que vamos a seguir adelante con él.

La deriva genética se produce porque en una población pequeña puede ser mayoritario, por puro azar, un gen que es raro en una población verdaderamente grande de la especie, donde no puede prosperar porque no supone ninguna ventaja. Y ese gen raro podría prescribir una preadaptación que es inútil en su propia zona adaptativa (aunque tampoco sea muy perjudicial) pero que, sin embargo, resulta muy útil en otra zona adaptativa (en el pico adaptativo de enfrente).

Pero el propio Sewall Wright, en una reseña que escribió en 1945 sobre el libro de Simpson, lo desautorizó para utilizar la deriva genética como explicación de la evolución cuántica. En 1949 Simpson[24] todavía defendía la evolución cuántica, aunque admitía que no era un término muy afortunado y que había sido objeto de crítica.

En el antes citado congreso de Cold Spring Harbor de 1950 sobre evolución humana, dos autores importantes (Sherwood L. Washburn[25] y W. W. Howells,[26] que ejercía de presidente de la sesión) recurrieron a la evolución cuántica para explicar la aparición de la bipedia en nuestros antepasados, que sería para ellos un buen ejemplo de ese modo evolutivo. Estos dos antropólogos citaban a Simpson como autor de la idea.

Simpson también participaba en la reunión,[27] pero sorprendentemente no defendió la evolución cuántica en los términos en los que lo había hecho antes: como el paso de un pico adaptativo a otro pico adaptativo atravesando un valle no adaptativo. De hecho, ni siquiera utilizó la expresión evolución cuántica en su comunicación. Ahora Simpson decía que a veces se producían ensanchamientos de un tipo adaptativo, y que eso era lo que había pasado con la postura vertical.

El ejemplo que en 1944 utilizaba Simpson para ilustrar la evolución cuántica era el del paso de los équidos (caballos y demás) que se alimentaban de hojas tiernas —y tenían muelas pequeñas, con las coronas bajas— a los équidos que pastaban la hierba, cuyas muelas eran más grandes, de coronas altas y con cemento incorporado para aumentar la resistencia del diente al desgaste producido por los tallos de las gramíneas, que contienen cristales minerales.

Pero tan solo seis años más tarde, en el congreso de 1950, le parecía que una corona resistente también valía para comer hojas verdes, con lo que en ningún momento se habría perdido adaptación: «El nuevo rasgo, para el que la *especialización* fue adaptativa, fue la capacidad de pastar, de comer alimento fuertemente abrasivo. Sin embargo la capacidad de comer alimento menos abrasivo, de ramonear, no se perdió por ello.»

En el caso humano, Simpson afirmaba que tampoco se había perdido adaptación en la transición del cuadrúpedo al bípedo, por lo que no se había atravesado ningún valle no adaptativo entre los dos picos: «El desarrollo de la postura erguida en el hombre y la utilización de las manos solo para la manipulación y no para la locomoción proporciona quizás un mejor ejemplo [que el de los caballos] de una *especialización* que aumentó más que redujo la adaptación general del tipo» (la cursiva es mía en los dos párrafos de Simpson).

La solución a la que había llegado Simpson para sustituir la evolución cuántica por otra cosa más aceptable para el paradigma neodarwinista (basado exclusivamente en el poder de la selección natural) parece un juego de palabras para salir del paso, porque siempre se ha entendido en biología que una *especialización* reduce el nicho ecológico. Es la *no especialización* (la versatilidad) la que lo aumenta. Con tal de no recurrir a la evolución cuántica que había propuesto en 1944, Simpson se estaba traicionando a sí mismo en 1950, «haciéndose trampas en el solitario», como suele decirse.

Después de todo lo dicho, ¿es concebible dentro de la teoría evolutiva moderna que un cambio tan drástico de postura como el nuestro se produzca en relativamente poco tiempo y que no exija un prolongado periodo de lenta transformación? ¿Y cómo podrían ser adaptativas esas etapas intermedias entre la cuadrupedia y la bipedia? ¿No estaríamos atravesando un valle no adaptativo?

El caso es que no sabemos *a ciencia cierta* (¡qué magnífica expresión!) cómo apareció la postura bípeda, porque nos la encontramos en los australopitecos ya completamente realizada, precisamente al modo que predice la evolución cuántica de Simpson.

Una posible explicación de la aparición aparentemente súbita del bipedismo es que surgiera primero un rasgo que implique poco cambio genético (pocas mutaciones) pero que tenga efectos adaptativos importantes. En torno a esta *innovación clave* habrían ido apareciendo en poco tiempo, en cascada, todas las demás adaptaciones de la postura humana, favorecidas por la selección natural actuando muy enérgicamente. Esta idea de la innovación clave, que fue tenida en cuenta por Simpson y más autores, me parece digna de ser discutida en este y otros ejemplos en los que el registro fósil parece indicar evolución rápida.

En el caso de la postura bípeda, la innovación clave podría ser un cambio en la orientación del ala ilíaca (en la cadera), que pasaría de mirar hacia atrás a mirar de lado cuando se adopta la postura vertical. De este modo, algunas fibras de los músculos glúteos, las más anteriores, pasarían de tirar hacia atrás y extender la articulación de la cadera (como en los chimpancés) a tirar de lado, y eso es justamente lo que se necesita para equilibrar el tronco al dar zancadas y que el cuerpo no bascule hacia el lado que está en el aire, produciendo la caída de costado. Ese mecanismo que impide el colapso del cuerpo se llama abducción de la cadera, y sin él la postura bípeda humana es del todo imposible.[28]

Desgraciadamente la pelvis de Ardi está muy mal conservada, pero algo así podría haber ocurrido a tenor de lo que parece (o al menos eso consideran sus descubridores) que se ve en ella. De momento, poco más podemos decir del origen del porte erguido.

Eso sí, tal postura hizo posible que los brazos no tuvieran que servir de soporte rígido para la locomoción cuadrúpeda. Por decirlo de alguna manera, se liberaron. Las manos de los australopitecos también se liberaron de otra función: colgarse de ellas usándolas como un gancho. Esa es la razón por la que las manos de los chimpancés son tan largas, y su pulgar tan corto y tan alejado de las yemas de los otros dedos. Los chimpancés y el resto de los hominoideos se balancean colgados de las ramas de los árboles, girando muñeca, codo y hombro y pasando de una mano a la otra para desplazarse. Por cierto, los humanos también podemos hacerlo, pero con mucha menos destreza (aunque los niños lo hacen bastante bien en los parques infantiles). La mano de los australopitecos, en cambio, era básicamente como la nuestra, con grandes capacidades para manipular con precisión objetos pequeños. Se trata de una habilidad recuperada, porque la tienen la mayoría de los monos y se había perdido en gran medida en la mano-gancho de los hominoideos.

Es importante añadir a lo anterior que en la evolución humana los diferentes rasgos que encontramos reunidos en la especie actual no aparecieron al mismo tiempo, lo que quiere decir que no son adaptaciones relacionadas entre sí, que no forman parte del mismo complejo anatómico-funcional. En otras palabras, la postura bípeda y la destreza manual no están vinculadas a la gran expansión cerebral, sino que la preceden. Es lo que se llama evolución en mosaico, muy frecuente en la evolución en general, como ha demostrado la paleontología, ya que solo ella podía hacerlo. Ninguna otra especialidad científica puede ver la evolución en modo *time lapse*. Y, de hecho, antes de que aparecieran los fósiles de australopitecos, se suponía que el cerebro *era antes* que la postura bípeda, porque la *inteligencia* habría sido, desde el principio, el motor de la evolución humana (todos los finalistas apuestan por este modelo: primero encefalización, luego locomoción). Sin embargo, lo contrario es lo cierto, y constituyó una tremenda sorpresa cuando se descubrió. No es, por otro lado, la primera vez que vemos que los cambios ecológicos y las adaptaciones dentales y del aparato locomotor preceden a la encefalización.[29]

Una mano hábil es un requisito para la tecnología, por lo que podemos preguntarnos si la postura bípeda no fue seleccionada para liberar las manos de la locomoción y emplearlas en la fabricación de herramientas. O tal vez no tengan nada que ver la marcha erguida y la talla de la piedra, y entonces ponerse de pie sería una preadaptación en el sentido clásico del término, es decir, algo que vino bien en un momento posterior. Por otro lado, la cultura se ha invocado como la explicación del patrón evolutivo que podemos llamar *modelo una sola especie todo el tiempo*, así que tenemos que avanzar más en el registro fósil de la evolución humana para entender lo que ha pasado.

RIZAR EL RIZO

Solo para los más aficionados a la teoría evolutiva y a rizar el rizo, tengo un nuevo modo evolutivo, que se une a los tres de Simpson (lineal, ramificado y cuántico). Se llama equilibrio puntuado[30] (que significa estabilidad interrumpida) y fue propuesto por los paleontólogos norteamericanos Niles Eldredge y Stephen Jay Gould en 1972. En completo desacuerdo con G. G. Simpson y demás neodarwinistas, Eldredge y Gould no consideraban que la evolución lineal fuera el modo más importante en el que actúa la evolución, sino que, muy al contrario, pensaban que la evolución ramificada ha sido el modo predominante.

Pero hay algo más que ramificación abundante en el modelo evolutivo de Eldredge y Gould. La tan lamentada ausencia de las formas intermedias en el registro fósil se debería, según estos paleontólogos, a que la especiación es habitualmente un fenómeno geográficamente local y relativamente rápido en tiempo geológico, lo que hace difícil que quede bien documentada. En contra de lo que dice el neodarwinismo, la mayor parte del tiempo no está ocurriendo absolutamente nada relevante en el seno de las especies. La idea de que la evolución es el resultado a largo plazo de la lenta acumulación, generación tras generación, de cambios pequeños sería un mito propio de la Inglaterra victoriana, en la que se veía progreso constante en la sociedad. Normalmente, dicen Eldredge y Gould, no hay evolución de las especies, sino estabilidad, equilibrio.

En su último libro (*Fósiles e historia de la vida*, 1983), G. G. Simpson afirmó que la teoría del equilibrio puntuado ya se le había ocurrido a él cuando propuso el modo de evolución cuántica. Después de tantos años de deliberado olvido, Simpson volvía a acordarse de la evolución cuántica. Pero no tenía razón en su reivindicación porque para Simpson la evolución cuántica es excepcional y creadora de grandes novedades evolutivas, solo palabras mayores, mientras que para Eldredge y Gould el equilibrio puntuado es la forma normal en la que se produce la evolución.

Eldredge y Gould se basaban para su teoría en el modelo de Mayr de especiación geográfica, que postula que la aparición de una nueva especie se produce por lo general a partir de una pequeña población aislada. Es previsible que eso suceda más a menudo en las especies con una gran distribución geográfica, ya muy divididas (compartimentadas) en poblaciones separadas por barreras físicas que dificultan el flujo génico entre ellas, y cada una adaptada a las condiciones locales de su territorio.

Tal sería la situación más frecuente en la evolución humana (poblaciones separadas por la geografía), por lo que debería seguir el modelo del equilibrio puntuado, no el de la evolución lineal que predicaba Julian Huxley y, paradójicamente, también Ernst Mayr.

Niles Eldredge y el paleoantropólogo Ian Tattersall escribieron en 1982 un libro (*Los mitos de la evolución humana*) en el que exploraban la posibilidad de que la evolución humana fuera de tipo puntuado. No llegaron a ninguna conclusión definitiva porque el registro fósil de la evolución humana todavía era pobre. Hoy es mucho más rico, pero la cuestión de la geometría de la evolución humana (lineal o ramificada y, en este segundo caso, con aparición lenta o rápida de las especies) no se puede considerar resuelta, como iremos viendo. Aun así, Tattersall ha mantenido en todas sus obras posteriores una interpretación puntuacionista del registro fósil de la evolución humana, aunque con matices.[31]

Por cierto, Eldredge y Tattersall aplicaban en 1982 el enfoque *puntuacionista* también a la Historia humana, donde veían cambios rápidos en el origen de las grandes civilizaciones seguidos por largos periodos de una monotonía cultural y tecnológica absoluta. Los egipcios de la Antigüedad serían un buen ejemplo, con miles de años sin que pase nada trascendental, según su criterio. La Historia humana, como la biológica, no sería un proceso lineal de suma de pequeños cambios a lo largo del tiempo, sino que más bien tendría un carácter episódico, con breves momentos de cambios frenéticos (en unas pocas generaciones o en una sola) seguidos por fases de estabilidad que se prolongarían a lo largo de muchas generaciones. De este modo, salvo unas pocas excepciones, los humanos de cualquier cultura y tiempo han tenido siempre la impresión de que el mundo en el que viven es sólido e inalterable. Como las especies biológicas.

En todo caso, siempre es bueno que se propongan teorías, porque gracias a ellas miramos las cosas con ojos nuevos. En este caso, con los del equilibrio puntuado, la propuesta más original y divertida de la paleontología después de las de G. G. Simpson.

JORNADA IX

LOS NEANDERTALES Y NOSOTROS

En donde se repasa el registro fósil de la evolución del género Homo, *desde los primeros fósiles conocidos hasta la especie humana actual, para ver cuál ha sido el patrón evolutivo. También se incorporan los modernos datos de la genética, que nos permitirán saber si somos una especie tan variable como se ha dicho y si, por lo tanto, es una anomalía que sigamos siendo solo una especie. Al final de la jornada se aborda el tema de la selección sexual, que a Darwin le servía para explicar las diferencias* raciales *humanas.*

¿Apareció la cultura al quedar liberadas las manos de la locomoción? ¿Y con la cultura surgió el género *Homo*, al que pertenecemos los humanos actuales?

La cultura, entendida como transferencia de hábitos o pautas de conducta entre generaciones por vía no estrictamente genética, sino por aprendizaje o imitación, se ha documentado en varias especies de mamíferos que tienen tradiciones familiares, como las orcas. Los chimpancés, por otro lado, emplean herramientas, y su uso se transmite en algunos grupos locales. Cabe deducir de aquí que los australopitecos probablemente también lo harían.

Otra cosa es la tecnología lítica, la fabricación de herramientas de piedra, siquiera muy toscas, golpeando una piedra contra otra, tallando. Las primeras industrias líticas africanas tienen dos millones y medio de años, quizás algo más, mientras que los primeros australopitecos aparecen en el registro hace 4,2 millones de años.

Los chimpancés usan piedras para cascar nueces, a modo de martillos, pero no tallan. En mi opinión, no se debe a un déficit cognitivo, a falta de comprensión. Simplemente están faltos de la necesaria coordinación de brazos y manos, son demasiado torpes, carecen de puntería, como también les ocurre a la hora de lanzar objetos. El problema es, sobre todo, biomecánico y neuromotor, porque en condiciones experimentales se ha demostrado que, si se les proporciona una lasca de piedra ya producida, son capaces de usarla para cortar una cuerda y obtener alimento, por ejemplo.

Los australopitecos, que no usaban los brazos para andar a cuatro patas, sí que poseían la necesaria destreza manual. Sus manos eran casi totalmente como las nuestras. Así que yo no veo ninguna dificultad para que algunos australopitecos practicaran una talla sencilla, y que se transmitiera en forma de tradición. Quizás esta tradición se diera en diferentes grupos y en diferentes momentos, solo cuando convenía, en circunstancias en las que era útil, sin demasiada continuidad en el tiempo y sin que haya quedado apenas registro arqueológico.

Es posible que los primeros fabricantes de útiles de piedra fueran australopitecos y no miembros de una especie del género *Homo*, pero es en este género en el que utensilio y cuerpo se complementan, y ya no puede entenderse la anatomía, la fisiología y la etología de nuestros antepasados (las tres partes de lo que se conoce como el *fenotipo*) sin el instrumental lítico. Y eso no sucede hasta que entra en escena el género *Homo*. A partir de este momento ya puede hablarse de una *coevolución* entre la biología y la cultura, porque se crea un circuito de retroalimentación (un *feedback*), una nueva rueda evolutiva.

La especie más primitiva del género *Homo* es *Homo habilis*, apenas diferente de un australopiteco y también de porte bajo, pero con más cerebro y, por el contrario, muelas y cara más pequeñas. Si aplicáramos ahora el principio de correlación orgánica del padre de la paleontología, el francés George Cuvier, tendríamos que definir la especie *Homo habilis* por sus características físicas, como siempre se hace, y ponerle además una herramienta en la mano porque sin ese utensilio (aunque no sea orgánico) no se explican los dientes, la cara (que es su soporte óseo) ni, seguramente, tampoco el cerebro del fósil. El utensilio, podríamos decir, está correlacionado con el fenotipo. En cambio, un australopiteco se entiende sin necesidad de ponerle una piedra tallada en la mano.

GENES Y MEMES

En el que Richard Dawkins considera su mejor libro, este autor ha creado el concepto de fenotipo extendido[1] para referirse a la acción de los genes a distancia, más allá de los límites de la pared de la célula, más allá incluso de los límites de la piel.

La acción a distancia del gen incluye las obras que hacen algunos animales (sus artefactos), tales como los tubos de barro que fabrican ciertas avispas para sus larvas (tubos en los que, por decirlo todo, ponen además una presa paralizada por el veneno, pero viva, para que las larvas se alimenten de ella), el montículo de las termitas, el nido del pájaro sastre o el dique del castor. Y no solo el dique, sino que el propio estanque, el cuerpo de agua embalsada, también puede considerarse parte del fenotipo extendido del castor. Sería, de hecho, el fenotipo más grande del mundo. En Tierra del Fuego los he visto enormes, construidos por los castores que fueron introducidos allí por su piel desde el hemisferio norte y que ahora son una plaga.

Entonces, si el nido del pájaro sastre es parte de su fenotipo, como el termitero lo es de la termita, ¿por qué no considerar fenotipo extendido la Sagrada Familia de Gaudí o el Palacio de Oriente de Madrid?

Richard Dawkins advierte[2] que el término «fenotipo extendido» y la idea que hay detrás de él no pueden extenderse a las producciones humanas salvo en el caso absurdo de que, por poner un ejemplo, unos arquitectos estuvieran programados genéticamente para hacer edificios de estilo gótico y a otros arquitectos solo les salieran las casas, sin proponérselo, de estilo modernista. Pero, obviamente, no hay un gen para el gótico y otro para el modernismo, ni los arquitectos diseñan por instinto, sino conscientemente.

Aplicando el concepto a la tecnología lítica prehistórica, ¿había un gen para el tecnocomplejo olduvayense (el del *Homo habilis*), otro para el achelense (que empieza en África con el *Homo erectus*) y otro para el musteriense (el de los neandertales)? Ello significaría que los humanos tallaban herramientas de piedra por puro instinto. Efectivamente, algunos investigadores creen que la única especie racional de la historia de la vida ha sido la nuestra. En ese caso, tendría que haber un gen (es una forma de hablar)[3] para los estilos de talla. De ser así, la industria lítica producida por especies diferentes de la actual formaría parte de su fenotipo extendido y serían objeto de selección natural.

Por el contrario, si la confección de herramientas de piedra presupone consciencia plena, esta habría que llevarla hasta el *Homo habilis*, por lo menos. En ese caso, los artefactos no formarían parte del fenotipo extendido de nuestros antepasados, como tampoco el estilo románico o el renacentista en nuestra especie. No habría genes implicados en los diferentes estilos, sino memes. Los memes son una idea también propuesta por Dawkins, en *El gen egoísta* (1976), que se ha extendido viralmente (literalmente como un meme). El meme es una canción, una moda, un estilo, una tecnología, una pauta de conducta, que se propaga saltando de un cerebro a otro. Según esa definición, los tecnocomplejos que conocemos como achelense, musteriense o solutrense serían memes. El más importante de todos, como veremos en su momento, podría ser considerado el Neolítico: la economía de producción basada en la agricultura y la ganadería, que se propagó rápidamente, infectando cada vez más cerebros.

Los fósiles más representativos y completos de *Homo habilis* (incluyendo al ejemplar tipo de la especie) tienen algo menos de dos millones de años y se han encontrado en Kenia y en Tanzania. Pero hay un par de fósiles (un paladar y media mandíbula) de más de dos millones de años en Etiopía que, aunque insuficientes, sugieren un origen antiguo para esta especie. Su grado es todavía el de los australopitecos, a los que se parecerían mucho físicamente (hasta el punto de que nos costaría distinguirlos si los viéramos vivos), pero ya pertenecen a nuestro clado, a nuestro linaje.

Recientemente se ha encontrado en Sudáfrica una cueva[4] con numerosos restos de tipo *habilino*, pertenecientes a bastantes individuos, pero la sorpresa ha sido mayúscula cuando se han datado, porque resultaron tener solo unos 300.000 años, como si hubieran sobrevivido en la región aislados o en convivencia con otras especies mucho más parecidas a la nuestra, lo que nadie se explica. Su descubridor[5] les ha puesto el nombre de *Homo naledi*.

Además, hay también en el este de África unos fósiles de cara más ancha, muelas más grandes, pero también mayor cerebro, que algunos asignan a la especie *Homo habilis*, otros clasifican como una especie estrechamente emparentada a *Homo habilis* pero distinta llamada *Homo rudolfensis* y hasta hay autores que los consideran una evolución independiente hacia la encefalización, un caso de convergencia en el aumento de la masa cerebral.[6] Si todas las convergencias nos interesan, esta todavía llama más la atención, porque indicaría que también en el hiperespacio de la inteligencia se pueden encontrar las mismas soluciones más de una vez. Pero el caso no está claro. Como dicen los americanos, «*the jury is out*», el jurado todavía no ha entrado en la sala para emitir un veredicto.

Pero *Homo habilis* no es el único hominino que vivió en África hace poco menos de dos millones de años.[7] También estaban, por todas partes, los parántropos (Figura 14), de cara y muelas enormes, especializados en masticar mucho, con un gran desarrollo de los músculos temporal y masetero, que elevan la mandíbula, cierran la boca y aprietan las muelas de abajo contra las de arriba. Claramente su zona adaptativa era otra, con una dieta que incluía vegetales consistentes (difíciles de partir) y duros (abrasivos), del tipo de las semillas pequeñas, los granos y los frutos con cáscara. Estos alimentos los encontrarían en medios más secos y más abiertos que las selvas lluviosas de sus antepasados.

Y por si fuera poco, hay restos en esas mismas cronologías (entre hace dos millones de años y hace un millón y medio de años) de individuos más altos que los *Homo habilis*, de piernas más largas para caminar lejos, con zancadas amplias, de cerebros más grandes, y caras y muelas más pequeñas, a los que llamamos *Homo erectus*.

No termina aquí la diversidad que registran los yacimientos de la época, porque ya fuera de África, en la localidad de Dmanisi, en Georgia, al sur del Cáucaso, se han encontrado fósiles que se pueden describir morfológicamente como intermedios entre el *Homo habilis* y el *Homo erectus*, tanto en estatura, como en forma del cráneo y volumen encefálico. Fueron bautizados como *Homo georgicus*, pero los autores de la especie ahora prefieren incluir a los fósiles de Dmanisi dentro de la especie *Homo erectus*, aunque en mi opinión su morfología es claramente más primitiva.

Aunque el *Homo erectus* (incluyendo a la población georgiana) tiene más cerebro que el *Homo habilis*, eso no quiere decir que estuvieran más encefalizados, porque también el cuerpo es más alto y, por lo tanto, más pesado. ¿Podría de nuevo haber precedido el cambio en el esqueleto y los dientes, es decir, el nicho ecológico, a la encefalización?

¿Cómo es posible explicar tanta variabilidad como se registra entre hace dos millones de años y hace millón y medio de años?

No es nada fácil entender lo que ha pasado, porque no hay manera de construir una secuencia de especies encadenadas, al modo lineal, con los fósiles y las dataciones de que se dispone. Claramente, los parántropos son una línea evolutiva diferente, una rama aparte con su propia zona adaptativa, que se extinguió hace algo más de un millón de años.[8] En la otra rama, el *Homo habilis* se parece más a los australopitecos, y el *Homo erectus* a los humanos modernos (al *Homo sapiens*), con los fósiles de Georgia ocupando una posición intermedia entre unos y otros, pero el caso es que todos ellos son más o menos contemporáneos, no sucesivos en el tiempo.

Lo único que podemos decir por ahora es que el modelo de evolución lineal no es compatible con los fósiles, que sugieren un patrón evolutivo ramificado, en el que las especies antepasadas conviven, sin apenas cambios, con sus descendientes, al menos por un tiempo.[9]

Pero para entender mejor estas radiaciones evolutivas de los homininos conviene remontarse en el tiempo hasta hace dos millones y medio de años. Redondeando, esta es la fecha en la que acaba el Plioceno (última época del periodo geológico Terciario) y empieza el Pleistoceno (primera época del periodo geológico Cuaternario). El límite lo marca un cambio del clima, porque es entonces cuando empieza a hacerse progresivamente más frío y más seco el planeta, con periodos cada vez más marcados de expansión de los hielos, sobre todo por el hemisferio norte (tiempos a los que llamamos glaciaciones), separados de otros momentos de retroceso de estos, como el actual.

Esa dinámica climática ha tenido un gran impacto en los ecosistemas, y en África favoreció la expansión de los ambientes abiertos en detrimento de los ecosistemas forestales, fragmentando las selvas y ampliando las sabanas. El término sabana se aplica a un espectro bastante amplio de hábitats, que pueden ser más o menos arbolados, más o menos arbustivos (predominio de matorral), más o menos herbáceos. Lo que desde luego queda fuera del término es la pluvisilva, en un extremo, y la estepa (o pradera), en el otro.

Y es entonces, al poco de cambiar el clima, cuando empiezan a encontrarse en los yacimientos los primeros fósiles de las líneas de *Homo* y de *Paranthropus*, que a su vez se ramifican, de manera que en el periodo comprendido entre hace dos millones de años y hace un millón y medio de años se encuentra una gran diversidad de especies de homininos, como si hubiera habido dos radiaciones, la de *Homo* y la de *Paranthropus*, favorecidas ambas explosiones evolutivas por el cambio ambiental.

El patrón ramificado se va a mantener hasta época muy reciente (cuando el *Homo sapiens* se quede totalmente solo) porque, aunque desaparezcan los parántropos hace algo más de un millón de años, seguirán los pequeños *Homo naledi* en Sudáfrica (si la datación publicada es tan firme como parece), y una especie no menos misteriosa, también de pequeño tamaño corporal y reducido cerebro, llegará, no sabemos desde dónde ni cuándo, pero ciertamente cruzando el mar, hasta la remota isla de Flores, en Indonesia, lugar en el que va a pervivir hasta hace 50.000 años y quizás menos. Es el *Homo floresiensis*, conocido popularmente como el Hobbit.

Las islas producen a menudo enanismo, una forma de adaptarse a la limitación de recursos, por lo que podría tratarse de una especie evolucionada hacia la reducción de tamaño a partir del *Homo erectus* o, más bien, del *Homo georgicus* (que era más pequeño), pero también podría proceder directamente del *Homo habilis* o del

Homo naledi sin que mediara reducción de talla. El problema que tiene esta segunda posibilidad es que de las dos últimas especies no tenemos registro fuera de África.

Pero el Hobbit y el *Homo naledi* no dejan de ser ramas laterales de la evolución humana que sobreviven en regiones periféricas y extremas de Asia y de África, y no están relacionadas directamente con nuestra especie, mientras que los parántropos son unos *primos* nuestros aún más lejanos que se extinguieron hace mucho tiempo. ¿Es, como pensaban los autores de la síntesis moderna, el *Homo erectus* la especie que representa la línea principal y unificada de la evolución humana, el tronco que ya no se ramificará más y que llegará, íntegro y recto, hasta el presente?

Esta especie (*Homo erectus*) ocupa, efectivamente, una gran extensión geográfica, que abarca África y Asia hasta la isla de Java, y tiene considerable duración, desde hace casi dos millones de años, cuando se encuentran en África sus primeros restos, hasta que desaparecen los últimos representantes de la especie en Java hace menos de medio millón de años (quizás mucho menos) (Figura 14). Sin embargo, no hay fósiles claros de *Homo erectus* en Europa. El resto más antiguo encontrado hasta ahora en Europa, la mandíbula de la Sima del Elefante en Atapuerca —que cuenta con más de un millón de años de antigüedad—, podría serlo, pero la información que proporciona el fósil es insuficiente para pronunciarse.

Más abundantes son los fósiles del yacimiento de la Gran Dolina, también en Atapuerca, datados entre hace 800.000 años y 900.000 años, todavía en el Pleistoceno inicial. En ese momento, o poco después, a comienzos del Pleistoceno medio,[10] ya hay más humanos viviendo

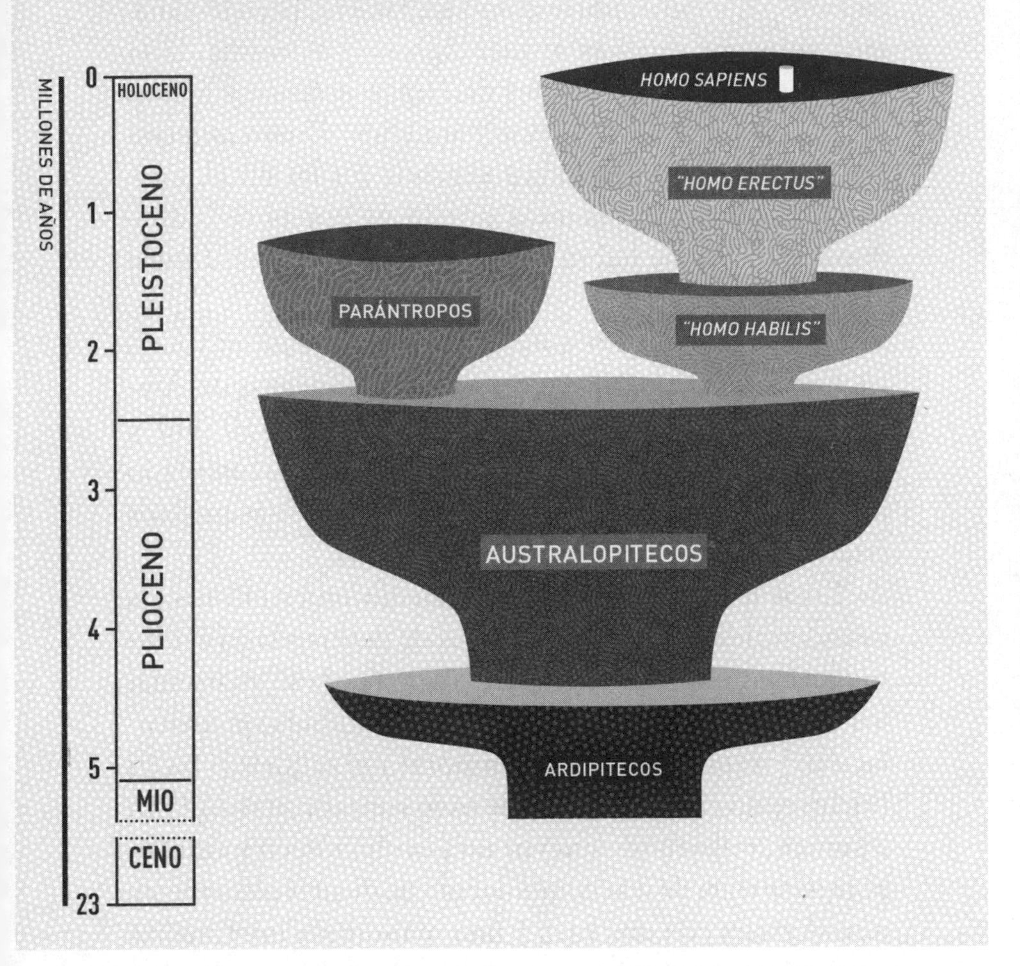

FIGURA 14. Radiaciones adaptativas en la evolución humana

El número de especies de la historia de nuestro grupo evolutivo no hace más que aumentar. Quedan lejos los tiempos en los que se quería contar toda nuestra evolución como una secuencia lineal de tres especies, una a continuación de otra. Sin embargo, el número de grandes diseños biológicos en la evolución humana no es tan grande. Quizás todas las especies anteriores a los australopitecos se puedan considerar variaciones de un diseño biológico básico que podemos llamar «ardipiteco» y que no era plenamente bípedo. Desde luego que los australopitecos son otro modelo de hominino, con diferentes especies, todas ellas perfectamente bípedas. Los parántropos se diferencian de los australopitecos por su robusto aparato masticador, es decir, en los dientes y en la cara. Ponemos entre comillas «*Homo habilis*» para referirnos a un diseño del cuerpo parecido al de australopitecos y parántropos, pero con un cerebro algo más grande. Las comillas del «*Homo erectus*» indican la existencia de un nuevo modelo biológico —caracterizado por un cuerpo alto, un cerebro considerablemente aumentado y una cara pequeña— que se encuentra ampliamente distribuido por África y Asia. Los neandertales, originarios de Europa, pueden considerarse otro modelo de homínido, y desde luego lo es el *Homo sapiens*, que viene de África y es radicalmente distinto a todo lo demás.

en Europa, y tan al norte como Inglaterra, pero lo sabemos solo por pruebas arqueológicas. Los restos de la Gran Dolina no parecen ser de *Homo erectus*, y hemos propuesto una nueva especie para ellos: *Homo antecessor*. Quedan con seguridad muchos fósiles en el yacimiento (correspondientes a por lo menos once individuos), por lo que habrá más información en un futuro próximo.

Pero el yacimiento que ha proporcionado más fósiles humanos de la Historia es otro yacimiento de Atapuerca, la Sima de los Huesos (de entre 450.000 y 400.000 años de antigüedad), donde se han acumulado los cuerpos de casi treinta individuos, cuyos esqueletos están completos, pero rotos y mezclados.

Estos fósiles del Pleistoceno medio muestran rasgos neandertales en diferentes grados de desarrollado evolutivo, pero solo en determinadas regiones de su anatomía: los dientes, sobre todo, y luego la mandíbula, la articulación de esta con el hueso temporal y el esqueleto facial (incluyendo el torus o reborde óseo supraorbitario).[11] En resumen, reflejan (de nuevo) una evolución en mosaico, porque se trata de una combinación de dientes plenamente neandertales con una cara y una mandíbula intermedias y un cráneo cerebral (o neurocráneo) que no es neandertal en su arquitectura general.

Todo parece indicar que la evolución de los neandertales empieza en la cara, como una adaptación de carácter biomecánico relacionada con el uso de la boca, especialmente de los dientes anteriores. Más adelante, en los llamados neandertales clásicos del Pleistoceno final,[12] se exagerarán los rasgos de la cara y se modificará considerablemente el cráneo cerebral, que adoptará una forma muy característica (alargada de delante atrás y circular en sección transversal, con el occipucio proyectado en un *moño*) y alcanzará un volumen endocraneal (tamaño del encéfalo) superior en promedio al actual. Pero su grado de encefalización, dado que los neandertales eran muy robustos, no sería mayor que el nuestro (¡pero tampoco menor!).

Los fósiles africanos de la época de los esqueletos de la Sima de los Huesos (la parte central del Pleistoceno medio) se les parecen mucho, pertenecen al mismo grado, como se decía antes. Pero, mientras que las poblaciones europeas apuntan hacia los neandertales, son de su mismo clado, las africanas, por su parte, no muestran relación evolutiva con los neandertales, no presentan ninguno de los rasgos que los hace únicos, sus *especializaciones*, sus adaptaciones (si admitimos que se trata de eso, de estructuras que tenían una función).

Por cierto, los fósiles africanos tampoco exhiben los caracteres propios del *Homo sapiens*, como, por ejemplo, una frente vertical, un cráneo cerebral esférico, globoso, un mentón en la mandíbula, un cuerpo estrecho. Pienso, de este último rasgo, que se trata de una adaptación biomecánica para caminar largas distancias con poco gasto energético, a pesar de que ahora están saliendo trabajos que discuten esta interpretación funcional.

Nuestra especie solo se reconoce en el registro fósil por sus rasgos distintivos, sus especializaciones, desde hace un par de cientos de miles de años, en la parte final del Pleistoceno medio. Por lo tanto, su aparición se consideraba más tardía y más rápida que la de los neandertales. Pero recientemente se han publicado nuevos hallazgos de restos humanos en el yacimiento marroquí de Jebel Irhoud (que ya había proporcionado un cráneo), y se ha obtenido una datación en torno a los 315.000 años.[13]

Los autores del estudio consideran que hay rasgos en la cara que indican que se trata de una forma precoz de la especie *Homo sapiens*. Como en el caso de la Sima de los Huesos, la cara habría evolucionado más deprisa que la parte del cráneo que contiene el encéfalo (el neurocráneo). A mí me parece que sería más acertado calificar a los fósiles de Jebel Irhoud como *presapiens*, porque aún no son humanos modernos y están bastante lejos de serlo, y, del mismo modo, considerar *preneandertales* a los de la Sima de los Huesos, porque solo presentan algunas características neandertales.

El panorama en el continente asiático está menos claro, porque hay fósiles chinos que no parecen *Homo erectus* y recuerdan más bien a los *preneandertales* y *presapiens* que acabamos de ver.

En Java, el *Homo erectus* continúa evolucionando hasta su extinción, que quizás sea bastante reciente. Hay dudas acerca de en qué momento se produjo, pero los fósiles del yacimiento javanés de Ngandong podrían tener bastante menos de 300.000 años. Siguen clasificándose como *Homo erectus*, pero han cambiado mucho respecto de los cráneos anteriores de la isla o de cualquier otro lugar donde haya vivido la especie. Son más robustos (más *exagerados*) y, al mismo tiempo, tienen mayor capacidad craneal. Su cerebro ha crecido en paralelo con el de los neandertales y con el de *Homo sapiens*, un dato interesante para nuestra discusión acerca de las convergencias adaptativas en la evolución y de las soluciones posibles en el hiperespacio de la inteligencia. Si se confirma que los fósiles de Ngandong son contemporáneos de los primeros *sapiens* y neandertales, los humanos habrían ascendido tres veces al mismo pico adaptativo, aunque en diferentes lugares del Viejo Mundo.

El final de la historia somos nosotros y los neandertales. Estos últimos se extinguieron hace unos cuarenta mil años, quizás algo menos, y desde entonces estamos solos (también se desvanecieron por esas fechas, *grosso modo*, los Hobbits de Flores).

La moderna ciencia de la paleogenética ha descubierto que en nuestro genoma llevamos la huella de otras poblaciones (o de otras especies), aunque la señal sea pequeña.[14] Los humanos actuales que no somos del África subsahariana llevamos un pequeño porcentaje de genes de los neandertales (en torno a un 2 por ciento, aunque varía con las poblaciones). Los neandertales se originaron en Europa, como hemos visto, pero luego se extendieron por Asia central y Asia sudoccidental (Oriente Próximo y Oriente Medio). Esos genes neandertales los hemos absorbido hace unos 60.000 años al salir de África, donde se originaron los humanos modernos (así se le suele llamar a nuestra especie en inglés: *modern humans*). Por otra parte, los habitantes de Melanesia (Nueva Guinea y otras islas del Pacífico) y Australia portan también genes de los denisovanos, que son una población humana extinguida que se conoce prácticamente solo por su genética (apenas hay fósiles), y que habitó los montes Altai (Siberia), donde se encuentra la cueva Denisova, aunque su distribución pudo ser mucho más amplia en el Asia continental. Recientemente[15] se ha publicado el genoma (extraído de un pequeño fragmento de hueso de ese yacimiento) de una mujer que tenía una madre neandertal y un padre denisovano. A su vez, el padre denisovano tenía algún antepasado neandertal. Los cruces entre denisovanos y neandertales serían, pues, relativamente frecuentes.

Y eso nos lleva de vuelta al problema crucial de cuál

es el modelo de la evolución humana, y si somos diferentes de las demás especies en nuestro *método evolutivo*, como decían los primeros neodarwinistas.

¿Quieren decir estos intercambios de genes que los neandertales, los denisovanos, nosotros —y quizás hasta el *Homo erectus*— somos la misma especie, que el modelo reticulado de evolución humana, el de los creadores de la síntesis moderna, es el correcto, después de todo?

Efectivamente, si se aplica la definición biológica de especie preconizada por Ernst Mayr, que exige la existencia de barreras infranqueables al intercambio de genes, o sea, el aislamiento reproductivo total y sin excepciones, entonces nosotros, los neandertales y los denisovanos formaríamos una única especie.

Pero ya en 1942 Enst Mayr reconocía la existencia de casos problemáticos en la naturaleza, situaciones límite (*border line*, las llama) con las que el biogeógrafo (el estudioso de la distribución geográfica de las especies) se tropieza en no pocas ocasiones. Situaciones en las que es difícil decidir entre estas dos posibilidades:

1) Nos encontramos en presencia de una especie enormemente politípica, es decir, dividida geográficamente en subespecies que están ya muy diferenciadas entre sí (son *cuasiespecies*), pero cuyos miembros aún se pueden cruzar y tener descendencia fértil.

2) Se trata de un conjunto de poblaciones incomunicadas que son lo suficientemente diversas morfológicamente como para que al biólogo le *quepa la sospecha* de que ya están aisladas genéticamente. A ese conjunto de poblaciones lo llama Mayr superespecie, y yo estoy convencido de que ha sido la situación que más se ha dado

en nuestro caso, y en el de muchos otros grupos de mamíferos, como ahora veremos. Por eso la reivindico como la mejor forma de entender la evolución humana, que no sería única, sino de lo más habitual entre los mamíferos.

Lo más interesante para el paleontólogo es que cuando Mayr habla de situaciones límite no se refiere a las especies fósiles, de las que hay pocas certezas y muchas dudas, sino a las especies vivientes. Y en efecto, lo tenemos bien a la vista en los monos del Viejo Mundo —por ejemplo entre los babuinos—, para los que los primatólogos no se ponen de acuerdo en el número de especies que existen en la actualidad, pese a que pueden estudiarlas a todos los niveles; a pesar de ello, discuten si algunas poblaciones de babuinos son subespecies o especies.

Lo mismo pasa, más cerca de nuestro caso, con los gibones del género *Hylobates*. Y con los orangutanes, más cerca aún, que para algunos expertos forman una sola especie con dos subespecies, la de Sumatra y la de Borneo, mientras que para otros primatólogos, igual de expertos que los anteriores, son dos especies diferentes (hasta podría haber una tercera, muy aislada, en las selvas de Sumatra).

Y ocurre lo mismo con los gorilas, tan cerca que ya casi quema, para los que algunos reconocen el estatus de especie diferente a los gorilas de montaña que viven en los volcanes Virunga y otros no. Incluso las dos especies de chimpancés (los chimpancés comunes y los bonobos) eran consideradas solo subespecies hasta los años treinta del siglo pasado. Todos estos casos, babuinos, gibones, orangutanes, gorilas y chimpancés, podrían ser descritos como superespecies. Y no son los únicos, ni mucho menos, entre los primates y entre los mamíferos.

El problema no se ha resuelto con la genética moderna, como podría esperarse, sino que se ha agravado, ya que se ha visto que es muy frecuente el intercambio de genes (la producción de híbridos o hibridación) entre especies cercanas de mamíferos (usualmente clasificadas dentro del mismo género) cuando no hay una barrera física que se lo impida. Así ha ocurrido entre lobos y coyotes. También entre cebras y asnos, y entre tarpanes (la especie de la que proceden los actuales caballos domésticos) y caballos de Mongolia (o de Przewalski). Sabemos que los bonobos y los chimpancés han intercambiado genes un par de veces en el tiempo que llevan evolucionando por separado. Incluso bisontes y uros, que se clasifican en diferentes géneros (*Bison* y *Bos*) han intercambiado genes a lo largo de su historia.

Hace poco[16] se ha sabido que los osos de las cavernas (*Ursus spelaeus*) no se han extinguido por completo, si se quiere mirar así, porque los actuales osos pardos (*Ursus arctos*) llevan un 2 por ciento de genes de los osos de las cavernas, de los que se separaron evolutivamente hace un millón de años. Ese es, más o menos, el mismo porcentaje de genes neandertales que se encuentra en las poblaciones humanas de fuera de África (aunque varía con las poblaciones). O dicho de otro modo, si se quiere admitir que neandertales y humanos actuales somos la misma especie hay que aceptar también que los osos de las cavernas y los osos pardos son la misma especie. Pero es que además se ha visto que las diferentes especies de osos vivientes han intercambiado genes entre sí a lo largo de su historia. ¿Quiere esto decir que solo hay una especie del género *Ursus* (y que esa especie incluye a los osos de las cavernas) desde hace un millón de años? Por supuesto que no. Hay varias especies de osos vivas y el extinguido oso de las cavernas es diferente a todas ellas.

Por si era poca la evidencia, datos recientes muestran que ha habido flujos génicos entre diferentes líneas de elefantes que se clasifican en géneros diferentes (*Loxodonta*, *Elephas*, *Palaeoloxodon* y *Mammuthus*).[17]

Más que la excepción, sorprendentemente, la existencia de flujos génicos entre especies del mismo género parece la regla.

Mayr se dio cuenta de este patrón en cuanto se empezó a disponer de información, y suavizó su definición biológica de especie en un artículo de 1996[18] que no se suele citar y que es un gran desconocido, aunque lleva el sugestivo título de «What Is A Species, And What Is Not» («Qué es una especie y qué no lo es»). En este trabajo, Mayr aceptaba la existencia de flujos génicos entre diferentes especies verdaderas (y científicamente válidas), siempre y cuando fueran intercambios ocasionales, de modo que no se produjera la fusión de las dos poblaciones para dar lugar a algo intermedio, sino que mantuvieran su integridad genética y siguieran siendo reconocibles. Desde este nuevo punto de vista, el oso de las cavernas se ha extinguido para siempre y el oso pardo es otra especie.

Aplicando ese criterio revisado de Mayr, los neandertales y nosotros seríamos especies legítimas y diferentes. Como sucede con los osos de las cavernas, los neandertales (*Homo neanderthalensis*) ya no existen, y aunque algunos humanos vivientes (*Homo sapiens*) llevemos genes suyos, no nos hemos fusionado con los neandertales para producir algo intermedio. Por eso no hay diferencias genéticas sustanciales entre los subsaharianos, que no tienen genes procedentes de los neandertales, y los demás humanos actuales, que sí los llevan. De un modo parecido, los chimpancés de la población central tienen algunos genes procedentes de los bonobos, pero estos genes no se encuentran en los chimpancés occidentales.

Recientemente se ha publicado el hallazgo de un maxilar con dientes en la cueva de Misliya, en el Monte Carmelo (Galilea, Israel), que tiene alrededor de 180.000 años y que es (en todo lo que se puede ver) de un *Homo sapiens*, aunque hay que ser cautos porque el resto fósil es pequeño.[19] En otros dos yacimientos de Galilea (Skhul, también en el Monte Carmelo, y Qafzeh) se dispone de esqueletos completos de hace unos 100.000 años y aquí no cabe duda alguna de que se trata de *Homo sapiens*. Sin embargo, no se sabe hasta dónde penetraron en Asia estas primeras expansiones humanas. Yo creo que la expansión principal y definitiva de nuestra especie se produjo hace unos 60.000 años, y que no entramos en Europa antes, aunque pudiera haber penetraciones más tempranas en Asia.[20]

Hay datos genéticos que hacen pensar que nuestra especie atravesó, en su evolución, lo que se conoce como un cuello de botella, es decir, un momento en el que el tamaño de la población se redujo drásticamente. Ese estrangulamiento tuvo lugar, según el *reloj genético*, hace unos 75.000 años, por alguna razón que se nos escapa. Podría tener que ver con una gigantesca erupción volcánica ocurrida en Sumatra que sin duda tuvo que modificar el clima, enfriándolo de pronto severamente durante algunos años en un *invierno volcánico*. Otros autores ven en la llegada de una nueva glaciación, después de un periodo cálido, la causa del colapso ecológico.[21] De ser esto cierto y, a pesar de nuestra gran inteligencia, estuvimos a punto de extinguirnos. La catástrofe desencadenante del cuello de botella es discutible, pero la reducción del tamaño de la población de nuestros antepasados parece firmemente asentada. Fuera cual fuera la causa, descendemos de muy pocos individuos.

EL AÑO SIN VERANO

La mayor erupción volcánica de la que tenemos un registro histórico amplio fue la del año 1815, cuando entró en erupción un volcán indonesio, el del monte Tambora (isla de Sumbawa). Los efectos en la atmósfera de los gases producidos por la erupción se extendieron a todo el planeta. Por si fuera poco, la erupción coincidió con un bajón en la actividad solar, y todo esto ocurría, además, en un periodo muy frío de la Historia reciente conocido como Pequeña Edad de Hielo, en el que los glaciares avanzaron. Al año siguiente, 1816, no hubo verano en Europa. Casi todos los días llovía y estaba nublado. Las cosechas se perdieron y se extendió el hambre y el malestar social en muchos lugares de Europa, Asia y Norteamérica.

En una villa de Ginebra, a las orillas del lago Leman, un grupo de intelectuales ingleses, entre los que estaban lord Byron, el poeta Percy Shelley y Mary Shelley (aunque todavía no estaban casados) y el médico John Polidori, pasaban el mes de junio de 1816. Aburridos de tanta lluvia y frío, mataban el tiempo contándose historias de miedo, tan negras como el color del cielo. De aquellas conversaciones nació la inspiración para célebre novela *Frankenstein*, de Mary Shelley (una joven de diecinueve años entonces) y *El vampiro*, de Polidori, que es la raíz de todas las historias de vampiros aristócratas que vinieron luego.

Con todo, esa famosa erupción volcánica fue muchísimo menor que la que se produjo hace unos 75.000 años en Sumatra (Caldera Toba), y que debió de afectar a los seres humanos —y a todos los demás mamíferos—, porque la reducción de la luz solar fue muy notable. Es posible que se viniera abajo drásticamente el número de personas vivas, aunque consiguieron sobrevivir como especie. Recientemente se ha publicado un trabajo sobre dos yacimientos sudafricanos (en Pinnacle Point) en los que se registra la vida humana en aquellos años. Parece que se las arreglaron bastante bien a pesar de la catástrofe. Pero es posible que les ayudara a sobrevivir el que vivieran en una zona costera con una gran variedad de recursos, menos afectada que el interior del continente por la *megaerupción* volcánica[22].

¿Cuál es, para resumir, el patrón preponderante en la evolución humana?

Ya lo he dicho antes. Creo que la superespecie de Mayr es algo que ha ocurrido muchas veces y es una buena forma de interpretar el registro fósil cuando se comparan restos de la misma antigüedad (sincrónicos), que proceden de diferentes regiones y que muestran diferencias morfológicas claras. Neandertales y humanos modernos juntos serían un buen ejemplo de superespecie, que también englobaría a los denisovanos y quizás a otros humanos asiáticos con los que coexistieron. Me parece que lo que llamamos *Homo erectus* también ha podido ser en algún momento un conjunto de especies próximas, más que una sola especie (Figura 14).

La misma situación ha debido de producirse antes, con los australopitecos. Entre hace cuatro y tres millones de años hay restos de australopitecos en África oriental y central. Se han clasificado como tres especies diferentes, y seguramente formaban una superespecie de las de Mayr. Esta situación continuaría en el siguiente millón de años, en el que hay también australopitecos en Sudáfrica.[23] Y lo mismo se puede decir de los parántropos en el siguiente millón de años, ya que por lo menos había dos especies, una en Sudáfrica y otra en África oriental.

Las especies que componían estas superespecies se comportaron a efectos evolutivos como verdaderas especies diferentes, que es lo que cuenta. Me refiero a que no todas las especies de australopitecos contribuirían a la aparición del *Homo habilis* o de los parántropos, sino que lo haría una sola de ellas en cada uno de los dos casos. Del mismo modo, solo algunos europeos del Pleistoceno medio[24] darían lugar a los neandertales, y solo alguna población africana produciría los humanos modernos.

Y ahora únicamente quedamos los humanos modernos, ya que los neandertales han desaparecido. No ha habido fusión ni mezcla, sino reemplazamiento, lo que cabe esperar cuando dos especies compiten por el mismo nicho ecológico.

Y por supuesto, las diferentes poblaciones humanas actuales no proceden de las antiguas poblaciones de *Homo erectus*, como sostenía erróneamente Carleton S. Coon, sino que tienen un origen muy reciente.

El patrón de la evolución humana no es —a mi entender— lineal, sino ramificado, aunque en la actualidad solo haya quedado una rama viva, y además muy joven, un brote nuevo del intrincado arbusto de la evolución humana. La geometría que mejor la describe es una serie de radiaciones adaptativas: primero la de los ardipitecos, luego la de los australopitecos, más tarde la del género *Homo*, por un lado, y la de los parántropos por otro. Cada radiación relevaba a la anterior y la sustituía, aunque no siempre inmediatamente y por completo sino que podían coexistir por un tiempo, como nos dice la paleontología que suele pasar casi siempre (Figura 14).

TENDENCIAS; VOLVEMOS A RIZAR EL RIZO

¿No hay una tendencia clara en la evolución humana? ¿No se puede resumir toda nuestra evolución con una sola frase: más y más cerebro? Para abordar esta cuestión, me veo obligado a rizar otra vez el rizo, o lo que es lo mismo, a volver a hablar de la teoría del equilibrio puntuado, que tanto nos preocupa a los paleontólogos. Espero que a usted también le empiece a interesar.

Niles Eldredge y Ian Tattersall[25] reconocen la existencia de dos tendencias evolutivas en nuestra estirpe: el aumento del tamaño del cerebro y el del tamaño del cuerpo. Pero la teoría del equilibrio puntuado tiene un serio problema con las tendencias evolutivas. La manera clásica de explicarlas es la anagénesis o modo filético de evolución (la evolución lineal, en suma, que Eldredge y Gould prefieren llamar "gradualismo filético"), un modelo evolutivo del que ya hemos hablado mucho, pero que los *puntuacionistas* no creen que sea muy importante. Ellos se decantan por la especiación (la ramificación) y la permanencia de las especies sin grandes cambios (en estasis) una vez que han nacido.

Pero volviendo a la paleontología humana, ¿cómo podría producirse en los homininos un aumento sostenido en el tiempo de unas características tan llamativas como el tamaño del cuerpo y del cerebro? La solución de los *puntuacionistas* es explicar las tendencias a través de la selección de especies.[26] En nuestro caso, eso querría decir que las especies de homininos grandes habrían competido con ventaja con las pequeñas, y lo mismo pasaría con el tamaño del cerebro. Dicho de otro modo, las especies grandes en cuerpo y en cerebro habrían durado más tiempo y producido más especies-hijas (se habrían *reproducido* más) que las especies pequeñas, a las que habrían desplazado allí donde hubieran coincidido geográficamente. Les habría ido mejor en la evolución a los homininos altos y cabezones (aunque hasta casi el final quedaron dos especies de pequeño tamaño corporal y cerebral, si bien aisladas en los dos extremos del mundo: la isla de Flores y Sudáfrica).

Y, sin embargo, a mí me parece que esas dos tendencias de los homininos no son tales, por lo que no hay necesidad de explicarlas. Para empezar, solo ha habido dos tamaños del cuerpo en nuestra evolución: cuerpos pequeños en ardipitecos, australopitecos, parántropos, *Homo habilis*, *Homo naledi* y *Homo floresiensis*; y cuerpos grandes en *Homo erectus*, *Homo antecessor*, *Homo neanderthalensis* y *Homo sapiens* (más los presapiens y preneandertales, que pueden considerarse dos especies distintas). Posiblemente *Homo georgicus* tuviera un tamaño intermedio, pero en todo caso no ha habido una progresión constante y lineal (una tendencia) en estatura y peso corporales a lo largo de los seis o siete millones de años que ha durado la evolución humana.

Respecto del volumen del cerebro, los ardipitecos tenían uno del tamaño de los actuales chimpancés, y los australopitecos un cerebro algo más grande, pero durante mucho tiempo, en cada una de las dos etapas, no hubo crecimiento apreciable. Sí se produjo después, pero debe tenerse en cuenta que los valores máximos se alcanzaron de manera independiente en neandertales y humanos modernos, por lo que se trataría de un caso de convergencia evolutiva, no de evolución lineal (o tendencia).

¿Por qué, entonces, son tan diferentes, en apariencia, las poblaciones humanas actuales? ¿Es que hay grandes diferencias genéticas?

En absoluto. La genética moderna ha demostrado que no somos la especie más variable de la Tierra, sino todo lo contrario, una de las menos diversas, un hecho que destaca todavía más cuando se consideran solo las especies de mamíferos que tienen una amplia dispersión geográfica, como la nuestra. Es muy sorprendente que el *Homo sapiens* muestre en toda su geografía menos variación genética (la mitad o incluso la tercera parte) que el chimpancé común, acantonado en las selvas tropicales africanas, y que vive solo a un lado del río Congo. ¡Toda la especie humana muestra una variación genética comparable a solo la subespecie occidental del chimpancé común!

¿Cómo se explica entonces la diversidad humana?

Doce años después de haber escrito *El origen de las especies* (1859),[27] Darwin se decidió por fin a publicar un libro en dos volúmenes sobre *el origen de nuestra especie*. En la obra, titulada *El origen del hombre y la selección en relación con el sexo*, se daba todo el protagonismo a un nuevo tipo de selección y a un nuevo tipo de competencia que apenas había tratado en 1859. Me estoy refiriendo a la selección sexual y la competencia por la reproducción, que para Darwin explicaban no solo el origen del ser humano sino también el origen de las *razas* humanas

Darwin se daba cuenta de que hay rasgos en los animales que no son fáciles de relacionar con la ecología de la especie, con su nicho. El ejemplo perfecto es la cola del macho del pavo real, que no ayuda en el vuelo, sino que lo entorpece. ¿Cómo podrían haber sido seleccionados los individuos más torpes en el vuelo, los que peor escapan de los depredadores?

No solo hay que sobrevivir, es necesario reproducirse para que los individuos se perpetúen —o, al menos, para que lo hagan sus características— a través de sus hijos. Si no los tienen, es —a efectos evolutivos— como si nunca hubieran vivido. De sus características propias y originales, de sus singularidades, de lo que los hacía diferentes de los demás miembros de su especie... no quedará nada. Desde que en la evolución apareció la reproducción sexual, la inmortalidad biológica está en nuestra descendencia. El único éxito posible es el reproductivo. Los organismos, pues, tienen una vertiente económica (en relación con la economía de la naturaleza) y otra reproductiva.

Igual que solo los más aptos en el *oficio* particular de cada especie (su nicho ecológico) consiguen *ganarse una vida*, solo los mejores *profesionales* en el *arte* de la reproducción dejan hijos detrás de ellos. En unos casos ese arte es de la seducción del otro sexo, como en el pavo real, el ave del paraíso, la avutarda o el urogallo (los cuatro ejemplos son aves, y no por casualidad); en otros casos son las *artes marciales* las que cuentan, si de lo que se trata es de pelearse con los rivales del mismo sexo, como los ciervos, los elefantes marinos o los gorilas (mamíferos en los tres ejemplos, y tampoco es una casualidad).

A la pelea de los machos entre sí por las hembras, Darwin la llamó la ley de la guerra (*law of battle*), y no suscitó grandes críticas porque la podemos ver fácilmente en la naturaleza. Pero era la atribución a los animales de un sentido del gusto o de la belleza comparable al humano lo que repugnaba a algunos científicos. A Darwin le parecía que los animales que cantan, bailan y se exhiben tenían un sentido de la estética que no es en esencia distinto del nuestro, en el que se continúa. En cambio, a Alfred Russel Wallace no le convencía lo del «*taste for the beautiful*» que Darwin atribuía a los animales. Para Wallace no había lugar en el escenario para otra forma de selección que no fuera la selección natural que él había descubierto a la par que Darwin. Se suele decir que Wallace era más darwinista que el propio Darwin.[28]

Wallace, por ejemplo, pensaba que las diferencias en vistosidad del plumaje entre los dos sexos en algunas especies de aves se podían explicar perfectamente por la selección natural ordinaria de la siguiente manera: las hembras, cuando son solo ellas las que incuban, se habrían vuelto más discretas en aquellas especies en las que el nido no está cubierto, sino expuesto a la vista de los depredadores. Pero en casos muy exagerados, como los brillantes colores en la época del cortejo de muchas especies o las danzas nupciales, no cabe pensar en otra explicación que la selección sexual, a pesar de Wallace. También es evidente que cuando un sexo es más fuerte que el otro y está más armado se debe a que se lucha por el apareamiento, algo que Wallace no negaba.

Bien mirado, los dos tipos de competencia favorecen por lo general al más vigoroso, al que está en su plenitud. En el caso del combate es obvio porque es una prueba física, pero los que tienen los colores más brillantes en piel, escamas, pelo o pluma, y los que se pavonean, cantan, vuelan, nadan, saltan, corren o se exhiben mejor de cualquier otra manera, también suelen ser los que están más sanos y tienen *mejores genes*. Un ejemplo notable de este tipo de competencia sin agresión se da en ciertas aves de Australia y Nueva Guinea (los tilonorrincos) en las que los machos construyen *emparrados* o *pérgolas*, que les dan mucho trabajo, ricamente ornamentados con objetos vistosos, que hasta se roban unos a otros.

No se trataría por tanto de una cuestión de estética, sino de *calidad genética*. Los animales no experimentarían el placer que sentimos los humanos por las artes plásticas (en el sentido de que no apreciarían la belleza por la belleza, es decir, por puro goce visual) sino que tendrían la capacidad de reconocer a los mejores individuos para reproducirse con ellos.

Pero no le faltaba razón a Wallace en adoptar una postura escéptica, que el científico debe conservar siempre. El gran problema de la selección sexual es que a menudo es difícil de demostrar. ¿Cómo probar que un rasgo se ha desarrollado porque resulta atractivo para el otro sexo? ¿Qué sabemos de lo que le gusta a un animal?

En cualquier caso, cuando uno no encuentra explicación ecológica a una característica de una especie, sobre todo si solo se encuentra en uno de los dos sexos, es una buena idea preguntarse si no se deberá a la selección sexual.

Volviendo al tema del origen de las *razas humanas*, Darwin pensaba que en nuestra especie eran los hombres los que luchaban entre sí para elegir esposa (prevalecía lo que él llamaba «*law of battle*») y que los guerreros más fuertes eran los que conseguían las mujeres más deseables (las más bellas). También eran los que tenían más éxito en la reproducción, porque podían proteger y alimentar mejor a sus hijos, que serían los que sobrevivirían y se reproducirían a su vez más adelante. De este modo se seleccionaban los caracteres de los mejores guerreros.

¿Y cómo podría la elección de la pareja producir diferencias entre poblaciones (las *razas*)?

Darwin recurría aquí a una idea que se ha tenido poco —o nada— en cuenta por parte de los historiadores de la ciencia, pero que a mi juicio es fundamental para entender el pensamiento del gran naturalista inglés: la selección inconsciente. Las razas animales (¡siempre esta analogía ganadera operando en la mente de Darwin!) se han mejorado por criterios puramente económicos, es decir, atendiendo a su utilidad. Pero también se las ha seleccionado por cuestiones del todo caprichosas que no tienen nada que ver con la utilidad. Y como la gente le tiene apego a lo que conoce, dice Darwin, una vez que se han fijado unas trazas reconocibles en el ganado local, la selección posterior tenderá a acentuarlas y marcarlas cada vez más, aunque no sean de ningún aprovechamiento.

¿A quién no se le ocurre una raza de vaca, caballo, oveja, cabra, perro, gato, gallina, paloma, y hasta de pez de acuario, que se distinga de las otras razas de la misma especie por rasgos de lo más extraños, a veces del todo extravagantes, que no tienen ningún valor económico, pero que a la gente le gustan porque son las de *su* raza local?

Algo similar habría ocurrido con las *razas humanas*. La prueba está, argumenta Darwin, en que los diferentes pueblos de la Tierra se deforman el cuerpo de todas las maneras imaginables, se mutilan, se tatúan y se arreglan la barba y el cabello según modas que a las demás culturas les parecen extrañas y hasta absurdas o antiestéticas. (Si se heredasen los caracteres adquiridos durante la vida, como equivocadamente creía Lamarck, los pueblos de la Tierra seríamos aún más diferentes de lo que ya somos.)

Se me ocurre que, a fin de cuentas —si lo pensamos un momento—, eso es también lo que ha pasado con los vestidos y los adornos. Cada cultura tenía los suyos (y digo tenía porque con la globalización se va tendiendo a la uniformidad), y era fácil distinguir la procedencia geográfica y cultural de alguien por el traje, el calzado, los tocados y sombreros, los colgantes y las pinturas de la cara y del cuerpo.[29]

En las colecciones de cromos de los *pueblos del mundo* que había en mi infancia, o en los juegos de cartas de las familias, cualquier niño sabía distinguir a los esquimales de los pieles rojas, de los zulúes, de los rusos, de los indios de la India, de los árabes, de los judíos o de los chinos, y tanto por su aspecto físico como por lo que se ponían encima. Cada pueblo tenía su *traje típico* y su forma de arreglarse el cabello y la barba.

Una parte del vestuario tenía que ver con el clima, desde luego, y los inuit (esquimales) se abrigaban más que los africanos para adaptarse al clima ártico, pero otra parte tenía más relación con la estética desarrollada por cada cultura. ¿No podría pasar algo parecido con los rasgos físicos, que algunos tuvieran un valor adaptativo y otros fueran producto de la selección sexual?

Darwin resume su pensamiento en estos términos: «Por mi parte afirmo que, de todas las causas que han dado lugar a las diferencias que en la apariencia exterior presentan las razas del hombre, y hasta cierto grado las que se manifiestan entre el hombre y los animales inferiores, la más eficiente ha sido la selección sexual.»

¿En qué estado se encuentra en estos tiempos la teoría de la selección sexual como explicación de las diferencias entre poblaciones humanas, cuando estamos cerca de conmemorar el 150 aniversario de *El origen del hombre*? ¿Puede ser una cuestión simplemente de gusto (de elección) el color de la piel y del cabello, la pilosidad corporal (poco o mucho pelo en el cuerpo y dónde), el tipo de cabello (liso, rizado, ondulado, grueso, fino), de nariz (chata o aguileña, ancha o estrecha), de labios (finos o gruesos), de ojos (rasgados o no), las proporciones corporales (brazos y piernas cortos o largos, tronco ancho o estrecho), etcétera?

Lo primero que hay que preguntarse es si las diferencias interpoblacionales (entre poblaciones) son adaptativas, es decir, funcionales —y, por lo tanto, resultado de la acción de la selección natural— o no lo son en absoluto. El antes citado antropólogo Carleton S. Coon pensaba que todas o casi todas las diferencias (los *rasgos raciales*) eran adaptaciones a los diferentes climas. No es lo mismo vivir en Groenlandia que hacerlo en el Orinoco o en España, y eso explicaría la variación humana.

Que ha habido selección sexual en la historia evolutiva de nuestra especie parece indudable a la vista de las diferencias universales entre varones y mujeres en pilosidad, estatura, corpulencia, tipo físico (muy significativamente en la proporción entre la anchura de la cintura y la de la cadera) y desarrollo de los senos —entre otros muchos rasgos que abarcan casi todo el cuerpo—; y hasta en la manera de andar y el timbre de voz. Si no existieran todos esos caracteres sexuales secundarios no se distinguirían los hombres de las mujeres, salvo en los caracteres sexuales primarios (pene y testículos, vulva).

Ahora bien, para Darwin, casi toda la variabilidad interpoblacional era también consecuencia de la selección sexual, y no de la selección natural. El color de piel le presentaba un problema grave, porque no hay diferencias entre hombres y mujeres dentro de cada *raza*, y si los hombres seleccionaron a las mujeres por la pigmentación (entre otros rasgos) debería haberla, como la hay en la forma del cuerpo. Pero observa, citando los testimonios de viajeros occidentales, que las diferentes poblaciones humanas muestran marcada preferencia por su propio color de piel, y les parece muy feo el color de las otras, y también señala, en el mismo sentido, que hay diferencias de coloración entre los dos sexos en algunos monos, así que se decide por darle un origen por selección sexual.

Sin embargo, Darwin se equivocaba en esto. El color de la piel, la pigmentación, parece tener mucho más que ver con la cantidad de insolación que se recibe en una región determinada del planeta, por lo que sería un rasgo adaptativo y resultado de la selección natural ordinaria (no de la sexual). Los pueblos tienden a ser más oscuros en regiones muy expuestas a la radiación ultravioleta B. Antes he dicho que el color de piel del chimpancé es blanco, mientras que el humano es oscuro, pigmentado, y supongo que le habrá sorprendido al lector en el caso de que su piel sea blanca. Esa afirmación se refiere al núcleo original de la especie *Homo sapiens* en África, porque, una vez fuera de ella, las poblaciones se adaptaron, por selección natural, a la escasez de radiación solar en las latitudes más alejadas del ecuador, viéndose favorecidos los individuos de pieles más claras, menos pigmentadas.

En efecto, hace falta que llegue una cierta cantidad de rayos ultravioleta B a la piel para que se forme la vitamina D (en realidad una hormona), que es necesaria para la buena calcificación de los huesos y el correcto desarrollo. Y, por el contrario, un exceso de radiación ultravioleta sobre una piel despigmentada puede generar quemaduras graves y cánceres de piel. Por esa razón, los neandertales (lo sospechábamos por pura lógica y ahora lo sabemos por sus genes) tenían la piel clara.[30]

También parece cumplirse en la especie humana una *ley biogeográfica* de los mamíferos (más bien una generalización, una regularidad, algo que se observa frecuentemente) llamada ley de Allen, según la cual las poblaciones de una misma especie que necesitan perder calor a través de la piel tienen las extremidades más largas. En cambio, las que necesitan retener calor las tienen más cortas. El índice crural, calculado como la longitud de la tibia dividida por la del fémur (pantorrilla frente a muslo) *predice* con bastante acierto la temperatura media anual de la región de procedencia de una persona. (Los neandertales, por cierto, tenían un índice crural propio de climas fríos, con tibias cortas, lo que se ha interpretado como un rasgo adaptativo a la fría Europa de las glaciaciones.)

Y se ha observado que los pueblos que habitan desde hace mucho tiempo en altitudes elevadas (en Etiopía, los Andes o el Tíbet) no sufren los problemas que tienen los que se van a vivir allí desde otros sitios menos altos, como por ejemplo el mal de altura crónico o dar a luz criaturas con poco peso. Los pueblos de las montañas parecen haberse adaptado a la hipoxia (menor presión de oxígeno en el aire) por selección natural en un tiempo relativamente breve, de pocos miles de años.

En otros rasgos que diferencian, digamos, un papúa de Nueva Guinea de un griego o un hadza de Tanzania de un chino no está claro el carácter adaptativo. Una alternativa muy importante a la selección natural es la deriva genética de Sewall Wright, ese vagabundeo al azar de las poblaciones pequeñas por el paisaje adaptativo, que ya se ha comentado en este libro (a propósito de la evolución cuántica). Se admite, en biología evolutiva, que una porción importante de las variaciones geográficas entre poblaciones se debe simplemente al azar y no tiene valor adaptativo alguno, porque no guarda relación con las condiciones de vida locales; nos equivocamos si pensamos que todos los rasgos son adaptaciones. El neodarwinismo no tiene problemas en admitir este mecanismo de la deriva genética, que Darwin no sospechaba. Por eso lo he introducido en este libro, aunque supusiera un problema añadido. Pero, junto con la selección natural y la selección sexual, completa el trío de procesos que los neodarwinistas usan para explicar las características de los seres vivos.

Un estudio recientemente publicado[31] ha analizado las diferencias en la forma de la nariz para determinar la participación en ellas de estos tres mecanismos: deriva, selección natural ordinaria y selección sexual. El estudio es parcial porque no están representadas todas las poblaciones humanas, pero es el más completo del que se dispone.

En esencia, lo que se ha encontrado es que hay cierta correlación entre la anchura de la nariz y la temperatura y la humedad absoluta del aire. Es decir, se encuentran narices más anchas en promedio en regiones cálidas y húmedas, mientras que los pueblos que viven en zonas secas y frías del planeta tienden a tener narices estrechas. Estudios previos de la cavidad nasal en el cráneo ya lo habían señalado. Estas diferencias tendrían que ver con la función de la nariz y de la cavidad nasal para controlar la temperatura y humedad del aire que se inhala. Ahora bien, esa correlación es menor que la que se encuentra entre la pigmentación y la radiación ultravioleta B.

Por otro lado, en todas las poblaciones la nariz es más grande en los varones que en las mujeres, lo que podría hacer pensar que también haya intervenido la selección sexual. Finalmente, dicen los investigadores, podría darse el caso de que en cada población se prefirieran las narices más adaptadas al clima del lugar (las más *saludables*), por lo que la selección ecológica y la sexual se reforzarían mutuamente.

En resumen, este tema de la selección sexual en la especie humana queda pendiente de futuros estudios, y sin resolver, después de casi siglo y medio desde que lo propusiera Charles Darwin. Pero lo cierto es que, a diferencia de la selección natural, apenas se la ha prestado atención a la selección sexual, de la que Darwin también se sentía muy orgulloso.

No hace tanto que celebramos el ciento cincuenta aniversario de *El origen de las especies*. Conviene que nos vayamos preparando para idéntico aniversario de *El origen del hombre*, en el año 2021. Entonces volverán a ponerse de moda los debates sobre la selección sexual y la evolución humana, los dos argumentos principales del libro de Darwin.

Hasta aquí hemos hablado de la evolución del cuerpo humano. Hora es ya de que nos ocupemos del origen de nuestra conducta social, basada en la cooperación y el altruismo, al menos aparentemente, a la que debemos nuestro éxito como especie. Empezaremos por los animales en la siguiente jornada, y seguiremos por los humanos dentro de dos jornadas.

JORNADA X

POR EL BIEN DE LA ESPECIE

Tradicionalmente se ha pensado que en las sociedades animales los individuos se sacrifican por el bien del grupo, hasta la muerte si es preciso. Pero ese altruismo *es incompatible del todo con el principio de la selección natural de Darwin, que se basa en la competencia entre individuos por los recursos, es decir, en el* egoísmo. *A la vista de esta contradicción entre la teoría y los hechos, surgieron nuevas explicaciones para la cooperación: la selección familiar o* fitness *inclusiva; la selección de grupo; la estrategia evolutiva estable; el altruismo recíproco y el mutualismo. Con ellas se cierra el neodarwinismo.*

El altruismo de las abejas, que se inmolan por la colmena actuando como kamikazes, es un gran dolor de cabeza para la biología evolutiva. El aguijón que hincan no se puede desclavar sin que muera el insecto con sus vísceras desgarradas, porque tiene dientes de sierra dirigidos hacia atrás. ¿Cómo ha podido producir la selección natural un diseño tan *dolorosamente* perjudicial para el individuo?

El propio Darwin se sentía desconcertado, porque lo visto parecía ir en contra de la selección natural, que consiste en la supervivencia de los *individuos* mejor adaptados, no en la muerte de los más abnegados. Darwin recurría para explicarlo a lo que parece obvio: las abejas se sacrifican por el bien de la colmena. Dicho con otras palabras, la colmena es el *individuo* que compite.

Efectivamente, hasta hace pocos años era frecuente leer en los libros de biología —y no digamos oír en los documentales de naturaleza, siempre tan *educativos*— que los individuos se sacrifican por el bien del grupo, y sobre todo por el de la especie. Los padres tienen hijos y los sacan adelante con grandes esfuerzos para *asegurar el porvenir de la especie*. ¿Por qué habrían de hacerlo, si no es para que la especie siga existiendo? ¿Qué ganan con ello? ¡Incluso se afirmaba que la muerte de los viejos se produce por el bien de la especie, para que puedan vivir los jóvenes! Hasta la muerte tendría un propósito altruista y habría que aceptarla de buen grado.

Suena un poco a fábula moral. Los animales dando lecciones de buen comportamiento a los humanos. Pero la teoría de la selección natural implica que en la naturaleza no haya moral (es amoral), sino simplemente competencia entre los individuos. ¿Cómo va a haber entonces altruismo?

En 1945 Sewall Wright formuló un modelo teórico (es decir, un modelo matemático) para explicar la existencia de poblaciones formadas exclusivamente por individuos altruistas, y lo hizo precisamente en la revisión del famoso libro de Simpson *Tempo and Mode in Evolution*.[1] El problema a resolver era el de cómo evitar que los individuos no altruistas medrasen a costa de los altruistas. Pero más tarde, en 1953, Simpson hacía notar que las condiciones tan rigurosas que tenían que darse para que el modelo genético de Sewall Wright funcionase en la naturaleza eran altamente improbables, con lo que el altruismo perdía su base teórica y continuaba siendo inexplicable.

La solución al problema del abnegado comportamiento social de las abejas y otros insectos sociales vino de la mano de un gran biólogo evolutivo, el inglés William D. Hamilton, quien publicó en 1964 dos artículos históricos[2] que cerrarían el neodarwinismo. Veamos cómo lo hizo.

Fue un contemporáneo de Darwin, el también inglés Herbert Spencer, quien acuñó en 1862 la famosa frase «supervivencia de los más idóneos» (*«survival of the fittest»*) para explicar en qué consiste la selección natural. La descripción la adoptó el mismo Darwin,[3] pero no está completa, porque la selección natural no tiene que ver solo con la supervivencia (el lado *económico* de la vida), sino también con la reproducción.

Para los genéticos de poblaciones que sentaron las bases del neodarwinismo, la aptitud o eficacia biológica de un individuo (llamada por ellos *Darwinian fitness*) no se mide por la longevidad, sino por el número de hijos que llegan a la edad reproductiva; o, más precisamente, por el número de genes que cada uno transmite a la siguiente generación, comparados con los que transmiten los demás. Pero los hijos que se malogran, o que no tienen descendencia, no cuentan. Por lo tanto, también se puede decir que la idoneidad de un individuo, su *fitness*, se mide por el número de nietos. Sería un sinsentido hacerlo de cualquier otra manera. Un individuo puede correr o volar muy bien y ser el mejor en cualquier prueba física, o ver, oír u oler como ninguno, o soportar mucho frío o mucho calor, o incluso ser muy astuto, el que más de su especie, pero de nada le sirve todo eso, en términos evolutivos, si no se perpetúa en sus hijos y nietos y bisnietos y tataranietos, etcétera. De lo que se trata es de crear una dinastía. Una vida larga puede ser un fracaso evolutivo si no es fecunda. De los grandes récords en las *olimpiadas* de su especie no quedará ningún rastro. Las *prestaciones* (como se diría en el diseño industrial) de los individuos no son, en sí mismas, la medida de la adaptación, porque esta no se expresa en términos de velocidad, altura, profundidad, distancia, o cualquier otra *marca*. La vida no es una competición deportiva y en ella no se reparten medallas.

Ahora bien, sucede que los individuos más adecuados, los óptimos, son los que viven más y tienen al mismo tiempo una descendencia más copiosa (comparada con la de los otros miembros de la población), por lo que *optimización* y éxito reproductivo del individuo son términos casi sinónimos. Es difícil dejar un gran legado genético si uno se muere de joven, y es muy probable que se logre si se llega a viejo. Viejo y joven son términos relativos, claro, porque cada especie tiene su propia longevidad (o duración potencial de la vida). Pero, al final, un rasgo cualquiera (físico o de comportamiento) es seleccionado solo si aumenta la *fitness* del individuo, proporcionándole más hijos de los que tendría sin ese rasgo.

Lo que hizo William D. Hamilton fue ampliar el concepto de *éxito reproductivo* (la *Darwinian fitness*) al de *éxito genético* o *fitness* inclusiva, como se llama técnicamente, o también *fitness* general o *fitness* global (si se quiere traducir *fitness* al castellano, sustitúyase por «eficacia» o «aptitud»). Es decir, si lo que cuenta es el número de genes que uno deja detrás cuando parte para no volver, eso incluye las contribuciones que hacemos para criar o proteger a los hijos de los parientes más cercanos, siempre que el *beneficio* que se obtenga invirtiendo en los hijos de los parientes sea superior al *coste* que produce esa conducta en el número de hijos propios.[4] Pero para calcular el beneficio hay que tener en cuenta el grado de parentesco, lo que complica las cosas, pero no mucho, como veremos enseguida. Lo que importa ahora es que, por muy sorprendente que parezca, aumentar la *fitness* de los parientes puede ser rentable aunque se reduzca la *fitness* de uno mismo. Increíble, ¿no? Es decir, lo que mueve el comportamiento social de los individuos no es siempre su propia *fitness* (la *fitness personal*, podemos decir) como se había pensado hasta ese momento. Esa fue la idea genial de Hamilton, y es tan importante y se ha invocado tantas veces que me temo que tendrá que aprenderse una expresión tan antipática como *fitness* inclusiva.

Lo explicaré un poco para que quede más claro. No se sienta mal si no lo ha entendido a la primera. Como todas las ideas revolucionarias de la ciencia, esta de Hamilton va contra nuestra intuición y nos obliga a pensar duro. Si yo salvo de morir a un hijo en una situación de peligro, estoy salvando muchas copias de mis genes, que son idénticos por genealogía a los de mis hijos en un 50 por ciento, ya que he contribuido a su constitución genética en el momento de la concepción con la mitad de los cromosomas. Lo mismo vale para un hermano. (Figura 15)

Con un sobrino la proporción de los genes compartidos por ascendencia común[5] baja al 25 por ciento. Así pues, dos sobrinos sumados son equivalentes a un hijo. Pero son necesarios ocho sobrinos segundos (hijos de un primo o prima carnal) para igualar a un hijo. Lo dicho respecto de una situación de peligro de muerte vale para cualquier contribución que yo haga, más sostenida en el

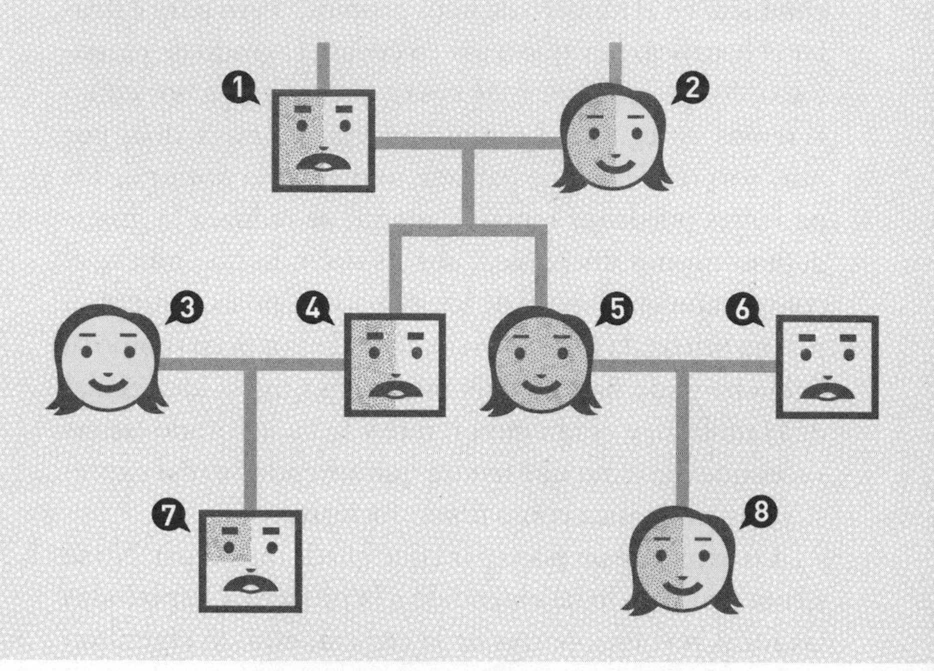

FIGURA 15. Relaciones genéticas entre parientes

Si yo soy la mujer que lleva en este esquema el número 5, ¿cuántos genes comparto (por herencia) con mis padres, mis hermanos, mis hijos y mis sobrinos? Lo podemos ver en la proporción sombreada de la cara de mis parientes. Y por supuesto no comparto ningún gen (por herencia) con el padre de mis hijos o con mis cuñados y cuñadas.

tiempo, para la crianza de un sobrino, porque estoy invirtiendo, como en el caso de mis propios hijos, en la continuidad de mis genes. Es evidente, por otro lado, que la inversión será más rentable cuanto más directamente emparentados estemos, porque tendremos más genes idénticos procedentes de ancestros comunes.[6]

Repetiré la idea central de la teoría de la *fitness* inclusiva o *Theory of Inclusive Fitness* (TIF, por sus siglas en inglés), dada su enorme importancia para la explicación de las sociedades animales avanzadas, como la nuestra. Un gen que prescribe altruismo tiene mejores expectativas de extenderse en una población si el beneficio de la ayuda recae sobre un pariente cercano, porque este pariente tiene, por genealogía, más probabilidades de poseer una copia de ese mismo gen (que habría heredado de un antepasado común).

Antes de Hamilton podíamos decir que nos preocupamos de nuestros hijos porque descendemos de antepasados que trataban bien a sus hijos, y hemos heredado sus genes, los que prescriben un buen trato a los hijos.[7] Después de Hamilton, habrá que decir que descendemos de antepasados que cuidaban de sus hijos y en cierta medida también de los de sus parientes cercanos. Como hacemos nosotros, ¿no?

En otras palabras, según la TIF, lo que los humanos llamamos altruismo, un comportamiento desinteresado que (por definición) perjudica al que lo practica y beneficia a otros, en realidad es un comportamiento muy interesado, si de lo que se trata es de la continuidad de los genes que el individuo porta. Puesto en términos políticos, el altruismo es una forma de nepotismo, porque se trata de ayudar a los individuos con los que compartimos más genes, la familia.

El ejemplo más claro de la TIF lo tenemos en una colmena. La genética especial de los himenópteros[8] hace que una abeja obrera comparta más genes con sus hermanas obreras (tres cuartas partes) que con los hijos que podría tener (la mitad de los genes), o con sus propios madre y padre (la mitad de los genes, también), lo que explica que las obreras no se reproduzcan y también que se sacrifiquen hasta la muerte por la colmena, que está compuesta casi exclusivamente por sus hermanas.

En el mismo año que Hamilton creaba la TIF, John Maynard Smith acuñaba la expresión «selección familiar» o «selección de parentesco» (*«kin selection»* en inglés).[9] Sin embargo, el término «familiar» puede entenderse mal. No se trata de que haya un nivel de selección por encima del individuo, es decir, que las familias compitan entre sí, familia contra familia, para ver quién gana y se queda con los recursos del medio. En realidad, lo que dice la TIF es que se ayuda a los parientes en función del grado de consanguinidad que se tenga con ellos, no a toda la familia como un bloque. Más bien se podría decir que el individuo favorece las copias de sus propios genes que se encuentran en otros cuerpos, los de sus parientes cercanos. El sujeto de selección sigue siendo el individuo, solo que con la teoría de la eficacia global (la TIF) los individuos sirven a sus intereses genéticos también por medio de otros individuos. Si se trata de que mis genes estén representados en la próxima generación, también cuentan aquellos genes de mis sobrinos que son idénticos a los míos y a los de mis hijos (recuerde que dos sobrinos equivalen a un hijo).

¿Eso quiere decir que no puede haber en los animales ejemplos de verdadero altruismo y sacrificio del individuo por el bien del grupo o incluso de la especie? ¿No vemos que los peces viven en bancos y se mueven coordinadamente, como si se pusieran de acuerdo y tuvieran intereses comunes? ¿No alertan muchos mamíferos y aves del peligro de un ataque para que los demás miembros del grupo huyan? ¿No se ponen los machos de buey almizclero delante de las hembras y de las crías para protegerlas de los lobos? ¿No hay animales venenosos que intoxican al depredador para que este no se coma a otro de su misma especie? ¿No avisa la serpiente de cascabel para no tener que picar? ¿No se suicidan en masa los lemmings cuando hay superpoblación? Y, finalmente, ¿no mueren los individuos viejos y caducos para cederles el paso y el alimento a los jóvenes, para que la vida siga su curso, para que reine el orden en la naturaleza?

La respuesta para casi todos los científicos es no, un «no» muy grande, por mucho que nos parezca que la cooperación, casi diríamos *la amistad* y la *camaradería*, es la norma en las sociedades animales.

A este tema le dedicó el biólogo evolutivo norteamericano George C. Williams[10] su muy influyente libro *Adaptation and Natural Selection. A Critique to Some Current Evolutionary Thought*, de 1966. El subtítulo es muy evidente, porque trasluce que el libro está dedicado a combatir una idea evolutiva muy común, y que Williams considera muy falsa: el supuesto comportamiento altruista de los animales, que se sacrificarían por el interés del grupo.[11] El razonamiento central del libro es simple: el único mecanismo que podría producir lo que Williams llama adaptaciones bióticas sería la selección de grupo.

¡Vaya! Nos hemos tropezado con unas expresiones extrañas que presagian dolores de cabeza (adaptaciones bióticas y selección de grupo). Pero merecerán la pena esos quebrantos, porque el libro de Williams cambió muchas cosas en el pensamiento evolutivo y, sin embargo, pocos lo han entendido, aunque sean legión los que lo citan. El propio Williams se lamentaba de ello en el prólogo que escribió para la reimpresión de 1996, treinta años después.

Por «adaptaciones bióticas» se entiende que los individuos se comportan de manera que subordinan sus intereses a los del grupo, sea este grupo la población, la especie o algo más amplio aún (más inclusivo), como el conjunto de las especies que pueblan un territorio, la llamada biota.

Para que se produjeran las adaptaciones bióticas habría que admitir la existencia de un nivel de selección superior al del individuo, en el que los grupos competirían unos con otros y ganarían los que estuvieran formados por más individuos altruistas. Pondré un ejemplo: supongamos un grupo de monos, perrillos de las praderas o suricatos en el que hay individuos que vigilan el territorio y lo defienden de enemigos y fieras. Estos abnegados centinelas pagarán a menudo con sus vidas el cumplimiento del deber, pero el grupo se verá beneficiado, incluyendo a los egoístas que hay dentro. En cambio, otro grupo con menos altruistas y amplia mayoría de egoístas puede desaparecer por completo.

A partir de aquí, es cuestión de ver si la selección entre grupos puede ser tan fuerte que las mutaciones egoístas no puedan nunca extenderse, porque antes perece el grupo entero y es sustituido por otro grupo con menos egoístas. O, dicho en otras palabras, los individuos egoístas pueden imponerse a los altruistas en el interior de los grupos, pero los grupos compuestos por individuos altruistas se imponen a los grupos de egoístas.[12]

Esa era la idea de Sewall Wright, ya comentada, pero la conclusión a la que llegó Williams, estudiando los diferentes casos, es que —a pesar de las apariencias— no existen tales adaptaciones bióticas en la realidad de las especies. No dice Williams que la selección de grupo sea conceptualmente errónea. Podría existir, pero simplemente sucede que los ejemplos de adaptaciones bióticas que se han propuesto no resisten un análisis a fondo. De lo que hay que deducir que la selección de grupo no tiene fuerza suficiente como para producirlas. No es una fuerza eficaz de la evolución.

George C. Williams cuenta[13] cómo en su época de estudiante un compañero preguntó al profesor qué beneficio le proporcionaba a un pez que su carne fuera venenosa. ¿Qué gana con invertir recursos (realizar un *gasto*) en producir sustancias tóxicas? El veneno no hará efecto hasta bastante después de que se lo haya comido el carnívoro; y entonces, ¿qué más le da a la víctima? El profesor y los demás alumnos lo tenían claro y se extrañaron ante la pregunta: «La toxina del pez comido beneficia a la especie porque disuade a los depredadores de comerse a otro pez», fue la respuesta a coro, sin fisuras. Williams tardó algunos años en descubrir lo erróneo de esa idea. No, los animales (y plantas) no producen toxinas[14] para proteger a otros miembros de la especie. La verdadera explicación está en la teoría de Hamilton (la TIF). Normalmente, los animales venenosos viven junto a sus parientes cercanos y así, al intoxicar a quien se los come, ponen a salvo a los parientes, con quienes comparten muchos genes, incluidos los genes codificadores del veneno (la probabilidad de que un hermano los tenga es de un 50 por ciento). De este modo, los genes del veneno se van extendiendo por la población. En 1930, Ronald A. Fisher se había planteado la misma pregunta que el compañero de clase de Williams, en su caso en relación con el mal sabor de algunas orugas, y había llegado a la misma conclusión.[15]

Tampoco los bancos de peces son un ejemplo perfecto de coordinación, según Williams, sino de unos individuos que tratan de estar lo menos aislados —y lo más rodeados de otros peces— que sea posible. Un pez solitario corre mucho más peligro, y por eso los bancos de peces se compactan cuando aparece el depredador: todos quieren estar en el centro.

Y no, la serpiente de cascabel no avisa generosamente (moviendo la cola y haciendo ruido con el crótalo) a los demás animales para *no tener* que picarles, o sea, para beneficiar a otras especies, sino para que no se la coman a ella «los muchos pájaros y animales que se sabe que atacan incluso a las especies más venenosas», como dice Darwin en *El origen de las especies*. Y sigue: «Las serpientes [cita la serpiente de cascabel, la cobra y la víbora bufadora] actúan bajo el mismo principio por el que una gallina abre sus alas y eriza sus plumas cuando un perro se acerca a sus pollitos.» Para Darwin, «la selección natural nunca producirá en un ser una estructura más perjudicial que beneficiosa para ese ser, porque la selección natural solo actúa por y para el bien de cada uno.»

Los conejos y los ciervos levantan la cola y muestran su trasero de color conspicuamente blanco cuando ven a un carnívoro, pero de nuevo la teoría de Hamilton puede explicar el caso. Normalmente las ciervas van acompañadas de sus crías, por lo que el aviso va dirigido preferentemente a individuos con los que comparten la mitad de los genes. Es cierto que el comportamiento no tiene valor fuera de la época de crianza, pero sería más complicado para el sistema genético del ciervo suprimirlo temporalmente (haría falta algo así como un conmutador) y, además, solo sería necesario hacerlo unos pocos meses, los del invierno.

La TIF explica del mismo modo el comportamiento

del centinela altruista en las especies sociales, ese que pone en peligro su vida para alertar a los demás de un peligro. Si la especie a la que pertenece vive en grandes familias está corriendo un riesgo, que tiene un coste, pero quizás el beneficio sea mayor. Podría salvar más genes como los suyos de los que se perderían si el centinela muriese. Sería otro caso de selección familiar.

El caso de los bueyes almizcleros, donde los machos defienden a las crías y a las hembras, que se protegen detrás de la barrera de cuernos, se puede también entender por la TIF, pero aún se puede añadir una explicación adicional. Sería esta: cuanto más fuerte es el animal, la tendencia a luchar prevalece sobre la de huir, mientras que domina la pulsión de fuga entre los menos combativos; de esa manera, terminan colocándose los machos delante, enfrentados a los lobos, y las hembras y las crías detrás, a punto de escapar.

En resumen, lo que viene a decir Williams en su libro es que para interpretar un acto como altruista hay que estar muy seguro de que no existen alternativas.

Y, por supuesto, la muerte del anciano decrépito no es el último servicio que presta el individuo al grupo, a la población, a la especie, a la comunidad de especies de un ecosistema, a la biota o a la biosfera. Nadie se muere de viejo para beneficiar a otros. Pero este de la senescencia y el fin de la vida es un tema apasionante al que Williams también dedicó importantes reflexiones en otros trabajos.[16] Desgraciadamente no nos podemos ocupar aquí de cómo encaja la caducidad del individuo en la teoría de la evolución por selección natural, un problema del máximo interés que sigue representando un quebradero de cabeza para la biología evolutiva.

En resumidas cuentas, la única forma de selección

natural que de verdad cuenta para producir adaptaciones es la que actúa sobre los individuos, exactamente al modo propuesto por Darwin y los neodarwinistas —con el añadido de la TIF.

Por lo tanto, a la pregunta de qué es lo que están intentado maximizar siempre los individuos con sus conductas, la respuesta sería: el número de copias de sus propios genes que pasarán a la siguiente generación. Es decir, los individuos intentan maximizar su *fitness* inclusiva con todo lo que hacen.

Hamilton y Williams habrían cerrado así el neodarwinismo, que, tal y como fue concebido a mediados del siglo XX, mantenía algunos errores graves sin corregir, muy especialmente ese de que los individuos se sacrifican *por el bien de la especie*. Una forma de ver la vida cambiaba con ello.

Con su libro, Williams nos despertó de un profundo (pero bello) sueño, el de que la naturaleza era un paraíso donde reinaba la armonía —y, sobre todo, el *sentido*— porque los animales obraban en beneficio de la prole y de la familia, en beneficio del grupo social más allá de la familia, en beneficio de la especie e incluso en beneficio de la Vida. Ya nunca más se leerá o se oirá en el mundo académico la expresión *por el bien de la especie*, que antes se pronunciaba con toda naturalidad y que tan bien sonaba y tan reconfortante resultaba a la hora de contemplar el espectáculo de vida y muerte de la naturaleza.

Los lemmings (unos roedores árticos) no se suicidan en masa para evitar la superpoblación cuando los recursos escasean, sino que, precisamente por el agotamiento del medio, tratan de colonizar nuevos espacios que no estén esquilmados, para lo cual han de afrontar graves riesgos que pueden llevarlos a ahogarse o despeñarse. El famoso documental de 1958 de Walt Disney (*White Wilderness*) donde se mostraba el supuesto *suicidio colectivo* de los lemmings estaba descaradamente manipulado, pero todo el mundo se lo creyó.

Parecía lógico.

LA FUNCIÓN DE UTILIDAD DE DIOS

En su libro sobre los animales, Aristóteles razona que las partes de un animal (como las piezas de un artefacto hecho por el hombre) están ahí para un propósito (su *telos* particular), ya que realizan una acción. Por lo tanto, si cada parte sirve a su propio fin, el cuerpo como conjunto debe servir para alguna acción compleja, de nivel superior. ¿Cuál es? Buena pregunta. La respuesta es esta: la acción compleja a la que todas las adaptaciones del cuerpo contribuyen no es otra que el éxito reproductivo. Ahora, la pregunta de para qué sirven la mano, el ojo, la placenta, el pelo, el sistema inmunitario o el cerebro tiene un significado añadido: ¿cómo ha contribuido este rasgo concreto al éxito reproductivo? Así lo cuenta George C. Williams.[17]

Y Richard Dawkins lo hace de un modo parecido: ¿Cuál es la función de utilidad de la vida, o la función de utilidad de Dios?, se pregunta. Función de utilidad es un concepto de la economía, explica Dawkins, que significa qué es lo que se está tratando de optimizar en cada caso. En el de los seres vivos, la respuesta es el número de genes que pasan a la siguiente generación.

Pero los genes son moléculas (portadoras de información digital como sabemos), y solo moléculas, no organismos. Por eso algunos biólogos y paleobiólogos critican duramente a los que interpretan la evolución desde el punto de vista exclusivamente molecular y reproductivo y no desde la perspectiva de los individuos y sus problemas *económicos*.

El paleontólogo Niles Eldredge es uno de estos críticos y califica de *ultradarwinistas* a los que solo miran hacia los genes, como Hamilton, Maynard Smith y Dawkins. En cambio, Eldredge se sitúa a sí mismo en el campo que llama de los naturalistas, en el que militan paleontólogos, ecólogos, sistemáticos y demás especialistas que estudian organismos y no se preocupan tanto de los genes en sus investigaciones, encontrando en la naturaleza explicaciones importantes del fenómeno de la evolución.

Para los *ultradarwinistas*, dicen sus detractores, solo cuenta el número de genes que uno transmite, y ese sería para ellos el tema principal de la evolución: el de cómo van cambiando las frecuencias génicas en las poblaciones a lo largo del tiempo.[18] Y lo que hace la selección natural es favorecer un gen frente a los otros.

Para los naturalistas, es decir, para los que se consideran solo neodarwinistas (no *ultradarwinistas*), el planteamiento genético (el estudio de los cambios en las frecuencias génicas) está bien, siempre y cuando se aplique a su verdadero campo de investigación: la genética de poblaciones. Pero si se trata de hablar de evolución hay otras muchas cosas que importan. Da la impresión de que los *ultradarwinistas* excluyen de la elaboración de la síntesis moderna de mediados del siglo XX a todos los que no estudiaban genes, cuando lo cierto es que participaron en ella paleontólogos como Simpson, biogeógrafos como Mayr, zoólogos como Julian Huxley e incluso genetistas con preocupaciones naturalistas como Theodosius Dobzhansky.

En el fondo, se trata de una cuestión de perspectiva, pero no trivial. Para los ultradarwinistas, los individuos se afanan para transmitir el mayor número posible de sus propios genes (en detrimento de los genes de los demás, que estarán peor representados en la siguiente generación), mientras que para los naturalistas son aquellos individuos que tienen éxito en la vida, porque están bien adaptados, los que producen más descendientes. Lo primero es sobrevivir y lo segundo trasmitir los genes.

Para los *ultradarwinistas*, las adaptaciones de los individuos les sirven a sus genes para perpetuarse en el tiempo, mientras que para los naturalistas los individuos que viven en cada generación simplemente son los descendientes de los que estaban mejor adaptados para la vida en la generación anterior, y por eso tuvieron más hijos. Unos miran a los genes y otros a los individuos y su relación con el medio, o sea, su ecología y sus adaptaciones. Como paleontólogo que soy, por formación y carácter, mi corazoncito está con los naturalistas.

Pero ¿qué pasa con las luchas entre animales de la misma especie? ¿No es verdad que evitan herirse y matarse entre sí? ¿No son adaptaciones bióticas esos comportamientos *caballerescos*, que benefician al grupo y a la especie?

El Premio Nobel Konrad Lorenz (uno de los padres de la etología o ciencia del comportamiento animal) prestó mucha atención a estas luchas ritualizadas en libros tan populares como *El anillo del rey Salomón* (1949) y, especialmente, en *Sobre la agresión: el pretendido mal* (1963), donde las comparaba con las reglas caballerescas que hemos elaborado los humanos para evitar infligir excesivos daños al adversario en el combate (antiguamente, en los torneos; modernamente, en los deportes).

La razón de esta conducta —a Lorenz no le cabía ninguna duda— es el bien de la especie, como si la madre naturaleza cuidase de sus criaturas, de que todo estuviera en orden, de que el mundo funcionara correctamente. ¿No suena a religión panteísta o a culto de tipo *new age* a la Pacha Mama? Lo más interesante, casi increíble, visto retrospectivamente, es que ni a Lorenz ni a ninguno de sus contemporáneos se les ocurriese siquiera que la expresión *por el bien de la especie* era incompatible con la teoría darwinista de la evolución por selección natural. Como hemos visto, las cosas habrían de cambiar muy deprisa, en 1966, con el libro de Williams, pero el problema subsistía.

Si el bien de la especie no puede ser la explicación de los combates ritualizados, ¿qué explicación nos queda?

Unos años más tarde, el biólogo evolutivo inglés John Maynard Smith recurrió a la teoría de juegos y al concepto de estrategia evolutiva estable o ESS (*Evolutionary Stable Strategy*) para explicar el combate *ritualizado* (reglado) de muchas especies animales, que tradicionalmente se interpretaba como seleccionado para evitar daños al adversario, es decir, por el bien del grupo, de la población o de la especie.[19] Pero no es así, argumenta Maynard Smith con sus modelos matemáticos.

Puede que les suene el dilema del prisionero (si no lo conoce se lo explico en esta nota).[20] Pues por ahí va la teoría de juegos.

Les voy a poner un ejemplo de ESS fácil de entender[21] antes de pasar a la aplicación de la ESS al tema de los combates *caballerescos*. Imaginen que en una especie de gaviotas se dan dos comportamientos, dos estrategias. Unas gaviotas son *honestas* y se dedican a pescar peces. Otras gaviotas son *piratas* y les arrebatan del pico los peces a las gaviotas pescadoras. Si en una población todas fueran *honestas*, una gaviota *pirata* aparecida por mutación (o una gaviota *pirata* venida de fuera), se reproduciría rápidamente a costa de las gaviotas pescadoras, de manera que la estrategia *pirata* «invadiría» la población (así es como se dice en la jerga técnica). Si todas las gaviotas fueran *piratas* en una población, se morirían de hambre porque no habría a quien robar; a una gaviota pescadora mutante (o una gaviota pescadora venida de fuera) le iría mejor que a las *piratas*, de modo que la estrategia pescadora «invadiría» la población. Se llegaría así a una proporción estable de *piratas* y *honestas* en la población: supongamos que un diez por ciento de esa población, que no puede ser *invadida*, sería *pirata*. No cabe ninguna gaviota *pirata* más, ni ninguna gaviota pescadora más.

No es necesario que los individuos de la población se dividan entre *piratas* y *honestos*, porque matemáticamente es lo mismo que si las gaviotas (todas ellas) se comportaran un 90 por ciento de las veces como pescadoras y un 10 por ciento como *piratas*. Esa proporción es la estrategia evolutiva estable (ESS), porque ninguna otra estrategia puede *invadir* la población. Ser un 94 por ciento de las veces gaviota pescadora es peor que serlo un 90 por ciento, y ser gaviota *pirata* un 13 por ciento es peor que serlo un 10 por ciento de las veces. En resumen, una estrategia evolutiva estable de Maynard Smith es aquella estrategia que, *de ser adoptada por la mayoría de la población*, no puede ser *invadida* por una *estrategia mutante*, o venida de fuera.

Ahora podemos pasar a las luchas *caballerescas* entre individuos.

Veamos un caso teórico y muy simplificado que nos propone Maynard Smith. Supongamos que un individuo puede conducirse en el combate de dos formas: como *paloma* o como *halcón* (se entiende, por supuesto, que el comportamiento está determinado por los genes, y no depende del libre albedrío de los animales). Un *halcón* no tiene en cuenta ninguna convención y empieza una escalada hasta que: 1) gana y su adversario es seriamente herido o huye; o 2) pierde y sufre él mismo graves heridas. Una *paloma* nunca llega tan lejos; lucha convencionalmente y, si su oponente empieza una escalada, huye antes de ser herida. La estrategia de *halcón* parece siempre ganadora frente a la estrategia de *paloma*, pero no es así. En una población de *halcones*, una *paloma* saldría ganando, como en una población de *palomas* lo haría un *halcón*. En el caso teórico que estamos viendo, una estrategia mixta (ser *paloma* en unos casos y *halcón* en otros) sería evolutivamente estable.

La proporción en la que conviene ser *halcón* o *paloma* varía según los valores que se asignen en el modelo matemático a la victoria (el premio en términos de *fitness*) y al coste (daños sufridos). También podemos introducir otros factores, como *jugar en casa* (el propietario del territorio suele tener ventaja) o *jugar fuera*. Es demasiado algebraico el razonamiento de Maynard Smith para desarrollarlo aquí, pero quedémonos con que este autor defiende que hay una explicación para entender las luchas reglamentadas de los animales y, en general, para cualquier situación de conflicto de intereses en biología.

Y esto es muy importante, porque gran parte de la impresión que produce la naturaleza de ser un lugar ordenado se debe al espectáculo, que tanto vemos en los documentales de televisión, de los combates durante la época de la reproducción o de las peleas para establecer la jerarquía social dentro de un grupo.

El concepto de estrategia evolutiva estable también explica otras cuestiones importantes en biología, como el que se mantenga la proporción de sexos aproximadamente en 1:1 en las especies animales, incluso en las que son marcadamente poligínicas. ¿Por qué no nacen menos ciervos que ciervas, si al final solo unos pocos machos se van a reproducir después de pelearse (*reglamentadamente*, por supuesto) y el resto no va a contribuir genéticamente? En principio, eso es lo que beneficiaría a la especie: unos pocos machos y muchas hembras, como ocurre con las explotaciones ganaderas, donde hay muchos menos sementales que vientres (madres). Criar más machos de los necesarios se considera tirar el dinero.

Ronald Fisher comprendió, en 1930, que el sexo minoritario en una población siempre tiene ventaja respecto del mayoritario a la hora de transmitir sus genes a la siguiente generación, por lo que se verá favorecido y la frecuencia subirá (ser uno de los pocos machos o de las pocas hembras de la población asegura la descendencia), hasta que finalmente se igualen las proporciones.[22] Por lo tanto, la estrategia evolutiva estable en cualquier especie es tener el mismo número de hijos de cada sexo, y así es, efectivamente, como sucede.[23] Esta ley biológica que se cumple obligatoriamente se conoce como principio de Fisher.

Pero ¿no vemos en los documentales cómo los leones, los lobos, los licaones o los chimpancés actúan de forma coordinada cuando cazan en grupo? ¿Cómo puede entenderse esta cooperación entre individuos? ¿Qué les impulsa a asociarse en pos de un fin común?

En primer lugar habría que preguntarse si de verdad esos cazadores sociales actúan de forma orquestada. No todo el mundo está de acuerdo en eso, aunque parezca evidente. ¿No podría ser que los lobos, los licaones, los leones o las hienas simplemente cazaran juntos porque tienen hambre y por eso todos juntos corren hacia la presa? El acoso que sufre el ciervo por parte de un lobo empuja a la presa en dirección a otro lobo, del que también sale huyendo para encontrarse con un tercero, y así sucesivamente, siempre a la carrera, hasta que un lobo sujeta al ciervo y todos los demás se le echan encima y lo despedazan. En la caza de las liebres con galgos pasaría algo parecido (aunque no soy un experto en el tema): cuando uno de ellos la va a alcanzar, la liebre da un quiebro, y es el otro galgo el que la acosa, pero los galgos no cooperan, sino que en realidad compiten por la liebre. En resumen, cuando hay dos o más perseguidores siempre da la impresión de que se trata de una cacería orquestada, pero puede que no haya ninguna concertación. Cada cazador actúa como si estuviera solo, aunque parezca que se ponen de acuerdo para cortarle las vías de escape a la presa.

Una vez muerta la presa, no hay un reparto equitativo de su carne entre los cazadores, aunque todos hayan trabajado por igual y corrido los mismos riesgos, sino que comen primero los que tienen más jerarquía, lo que debería hacernos dudar de que de verdad trabajen en equipo. Pero, aunque lo hicieran, no hay altruismo en esa cooperación, sino simplemente comunidad de intereses. A todos los participantes en la cacería les interesa que tenga éxito. Aunque no se beneficien por igual, ninguno de ellos habría podido abatir a la presa por separado.

Todos ganan, nadie pierde, nadie se sacrifica por otros.

Este tipo de cooperación se ha llamado en biología social «mutualismo», pero este es un término que se aplica desde mucho antes en zoología a la colaboración entre especies diferentes, por lo que quizás sería mejor utilizar otra expresión, como «beneficio mutuo».[24] Lo que caracteriza este comportamiento es que los individuos hacen lo mismo que harían si trabajaran solos (perseguir a la presa a la carrera, por ejemplo, e intentar hacerse con ella), pero con más eficacia al juntarse varios.

También podría ser un caso de cooperación para el beneficio mutuo la defensa común frente a un enemigo, como la que hemos comentado antes de los bueyes almizcleros frente a los lobos, o los bancos de peces, o las especies que vigilan a los depredadores.

¿Eso es todo lo que hace falta para entender el comportamiento social de los animales?

No todo. Falta un detalle. La reciprocidad o intercambio de favores permitiría también entender el altruismo. Un individuo que lo practicara estaría haciendo una inversión de futuro, ya que obtendría la devolución del servicio más adelante, cuando lo necesitara. Es como meter el dinero en el banco.

Hay una importante diferencia entre el comportamiento de beneficio mutuo y el *altruismo recíproco*, y es de carácter temporal. En el mutualismo el beneficio es para todos a la vez, por ejemplo cuando se comen a la presa. Otro ejemplo claro de mutualismo es cuando se juntan los individuos para darse calor: todos se benefician al mismo tiempo.

Pero no es mutualismo cuando los monos se despiojan unos a otros, porque hay un desfase temporal. La frase que utilizan los anglosajones de «yo te rasco la espalda y tú me rascas la mía», es un caso de altruismo recíproco, porque podría reformularse como «yo te rasco la espalda *ahora* porque espero que *más adelante* tú rasques la mía; y si no lo haces, lo tendré en cuenta la próxima vez que me solicites que te rasque». Efectivamente, hay estudios que indican que los monos desparasitan más a aquellos miembros del grupo que en ocasiones anteriores los han limpiado a ellos.

Cuando George C. Williams escribía su célebre libro de 1966, *Adaptation and Natural Selection,* tenía noticia de trabajos sobre comportamientos cooperativos en macacos y era consciente de que la capacidad de formar alianzas podría serle de utilidad a los individuos y tener un valor selectivo para la transmisión de los genes propios. Dicho de otro modo, los que no intercambian favores y no se asocian estarían en desventaja frente a los que se alían. El altruismo recíproco podría darse, porque no representa la subordinación de los intereses del individuo a los del grupo, que es lo que Williams no admitía.

Ahora bien, Williams pensaba en 1966 que la reciprocidad solo ocurriría en mamíferos, y, dentro de estos, exclusivamente en los de mayores capacidades cognitivas. Pero en 1996 se lamentaba de haber escrito eso, porque no le parecía ya que hiciera falta tanta inteligencia para recordar los favores prestados y a quienes los devuelven, sujetos con los que conviene asociarse, y distinguirlos de los aprovechados que no pagan sus deudas y no se merecen ninguna ayuda (porque sería una pésima inversión, un gasto sin retorno).

De todos modos, siempre será necesario disponer de ciertas capacidades cognitivas para practicar el altruismo recíproco, por lo que son muchos los autores que piensan que la cooperación para el mutuo beneficio (de resultados inmediatos y que no requiere llevar la cuenta de los favores prestados en el pasado) está más extendida entre los animales que el altruismo recíproco.

TOMA Y DACA

La idea del altruismo recíproco fue propuesta por el biólogo evolutivo y social norteamericano Robert Trivers en un trabajo de 1971.[25] No es mala idea ayudar a otro, aunque no sea de la familia, si este nos devuelve el favor más tarde. Sería como meter dinero en el banco para disponer más delante de esos ahorros. Hoy por ti, mañana por mí. Trivers sugirió en el mismo trabajo que el dilema del prisionero podía ayudar a entender la cooperación entre individuos del mismo grupo, que es la base de las sociedades complejas.

En un artículo de 1981, William Hamilton y Robert Axelrod, un especialista en ciencias políticas sin ninguna relación anterior con la biología, se preguntaron qué pasaría si se repitiera el dilema del prisionero muchas veces (eso se llama «iteración» en informática) y con varios jugadores.

Hamilton y Axelrod demostraron en su trabajo que después de muchas rondas (de muchas iteraciones) la mejor estrategia (la ESS), siempre y cuando la probabilidad de encontrarse nuevamente con el mismo compañero de juego sea alta, consiste en: 1) cooperar en el primer encuentro; 2) traicionar en el segundo encuentro si el otro no cooperó la primera vez y cooperar si el otro cooperó; 3) recordar solamente lo que ha hecho el otro en la ocasión anterior (la última vez que se encontraron).

Dicho de otra manera, comportarse de acuerdo con la experiencia inmediatamente anterior es una ESS porque, si se hace mayoritaria en la población, no puede ser invadida por ninguna otra estrategia. En inglés eso se llama *tit for tat*, y podría traducirse como «toma y daca». Como puede verse, se trata de una programación del comportamiento muy sencilla, con pocas instrucciones. Un algoritmo simple. Cabe esperar por lo tanto que esté muy extendido en el reino animal, por muy elemental que sea el sistema nervioso central de una especie.

La cooperación entre individuos no emparentados quedaba así definitivamente explicada, sin necesidad de recurrir a la consciencia y a la moral, sino solo por medio de simples programaciones hereditarias de la conducta, de instintos.

Y con esto ya tendríamos todas las claves necesarias para explicar el comportamiento social de los animales, que serían los fundamentos de una teoría científica (y por lo tanto matemática) de la biología social: la eficacia inclusiva de Hamilton; las estrategias evolutivas estables de Maynard Smith; el mutualismo y la capacidad de formar alianzas basadas en el intercambio de favores recordados.

JORNADA XI

EL GRAN DEBATE

Donde se discute la trascendental cuestión de la libertad humana y hasta dónde estamos condicionados en nuestro comportamiento por los genes. Como los genes que tenemos los humanos han sido seleccionados para adaptarnos a las condiciones de vida que imperaban en la prehistoria, hay que preguntarse si conocer nuestro pasado es de alguna utilidad en el presente.

Si los individuos se afanan porque sus genes se perpetúen en la población a la que pertenecen dejando tras de sí una copiosa descendencia, si esa es su misión, su proyecto, ¿quién está de verdad al mando: el individuo o sus genes?

El final de la cadena histórica que pasa por Weismann, Fisher, Williams, Hamilton y Maynard Smith es Richard Dawkins. Ya vimos cómo se remonta al siglo XIX y al alemán Weismann la noción de que los genes (la línea germinal de células, decía él) son inmortales, mientras que el cuerpo que los transporta de aquí para allá (la línea somática) solo es un futuro cadáver (el inconveniente de ser un animal es que terminas inevitablemente convirtiéndote en un muerto, aunque eso solo lo sepamos los humanos). Tan arraigada está en la sociedad esa idea de que los genes sobreviven a los individuos que leo lo siguiente en un periódico[1], a propósito de la muerte de uno de los linces ibéricos del proyecto de reproducción en cautividad de la especie: «Gracias a Durillo, cuyos genes siguen vivos en el campo y corren por la sangre de sus descendientes, el lince ibérico está hoy un poco menos amenazado.» ¡Genes que *siguen vivos* después de la muerte del individuo!

Si a eso se une: 1) el planteamiento de Ronald Fisher de que la evolución consiste, en esencia, en los cambios que se producen a lo largo del tiempo en las frecuencias de genes en las poblaciones (ese río de los genes que describíamos); 2) la genial idea de Bill Hamilton de que la ayuda que se presta a otro individuo depende del grado de parentesco que se tenga con él; 3) las tesis de George C. Williams sobre la no existencia en el mundo animal de conductas que en la práctica supongan altruismo verdadero; 4) las estrategias evolutivas estables de John Maynard Smith para explicar los combates reglados y *caballerescos* por la reproducción o por el estatus social; y 5) el altruismo recíproco de Robert Trivers, entonces el camino estaba abierto para que Richard Dawkins proclamara en su famoso libro de 1976 titulado *El gen egoísta* que los individuos son solo los vehículos temporales que los genes, los *replicadores*, usan para perpetuarse.[2]

Piense en esto un momento y entenderá el razonamiento del gen egoísta: ¿por qué los individuos habrían de favorecer a sus parientes? ¿Y cómo los reconocen? Nosotros mismos, los humanos, tampoco sabríamos decir con total seguridad quiénes son nuestros parientes fijándonos solo en el parecido físico. No es imprescindible que lo hagan, dice Dawkins, pueden tomar por parientes simplemente a aquellos individuos con los que se han criado, que en efecto suelen ser hermanos u otros miembros cercanos de la familia.[3] Respecto de la primera pregunta, los individuos tienden a ayudar a los parientes próximos, incluso a su propia costa, por la sencilla razón de que en ellos la probabilidad de que cualquier gen sea idéntico (por ascendencia común) a uno de los suyos es más alta que en los no parientes. Todo consiste en una lucha entre genes[4] por su supervivencia (su continuidad) en el seno de las poblaciones, en el río de los genes.

Mirado así, el gen responsable del sabor desagradable de las orugas en el ejemplo citado de Ronald Fisher no está facilitando la supervivencia de las orugas de la familia, sino su propia supervivencia, es decir, la supervivencia de las copias del gen del sabor desagradable que se encuentran en las orugas hermanas. Lo mismo se podría decir del gen del veneno en los peces de los que hablaba George Williams, que no *están ahí* para beneficiar a los peces hermanos, sino a las copias del gen del veneno que se encuentran en ellos. Es un razonamiento retorcido, que casi parece un acertijo, pero que lo atrapa a uno.

Ese sería el paso final en la cadena de razonamientos, que Hamilton no se atrevió a dar o no quiso hacer. A fin de cuentas, la *fitness* inclusiva de la que hablaba Hamilton pertenece al individuo: soy *yo* quien aumenta su propia *fitness* gracias a las copias de mis genes que hay en los hijos de los parientes a los que *yo* ayudo (sobre todo a los más cercanos). Hamilton todavía seguía viendo la evolución desde la perspectiva del individuo, y en este sentido se dice que fue el último de los neodarwinistas. Dawkins fue más allá y adoptó el punto de vista del gen, el gencentrismo, con mucho éxito, tanto en la comunidad científica como en el público en general.

¿Los genes controlan también la conducta humana?

El Premio Nobel inglés Charles Scott Sherrington escribía en 1940:

> En su cometido de producir el siguiente retoño que le suceda, produce lo que a veces se considera un vehículo para transportarlo, una enfermera para ese brote. El vehículo es un individuo multicelular. «La gallina es el medio con que cuenta el huevo para hacer otro huevo».[5] El brote es microscópico, pero no el vehículo. En época reciente el vehículo [...] ha llegado a hacer en su condición de individuo lo que es propio del ser humano; entre otros actos, el de pensar, empleando, como solemos decir, la «razón». Tal vez llegue un momento en el que, al reconocerse como simple vehículo del siguiente brote, semejante individuo concluya que no merece la pena existir o, por el contrario, considerando lo que representa la vida, llegue a disfrutar de ese privilegio trascendental, legado de las vicisitudes acumuladas en cien millones de años de evolución.[6]

El gen egoísta de Richard Dawkins supuso ese reconocimiento de que los organismos pluricelulares somos vehículos de nuestros genes, pero no de los genes tomados en conjunto (el genotipo de cada organismo), como se pensaba antes, sino por separado, uno por uno. Esa es una gran diferencia. No es lo mismo que se seleccionen los mejores genotipos de una población (o sea, los individuos más adaptados), que se seleccionen los mejores genes.

Cada gen es, según Dawkins, una unidad de selección independiente, pero comparte con otros genes el mismo vehículo. Por eso los genes no tienen solo que ser buenos, sino también tienen que ser compatibles unos con otros y formar un buen equipo. En este sentido, el gen egoísta de Richard Dawkins es, como le gusta decir a él, también un gen cooperativo, porque le beneficia viajar en buena compañía y eso es, por tanto, lo que *busca* (inconscientemente, por supuesto).

Una cuestión trascendental es la de cómo llegan los genes a asociarse y viajar juntos en el mejor vehículo posible, en el mejor cuerpo. Si no se aclara este punto (el de cómo *cooperan*) se hunde toda la teoría del gen egoísta. Dawkins se basa para explicarlo en una idea conocida en biología evolutiva como selección dependiente de la frecuencia que por cierto es una extensión del Principio de Fisher (como veíamos hace poco, este principio explica la proporción aproximadamente 1:1 de los sexos en el nacimiento).[7]

Le daré un ejemplo del razonamiento de Dawkins basado en la lógica de la selección dependiente de la frecuencia para ilustrar cómo *cooperan* los genes. Imaginemos (se trata de un experimento mental) unas mariposas que se posan en troncos que tienen grietas verticales. Supongamos que hay dos genes que tienen que ver con la mimetización (camuflaje) de la mariposa sobre el tronco. Uno es el gen de las franjas de color de las alas, que pueden ser transversales al cuerpo o longitudinales. Supongamos que existe otro gen que prescribe la posición en la que se posa el insecto en el tronco, que puede ser vertical u horizontal. Si en una población, por la razón que sea, predomina la versión del gen[8] de las franjas transversales, será seleccionado en el otro gen la versión de posarse horizontalmente, es decir, transversalmente al tronco (de modo que las franjas se confundan con las grietas verticales del tronco). Si en otra población predomina la versión del gen de franjas longitudinales, allí se seleccionará la versión del gen de posarse verticalmente. En cualquier caso, acabarán asociadas las versiones de los dos genes que mejor se combinan para producir el mejor *vehículo* para ambos, o al menos el que mejor se camufla cuando se posa en un árbol. Y el ejemplo puede extenderse a muchísimos más genes, tantos como se quiera (podríamos suponer, para empezar, que hay un gen para el par de alas anteriores y otro para el de las posteriores).

¿SOMOS NUESTROS GENES?

Richard Dawkins encontró un tenaz adversario en el paleontólogo Stephen Jay Gould (incluso debatieron públicamente y muy mediáticamente en Oxford a finales de los años ochenta). Según decía Gould, la idea del gen egoísta le ponía los pelos de punta. Para Gould, los genes no podían ser las unidades de selección, es decir, las entidades que compiten entre sí por sobrevivir. Es sobre los cuerpos sobre los que ejerce su acción la selección natural. Son los individuos los que luchan por la existencia, no los genes. Esa es la base del pensamiento evolutivo de Darwin, y Gould estaba de acuerdo.

En el libro de Gould *El pulgar del panda* (1980) hay un capítulo dedicado a las unidades de selección, con un amplio comentario sobre el libro de Dawkins de 1976. El argumento que utiliza Gould para rebatir a Dawkins es que la selección natural no puede ver a los genes, solo puede actuar sobre los individuos. Para que la selección natural pudiera ejercer su acción sobre los genes directamente haría falta que a cada gen le correspondiera un rasgo del fenotipo, es decir, algún detalle visible de la morfología, de la fisiología o del comportamiento. Tendría, en otras palabras, que existir una correspondencia biunívoca entre los caracteres del fenotipo y los genes (para cada carácter, un gen), ya que la selección natural solo actúa sobre el fenotipo. Y todavía haría falta una cosa más para que los genes fueran verdaderas unidades de selección: que todos los rasgos del fenotipo fueran adaptativos, es decir, que tuvieran una función relevante para la supervivencia y la reproducción. Solo en ese caso la selección natural vería a los genes transparentándose a través de los caracteres. Pero la realidad no es así, argumenta Gould. El desarrollo es un proceso mucho más complejo, con múltiples interacciones entre unos genes y otros hasta dar lugar a un adulto reproductor, de manera que no hay una correspondencia biunívoca entre genes y caracteres (un gen - un carácter). Además, no todos los rasgos del fenotipo sirven para algo importante en la lucha por la vida o por la descendencia, no todos son adaptativos. Sobre aquellos rasgos que no confieren ventajas a sus portadores no puede actuar nunca la selección natural.

El gen egoísta es al final una metáfora, y su valor dependerá de lo que aporte a la hora de estudiar la biología de las especies. Adoptar la perspectiva del gen puede ser inútil o irrelevante para un morfólogo que se ocupa de la anatomía, para un fisiólogo interesado por las funciones biológicas, para un taxónomo que se dedica a clasificar especies, para un biogeógrafo que estudia su distribución, o para un paleontólogo que examina el registro fósil. La cuestión es si la metáfora del gen egoísta es útil para abordar temas de comportamiento (etología) —y, especialmente, de comportamiento social—. Y ahí es donde se está poniendo a prueba la teoría de Dawkins, que por otro lado es un espléndido ensayista, divulgador y polemista. Como también lo era Gould.

Al final se llega siempre a la combinación más armoniosa de genes, que parecen cooperar entre sí, pero que no lo hacen en realidad, porque la razón de que se reúnan está en el mecanismo de la selección dependiente de la frecuencia, una nueva expresión que tenemos que aprendernos bien porque es una herramienta conceptual poderosa y fundamental para el pensamiento de Dawkins. Gracias a ella, Dawkins explica que los genes (cada uno de ellos por separado) sean las unidades de selección, no los individuos ni sus genotipos.

Pero Richard Dawkins no extendió su teoría del gen egoísta a los seres humanos, que según él habrían escapado de la tiranía de los genes por medio de la consciencia. Los vehículos se habrían así liberado de los replicadores. Lo que importa en nuestro caso son los memes, también unidades de información, pero que se propagan directamente entre cerebros.

Otro científico que leyó a Hamilton y quedó impresionado por su teoría de la *fitness* inclusiva fue el entomólogo y especialista en hormigas Edward O. Wilson, que en 1975 escribiría un libro que se hizo muy famoso: *Sociobiología. La nueva síntesis*. En él dedicó el último capítulo a la sociobiología humana. Ese capítulo, que no es la parte principal del libro, desató una gran controversia. Un grupo de científicos, incluidos sus compañeros de Harvard —y, hasta entonces, amigos— Stephen Jay Gould y Richard Lewontin, se opusieron enérgicamente a la idea de que la conducta humana estuviera determinada, aunque fuera en una pequeña parte, por los genes. Es más, argumentaron que la idea misma del determinismo biológico del comportamiento de los seres humanos estaba históricamente asociada a la defensa del *statu quo*, al mantenimiento de los privilegios del sexo masculino, de las clases ricas o de los países dominantes. En otras palabras, sostener que la biología tenía algo que ver con las sociedades humanas era (inevitablemente) defender el machismo, el patriarcado, el racismo, el clasismo y el colonialismo, aunque Gould no le atribuyera esas ideologías a Wilson como persona.

En realidad, Gould dio una calurosa bienvenida a la teoría de la selección familiar de Hamilton, a la que consideraba una valiosa contribución al estudio de la vida social de abejas, hormigas y termitas.[9] Pero Gould estaba convencido de que el caso humano era diferente y de que, gracias a nuestro enorme cerebro, no estamos sujetos al determinismo genético en ningún grado. En nuestro caso sería imposible asociar un gen (o conjunto de genes) a un comportamiento particular, como los que nos impulsan a la guerra o los que *supuestamente* diferencian a los hombres de las mujeres en sus actitudes y conductas sociales.

Quizás el más virulento y mejor argumentado alegato contra la sociobiología humana sea el libro *No está en los genes. Crítica del racismo biológico*, que en 1984 publicaron R. C. Lewontin, S. Rose y L. J. Kamin. Contiene párrafos como este: «Al defender que cada aspecto del repertorio conductual humano es específicamente adaptativo —o que al menos lo fue en el pasado—, la sociobiología establece el escenario para la legitimación de las cosas tal como son.» Es decir, la sociobiología humana estaría, según los autores, al servicio del *statu quo*, del mantenimiento de las desigualdades porque, para ellos, proporciona «una razón por la que somos empresarios, xenófobos territoriales».[10]

No se puede negar que en aquellos años centrales de la década de los setenta del siglo pasado Wilson especulaba con ideas que cincuenta años después nos parecen aberrantes. Por poner un ejemplo citado por Gould, Wilson recurre, en un artículo de 1975 en *The New York Times*

Magazine, a nuestro pasado prehistórico como factor determinante de las *supuestas* preferencias laborales de hombres y mujeres. En las sociedades de cazadores y recolectores los hombres salen en las partidas de caza y las mujeres se quedan en casa, enuncia Wilson. A partir de esa premisa, su impresión es que persiste todavía en la actualidad un *sesgo genético* (ni más ni menos) lo bastante fuerte como para producir una división espontánea (es decir, natural) del trabajo hasta en las sociedades más libres e igualitarias: «Incluso con una educación idéntica y el mismo acceso a todas las profesiones, es probable que los varones continúen jugando un papel desproporcionado en la vida política, los negocios y la ciencia.»

El filósofo de la biología Michael Ruse también comenta en su libro *Sociobiología* (1980) el artículo de Wilson de 1975 en *The New York Times Magazine*. Le parece que los sociobiólogos deberían ser más cuidadosos con algunas de sus especulaciones pero, sin embargo, no cree que la sociobiología humana deba ser criticada por ser intrínsecamente sexista. «A la sociobiología humana debería dársele la oportunidad de probar su valía», concluye.

A Richard Dawkins, estas críticas contra el determinismo genético le llegaron de refilón, pero en su caso con mucha menos virulencia porque nunca trató el *caso humano*.

¿Somos esclavos de nuestros genes o nacemos con la mente en blanco, cual *tabula rasa*, según expresión clásica? ¿Tenemos siquiera una naturaleza los seres humanos, o somos solo cultura, es decir, un producto de la Historia, como defendía el filósofo español José Ortega y Gasset?[11]

En España, según las estadísticas oficiales, las mujeres cometen un número mucho menor de delitos que los hombres —y, además, se trata por lo general de infracciones más leves—. De hecho, el 92,6 por ciento de los presos en cárceles españolas en 2018 eran hombres. ¿Quiere eso decir que las diferencias genéticas entre sexos son responsables en buena medida del comportamiento criminal? ¿O se trata solo de una cuestión de género, es decir, de los diferentes papeles que nuestra sociedad occidental asigna a hombres y mujeres?

La respuesta de ensayistas muy actuales, como Yuval Noah Harari en 2015 (*Homo Deus. Breve historia del mañana*), es que al igual que hemos heredado el gusto por lo dulce de la época en la que comíamos los frutos azucarados que produce la naturaleza, la pasión de los jóvenes varones por conducir peligrosamente, pelearse entre sí y *hackear* sitios de internet confidenciales nos viene de hace 70.000 años: «Un joven cazador que arriesga su vida en la caza del mamut supera a todos sus competidores y gana la mano de la belleza local; y nosotros estamos ahora atascados en esos genes de *macho*». O sea, que la idea del determinismo genético (hasta un cierto grado) de la conducta humana no está ni mucho menos muerta, a pesar de las críticas recibidas.

Muchos biólogos que han trabajado en el campo de la teoría evolutiva (y, especialmente, de la evolución del comportamiento social) han creído que se pueden, que se deben, sacar lecciones útiles para el futuro de nuestra especie a partir del conocimiento del pasado. Es decir, la historia biológica sería la llave para entender nuestra naturaleza, un conocimiento que a su vez permitiría abordar los problemas sociales desde unas bases científicas. Véase por ejemplo lo que decía en 1990 el biólogo (del que más adelante hablaremos in extenso) Richard D. Alexander:

El mundo está lleno de miseria producida por actos tales como el asesinato, la violación, el terrorismo, la explotación, el engaño y la discriminación. Me parece obvio que estas acciones a menudo no son simplemente patológicas o se deben a causas inmediatas evidentes y fáciles de eliminar. En consecuencia, deben ser tratadas, en parte, a través del conocimiento profundo de nosotros mismos, y en algunos casos interpretadas [las acciones que producen sufrimiento] como reflejo de la competición y de los conflictos de intereses. En segundo lugar, la capacidad de sostener la vida de nuestro planeta está amenazada por la combinación del aumento de población humana y de los continuos esfuerzos para mejorar la calidad de la vida humana por medios (como la tecnología) que paradójicamente reducen más que aumentan la probabilidad de la supervivencia humana a largo plazo. Esta tendencia parece que solo puede ser detenida o revertida a través de un conocimiento más profundo de nosotros mismos.[12]

En 1994, Robert Wright escribió un libro[13] que es una apasionada defensa de la disciplina, entonces naciente, llamada psicología evolucionista, la rama de la sociobiología aplicada a la conducta humana, a la que califica de «revolución silenciosa». Robert Wright afirma que una vez captada la idea (y le parece fácil hacerlo), cambia completamente nuestra percepción de la realidad social. Veamos cuáles son las cuestiones psicológicas y sociales que según Robert Wright pueden ser abordadas con el nuevo enfoque evolucionista:

Romance, amor, sexo (¿están realmente hechos los hombres y / o las mujeres para la monogamia?[14] Qué circunstancias pueden hacer que sean más o menos monógamos); amistad y enemistad (cuál es la lógica evolutiva que está detrás de la política en la oficina, o para el caso, de la política en general); egoísmo, sacrificio, culpa (¿por qué nos dio la selección natural el vasto almacén de culpa conocido como consciencia? ¿Es de veras una guía para el comportamiento «moral»); estatus social y ascenso social (¿es inherente la jerarquía a la sociedad humana?); las diferentes inclinaciones de hombres y mujeres en aspectos como la amistad y la ambición (¿somos prisioneros de nuestro género?); racismo, xenofobia, guerra (¿por qué excluimos tan fácilmente a grandes grupos de personas del círculo de nuestra simpatía?); engaño, autoengaño, y la mente inconsciente (¿es posible la honradez intelectual?); diversas psicopatologías (¿es «natural» deprimirse, volverse neurótico o paranoico, y si lo es, eso lo hace más aceptable?); la relación amor-odio entre hermanos (¿por qué no es puro amor?); la tremenda capacidad de los padres y madres de infligir daño psíquico a sus niños (¿cuyo bienestar llevan en el corazón?); y demás.

Casi nada. Sin embargo, el filósofo de la evolución John Dupré[15] afirma rotundamente que la evolución no tiene *nada* que decirnos sobre la naturaleza humana, alineándose en esto con Gould y Lewontin, entre otros científicos que han atacado a la sociobiología —cuando se mete en asuntos humanos— y, con más razón, a la psicología evolucionista —que solo se ocupa de asuntos humanos—.[16] Para estos críticos, ningún rasgo concreto de nuestro comportamiento estaría determinado por nuestro pasado evolutivo, es decir, por los genes que fueron seleccionados en la prehistoria para que estuviéramos, *entonces*, mejor adaptados a las condiciones de la vida ancestral.[17] Por mucho que alcancemos un conocimiento detallado de nuestra propia evolución, la humana, nada ganarían con ello la psicología o las ciencias sociales, concluye Dupré. La psicología no le debe nada a la biología evolutiva. El paleoantropólogo Ian Tattersall, que ha dedicado su vida al conocimiento de la evolución humana, viene a decir más o menos lo mismo.[18]

Pero si la psicología evolucionista es una «pseudociencia» como llega a afirmar Tattersall, ¿por qué nos interesa tanto el comportamiento de nuestros parientes más cercanos? ¿Por qué se le dio el Premio Príncipe de Asturias a la inglesa Jane Goodall (la estudiosa de los chimpancés en libertad) y se hizo una película de éxito con la norteamericana Diane Fossey (su equivalente con los gorilas de montaña)? ¿Qué relación tiene la conducta social de los «otros simios» con la nuestra?

En el año 1983 el primatólogo holandés Frans de Waal escribió un libro de título muy atrevido (*La política de los chimpancés*) que tuvo una gran repercusión. Hablaba de la vida a lo largo de los años de una comunidad de chimpancés en cautividad y de las cambiantes relaciones de poder entre unos miembros y otros. Veinticinco años más tarde (2008) se hizo una nueva edición y vea una de las frases con las que la editorial publicitaba el libro: «La primera edición fue aclamada no solo por los primatólogos a causa de sus logros científicos, sino también por políticos, líderes de negocios y psicólogos sociales por sus notables percepciones sobre las necesidades y conductas humanas más básicas». Y algunos críticos dijeron sobre el libro de Frans de Waal cosas como esta: «Nunca volveré a mirar la política de las empresas o de las instituciones académicas de la misma forma».

Para terminar con los partidarios de que nuestra conducta social tiene bases biológicas que merece la pena investigar, un reputado neurobiólogo, Robert Sapolsky, acaba de publicar un libro de título significativo: *Com-*

pórtate. La biología que hay detrás de nuestros mejores y peores comportamientos (2017). Por si hubiera alguna duda sobre la orientación del libro, Sapolsky explica que el objetivo no es otro que responder a esta pregunta: «¿Qué nos enseña la biología sobre la cooperación, la afiliación, la reconciliación, la empatía y el altruismo?».

Eso, ¿qué nos enseña la biología sobre el comportamiento de los seres humanos?

Hay una forma diferente a las anteriores de abordar el problema, y es cambiarse de lado. En lugar de mirar lo que hay de animal (de biológico) en la conducta humana, podemos preguntarnos qué hay de humano en la conducta animal. O, dicho de otro modo, cuánto hay en común entre los animales y el ser humano (que, por supuesto, también es un animal). Eso es lo que se propone hacer la llamada etología cognitiva, que sería la rama de la etología que estudia la mente animal, al igual que la psicología cognitiva estudia la mente humana (naturalmente, la etología cognitiva parte de la base de que los animales poseen una mente, o, dicho de forma poco técnica, *tienen cosas en la cabeza*; en su momento hablaré de este tema).

En un libro muy interesante titulado *Justicia salvaje. La vida moral de los animales* (2009), el etólogo Marc Bekoff y la filósofa Jessica Pierce defienden, ni más ni menos, que algunos animales (chimpancés, bonobos, elefantes, hienas, lobos, delfines, ballenas y hasta ratas) tienen moral. Por tal cosa (moral) entienden los autores un conjunto de comportamientos que incluyen el altruismo, la reciprocidad, la honestidad, la confianza, la empatía, la compasión, la aflicción, el consuelo, la solidaridad, la equidad, el juego limpio y el perdón.

Bekoff y Pierce consideran que la empatía es la piedra angular de la moralidad. Si los animales comprenden lo que otro siente, podrán ser compasivos, evitar el sufrimiento de los demás y procurar su bienestar, que es lo que los humanos entendemos por tener una moral.

Como los diferentes tipos de mamíferos que son candidatos a tener comportamientos morales pertenecen a cinco órdenes diferentes —a saber, primates, carnívoros, cetáceos, roedores y proboscídeos—, hay que deducir que la moral animal, la justicia salvaje, ha evolucionado de forma independiente muchas veces, en un llamativo ejemplo de convergencia adaptativa. Se cuentan por decenas los millones de años que llevan separadas las diferentes líneas animales que han desarrollado un comportamiento moral en la relación con sus semejantes, aunque no sean moralidades exactamente iguales (en el hiperespacio del comportamiento ocuparían cimas separadas).

En todos los casos se trata de especies que viven en grupo, de donde parece inferirse que la sociabilidad es un requisito para la moralidad (o tal vez sea al revés). Los primates, proboscídeos y cetáceos son también los mamíferos más encefalizados y los de comportamiento más complejo (los más inteligentes, por decirlo llanamente). Además, resulta que los mamíferos más sociales son también los que más juegan en grupo; no hay más que pensar en nuestros familiares perros. Como en el resto de la vida social, en esos juegos se siguen unas reglas (*leyes*) estrictas de comportamiento, normas que no se pueden desobedecer sin que se interrumpa el juego.

Morder o cualquier otra forma de hacer daño, lo mismo que intentar copular, son comportamientos que quedan excluidos; no forman parte del juego. Así que vida social, moralidad, inteligencia y amor al juego colectivo van en la misma cesta.

Bekoff y Pierce son conscientes de que su planteamiento evolutivo de la moralidad, que defiende la continuidad entre animales y humanos, puede reforzar los postulados de la sociobiología y de la psicología evolucionista, pero añaden que «aceptar las raíces biológicas de la moralidad no significa que tengamos que excusar el comportamiento malvado o cruel: este sigue siendo malvado o cruel.»

Ningún crimen o abuso puede encontrar justificación en la evolución. Todos estamos de acuerdo en esto, pero ni los sociobiólogos, ni los psicólogos evolucionistas, ni los etólogos cognitivos han dicho jamás tal barbaridad. El debate debe matizarse mucho más, no se puede reducir todo a *genes del comportamiento* sí o *genes del comportamiento* no.

Tal vez, si en lugar de mentar los dichosos genes, Wilson hubiera hablado de predisposiciones innatas para el aprendizaje, como hace ahora, habría encontrado una oposición menos acerba. A fin de cuentas, el lingüista Noam Chomsky lleva muchas décadas defendiendo que nacemos con las preprogramaciones que hacen posible que podamos aprender un idioma, una especie de *órgano mental del lenguaje* innato.

UNA BONITA VISTA

El comportamiento de los seres humanos y de otros mamíferos con grandes cerebros no está guiado por instintos ciegos, sino por lo que los psicólogos denominan aprendizaje preparado (*prepared learning*), afirma Edward O. Wilson en un libro reciente.[19] Lo que se transmite por medio de los genes, lo que se hereda, es la predisposición a aprender un comportamiento determinado (o unos pocos comportamientos) de entre todos los teóricamente posibles. Se aprende mejor aquello que nos gusta aprender, ¿no es así? Es decir, lo que se nos da bien. Ese sesgo en el aprendizaje explicaría las extraordinarias convergencias que se dan entre todas las culturas, argumenta. Según Wilson, que se basa en experimentos de laboratorio con voluntarios humanos, existe también un sesgo en la predilección de la gente por el lugar donde le gustaría construir su casa si su economía se lo permitiera. Aunque los detalles pueden variar, todas las elecciones tienen tres aspectos en común: 1) se trata de un lugar en una colina, con una vista dominante sobre el paisaje; 2) el hábitat que se divisa es de praderas mezcladas con bosquetes (lo que se llama un mosaico ecológico; ni un bosque cerrado y sin claros, ni un estepa completamente abierta); 3) hay cerca una masa de agua (río, lago o mar). Esta descripción del lugar ideal para vivir encaja con las sabanas africanas en las que se ha desarrollado buena parte de nuestra evolución. Se trata de la clase de vista que nos parece a todos bonita, y Wilson se pregunta: ¿por qué es bonita?

Todavía no hemos definido propiamente al gen, o tal vez lo hemos hecho de varias formas diferentes. Así que puede que sea el momento de preguntarnos: ¿qué es un gen?

Matt Ridley explica[20] que la palabra «gen» tiene para la biología actual varios significados diferentes, aunque los propios biólogos no sean conscientes de ello cuando hacen su trabajo. Por un lado, el gen es información, un archivo, una forma de memoria que permanece en el tiempo. El gen contiene una sabiduría ancestral, la del pasado de la especie. En la idea original de Mendel el gen es la *unidad de la herencia*, lo que se transmite. Además, los genes son programas para fabricar proteínas, que a su vez catalizan (aceleran) las reacciones químicas de las células, así que son *unidades metabólicas*, o si se quiere, *recetas* para fabricar proteínas.

Pero si todas las células del cuerpo tienen la misma dotación genética, ¿por qué hay tejidos tan diferentes como el de la corteza cerebral, el de la epidermis, el renal, el muscular o el hepático? La respuesta es que los genes se activan o se desactivan en diferentes lugares del cuerpo, en diferentes momentos y en diferentes combinaciones, y de esta forma es como se diferencian los tejidos y órganos y se construye el cuerpo de un ser pluricelular. Los genes son entonces también *interruptores*, *unidades de desarrollo*. Por ese descubrimiento de que los genes se pueden activar y desactivar es por lo que le dieron el Premio Nobel a los franceses François Jacob y Jacques Monod, que ya han salido en estas páginas.

Resulta que más de la mitad de los genes humanos son iguales a los de las moscas, así que los genes son sin duda partículas intercambiables. Todos los genes que compartimos con cualquier insecto, molusco, anélido o equinodermo (y son muchos) son herencia de un antepasado común (el primer animal bilateral) que vivió hace cientos de millones de años. Esta es la idea de los pangenes de Hugo de Vries, un científico que en 1900 descubrió las leyes de la herencia, pero luego se dio cuenta de que ya habían sido publicadas bastante antes por Mendel. No le quedó más remedio que admitirlo, aunque nunca reconoció el auténtico valor de la obra de Mendel. De Vries suele ser pintado como el *villano* de la historia de la genética pero, sin embargo, tenía razón en una cosa muy importante: lo que hace distintas a las especies no es que tengan una dotación genética por completo diferente, porque, en realidad, todas las especies juegan con (casi) los mismos genes (los pangenes). Por lo tanto, los genes son también *unidades evolutivas* y trascienden la frontera de la especie, porque el mismo gen puede estar en muchas especies, incluso muy alejadas entre sí evolutivamente. Por otro lado, un gen puede estar integrado en diferentes procesos de desarrollo del mismo individuo, así que los genes no tienen una única función. Son solo ladrillos, porque con ellos se pueden hacer edificios muy diferentes.

Un pequeño paréntesis. Hugo De Vries es también importante para la teoría de la evolución por una idea suya que contradecía la selección natural de Darwin como mecanismo responsable del origen de las especies. De Vries creía que las especies aparecían por medio de una mutación, es decir, de un salto, y no gradualmente y por la acción de la selección natural. La teoría de la mutación de De Vries se basaba en interpretaciones equivocadas de sus observaciones en plantas, y fue abandonada por completo en los años veinte y treinta del siglo pasado, cuando la genética de poblaciones proporcionó una base sólida para la selección natural. El círculo se cerró en las dos décadas siguientes con el neodarwinismo, que dejaba al *mutacionismo* completamente fuera del paradigma de la biología evolutiva.[21]

Con frecuencia hablamos de un gen como responsable de una enfermedad. En esas ocasiones nos estamos refiriendo al *gen mutante* como el causante del problema y, en consecuencia, al *gen normal* como proveedor de salud. Esa es otra acepción de gen, de uso médico, como *unidad de salud*. El gen *sirve* para que no tengamos ningún trastorno, para que todo funcione bien. Solo cuando está presente en una versión defectuosa nos acordamos de él. El médico inglés Archibald Garrod sugirió en 1902 que una enfermedad llamada alcaptonuria, que se hereda de acuerdo con las leyes de Mendel (es decir, que depende de un solo gen) se debía a la ausencia de una enzima en particular (o sea, una proteína de las que actúan acelerando las reacciones químicas, un catalizador). A pesar de la importancia de haber sido el primero en descubrir que los genes de Mendel especifican proteínas, Garrod no obtuvo el reconocimiento que merecía hasta pasados muchos años, como le ocurrió al propio Mendel.

Además de como unidades de herencia, unidades evolutivas, unidades de metabolismo, unidades de desarrollo o unidades de salud, los genes son tratados a veces —por algunos autores— como *unidades de selección*. Richard Dawkins, como ya sabemos, los trata incluso de *egoístas*, porque van a lo suyo, no se preocupan por los intereses del cuerpo. Los genes de Dawkins tienen *carácter*, *personalidad*.

Dawkins recuerda[22] que escuchó decir a Jacques Monod en una ocasión que cuando tenía problemas para entender una reacción química se preguntaba qué haría él si fuera un electrón, y se le quedó marcado este comentario. Pues bien, el razonamiento de Dawkins va precisamente en esta línea, la de preguntarse qué haría uno si fuera un gen (aunque, por supuesto, ni Monod le atribuía consciencia a un electrón, ni Dawkins se la atribuye a un gen).

Por ello, cuando hablamos de la conducta social de los animales aparece un significado de la palabra gen asociado al de unidad de selección, del que es inseparable. Los genes (aislados o asociados con otros genes) son también *unidades de instinto*, es decir, prescriben comportamientos, sobre los que actúa la selección natural favoreciendo unas conductas (¿las altruistas?, ¿las egoístas?) sobre otras.

Es evidente que explicar la psicología y la sociología humanas basándose *solo* en la genética es un caso de reduccionismo abusivo. Todo lo que sea un hecho social pertenece al campo de las ciencias sociales, sin duda. Pero ¿podrían ser compatibles (*mirando hacia arriba* en la escala de complejidad) la biología, la psicología y la sociología, como son compatibles (*mirando hacia abajo*) la biología, la química y la física? ¿Los diferentes niveles de explicación pueden integrarse unos en otros hasta llegar al de la sociología?

Matt Ridley cree que es posible superar esta disputa entre las ciencias naturales y las ciencias sociales añadiéndole un séptimo significado a la palabra «gen». Para Matt Ridley (que sigue en esto a John Tooby y Leda Cosmides, los fundadores de la psicología evolucionista), el gen es también *una unidad de extracción de información del medio*, porque los programas de desarrollo que prescriben los genes dependen del ambiente en todos sus momentos. Por eso el individuo se desarrollará en consonancia con su entorno familiar y social para formar parte de la comunidad concreta a la que pertenece, y en la que debe tener lugar su vida adulta. Está predispuesto para ello. Tan falso es creer que actuamos al dictado de nuestros genes como que somos producto exclusivamente del ambiente familiar o social en el que nos criamos. Genes y educación son factores complementarios.

Los genes, en sí mismos, son completamente rígidos en su expresión y totalmente predecibles, pero recuerde ahora la acepción de Jacob y Monod del gen como interruptor, que puede activarse y desactivarse en función del ambiente. Los genes, concluye Matt Ridley, son mecanismos de la experiencia. Más que verlos como tiranos, hay que entenderlos como facilitadores, porque hacen posible toda la amplia gama del comportamiento de los animales y también de las personas. No hay pues que temer a los genes, no son nuestros dioses, son nuestros servidores. Buscando una analogía fácil con el mundo de la informática, cada nuevo programa que se añade al ordenador le permite hacer más cosas, le da más flexibilidad, no restringe sus posibilidades, no lo limita.

Ya nadie piensa en biología que el genoma es un plano del individuo (como los planos de los arquitectos para construir casas o los de los ingenieros para hacer máquinas). Sabemos muy bien que en el cigoto (el óvulo fecundado) no hay una representación ni una descripción del organismo. Por el contrario, Richard Dawkins compara el desarrollo biológico con un origami (arte japonés del plegado de papel equivalente a nuestra papiroflexia). La *embriología origami* crea un individuo siguiendo un programa de instrucciones que establecen cómo formar tejidos orgánicos y cómo plegarlos y darles la vuelta (Figura 16). No se puede hacer ingeniería inversa con el cuerpo de un adulto y deducir las instrucciones que lo crearon, como no se puede adivinar la receta de cocina (la serie de pasos que siguió el cocinero) a partir del guiso.[23]

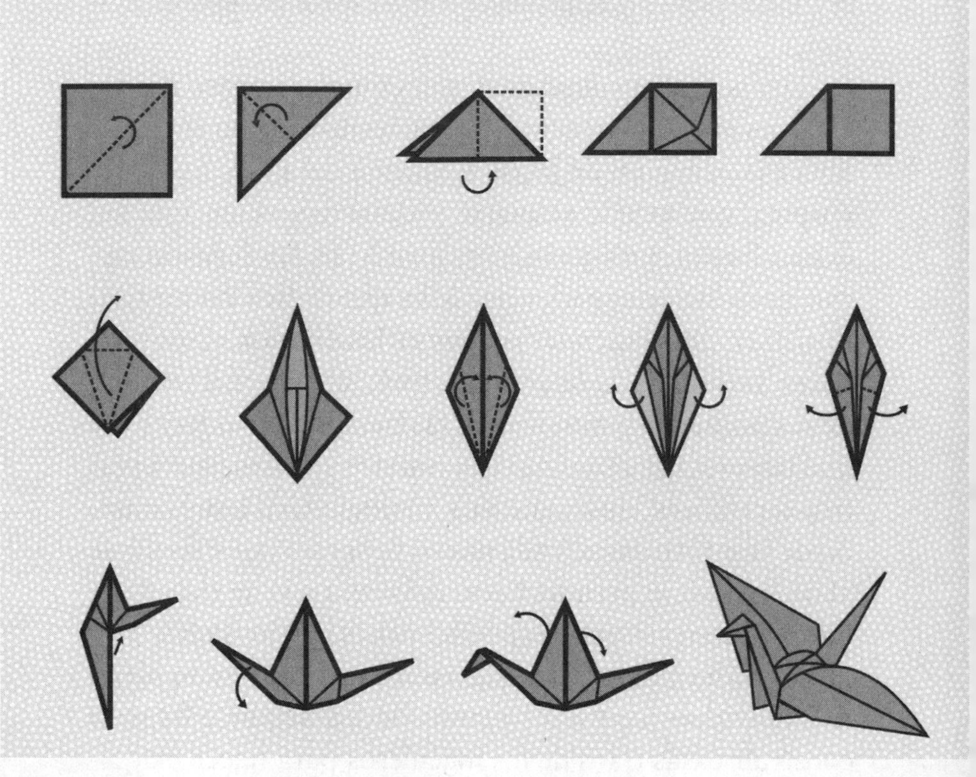

FIGURA 16. El origami del desarrollo

La información necesaria para producir un nuevo organismo se encuentra en los genes, desde luego, ¿pero cómo se produce el desarrollo? El genotipo de un individuo no contiene un plano detallado y a escala de lo que va a ser el adulto, sino que se podría comparar mejor con un libro de instrucciones. Una receta de cocina es una buena analogía, como también lo es una pajarita de papel, un origami. En el genotipo estaría especificado, siguiendo esta última metáfora, por dónde doblar el papel y cuál es el orden de los sucesivos pliegues.

Dupré prefiere comparar el genoma con una biblioteca de recetas, de manera que se pondrá en práctica aquella que sea realizable dadas las condiciones existentes en el entorno. En otras palabras, el desarrollo depende del ambiente, ya que un genotipo determinado puede producir diferentes fenotipos (pero con una variación limitada, la de la especie). Por eso creo que, en lo esencial, la idea de la biblioteca de recetas y la de los genes como unidades de extracción de información del medio son compatibles.

Robert Wright ofrece otra analogía para los genes que nos puede ser útil. Piense en la naturaleza humana como compuesta por botones que se pueden ajustar, así como por los mecanismos que sirven para ajustarlos, y que también forman parte de la naturaleza humana (yo me imagino los botones como los de las radios y televisiones antiguas, que se usaban para sintonizar las emisoras y canales o para subir y bajar el volumen). En la base de todo están los genes, pero el que haya comportamientos diferentes no significa en absoluto que respondan a genes diferentes. Al revés, a través de programas de desarrollo que son *generales* a toda la especie, se absorbe información sobre el medio *particular* en el que crece cada uno, y así durante la crianza se sintoniza la mente del niño con su propio ambiente social, aquel en el que le va a tocar vivir de mayor. Por eso, cuanto más radicales sean las diferencias entre culturas o entre personas de la misma cultura, más importancia le debemos dar en la explicación al ambiente y a la educación, y menos a los genes.

Nadie defiende hoy el determinismo genético ciego, por supuesto, pero tampoco hay muchos científicos que sostengan que los humanos no tenemos absolutamente nada que ver con los animales en lo que respecta al comportamiento y que no estamos condicionados como ellos —al menos en parte—, por nuestros genes, aunque sea en forma de sesgos de aprendizaje. ¿No sería eso caer en el dualismo del matemático y filósofo francés Descartes: la teoría de que el ser humano es cuerpo y mente, mientras que el animal es solo una máquina hecha de tejidos orgánicos, un autómata sin más vida subjetiva que nuestro automóvil, del que no nos importa que hagan chatarra cuando esté viejo?

Lo cierto es que nadie que haya leído libros como los del primatólogo Frans de Waal sobre la capacidad de empatía, la disposición a ayudar, el sentido de la justicia y la forma de resolver los conflictos de los chimpancés y bonobos (entre otros primates) puede dudar seriamente de que haya una continuidad entre la *forma de ser* de estos parientes cercanos y nosotros los animales humanos.

JORNADA XII

DE INSECTOS Y HUMANOS

Solo hay una forma de que la evolución produzca altruismo verdadero, no falso altruismo o egoísmo genético: la selección de grupo. Pero para que se hubiera dado la selección de grupo nuestros antepasados habrían tenido que vivir en una guerra permanente, despiadada, feroz, inmisericorde. Algo de lo que preferiríamos no enterarnos porque, paradójicamente, el altruismo sería la consecuencia de la agresión y de la violencia.

Nuestra especie se caracteriza por su gran sociabilidad, con grandes dosis de tolerancia, cooperación y altruismo, y esta característica tan notable debe de ser un pico muy elevado en el hiperespacio de la biología social. ¿Cómo han evolucionado las sociedades complejas del reino animal? ¿Hay más de una cumbre?

Hay dos cumbres principales. Los insectos han llegado a formar sociedades muy bien organizadas en el caso de las hormigas, las abejas y las avispas (orden himenópteros) y en el de las termitas (infraorden isópteros del orden blatodeos, el mismo de las cucarachas). En este sentido, han avanzado mucho en una de las variables con las que Julian Huxley mide el grado de progreso biológico: la capacidad de independizarse del medio. Los hormigueros y los termiteros mantienen constante la temperatura interior, son como grandes ciudades con numerosas cámaras y galerías dispuestas en pisos y un eficaz sistema de *climatización*. Aunque más que de ciudades debería hablarse de Estados[1] porque no hay un nivel de organización social por encima del hormiguero (o del termitero), sino que los hormigueros (como también los termiteros) compiten unos con otros todo el tiempo por el territorio y sus recursos. Siempre están en guerra, como las ciudades-Estado de la Grecia clásica o de la Italia renacentista.

Como dice el sociobiólogo Edward O. Wilson, el nivel máximo de la *eusocialidad*[2] (el de las sociedades más avanzadas) se ha alcanzado de dos maneras: entre los invertebrados, en los insectos sociales; y entre los vertebrados, en la especie humana.[3] Estados de insectos, con quizás 100 millones de años de antigüedad, y Estados humanos, con tan solo unos miles de años de historia. Somos unos recién llegados a la eusocialidad.

Pero no todo el mundo está de acuerdo en considerar eusociales a los humanos, y por ahí ha estallado un enorme debate.

Aunque algunos rasgos de la eusocialidad pueden ser reconocidos entre nosotros, los humanos, como la coexistencia de varias generaciones en la misma comunidad, la verdadera eusocialidad requiere que no todos los miembros del grupo participen en la reproducción, sino solo unos pocos, típicamente la reina y algunos machos (por ejemplo, los zánganos de las abejas). Hay, además, en los animales eusociales, *castas*, porque la mayoría de los individuos de la comunidad, todos los que no se reproducen, son productivos (recolectan el alimento o incluso lo cultivan, o defienden el termitero, el hormiguero o la colmena, y son obreras o soldados), mientras que unos pocos, los que sí se reproducen, no son productivos.

Existen otros animales invertebrados eusociales, aparte de los himenópteros e isópteros: una especie de coleóptero y varias líneas de pequeños crustáceos decápodos (el grupo de las gambas y camarones) que viven dentro de esponjas. Y, curiosamente, también lo son unos roedores, dos especies sudafricanas de ratas topo que han desarrollado la eusocialidad de forma independiente entre sí.

Pero todos los humanos adultos se reproducen (o pueden hacerlo); no hay una mayoría de individuos estériles que trabajan para la comunidad y una minoría procreadora e improductiva, lo que parece alejarnos como especie de la eusocialidad. Sin embargo, Wilson supone que en los primeros homininos las crías permanecían en el campamento base, sin desplazarse, protegidas por unos pocos adultos, mientras los demás adultos salían a por alimento (caza, carroña, recolección de vegetales). De este modo las crías recibían cuidados de adultos que no eran sus padres biológicos. Este tipo de organización (con cuidado aloparental, como se dice técnicamente) de los primeros homininos habría creado —según Wilson— fuertes presiones de selección a favor de la cooperación (eso quiere decir que los grupos más cooperativos se verían favorecidos frente a los menos cooperativos). Tales presiones de selección habrían conducido a la eusocialidad en la que nos encontraríamos los humanos ahora.

No hay pruebas paleontológicas del cuidado aloparental en nuestros antepasados, por supuesto. ¿Cómo podría haberlas? ¿Qué tendríamos que encontrar? Pero me parece interesante a este respecto el punto de vista de la psicóloga Judith Rich Harris, quien en un trabajo muy célebre de 1995[4] propuso que no son los padres los principales agentes en la socialización de los niños, sino sus propios compañeros de juegos (teoría de la socialización en grupo). Es decir, los niños de nuestra especie parecen predispuestos a ser educados colectivamente, y así es como ocurre en muchas sociedades humanas y también de otros primates. Nuestros niños, de acuerdo con esta teoría, no habrían sido diseñados por la evolución (a través de la selección natural) para criarse con sus padres, sino más bien para relacionarse con otros niños, y esto recuerda bastante a lo que dice Wilson del campamento base en el que se quedan los niños.[5]

Resumiendo la idea de Wilson, en cierto momento de nuestra evolución se habrían dado las condiciones sociales necesarias para que se entrara de lleno en la eusocialidad. Esas condiciones serían sobre todo tres: 1) la división del trabajo (con unos individuos más inclinados a salir del campamento a buscar alimento y otros individuos más propensos a quedarse en él); 2) la convivencia de varias generaciones en el grupo; y 3) la existencia de un nido o refugio duradero (el campamento) en el que dejar a las crías, como tienen todas las especies eusociales. La invención del fuego, por cierto, habría favorecido la existencia del nido.

Otras especies de mamíferos (aparte de las ratas topo) han dado pasos hacia la eusocialidad, aunque no hayan llegado a conseguirla del todo. Por ejemplo, en las manadas de licaones africanos (o perros salvajes) solo se reproducen un macho y una hembra, y todos los miembros del clan aportan alimento a los cachorros, que se quedan en el cubil con la madre. Nuestra evolución habría avanzado mucho más en la cooperación y división del trabajo, aunque menos en la separación reproductiva.

En todo caso, insectos sociales y seres humanos somos los grandes herederos de la tierra firme, los vencedores en la gran competición entre las especies. Los insectos sociales lo llevan siendo mucho tiempo, y está por ver si nuestro reinado va a durar tanto, porque es posible que el Antropoceno, la nueva era protagonizada por los seres humanos, termine aún más bruscamente de lo que empezó. Volveremos por estos escenarios catastrofistas en el epílogo.

¿Qué pasa entonces con el altruismo en los seres humanos? ¿Cómo podría haber surgido en el curso de la evolución? ¿Qué fuerzas lo impulsarían? ¿Qué nos ha hecho humanos?

El genio de la biología que fue J. B. S. Haldane ya abordó en 1932 el tema del altruismo humano en un libro —que lleva el explícito título de *The Causes of Evolution*— donde escribe: «Si hay algún gen en los seres humanos que promueva conductas desventajosas para el individuo en todas las sociedades, pero que sin embargo son ventajosas para las sociedades mismas, se debe de haber extendido cuando los humanos vivían en pequeños grupos endógamos [formados por parientes].»

Esto se parece bastante a lo que años después Maynard Smith llamó selección familiar, pero más adelante explica Haldane que incluso en estos casos de grupos constituidos por pocos individuos y estrechamente emparentados (familias) —todos ellos portadores de genes altruistas—, la mutación inversa (la del comportamiento egoísta) puede producirse, y es probable que se extienda por el beneficio que confiere a sus portadores (los *aprovechados* y *gorrones*). Por ese motivo duda Haldane de que exista una gran abundancia de genes para el altruismo entre los seres humanos. Muchos comportamientos que llamamos altruistas, razona Haldane, son egoístas desde el punto de la selección natural, y están relacionados indirectamente con el interés por tener descendencia.

Edward O. Wilson estuvo convencido un tiempo de que la idea de Hamilton de 1964 de la eficacia inclusiva (TIF) servía para explicar la eusocialidad, y la defendió en las décadas de los años sesenta y setenta. Pero luego, nos cuenta el propio Wilson, empezó a dudar cada vez más de ella.[6] Para empezar, aunque todos los himenópteros tienen el mismo tipo de herencia biológica, solo una pequeña minoría de ellos son eusociales. Además, las termitas, una especie de coleóptero, varias líneas evolutivas de gambas y las ratas topo son también eusociales y no tienen la misma genética que los himenópteros.[7] En la actualidad Wilson ya no cree en la TIF, sino en la selección de grupo. Para que esta sea posible tiene que haber una enorme competencia intergrupal, que haga que la insolidaridad no pueda crecer mucho en el interior de los grupos, porque los haría débiles en la lucha frente a otros grupos de la misma especie y los hundiría —y con ellos desaparecerían los genes *egoístas* responsables de la conducta de los *caraduras* que habían propiciado la debilidad del grupo frente a otros—. Piense en los egoístas como parásitos sociales. Igual que la excesiva proliferación de parásitos biológicos (ácaros, insectos, *gusanos* de varios tipos y microbios) puede debilitar tanto el cuerpo de su hospedador que al final muera, también un grupo (un *cuerpo social*) puede perder competitividad hasta desaparecer si está infestado de parásitos sociales. Esa situación de intensa, feroz competencia entre los grupos se habría dado en la evolución humana, y gracias a ella seríamos una especie casi eusocial. En la historia de la vida no ha evolucionado muchas veces la eusocialidad —que sepamos, solo diecinueve veces. Con los humanos, serían veinte veces.

George C. Williams, como vimos, no creía en la existencia de adaptaciones bióticas en los animales, en general, y de ahí deducía que la selección de grupo no tenía mucha potencia y sería incapaz de producir sociedades animales avanzadas. Pero a Wilson le parece que en los humanos hay fuertes impulsos altruistas, que no pueden explicarse solo por medio de la selección familiar (el nepotismo), el altruismo recíproco (el intercambio de favores) y el mutualismo (la asociación para el mutuo beneficio). Es razonable pensar que en los primeros homininos los grupos estaban formados por familias extendidas que compartían muchos genes, lo que favorecería la selección basada en el parentesco; pero, más adelante, la competición entre grupos acabó forjando, siempre según Wilson, comportamientos verdaderamente altruistas, que son la base de la cooperación entre individuos no emparentados que, en ocasiones, ni siquiera se conocen.

En nuestra evolución reciente, la que nos ha hecho humanos, hemos vivido y vivimos en un conflicto permanente, tal y como lo ve Wilson (y algo parecido pensaba Darwin). Por una parte hemos competido dentro de cada grupo por la jerarquía (el estatus) con los otros miembros de la comunidad, y para eso se necesita ser muy hábil (aquí interviene la selección individual), porque el medio social es muy complejo y muy cambiante. Como sabemos por experiencia, se forman y se rompen alianzas todo el tiempo: enemigos irreconciliables ayer, de pronto se unen contra un tercero. Y por otro lado los grupos siempre han competido fieramente entre sí por los recursos y el territorio, que en el fondo son la misma cosa, lo que ha requerido una gran capacidad de coordinación entre los miembros de la tribu (aquí interviene la selección de grupo).

En consecuencia, por unas razones y por otras, ha habido mucha sangre en la Historia humana. En el yacimiento de la Gran Dolina de Atapuerca se presenta un caso muy interesante. Allí se han encontrado los restos esqueléticos de más de once individuos de la especie *Homo antecessor* que fueron comidos, y seguramente matados, por los ocupantes de esa cueva hace 800.000 o 900.000 años.

Por lo tanto, los genes egoístas que hay en nosotros son el resultado de la selección individual, mientras que los altruistas lo son de la selección de grupo: los humanos somos por naturaleza tribales, y lo vemos todos los días en el telediario, desde el deporte a la política pasando por la religión. La selección individual, dice Wilson, es responsable de lo que llamamos «pecado», y la selección de grupo, de lo que llamamos «virtud», hasta el punto de que se considera moral y digno de alabanza matar a los miembros de las otras tribus o facciones en la guerra; los héroes de unos, con su correspondiente monumento ecuestre de bronce en el centro de la plaza, son monstruos sanguinarios para los otros. El resultado de esta selección a dos niveles es un equilibrio delicado entre unas pulsiones y otras, lo que conocemos como el mal y el bien. Si dominara la selección individual, las sociedades se disolverían. Si fuera más fuerte la selección de grupo, las sociedades humanas se parecerían a las de las abejas y las hormigas. Seríamos completamente eusociales.

¿Se imagina? Se formarían sociedades humanas en las que se reproducirían unos pocos individuos, que permanecerían en un lugar seguro, y los demás miembros de la comunidad, que serían la gran mayoría, se dedicarían en sus breves vidas a mantener a todo plan a los reproductores. Sería un tipo de sociedad con castas que se parecería sospechosamente a la distopía descrita por Aldous Huxley (el hermano de Julian Huxley) en *Un mundo feliz*, obra publicada en 1932, precisamente el tiempo en el que los fundadores de la genética de poblaciones (J. B. S. Haldane, Sewall Wright, Ronald Fisher) estaban sentando los cimientos de lo que sería más tarde la síntesis moderna del darwinismo.[8]

La defensa de Wilson de la selección de grupo como motor de la evolución social y su abandono de la teoría de la eficacia global de Hamilton (la TIF) como explicación de las sociedades avanzadas recibió un aluvión de críticas cuando fue publicada en la prestigiosa revista *Nature* en 2010.[9] Más de un centenar de prestigiosos científicos firmaron acto seguido un artículo de respuesta en la misma revista, un hecho que no tiene precedentes. El tiempo dirá quién tiene más razón, si Wilson y sus colegas o la legión de partidarios de la TIF.

¿Está solo, entre los biólogos evolucionistas, Edward O. Wilson en su defensa de la selección de grupo?

Edward O. Wilson no está solo, aunque casi. Le acompaña, particularmente, otro Wilson, David Sloan Wilson, con propuestas muy parecidas.[10] David Sloan Wilson defiende la selección multinivel, es decir, la selección de grupo a muchos niveles, y no solo al del organismo, la familia o el gen, como proponen unos u otros.[11]

Los organismos multicelulares, como usted y como yo, dice David Sloan Wilson, somos grupos sociales formados por las células eucariotas (o células complejas) que constituyen nuestro cuerpo, cada una con su núcleo y sus orgánulos, como por ejemplo las mitocondrias. Este tipo de células, como recordará, son a su vez comunidades de bacterias que se unieron por el mecanismo de la endosimbiosis hace muchísimo tiempo (las mitocondrias fueron una vez bacterias de vida libre). Los cromosomas serían también grupos sociales, pero esta vez de genes. Más abajo aún en la escala, la vida habría empezado como sociedades de moléculas que cooperaban unas con otras.

Todas las unidades se componen de subunidades, así que en cada nivel de la jerarquía se encuentran los mismos problemas de la vida social: el conflicto entre los beneficios de la cooperación *para el grupo* frente a las ventajas *para el individuo* de aprovecharse del grupo. Los *buenos ciudadanos* y los *pecadores* existirían, pues, a todos los niveles de organización.

Cada vez que las células se dividen en un organismo pluricelular (como un animal) o que los genes se replican, existe el riesgo de que aparezcan individuos (tomando por tales a células y genes) aprovechados, por lo que se han desarrollado mecanismos que previenen la subversión. Si no estuvieran uncidos al yugo de los cromosomas y estuvieran sueltos en la célula, los genes competirían entre sí por ver quién se replica más veces (como si fueran virus). Y, de hecho, existen unos genes saltarines, llamados transposones, que pasan de un lugar a otro del genoma y van dejando copias por todas partes, multiplicándose como virus. Una parte muy importante del genoma humano está formada por antiguos genes saltarines, hoy en día inactivos (aunque se conoce uno que aún *salta* en el cerebro, especialmente en el hipocampo, y parece tener que ver con varias enfermedades neurológicas).

Cuando llega la hora de la reproducción, el mecanismo de la meiosis asegura que todos los genes de los cromosomas tengan las mismas probabilidades de pasar a las células sexuales o gametos (espermatozoides y óvulos en los animales). Si no fuera así, algunos genes se aprovecharían y estarían mejor representados que otros en los gametos. Pero, en ocasiones, precisamente eso es lo que ocurre, de modo que también hay conflictos dentro de los genomas (conflictos intragenómicos).

Lo voy a explicar un poco más. La única forma de *salir* de su cuerpo que tienen los genes es por donde han *entrado*: los gametos o células sexuales. Hicieron falta dos gametos (un óvulo y un espermatozoide) para producirlo a usted, pero usted solo puede producir un tipo de gametos (espermatozoides u óvulos), dependiendo de su sexo.[12] A la hora de *subirse a la barca* del gameto, todos los genes tienen las mismas oportunidades si se juega limpio pero, en ciertos casos, algunos genes hacen *trampas* y se suben más de la mitad de las veces, dejando *en tierra* a sus *competidores*.[13]

El cáncer es un ejemplo de cómo las células mutantes del tumor (que ya no son idénticas genéticamente a las del resto del cuerpo) se reproducen a expensas de la salud del individuo, esquivando la vigilancia del sistema inmunitario, que es la *policía* del cuerpo, y *desviando* el sistema circulatorio como auténticos parásitos chupasangre. No pueden ser más insolidarias y peores *ciudadanas*, las células cancerosas, aunque no tengan posibilidades de sobrevivir a largo plazo porque no pueden transferirse a otros cuerpos, así que mueren inevitablemente con el cuerpo al que *traicionan*.

El hecho de que consideremos solo verdaderos individuos a los organismos (y no a las células, a las mitocondrias o a los genes) se debe a que en los niveles inferiores de la jerarquía el egoísmo se controla razonablemente bien; pero nunca completamente, porque también se puede dar el egoísmo, como acabamos de ver. En cambio, en los grupos sociales formados por individuos animales los conflictos están peor resueltos, y por eso los organismos nos parecen más autónomos —más *individuales*, si se quiere decir así—. Su frecuente insolidaridad es la mejor prueba de su libertad.

Los dos Wilson coinciden, finalmente, en que los humanos somos eusociales, como las abejas, las hormigas y las termitas, y en que también formamos superorganismos: los grupos, las tribus, que serían el nivel de organización más alto de todos. En todos los niveles habría sido la selección de grupo la que habría promovido la aparición de mecanismos que mantienen la armonía social.[14]

Por su parte, Marc Bekoff y Jessica Pierce, los autores del alegato a favor de la existencia de una moralidad animal (la justicia salvaje), se sienten más cómodos con la selección de grupo que con la selección individual: «Junto con otros biólogos como David Sloan Wilson y Edward O. Wilson, nosotros creemos que la selección de grupo puede convertirse en un paradigma muy útil para comprender la evolución de la cooperación y otros comportamientos prosociales.»

El neurocientífico Robert Sapolsky opina que tal vez la selección de grupo no sea una fuerza importante en la evolución en general, pero puede haber tenido un papel importante en la evolución humana: «Nuestra silla de tres patas —resume Sapolsky— formada por la selección individual, la selección de parentesco [o selección familiar] y el altruismo recíproco parece más estable con cuatro patas.»

Tampoco Frans de Waal se siente a gusto con las explicaciones centradas en el gen y sus intereses (el gencentrismo) para explicar el comportamiento animal; sobre todo la empatía, que lleva a los chimpancés y los bonobos y a otros animales a ayudar a individuos con los que no tienen parentesco y a los que tal vez no han visto nunca —o que incluso no son de la misma especie—. Hasta que la empatía no esté explicada el problema no puede darse por resuelto.

La explicación anatómica y funcional (es decir, biológica) de la empatía puede estar en circuitos neuronales, como las llamadas neuronas espejo, que hacen que se activen en nosotros las mismas neuronas motoras que son responsables de que otro sujeto, al que estamos mirando, lleve a cabo determinada acción, como por ejemplo agarrar algo (el observador solo ve la acción, no la ejecuta, aunque las neuronas espejo se activan igual).

Estas neuronas espejo fueron primero descubiertas por el equipo de Giacomo Rizzolatti de la Universidad de Pisa en macacos, no en humanos, lo que quiere decir que están ampliamente extendidas, al menos entre los primates antropoideos, así que las hemos heredado de nuestro remoto antepasado común. Son, pues, muy viejas.

Pero la explicación que le falta a la biología evolutiva es la de cómo se originaron esas neuronas espejo y si se pueden entender exclusivamente desde la perspectiva del gen y sus intereses particulares.

Un rasgo sorprendente de los seres humanos es el sonrojo, que nos delata ante los demás y que no desearíamos que existiera cuando lo sufrimos nosotros, pero que es muy informativo si les pasa a otros. Los seres humanos también somos únicos en tener blanco en los ojos (en la esclerótica del globo ocular), lo que permite que los demás vean hacia dónde dirigimos la mirada, lo que puede delatarnos si nuestros propósitos eran secretos. ¿Puede la selección de grupo explicar estos aspectos de nuestra biología que parecen estar al servicio del grupo, más que beneficiar al individuo?

Es posible que usted simpatice con lo que dicen todos estos autores que se oponen a la teoría del gen egoísta y se pregunte por qué no he adoptado el principio de que todos los niveles de organización biológica son en realidad sociedades. El relato sería mucho más simple y comprensible. La razón es que, por atractivo que nos resulte, no cuenta con las pruebas necesarias como para que la mayoría de los especialistas lo acepten.

EL HORROR

Aparte de que, por supuesto, los depredadores se comen a sus presas sin ningún remordimiento y los parásitos se aprovechan de cazadores y cazados por igual, hay comportamientos moralmente horribles para nosotros, como el infanticidio, que es muy común entre los mamíferos, incluidos los primates.

En muchas especies sociales que viven en grupos formados por varias hembras y un solo macho reproductor (leones, monos langures, gorilas y un largo etcétera), la sustitución del macho alfa por otro macho supone un grave peligro para las crías, que no son hijas del recién llegado al poder, sino del que estaba antes. El infanticidio hace que la madre lactante empiece un nuevo ciclo ovárico y vuelva a poder engendrar, cosa que hará sin ningún inconveniente con el nuevo macho, el que ha matado a su cría o a sus crías, y a quien no odia (o por lo menos no rechaza). Los dos ganan con ello: el padre, porque trasmite sus genes inmediatamente (y hay mucha prisa por hacerlo porque su reinado no va a ser eterno), y la madre, porque el hijo que tuvo del macho anterior (el que ha sido desplazado por el nuevo líder) ya está muerto y eso no tiene remedio (la inversión de energía y tiempo que hizo la madre para asegurarse la descendencia se ha perdido irremisiblemente). Como se puede ver, priman los intereses genéticos sobre la moralidad entendida al modo humano.

El infanticidio que se observa tan a menudo en la naturaleza ha sido utilizado como una demostración de que la selección de grupo no funciona y que prevalecen los intereses de los individuos. Es obvio que al grupo no le interesa que se pierdan las crías habidas por las hembras con el anterior macho alfa, con la inversión de energía que han supuesto, pero al nuevo macho dominante le conviene empezar de cero si de la supervivencia de sus genes es de lo que se trata. Y, efectivamente, a través del infanticidio se empieza otra vez de cero.

Es cierto que la selección de grupo promete explicar de una sola tacada muchas cosas de la evolución humana (y de la evolución en general). Pero la selección de grupo exige para funcionar un grado tal de competencia o lucha entre comunidades que me cuesta creer que se produzca en muchas especies de mamíferos sociales, y tampoco lo veo verosímil en nuestros antepasados, por muy tribales que fueran (y, ¡ay!, seguimos siendo). Además, considerar eusociales a los seres humanos me parece una metáfora científica divertida y estimulante, pero no soy capaz de tomármela al pie de la letra.

Sinceramente, no me parece que la selección de grupo haya tenido un gran papel en la evolución de las sociedades animales. Me alineo por lo tanto con George C. Williams y otros autores posteriores que han compartido su escepticismo respecto de la capacidad de la selección de grupo para producir lo que Williams llamaba adaptaciones bióticas, esas conductas que benefician al grupo pero perjudican los intereses genéticos (el éxito reproductor) del individuo que las practica. No es que sea imposible, nada en la teoría darwinista lo excluye en principio, pero ocurre que la selección entre los individuos dentro de los grupos parece ser siempre más fuerte que la selección entre los grupos.

Los grupos animales están basados sobre todo en la consanguinidad, en el parentesco, y por eso creo más en la teoría de la eficacia global de Hamilton y otros mecanismos que hemos tratado (el altruismo recíproco, el mutualismo y las estrategias evolutivas estables) para explicar la cooperación entre individuos, emparentados y no emparentados, dentro de los grupos.

Pero, como analizaremos en su momento, hay un fenómeno totalmente nuevo en la evolución humana, que no se da en las demás especies animales. Me refiero a la aparición de identidades simbólicas, agrupaciones de individuos que no se conocen, pero que se *reconocen* como pertenecientes a la misma familia aunque no compartan sus genes, porque sí comparten sus creencias y la manera de expresarlas.

En cualquier caso, este es uno de los más apasionantes debates, si no el que más, de la biología evolutiva actual. Está en juego, ni más ni menos, entender qué fuerzas han producido la cooperación humana, y también la exclusión entre grupos, la intolerancia. Lo mejor y peor de nosotros mismos.

JORNADA XIII
EL ERROR DE WALLACE

Donde nos preguntamos cómo pudo surgir en nuestra evolución la inteligencia, y si tuvo algo (o mucho) que ver con el hecho de que nuestros antepasados remotos se hicieran cazadores. ¿Somos simios asesinos *desde el principio? ¿Ese gusto ancestral por la sangre todavía nos condiciona? ¿Tenemos instintos homicidas?*

Somos sin duda la especie más inteligente de la historia ¿Qué nos ha llevado a ello?

En *El origen del hombre*, Darwin incluía entre los caracteres que distinguían a los dos sexos humanos algunas cualidades mentales. Como caballero (*esquire*) victoriano perteneciente a la aristocracia rural que era, consideraba superiores a los varones en energía, valor, perseverancia, imaginación y raciocinio.[1] Gracias a que esas cualidades del carácter y de la inteligencia las heredaban tanto los hijos como las hijas (aunque no en el mismo grado) no se había llegado a una diferencia entre los dos sexos semejante a la del pavo real, razonaba Darwin. Pero de todos modos había *dimorfismo sexual* también dentro de la cabeza, no solo en la forma del cuerpo y en la barba. Y añadía que una educación igual para hombres y mujeres no podría eliminar las diferencias mentales entre ellos, al menos en el corto plazo. Darwin tenía una teoría equivocada de la herencia biológica y pensaba que en los rasgos que aparecían antes de la pubertad no había diferencia entre niños y niñas, pero como el carácter y la inteligencia se manifestaban en la edad adulta (especialmente en los varones), no se transmitían a los dos sexos por igual, sino sobre todo al masculino.

Esa superioridad natural la habría desarrollado el varón en parte por selección natural, es decir peleando con los animales en la caza, así como en la defensa propia y de la familia frente a toda clase de peligros. Pero también la habría adquirido el macho en los tiempos remotos en la batalla por las hembras, es decir, por medio de la selección sexual.

Para Alfred Russel Wallace, el codescubridor de la teoría de la evolución por selección natural, lo propio del ser humano (su *humanidad*) no podía ser explicado... por selección natural.[2] Por el contrario, Darwin veía en todo, desde el gusto por la belleza plástica y por el canto hasta las más elevadas facultades cognitivas, continuidad entre el mundo animal y el ser humano.[3]

El razonamiento de Wallace no carecía de lógica, aunque la conclusión a la que llegó para explicar la evolución de la inteligencia no puede calificarse sino de aberrante. Wallace había tratado con muchas culturas sin escritura en sus viajes. Su relación con los pueblos nativos había sido, desde luego, muchísimo más amplia que la de Darwin (que era, a fin de cuentas, un *señorito*), y más auténtica y profunda. Los conocía bien, por experiencia, y los apreciaba. Pero se daba cuenta de que apenas sabían contar, desconocían las matemáticas por completo (incluso la más elemental aritmética de sumas y restas) y su desarrollo musical era muy escaso. Nada de orquestas sinfónicas y coros. En cambio, si recibían la adecuada enseñanza, podían compararse con un occidental en cualquiera de esos terrenos, y también en el de la escritura. No quedaba más remedio que admitir que las capacidades humanas para las matemáticas, para la música y para las demás artes eran innatas y estaban, en potencia, en los pueblos más *salvajes* y *atrasados*, así como las facultades morales, a las que todos los victorianos daban tanta importancia para distinguirnos de los animales.

¿Cómo explicarse, entonces, que la selección natural hubiera favorecido a individuos que tenían unas capacidades cognitivas que no eran adaptativas, porque no les eran útiles en absoluto en la vida *primitiva* de la tribu?

La respuesta de Wallace era que la selección natural no podría hacerlo, de ninguna manera. Wallace había abrazado el *espiritualismo*,[4] una creencia muy extendida en los círculos cultivados de la época, y que estaba considerada una opción seria y hasta científica. La *prueba* indiscutible de su rigor consistía en que era posible comunicarse con los difuntos, como *demostraban* los muchos *experimentos* realizados con médiums. Por supuesto, eran burdos fraudes que ahora nos parecen ridículos, pero que deslumbraban en su época a un público deseoso de que *algo maravilloso* ocurriera en sus vidas. El apetito de maravilla parece formar parte del ser humano. Entre los convencidos se encontraba paradójicamente Arthur Conan Doyle, el creador de ese prodigio de la lógica y de la razón que es Sherlock Holmes.

Para Wallace, el Espíritu había guiado la evolución, toda ella, para producir las maravillas de nuestra mente.

Así, al final, diciendo defender la selección natural, Wallace en realidad la socavaba, porque si el timón de la evolución lo llevaba esa fuerza *espiritual*, que la gobierna con mano firme, entonces las adaptaciones de los seres vivos no son el principal argumento del relato. Los organismos se ajustan a sus modos de vida y esa es la esencia de la evolución, había dicho Darwin, y Wallace parecía estar de acuerdo, pero ahora Wallace opinaba que eso no era suficiente para producir las elevadas facultades intelectuales y morales del ser humano, ni para explicar los otros grandes acontecimientos de la evolución.

En efecto, Wallace consideraba que había tres momentos históricos en los que *nuevas fuerzas* (ocupando el lugar de la selección natural) tenían que haber actuado. El primer umbral era el origen de la vida, el segundo era la aparición de la sensibilidad y la consciencia en los animales, y el tercero el desarrollo de nuestras más nobles facultades humanas: «Estas tres etapas de progreso desde el mundo inorgánico de la materia y del movimiento hasta el hombre, apuntan claramente a un universo no visible, a un mundo del espíritu, al cual el mundo de la materia está subordinado.»

Pero hay que entender bien a Wallace, porque no está hablando de religión, o no como hablamos de ella normalmente. Ese mundo espiritual al que se refiere no es lo que entenderíamos ahora por sobrenatural, que por definición es lo excepcional, sino que incluye todo aquello que es invisible pero que actúa cada día en el mundo material, es decir, las fuerzas de la naturaleza. Escribe Wallace:

> A este mundo espiritual podemos referir las fuerzas maravillosamente complejas que conocemos como grave-

> dad, cohesión, fuerza radiante, fuerza química y electricidad, sin las cuales el universo material no podría existir ni un momento en su forma actual, y quizás de ninguna otra manera, dado que sin esas fuerzas, y quizás otras que se pueden llamar atómicas, es dudoso que la propia materia pudiera tener existencia.

Hoy se conocen cuatro fuerzas fundamentales (e *invisibles*) de la física: la gravedad, la fuerza electromagnética, la fuerza nuclear fuerte y la nuclear débil. Pero nadie piensa que esas cuatro fuerzas hayan intervenido en los tres momentos cruciales de la historia de la vida que señala Wallace, que son, repito, su propio origen, el de los animales con sensibilidad y consciencia (los que son capaces de sentir y tienen vida subjetiva) y el de los seres humanos.

Wallace se salía así por completo del terreno de la ciencia, aunque él pensara que se podía creer seriamente en esas fuerzas espirituales, que serían como cualquier otra fuerza de las que se conocían en aquel momento de finales del siglo XIX, tan pródigo en descubrimientos de la física y la química. Y concluye:

> Encontramos que la teoría darwinista, incluso cuando se la lleva a su conclusión lógica más extrema, no solo no se opone, sino que presta apoyo decidido a la creencia en la naturaleza espiritual del Hombre. Nos muestra cómo el cuerpo humano puede haberse desarrollado a partir de un animal inferior bajo la ley de la selección natural; pero también nos enseña que poseemos facultades intelectuales y morales que no se podrían haber desarrollado así, y deben tener otro origen; y para este origen solo podemos encontrar una causa adecuada en el universo invisible del Espíritu.

Por supuesto, nadie se ha tomado nunca en serio a Wallace en el mundo del evolucionismo, y no solo porque el espiritualismo pasó pronto de moda, sino porque la argumentación de Wallace no era una explicación científica en absoluto.

¿No es evidente que nos hicimos *sapiens* (sabios) para cazar e imponernos a las demás criaturas? ¿No hemos ascendido gracias a la inteligencia hasta el pináculo de la pirámide trófica, situándonos en todas partes como el máximo depredador, a pesar de venir de antepasados vegetarianos, *pacíficos* comedores de frutos y de brotes? ¿No tiene nada que ver nuestra inteligencia con este cambio de nicho ecológico: de vegetariano a cazador?

Durante mucho tiempo (desde Darwin, como hemos visto) ha sido preponderante en el campo de la evolución humana la que podríamos llamar hipótesis del cazador, que atribuía nuestro gran cerebro y nuestras poco comunes facultades mentales al cambio de nicho ecológico que supuso el que nuestros antepasados pasaran de una dieta vegetariana y esencialmente basada en *frutas y verduras*, como la de los chimpancés, a una dieta en la que cada vez se iban incorporando más proteínas y grasas de origen animal, primero a través del aprovechamiento de carroñas y luego de la caza. La confección de herramientas habría sido determinante en ese tránsito, ya que la biología no nos ha dotado de órganos para matar, desgarrar la carne y partir los huesos. No podríamos ser carnívoros si no fuera por las armas. Somos el primate armado, por lo tanto.

Pero fue el australiano Raymond Dart, el descubridor del primer australopiteco en el año 1924 (el Niño de

Taung, en Sudáfrica), quien formuló *oficialmente* la idea del *simio cazador* para explicar la evolución humana *desde el principio del todo*, es decir, desde el momento de nuestra separación del *simio*. El trabajo científico en el que presenta la hipótesis es de 1953 y lleva un título muy explícito: «La transición depredadora del simio al Hombre».[5] Raymond Dart describe —metafóricamente— las cuevas sudafricanas de los australopitecos como bocas que se abren en el acantilado hacia la inmensa planicie del desierto del Kalahari, carente de árboles, frutos y nueces, pero con las fieras más peligrosas del mundo merodeando.

A falta de utensilios de piedra, que no se encuentran en los yacimientos sudafricanos con australopitecos, Dart imaginó una industria basada en huesos, dientes y cuernos.[6] Los ungulados que aparecen en las cuevas sudafricanas junto con los australopitecos habrían sido las presas de los *monos cazadores* y les habrían proporcionado al mismo tiempo las armas. En aquellos años, Raymond Dart estaba excavando en la cueva de Makapansgat en Sudáfrica, donde encontró muchos restos de la especie *Australopithecus africanus* (la misma del Niño de Taung), así que sabía bien de lo que hablaba.

El propio Darwin atribuía el pequeño tamaño de nuestros caninos al uso de palos y piedras, que reemplazarían a los caninos como armas en los combates entre machos. Es posible que llevara razón en eso porque ya hemos visto que los australopitecos tenían caninos pequeños pero también unas capacidades de usar las manos y los brazos para manejar objetos muy superiores a las de los actuales chimpancés. Estos demuestran ser muy torpes a la hora de blandir ramas y de lanzar piedras en sus exhibiciones de fuerza dirigidas a intimidar al enemigo o al rival. Les falta control y puntería, coordinación entre el ojo, el brazo y la mano.

Provistos de esos utensilios de dientes, huesos y cuernos —que, por lo tanto, no eran todavía de piedra sino orgánicos, de origen animal—, los australopitecos se habrían lanzado a la planicie llena de caza (y de cazadores), que divisaban desde la boca de la cueva en el acantilado; y ahí empezaría nuestra verdadera historia. Pero Dart va aún más lejos: atribuye la crueldad del ser humano actual a su pasado más remoto «y es explicable solo en términos de su origen sangriento y caníbal». Por lo tanto, somos desde el principio *simios cazadores* y *simios criminales*, que matan a otras especies para comer y a miembros de su propia especie por rivalidad.

La idea de Dart se hizo popular enseguida, y en los años sesenta del siglo pasado era ampliamente aceptada en la comunidad científica y más allá, entre el gran público, gracias a los libros de un escritor norteamericano llamado Robert Ardrey (su primer libro *African Genesis*, de 1961, fue un *best seller*, y le siguieron otros no menos populares; entre ellos, *El imperativo territorial*, de 1966, y *La hipótesis del cazador*, ya de una fecha más tardía, 1976).

En 1965 se celebró un simposio titulado «Man the hunter»,[7] donde el reconocido antropólogo Sherwood L. Washburn (que ya ha aparecido en estas páginas) defendía junto con C. S. Lancaster la idea de que la caza estaba en el origen de nuestras características principales como especie: «La biología, la psicología y las costumbres que nos separan de los simios, todas se las debemos a los cazadores del pasado.» Para Washburn y Lancaster la economía basada en la caza habría empezado con seguridad en el *Homo erectus*, y posiblemente antes, con los australopitecos, aunque en estos se daría en menor escala. Solo cazarían los hombres, por cierto, porque las mujeres se dedicarían a la recolección.

Finalmente, en 1968, Stanley Kubrick y Arthur C. Clarke convirtieron la teoría del *simio asesino* (*the killer ape*) en imágenes en el espectacular primer acto de su película *2001. Una odisea del espacio*, en el que suena la sinfonía *Así habló Zaratustra* de Richard Strauss, que se ha convertido en la *banda sonora* de la evolución humana. Nunca falta en un programa de radio o de televisión cuando se trata de hablar sobre el alba de la humanidad.[8]

Un aspecto interesante de la teoría de Dart y de Washburn es que atribuye a nuestro pasado más remoto, a nuestro propio origen como grupo biológico, rasgos psicológicos (en este caso, pulsiones sanguinarias) de la humanidad actual, de la que Dart, por cierto, no parecía tener una idea muy positiva, como le sucedía a la mayoría de sus contemporáneos (Dart había visto correr mucha sangre humana mientras servía como médico en la primera guerra mundial). ¿Cómo no ver en el cuerno punzante o en el pesado hueso que utilizaba el australopiteco para matar a un antecedente de la bomba atómica? En la película *2001. Una odisea del espacio*, el hueso-arma que el *simio asesino* lanza al aire se transforma en una bomba atómica orbitando la Tierra.[9]

En su libro (con Dennis Craig) de 1959 titulado *Aventuras con el eslabón perdido* Dart escribe:

> Darwin no podía imaginar que en un siglo la ciencia daría a luz a los gases venenosos, las matanzas humanas al por mayor y la destrucción atómica. Él hacía referencia a los espectáculos de gladiadores romanos, la esclavitud, los cazadores de cabelleras y los cortadores de cabezas, el

infanticidio, el placer de la tortura y la indiferencia ante el sufrimiento como indicadores de un bajo sentido de la moral tanto entre los pueblos civilizados como entre los salvajes; pero fue incapaz de deducir de estas observaciones que el ser humano ha heredado tales cualidades de sus ancestros.

También atribuye Dart al uso de las armas el origen de la postura erguida, que sería útil para blandirlas o para arrojarlas. A la agresión, pues, le deberíamos todo lo que somos.

Konrad Lorenz, en su muy influyente libro *Sobre la agresión: el pretendido mal*, de 1963, recoge la idea de Dart, pero la matiza:

> Los antropólogos que se ocupan de los hábitos de los australopitecos han insistido en que estos progenitores cazadores han legado a la humanidad la herencia peligrosa de lo que ellos llaman «mentalidad carnívora». Esta afirmación confunde los conceptos de carnívoro y de caníbal que son, en gran medida, mutuamente excluyentes. ¡Solo puede uno lamentarse del hecho de que el ser humano no haya adquirido una mentalidad carnívora!

Sorprendente. ¿Por qué habría sido bueno que tuviéramos una *mentalidad carnívora*? ¿Nos iría mejor entonces en nuestras *relaciones humanas*?

Lorenz se da cuenta del error cometido por Dart, y por muchos otros después, de confundir agresión *interespecífica* con agresión *intraespecífica* (el prefijo es muy importante). La primera es la que se corresponde con la caza, y se trata de una interacción *entre* dos especies diferentes, el depredador y la presa. El disparate consiste en suponer que los animales que cazan son igualmente feroces *dentro* del grupo, y que los animales que son cazados, en cambio, llevan una pacífica existencia.

En realidad, es más cierto lo contrario. Las supuestamente beatíficas palomas (el símbolo de la paz, ni más ni menos) son *lobos* entre ellas. Pero nos interesan sobre todo los depredadores, para ver si los humanos somos *simios asesinos* además de *simios cazadores*.

Si no fuera por las inhibiciones a la agresión que impiden que el triunfador remate al rival vencido, dice Lorenz, las especies desaparecerían. Si el lobo victorioso mordiera el cuello que le ofrece el lobo derrotado y acabara con él, no habría ya lobos. Esas inhibiciones son tan imperativas que, como dice Lorenz, no es que el lobo más fuerte *no quiera* matar al más débil, es que *no puede* hacerlo, se lo prohíbe su instinto. Los comportamientos de sumisión producen el inevitable (y casi podríamos decir *no deseado*) bloqueo de la agresividad en el vencedor.

La tesis de Lorenz es que los primeros antepasados de los seres humanos no disponían de armas biológicas (orgánicas) muy poderosas: «La paloma, la liebre y aun el chimpancé no pueden matar a sus congéneres de un solo golpe o mordisco.» Por estar débilmente armados, no recibieron suficiente presión selectiva como para que se desarrollaran evolutivamente «las fuertes y seguras inhibiciones que impiden el empleo de las pesadas armas de algunos animales y aseguran la supervivencia de su especie». Sin embargo, todo cambió, nos cuenta Lorenz, cuando uno de nuestros ancestros remotos empuñó por primera vez un arma, porque el bloque de piedra tenía la fuerza de cien puños: «El hombre se encontraba entonces en la situación de la paloma que por un cruel juego de la naturaleza se viera dotada de un pico de cuervo.»[10]

Y todavía se agravó el problema cuando aprendimos

a matar a distancia gracias al propulsor que impulsa la azagaya, o al arco y la flecha, y no digamos con las armas de fuego, porque los mecanismos biológicos de apaciguamiento no funcionan cuando no vemos de cerca la expresión y la actitud sumisas del enemigo o cuando no la vemos en absoluto, como sucede con los cañones, los misiles, los bombardeos aéreos.[11] De ahí que las guerras de ahora y del futuro sean tan destructivas y pongan en peligro a la humanidad. La tecnología nos habría así llevado a una trampa (hablaremos en el epílogo de otras trampas del *progreso*). Y ese es el problema que hay que resolver con urgencia, señalaba Lorenz.

En 1967, el etólogo inglés Desmond Morris escribió un libro titulado *El mono desnudo*, que tuvo una enorme acogida porque trataba al ser humano desde el punto de vista zoológico, como si fuera un animal más, y en aquella época (quizás todavía en esta) ese planteamiento resultaba muy original. En *El mono desnudo*, Desmond Morris suscribe los puntos de vista de Dart y Lorenz: nuestra naturaleza es la de *simios convertidos en cazadores*, y el problema al que nos enfrentamos ahora es el de que las armas modernas, al matar a distancia, impiden que se pongan en funcionamientos los mecanismos de apaciguamiento que inhiben la agresividad en el ser humano.

A día de hoy, la teoría del *simio cazador* sigue siendo una explicación popular de nuestros orígenes, imaginada más o menos como se reconstruye nuestro *primer paso evolutivo* en la película *2001. Una odisea del espacio*. La mayor parte de la gente cree que fue así —literalmente— como nos separamos evolutivamente de los chimpancés, aunque nosotros ya sabemos que los primeros homininos, los ardipitecos, eran forestales y vegetarianos, no cazadores. Los australopitecos seguían siendo esencialmente habitantes del bosque y comedores de frutos, aunque frecuentaran hábitats más variados y bosques menos densos y cerrados que los ardipitecos. Incorporarían también productos vegetales de masticación más laboriosa, lo que hizo que sus muelas se hicieran grandes, con amplias superficies para la trituración. Esa morfología dental de los australopitecos, con caninos pequeños y muelas grandes, no es en absoluto la de un carnívoro.

Es posible, como hemos dicho, que algunos australopitecos de las especies más tardías llegaran a fabricar instrumentos de piedra y que aprovecharan la carroña que se encontraran en el campo o que la fueran a buscar. Tal vez ocasionalmente mataran y comieran pequeñas presas. Pero está claro que no nos separamos de los chimpancés al convertirnos en *simios cazadores*, sino que eso vino millones de años después.

Algunos grupos de chimpancés cazan monos y crías de antílopes y de suidos (cerdos), pero la caza no es una parte importante de su nicho ecológico (y por eso no tiene ningún reflejo en su anatomía).[12] Tampoco lo fue en el caso de los ardipitecos y australopitecos. Pero en *Homo habilis* encontramos una combinación nueva: muelas que se han reducido en tamaño y filos agudos para cortar la piel gruesa y dura de los herbívoros y trocear su carne. Pero estos filos no son orgánicos, sino los bordes de instrumentos hechos de piedra que han aprendido a partir para producirlos.

¿Es entonces a partir de este momento, con *Homo habilis*, cuando cerebro, caza y herramientas se unen para siempre? En definitiva, ¿qué habilidades fueron seleccionadas? ¿Las del buen cazador?

El ya mencionado Richard D. Alexander, en publicaciones del último cuarto del siglo pasado,[13] diferenciaba dos grandes etapas en la evolución humana.

La primera habría estado controlada por la selección natural operando al modo *normal*, es decir, a través de las presiones ecológicas. Por decirlo al modo clásico, «las fuerzas hostiles de la naturaleza», en expresión darwiniana, las que ponían en peligro la supervivencia de los individuos, habría que buscarlas en los ecosistemas, como se hace con las especies actuales que no son la humana.

Pero, una vez que se alcanzó el *dominio ecológico*, empezó la fase de *competición social*, en la que las presiones selectivas ya no eran el clima, el tiempo, la comida o los parásitos —y ni siquiera las fieras—, sino que habría que buscar esas fuerzas selectivas en el medio social, en la competición dentro del grupo (por el estatus) y entre los grupos (por el territorio y los recursos que contiene). En esta nueva etapa se trataría de:

1) Ser el más diestro en las interacciones sociales, y así alcanzar el mayor éxito reproductor dentro del grupo, es decir, manejar bien lo que se ha llamado *inteligencia maquiavélica* o, si se prefiere, *inteligencia política*. Todo se reduce, a fin de cuentas, a aumentar la eficacia global (la *fitness* inclusiva), pero para ello es muy ventajoso ser el más rápido a la hora de interpretar las intenciones de los demás y, a ser posible, manipular al grupo en beneficio propio.

2) Al mismo tiempo que se trabaja por aumentar la eficacia global propia, ser capaz de cooperar para que el grupo prevalezca frente a otros grupos (*cooperar para competir*).

Así, en esta segunda parte de la evolución humana, el más temido depredador que acechaba a nuestros antepasados ya no sería una fiera, sino otro ser humano, un miembro de la misma especie; o mejor dicho, otro grupo humano, como vimos en el caso de la Gran Dolina de Atapuerca.

Si queremos imaginarnos la evolución humana según la teoría del dominio ecológico y la competencia social de Richard D. Alexander, tenemos que dividir la historia en tres periodos sucesivos de sociabilidad.

En el primero, nuestros antepasados formarían bandas pequeñas para defenderse de los depredadores, con pocos machos. Richard D. Alexander no dice a qué especies de homininos corresponde este periodo, pero nosotros podemos asignarlo a los australopitecos.

En el segundo, estas bandas pequeñas, además de protegerse de los depredadores (por medio de una defensa agresiva, dice Alexander; ya no serían presas tan fáciles como antes), también cazarían. El *Homo habilis* es la especie que me parece que encaja mejor en esta descripción.

En el tercero de los periodos se formarían bandas cada vez más grandes y con muchos machos, pero no por el peligro que suponían los depredadores (sobre todo los *grandes gatos*), sino por la amenaza de otros grupos similares de homininos. Empieza una carrera entre grupos rivales por mantener lo que en el lenguaje de la geopolítica se llama el *equilibrio de poder.*[14] Según Richard D. Alexander, a partir del momento en el que toma impulso esta carrera por el equilibrio de poder se amplía a marchas forzadas la brecha respecto de los *grandes simios*. Más aún, Richard D. Alexander piensa que ellos han evolucionado en una dirección diferente de la humana precisamente para no competir con nuestros antepasados, pero así y todo le parece que al menos los chimpancés podrían producir algo parecido a los humanos si nos extinguiésemos, ya que tienen lo que se necesita para dar el paso, especialmente la cooperación dentro del grupo y la competencia entre grupos, así como un cerebro del mismo tipo que el nuestro, de modo que la carrera por el equilibrio de poder que ha llevado hasta los humanos (de acuerdo con su teoría) podría repetirse con ellos.[15]

Aquí, en el último periodo, pondríamos al *Homo erectus*, la primera especie realmente cosmopolita de la evolución humana, de la que podemos decir que ya había alcanzado el dominio ecológico puesto que fue capaz de extenderse fuera de África.

Los humanos somos únicos desde el punto de vista social entre los primates, porque formamos grupos en los que los machos cooperan entre sí y, al mismo tiempo, se forman fuertes lazos de pareja entre un macho y una hembra, con un alto grado de confianza en la paternidad. Este es un dato importante: la confianza en la paternidad es muy grande entre los gorilas, pero se debe a que en los grupos sociales solo hay un macho reproductor, o unos pocos si el grupo es muy grande (el primer caso es más frecuente entre los gorilas de montaña y el segundo entre los de llanura). Los chimpancés machos cooperan en la defensa del territorio y en la caza, pero la confianza en la paternidad es mucho más baja que entre los gorilas, y hay que recurrir a las pruebas de ADN para saber quién es el padre de un chimpancé.

Quizás la peculiar organización social humana (con dos escalones: familia y grupo) empezara ya en *Homo erectus*, o tal vez se diera en una especie posterior; en todo caso, pertenece a la tercera etapa de la evolución social.[16] Pero Richard D. Alexander va más allá del paleolítico y de la evolución biológica. El mismo mecanismo serviría para explicar la evolución social y política de nuestra especie (pasando por las etapas de banda, tribu, jefatura y Estado-nación) «como resultado de las interacciones entre vecinos competitivos y grupos hostiles a medida que se ampliaban las alianzas y se aglutinaban unidades en una carrera por el equilibrio de poder».[17]

En todas las culturas humanas, recuerda Alexander, se elaboran complejos sistemas de parentesco, a los que se presta mucha atención porque es importante saber qué grado de relación familiar tenemos con los demás a la hora de hacer favores.[18] Además del nepotismo (la familia es lo más importante, que diría un mafioso), Alexander tiene en cuenta otros dos factores. Uno es el ya ampliamente tratado altruismo recíproco (intercambios de favores entre dos individuos), pero el otro es completamente nuevo para nosotros. Se trata del prestigio social, que constituye una de las grandes aportaciones de Richard D. Alexander al debate de la evolución de la sociabilidad humana,[19] aunque ya hubiera sido tratado en 1930 por Ronald A. Fisher.

En su momento vimos como Fisher explicaba el sabor desagradable de algunas larvas de insecto como un caso de «altruismo que a la postre resulta beneficioso para los propios genes». Pero a renglón seguido aplicaba la misma lógica a los seres humanos que viven en lo que él llamaba «comunidades tribales». Aunque reconocía que nuestro caso es bastante más complejo que el de las larvas de los insectos, el comportamiento desinteresado, que va más allá de lo que le conviene al individuo, puede ser explicado «por la ventaja que proporciona, en reputación y prestigio, a la familia del héroe». Como la larva de mal gusto, el héroe no sobrevive, pero hay copias de sus genes que salen ganando dentro de los cuerpos de sus hijos, hermanos y sobrinos. Y lo que de verdad cuenta es la supervivencia de los genes, no de los individuos.

La reputación sería una forma de reciprocidad económica y social *indirecta*, que se añade a la *directa*, la que se practica entre dos individuos que se prestan ayuda mutuamente. La reciprocidad indirecta es muy importante en los seres humanos, y la recompensa a los servicios prestados a la comunidad procede de la sociedad en general y de cualquiera de sus miembros, no solo de los parientes (como en el nepotismo) o de los que nos deben favores (reciprocidad directa). Es por lo tanto un mecanismo adicional que promueve la cooperación.

La reciprocidad indirecta, social o generalizada puede ser entendida como una consecuencia de la reciprocidad directa «cuando se practica en presencia de los demás individuos» del grupo, que están todo el tiempo evaluando los comportamientos de todo el mundo con vistas a posibles interacciones futuras. En un ambiente social así, en el que a uno lo observan continuamente con desmedido interés, la selección favorecería a los individuos que fueran generosos a la hora de prestar favores, porque es con ellos con los que conviene relacionarse y cooperar. Alexander ve en la reciprocidad indirecta la base de la moralidad humana y de las leyes.

No hay nada tan importante para las personas normales (o para las empresas e instituciones) que la reputación, y se considera que cualquier atentado inmerecido a la honra (es decir, al buen nombre, a la reputación, en definitiva) de alguien en forma de calumnia merece una sanción. Más aún, la crítica social (en forma de chismorreo) es un correctivo muy eficaz en los grupos de cazadores y recolectores, y sirve para castigar conductas egoístas.

Sin embargo, para que exista la maledicencia hace falta lenguaje, y por eso no está tan claro que la reciprocidad indirecta esté muy extendida en los animales. Quizás la practiquen los chimpancés, y es posible que también algunos otros mamíferos.

En resumen, todas estas fuerzas sumadas, el nepotismo, el mutuo beneficio, la reciprocidad directa y la reciprocidad social (o indirecta) son suficientes para entender por qué cooperamos los seres humanos dentro del grupo y sustentar el modelo de cooperar-para-competir que defiende Richard D. Alexander.[20]

¿Tiene algo que ver el aumento del tamaño del cerebro en la evolución humana con el modelo de cooperar-para-competir o, en general, con el aumento de la complejidad social?

Richard D. Alexander reconoce su deuda con un psicólogo inglés llamado Nicholas K. Humphrey, quien publicó un importante artículo en 1976,[21] en el que defendía que el intelecto humano era una herramienta social que había surgido para lidiar con las incertidumbres de la vida en comunidad. Humphrey sostenía que el auténtico desafío al que se enfrentaban nuestros antepasados no era la ecología, sino la necesidad de relacionarnos con nuestros congéneres en unas circunstancias sociales que se iban haciendo más complejas e impredecibles a medida que la evolución avanzaba.

Con estas palabras lo explica Richard D. Alexander:

> Humphrey no estaba diciendo que el comportamiento de los otros seres humanos es impredecible en el mismo sentido en el que el tiempo atmosférico es impredecible [como algo incontrolable]. No podemos hacer mucho con respecto al tiempo, pero podemos influir en el comportamiento de nuestros compañeros. El problema evolutivo habría sido influir en la conducta de otros individuos de la forma más beneficiosa para nuestros propios intereses. Humphrey sugería que las variaciones en la habilidad para predecir y manipular el comportamiento de otros individuos dio ventajas a algunos sujetos, y resultó en cambios graduales en la complejidad intelectual, que finalmente dieron lugar a los humanos modernos.[22]

A esa idea inicial de Humphrey, Alexander le añadió la rivalidad entre grupos (la teoría de la carrera por los equilibrios de poder), que se convertiría en fuerza principal en la segunda etapa de la evolución humana, la de la cooperación-para-competir. ¿Por qué no abandonaban la vida social los individuos con menos *habilidades maquiavélicas* y se iban a vivir por su cuenta?, se preguntaba Alexander. Porque fuera del grupo, en solitario, la supervivencia es aún más problemática, o más bien imposible, se respondía él mismo. Además de a las fieras, habría que enfrentarse a grupos organizados, bandas, de la propia especie.

Lo importante es que Humphrey y Alexander no creen que nuestro cerebro sea primariamente un órgano para procesar información ecológica (para cazar, por resumir este concepto de alguna manera), ni para fabricar instrumentos cada vez más complejos (para la tecnología), sino para procesar información social, para triunfar en el medio social. Y es en relación con el sistema social como se explican las características más destacables de nuestra especie, pero no solo en lo cognitivo, sino también en muchos aspectos de la fisiología y de la anatomía.[23]

Wallace se equivocaba del todo cuando decía que no podían entenderse las capacidades mentales de los pueblos sin escritura dada la pobreza de su vida material (es decir, de su tecnología). Si hubiera reflexionado mejor sobre las vidas de las sociedades supuestamente primitivas que tan bien conocía, se habría dado cuenta de que en lo tocante a complicación social no eran en absoluto más simples que la sociedad victoriana a la que él pertenecía. Nuestra inteligencia, tenía que haber comprendido Wallace, es ante todo inteligencia emocional. Las matemáticas vinieron mucho después, como una consecuencia de las capacidades adquiridas para analizar sistemas tan complejos e imprevisibles como un grupo humano.

Permítame que termine este capítulo sobre las dos caras del ser humano, la pacífica y la violenta, con una nueva propuesta que viene de un experto en comportamiento agresivo de los chimpancés: el británico Richard Wrangham (en su libro *The Goodness Paradox: The Strange Relationship Between Virtue and Violence in Human Evolution*, 2019). Este autor distingue dos tipos de agresión: 1) la reactiva, que es la emocional, la que se practica en caliente, incontroladamente; y 2) la proactiva, que es la fría y planificada. Los seres humanos tenemos niveles bajísimos de la primera y muy altos de la segunda. ¿Cómo se explica esta paradoja?

Si nos fijamos en el comportamiento de los bonobos veremos que la violencia reactiva es mucho más rara que en sus hermanos los chimpancés y la explicación está en que los grupos de bonobos están dominados por coaliciones de hembras, que impiden activamente que se imponga la agresividad masculina. En cambio, entre los chimpancés dominan las coaliciones de machos y por eso hay tanta violencia reactiva, tantas explosiones de rabia y cólera.

La explicación de lo que ha pasado en la evolución humana con la agresividad la podemos encontrar en nuestra propia casa, o en una granja, observando a los animales domésticos: su comportamiento es mucho más pacífico y lúdico (infantil, en suma) que el de las especies salvajes de las que proceden. Wrangham, siguiendo a otros autores, propone que el *Homo sapiens* se ha autodomesticado, haciéndose a sí mismo más dócil.

Como sabemos, los humanos actuales compartimos un antepasado común con los neandertales. Pues bien, la autodomesticación se habría producido en la línea que conduce hasta nosotros, pero no en la de los neandertales, que habrían seguido siendo «salvajes» hasta su extinción. También los bonobos se habrían autodomesticado con respecto a su antepasado común con los chimpancés, y lo habrían hecho suprimiendo la agresividad masculina (al tomar las hembras el poder). En el caso humano los grupos no estaban controlados en el pasado prehistórico por mujeres, por lo que el procedimiento habría sido otro: la pena capital.

Coaliciones de hombres ejecutarían fríamente, planificadamente, con violencia proactiva, a los individuos que no fueran capaces de controlar sus nervios, es decir, que tuvieran una agresividad reactiva demasiado alta, ejerciendo así una especie de selección artificial similar a la que ha producido las razas de animales domésticos desde el Neolítico. De este modo (a través de «pelotones de ejecución») se explicaría la reducción de la agresividad reactiva y el desarrollo de la proactiva en nuestra especie.

Una hipótesis estimulante, sin duda, pero que se basa en estudios con primates y observaciones etnográficas en sociedades modernas. Es difícil encontrar pruebas de las ejecuciones de hombres en los yacimientos. Sin embargo, el proceso de domesticación produce cambios físicos en los animales (morros más cortos, cambios en la coloración, cerebros más pequeños, orejas colgantes y otros) y vale la pena tener en cuenta esa posibilidad en el estudio de los fósiles humanos, aunque solo sean huesos.

JORNADA XIV

YO SÉ QUIÉN SOY

Hemos hablado de inteligencia, pero ¿cómo ha surgido la consciencia en la evolución? ¿Es una adaptación? Si lo es, ¿para qué sirve? ¿Cuál es su interés, su utilidad? ¿Cuántas veces ha aparecido? ¿Hay otras especies vivientes, como chimpancés, delfines o elefantes que tengan un cierto grado de autoconsciencia, o sea, de conciencia de sí mismos, o incluso de conciencia de que los otros miembros de su comunidad son también conscientes de su propia existencia? ¿Lo serán algún día las máquinas? Finalmente, queremos saber cuándo aparecieron la mente simbólica y el lenguaje, que nos hacen únicos entre todas las especies. Somos los únicos animales que hablan.

Para empezar, ¿qué es la consciencia? ¿Cuántos tipos de consciencia hay?

Son cada vez más numerosos los científicos que piensan que muchos animales (los mamíferos, las aves, los pulpos, y quizás otros, tanto vertebrados como invertebrados) *sienten y padecen*, como suele decirse. O sea, son *sentientes* (o *sintientes*) y emocionales, tienen experiencias interiores, vivencias, una vida íntima, un punto de vista subjetivo del mundo (una perspectiva individual de las cosas). Y también poseen *estados mentales*, es decir, estados de ánimo como el amor, el gozo, la desesperación, la depresión, la ira, el rencor, la alarma, el miedo. Más aún, todo parece indicar que algunos animales experimentan algo que podríamos describir (inevitablemente tenemos que utilizar siempre el lenguaje de las emociones humanas) como compasión o empatía, y hasta indignación si se ha cometido una injusticia en el trato con ellos. En otras palabras, hay animales que *sienten* (hambre, por ejemplo) y *se sienten* (furiosos, o con ganas de jugar).

Me detengo un momento para hacer una aclaración. No estoy hablando de que haya animales con sensibilidad al modo de las películas fotográficas, que son sensibles a la luz; incluso hay películas con diferentes tipos de *sensibilidades*. Ni tampoco me refiero a que los animales sean sensibles a cambios en el medio y reaccionen frente a ellos del mismo modo que los dispositivos industriales detectan gases o movimientos o ruido o aumentos o descensos de la temperatura o cambios químicos y avisan o activan otros dispositivos (piense en el detector de gases contra incendios, el termostato para mantener la temperatura constante o un sistema de alarma contra robos). Todos los organismos tienen ese tipo de sensibilidad, empezando por los seres unicelulares, porque necesitan extraer información del entorno para sobrevivir. Más aún, como hemos dicho, a largo plazo, la incorporan a su genoma en el curso de la evolución. Pero ni la película fotográfica ni la célula fotoeléctrica, aunque sean fotosensibles, *sienten* la luz al modo de algunos animales.

A la hora de aprobar un experimento de laboratorio estamos obligados a preguntarnos qué animales deben ser anestesiados para que no sientan dolor en el curso de la intervención (y lo mismo se aplica a los mataderos de animales para el consumo humano). Seguramente no debe ser anestesiada una ostra, pero sí un pulpo (que es tan molusco como la ostra). Todos los vertebrados entrarían en la categoría de *sentientes*, en principio. A esta propiedad de la mente podemos denominarla *sentiencia* y reservar el término «consciencia» para el tipo de mente de los seres humanos —y quizás otros mamíferos; todos ellos, dato interesante, sociales—. Sin embargo, a menudo se utiliza el término «consciencia» (a secas) como sinónimo de *sentiencia*, y el término «autoconsciencia» para la consciencia reflexiva, la nuestra.

En el año 2012 se leyó la Declaración de Cambridge, que afirma que muchos animales (no humanos) poseen el sustrato neurológico necesario para generar la consciencia (*sentiencia*), incluso aquellos que carecen de neocorteza (que como tal tejido solo existe en los mamíferos y forma el 90 por ciento de la corteza cerebral en los humanos). No afirma la declaración categóricamente que tengan *sentiencia*, porque esto no es fácil de demostrar experimentalmente (o sea, *desde fuera*), pero la biología lo sugiere con tanta fuerza que las legislaciones de todo el mundo están empezando a cambiar en lo que se refiere a la explotación de los animales, la experimentación y demás formas de relacionarnos con ellos.

Parece algo intuitivo que la *sentiencia* es adaptativa, que supone una ventaja sentir dolor al quemarse, que eso es mucho mejor que disponer de un mecanismo puramente automático para evitar el fuego. Sin embargo, es muy fácil diseñar un robot que se aleje de una fuente de calor, y que responda adecuadamente frente a cualquier otro estímulo externo. Y, ¿por qué no?, también frente a un estímulo interno; del mismo modo que un animal reacciona ante un descenso de la tasa de glucosa en sangre buscando alimento, mi móvil me avisa de que *su* batería está baja y me pregunta si quiero pasar al modo de ahorro. Pero ¿por qué es necesario *sentir* el hambre, experimentar esa punzada en el estómago? Acuérdese de esos muñecos que se ponen en marcha y cantan y bailan cuando uno da una palmada. No sienten nada, pero reaccionan.

Podría uno también pensar que tener experiencias internas placenteras o dolorosas es una manera muy eficaz de aprender de la vida, de acumular conocimiento, de recordar, grabándolo a fuego, lo que es bueno para la supervivencia (refuerzo positivo) y lo que es malo (refuerzo negativo), pero cada vez son más perfectos aquellos algoritmos, llamados sistemas expertos, que aprenden como las personas, y se anuncian grandes progresos en este terreno.

Existe además una forma de consciencia que es propia de los seres humanos, tal vez en exclusiva, en todo caso en un grado mucho más alto que en un chimpancé o un delfín. Me estoy refiriendo, claro está, a la autoconsciencia, la conciencia de la existencia de uno mismo (del Yo y, por lo tanto, también del Tú) o consciencia reflexiva. Para un ser humano, ser consciente significa darse cuenta, percatarse de las cosas que pasan fuera y dentro de nosotros mismos, incluso en nuestra propia psique. Se trata de examinar nuestras emociones y nuestros pensamientos, de llevar una vida examinada, no simplemente una existencia (para Sócrates, una vida plenamente humana era una vida filosóficamente examinada), de vivir deliberadamente (como escribió Henry David Thoreau).[1]

Estar despierto, en otras palabras. Cualquier ser que

no tenga conciencia de sí mismo, aunque tenga consciencia, vive como en sueño, simplemente sobrevive, existe, dura, permanece un tiempo hasta que muere.

Imagínese que se ha metido tanto dentro de la película que está viendo en la oscuridad de la sala de cine que se ha olvidado de sí mismo, como suele decirse (incluso comentará luego que el tiempo se le ha pasado sin que usted se diera cuenta, de lo concentrado que estaba). Ha experimentado sobresalto, miedo, indignación, ternura, placer, atracción, amor, sin advertir que era usted quien sentía todas esas emociones, sin reflexionar sobre ellas, sin examinarlas. Algo así sería vivir conscientemente, pero sin pensar en uno mismo... toda la existencia, no solo los noventa minutos de la absorbente proyección cinematográfica.

Otro ejemplo que se suele poner es el del sonámbulo, que puede llegar no solo a andar, sino incluso a hablar sin ser consciente de ello, y sin recordar nada cuando se despierta. El ilustrado del siglo XVIII Denis Diderot usaba la metáfora del músico, que puede estar charlando con un compañero mientras interpreta una sinfonía (o pensando en otra cosa). De lo que se trata aquí es de que parece posible ver sin que nos demos cuenta de que estamos viendo y oír sin que nos percatemos de que oímos. No es raro que hagamos muchos kilómetros al volante ensimismados en nuestras preocupaciones, con el *piloto automático* puesto, sin saber por qué pueblo estamos pasando.

¿Es de este modo como viven los animales no humanos, completamente inmersos en la película de sus propias vidas, sonámbulos (zombis, como se dice ahora)? ¿Tiene la conciencia del Yo una relación estrecha con la inteligencia?

Se trata de un concepto difícil de definir, este de la autoconsciencia, que asociamos sin quererlo con la inteligencia. Somos conscientes de nosotros mismos porque somos inteligentes, nos parece, o por lo menos a nadie se le ocurre pensar que puedan tener un Yo las especies menos inteligentes de la Tierra y, por el contrario, ser inconscientes las más inteligentes. La inteligencia animal es difícil de medir, pero el grado de encefalización se puede poner en números como el peso relativo del encéfalo (y nosotros, *los simios*, junto con los cetáceos con dientes y los elefantes, somos los que estamos arriba del todo). ¿Quién imaginaría que fueran conscientes de sí mismos precisamente los animales menos encefalizados, o los que no tienen neocorteza ni nada parecido? El caso es que en este planeta somos la especie más encefalizada y, al mismo tiempo, la única plenamente autoconsciente, por lo que nos cuesta trabajo separar estas dos cualidades en un ser viviente.

Si es difícil contestar a la pregunta de para qué sirve sentir frío o calor, o hambre, o miedo, o amor, más difícil es aún saber cuál es la función de la identidad individual que todos los seres humanos afirmamos poseer, y que continúa en el tiempo a lo largo de toda nuestra vida como si fuera una parte (indivisible y permanente) de cada uno de nosotros.

A veces se describe la conciencia de uno mismo como una propiedad emergente, que es una función nueva (un epifenómeno) que aparece cuando un sistema traspasa un cierto umbral de complejidad, pero no me parece que esto resuelva el problema. A cambio, suscita interesantes preguntas. ¿Surge la consciencia inevitablemente a partir de un cierto número de conexiones? ¿Los ordenadores pueden llegar a tenerla, a sentir dolor o placer, alegría o pena, melancolía incluso, a saber también que los humanos pensamos, a temer la muerte? ¿A *despertar*, como algún lejano día en nuestra evolución algún antepasado nuestro *despertó*?

Vayamos poco a poco.

Una de las facultades mentales relacionadas con todo esto de lo que estamos hablando es lo que se ha llamado la teoría de la mente.[2] Consiste en la capacidad de ponerse en la piel o en los zapatos de otro individuo para contemplar las cosas desde su óptica, su punto de vista. Daniel Dennett[3] la denomina enfoque (o actitud, postura o perspectiva) intencional, y describe así esta característica: «El enfoque intencional es la estrategia que consiste en interpretar el comportamiento de un ente (persona, animal, artefacto, lo que sea) tratándolo *como* si fuera un agente racional que rigiera la "elección" de sus "actos" "teniendo en cuenta" sus "creencias" y sus "deseos".» Adoptamos ese enfoque cuando nos relacionamos unos humanos con otros, pero también se aplica a las cosas, como si fueran humanos. Se trata de una facultad de base biológica, es decir, instintiva (no aprendida). Simplemente no podemos evitar atribuir intenciones a los demás, sean de nuestra especie, o de otra. O incluso a fuerzas de la naturaleza que no están vivas y, por lo tanto, no pueden tener proyecto. La ciencia ha consistido, por el contrario, en explicar el mundo real por medio de leyes, no de propósitos, aunque para ello haya tenido que contradecir nuestras queridas intuiciones. Así es como el pensamiento racional ha sustituido al pensamiento mágico, que le supone intenciones a todo lo que existe.

Se discute mucho si esa atribución de intenciones a otros sujetos se da en alguna especie más. Una forma de averiguarlo es comprobar si un animal observa la dirección de la mirada de otro y la sigue moviendo (girando) la cabeza. Eso querría decir que trata de averiguar lo que le interesa a los demás, pero cuesta trabajo imaginar que lo hagan especies muy diferentes de la nuestra. Si una vaca que está comiendo hierba en el prado volviera la cabeza para ver qué le interesa tanto a la vaca que tiene enfrente nos parecería una vaca muy humana.

Aparte de conocer las intenciones y objetivos de otros, la teoría de la mente también consiste en saber lo que otros saben, incluso en el que caso de que estén equivocados y realmente no sepan lo que creen saber. Se ha investigado experimentalmente en chimpancés, bonobos y orangutanes, y parece que saben cuándo un individuo de su grupo alberga una idea equivocada en su cabeza, ya que esperan que busque un objeto en el lugar donde lo vio por última vez, aunque se haya ausentado durante un rato y mientras tanto el experimentador haya cambiado de sitio el objeto.[4] Se pensaba antes que los niños no superaban esta prueba hasta los cuatro años de vida, pero ahora parece que demuestran saber lo que otros saben o creen saber mucho antes.

¿Pero eso quiere decir que los chimpancés, bonobos y orangutanes son conscientes de sí mismos? ¿No podría la teoría de la mente darse de forma automática, es decir, sin advertirlo, sin percatarse de ello?

En teoría, la teoría de la mente o actitud intencional podría ser solo un instinto como cualquier otro, que no implique necesariamente darse cuenta de los procesos que están teniendo lugar en la psique. Fue Descartes quien estableció el dualismo mente/cuerpo, y comparó la mente con el marino y el cuerpo con el barco (inseparables, pero entidades distintas). En nuestros días Descartes habría elegido seguramente la analogía del conductor y el automóvil.

Sin embargo, en estos tiempos en los que se anuncia que pronto ningún coche de los que circulan tendrá una persona al volante, el marino/conductor de Descartes parece prescindible. Es, sin duda, posible circular sin ser consciente de nada, automáticamente —los coches lo hacen ya, aunque haya otros muchos vehículos en la calzada—. Y pronto, se dice, no quedarán coches con conductor (o el piloto humano solo será necesario en determinadas circunstancias). Ahora mismo todos usamos aplicaciones que nos dan la mejor ruta a seguir en función del estado del tráfico: atascos, accidentes y demás (incluso nos advierten de los *peligros* de la policía y sus radares de velocidad). Solo falta que el programa se haga cargo del volante y nos lleve al destino que hayamos marcado.

En resumen, sí, seguramente es posible adoptar una actitud intencional sin ser conscientes de ello, pero eso no quita para que la consciencia pueda haber surgido como una adaptación que proporciona una ventaja en el juego social, y quizás se conduzca mejor en el complicado tráfico de la vida con un piloto consciente que con uno automático. ¡Es tan difícil predecir cómo se van a comportar los demás al momento siguiente! Aún más importante para el juego social, esa partida en la que todos participamos, es saber que otro puede estar equivocado, porque ese conocimiento es la base para el engaño y la manipulación. Solo se trata de que los demás alberguen en su mente una idea errónea que nos favorece a nosotros. ¿Puede hacerse inconscientemente?

¿Nos engañarán a propósito algún día las máquinas? ¿Se volverán maquiavélicas? En breve hablaremos de los robots.

En el modelo evolutivo de Richard D. Alexander, la autoconsciencia está muy ligada a la capacidad de imaginar situaciones sociales hipotéticas y elegir la que más nos interesa y menos riesgos comporta: «Implica la habilidad de utilizar información del pasado social para anticipar y alterar el futuro social, para construir escenarios.»

En otras palabras, se trataría de inventar el futuro. Solo los humanos planificamos a largo plazo. Esos *escenarios* se crearían empalmando recuerdos, como si fuera un corta y pega de situaciones vividas, pero con un guion nuevo, como en el cine. La memoria sería, por lo tanto, un requisito imprescindible de la consciencia. Los animales no tienen pasado ni futuro, viven en un eterno presente, como se suele decir, aunque no sea del todo cierto.

También para Richard Dawkins habría sido precisamente la capacidad de planificar el futuro lo que nos habría liberado a los humanos, y solo a nosotros, de la tiranía de nuestros genes, nuestros *creadores*, como cuenta en la última página de *El gen egoísta*. Los genes no planifican, no tienen consciencia, son ciegos y se limitan a replicarse. Siempre trabajan a corto plazo. Nosotros podemos ver las ventajas a largo plazo de renunciar a beneficios inmediatos (el egoísmo más crudo siempre es perentorio: lo quiero, y lo quiero ahora).

E incluso podemos comportarnos de forma completamente desinteresada a corto y a largo plazo, si así lo elegimos, porque somos libres gracias a la consciencia.

Si la utilidad de la consciencia reflexiva es la de elaborar *escenarios* sociales adecuados, ¿cómo se originó?

Richard D. Alexander piensa que el origen de la autoconsciencia está precisamente en la capacidad de imaginar cómo nos ven los demás. Es muy útil saber cómo nos percibe el resto de la gente, para así poder controlar la imagen que proyectamos y poder modificarla a nuestra voluntad, incluso para engañar y manipular. Por eso nos preocupa tanto nuestra imagen. La consciencia se ha definido como la capacidad de examinar nuestros propios sentimientos y pensamientos, el ojo interior, como la describe Nicholas Humphrey (Figuras 17 y 18), utilizando la metáfora visual. Pero entre mirarnos (y escucharnos) a nosotros mismos o imaginar cómo nos ven (e interpretan) otros (es decir: vernos desde fuera) no hay tanto trecho. Antes de que existieran los espejos y las cámaras de fotos solo nos veíamos reflejados, metafóricamente hablando, en los ojos ajenos. Es decir, la consciencia surgió para controlar nuestra imagen, el modo en el que los demás nos ven, y manipularla a nuestra conveniencia. Nos ponemos en el lugar del otro para vernos a nosotros mismos. Parece que en estos tiempos somos muy conscientes de lo importante que es la imagen de una persona o una corporación o una institución, y de que se puede engañar a través de ella. Pero en realidad siempre lo hemos sido, desde que tenemos conciencia de nosotros mismos.

Para Humphrey, sin embargo, el espejo no está fuera de nosotros mismos, sino bien dentro de nuestra cabeza. En su razonamiento, Humphrey parte de la pregunta clásica de cómo es posible que un cerebro se vea a sí mismo y pueda examinar su propio funcionamiento. Porque si no es posible que el cerebro se vea a sí mismo,

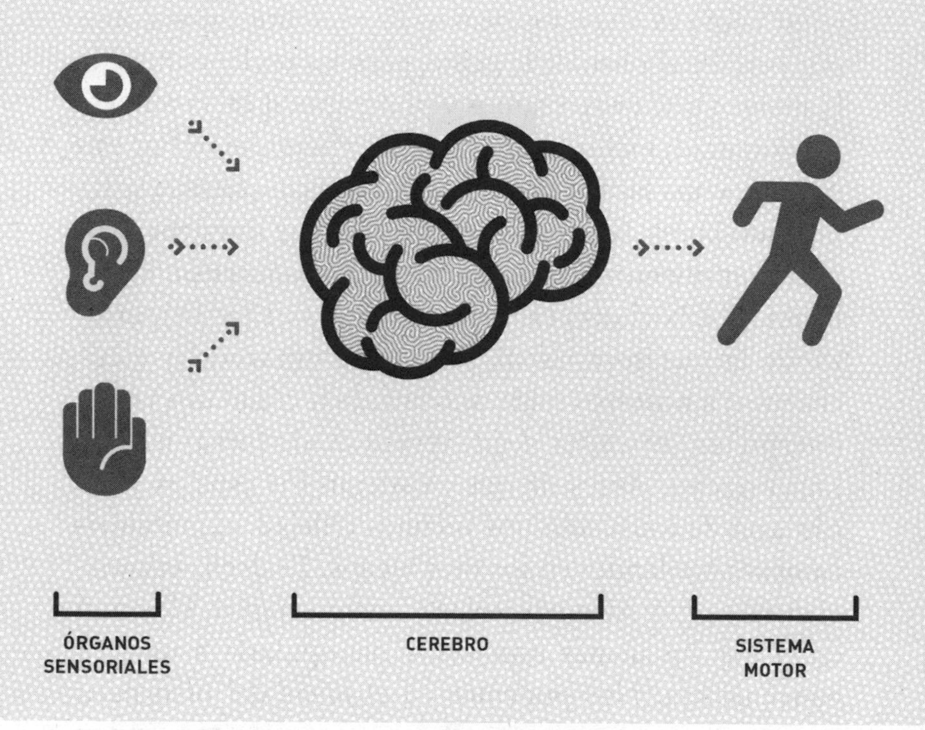

FIGURA 17. Un cerebro sin visión interior

Cuando se realiza una acción automática, espontánea, la información llega al cerebro a través de los sentidos, y desde la corteza motora se dan las órdenes necesarias para llevar a cabo la secuencia de movimientos que corresponde ejecutar en cada caso. Si la cebra tuviera que pensar lo que le conviene hacer cuando de pronto ve con el rabillo del ojo acercarse una leona no le daría tiempo a huir. Esta ilustración está basada en otra de Nicholas Humphrey.

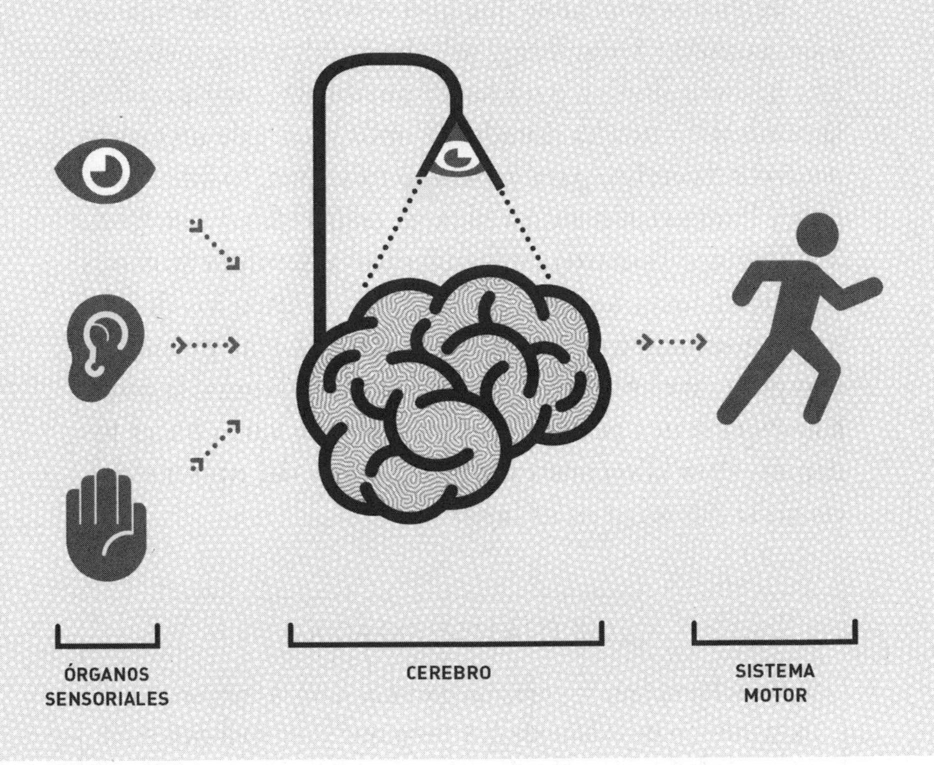

FIGURA 18. Un cerebro con visión interior

La introspección consiste en examinar nuestros propios pensamientos, mirar hacia adentro, percatarse de lo que sabemos. Y de este modo, según Nicholas Humphrey, es como somos capaces de imaginar lo que saben y piensan los demás y, lo que es más importante, anticipar lo que van a hacer. Esa sería una gran ventaja adaptativa en la dura competencia que mantenían nuestros antepasados en el medio social. Ilustración basada en otra de Nicholas Humphrey.

tendríamos que preguntarnos *quién* es el que examina el funcionamiento del cerebro (es decir, *de quién* es ese *ojo interior* que escruta).

Pero no es imposible que uno se mire a sí mismo a los ojos, contesta Humphrey, solo hace falta un espejo. De una manera similar, para hacer posible la introspección, la naturaleza nos ha dotado de unos ojos y de un espejo dentro del cerebro para ver cómo funciona, lo que Humphrey llama visión autorreflexiva (*self-reflexive insight*). Y examinar nuestros pensamientos y sentimientos nos sirve para imaginar lo que piensan y sienten los demás, una información muy útil para entender al prójimo y competir en el medio social. En otras palabras, la autoconsciencia nos permite anticipar lo que van a hacer los demás. Para ello construimos hipótesis del tipo *qué haría yo si estuviera en su lugar*.

¿QUÉ ESTÁ PASANDO AQUÍ?

Nicholas Humphrey se pregunta para qué sirve la conciencia del Yo, partiendo de la base de que tiene que valer para algo si ha sido producida por la selección natural.[5] A la vieja pregunta (que ya se planteaba Denis Diderot) de si a los autómatas (las máquinas, los ordenadores, los robots) se les puede implantar consciencia (un *alma*), añade la pregunta de «¿en qué se notaría?».

O sea, ¿qué produce la consciencia? A una rana, incluso a una vaca, contesta Humphrey, no le serviría de nada, y por eso no la tienen. Esto es lo realmente importante: la conciencia del Yo no es útil para cualquier especie, solo para las que tienen una biología social compleja, como los humanos, y en cierta medida los chimpancés y quizás los perros (unos animales fascinantes porque han sido creados a *nuestra imagen y semejanza*, de modo que hacen cosas que nunca hacen sus antepasados los lobos, y, en muchos sentidos, son más humanoides que los *grandes simios*).

Para resumir el argumento, la ventaja de la visión autorreflexiva es que nos proporciona una *psicología natural* para conocer los estados mentales de los demás: «Cada persona puede mirar dentro de su propia mente, observar y analizar su propio pasado y sus propios estados mentales, y sobre esta base especular con fundamento sobre las mentes de los otros», dice Humphrey.

Y se trata de una facultad extremadamente importante para un ser tan altamente social como el humano: «Sin la capacidad de entender, predecir y manipular el comportamiento de otros miembros de su misma especie, una persona difícilmente podría sobrevivir cada día.» No digamos en la prehistoria. Una persona así estaría situada en algún lugar de lo que hoy llamamos el espectro autista.

Para que lo entendamos de una forma sencilla, Nicholas Humphrey pone el ejemplo del cuadro, muy conocido (Figura 19), de un pintor ruso (nacido en Ucrania) llamado Iliá Repin, un artista que fue puesto como modelo, después de la Revolución, para el estilo conocido como realismo socialista, que fue el lenguaje pictórico adoptado por el sistema soviético.

El cuadro en cuestión fue pintado después de que en 1883 Repin visitara el museo del Prado y copiara los cuadros de Velázquez. Yo encuentro que hay mucho en común entre *Las meninas* (Figura 20) y el cuadro de Repin. Para empezar, en la composición, con los personajes situados en diferentes planos. Además, porque ambos cuadros están *abiertos* (tienen una dimensión añadida) hacia el espectador, que forma parte de la escena, que se siente dentro de la habitación como un participante más del acontecimiento (se ha dicho que Velázquez pintaba el aire). Pero sobre todo porque los dos cuadros nos obligan a preguntarnos *qué está pasando aquí*. No voy a analizar ahora *Las meninas*, pero cualquiera puede intentar entender qué ocurre dentro del cuadro de Repin. Hágalo unos momentos antes de seguir leyendo.

Ahora ya puedo decirle que el cuadro de Repin se conoce como *Retorno inesperado* o *No lo esperaban*. La explicación convencional es que se trata de un preso político (un revolucionario) que ha sido liberado de las cárceles del zar y vuelve a casa sin anunciarse (está demacrado y entristecido, su ropa es vieja, sus zapatos sucios y gastados). A partir de ahí, las figuras de la puerta serían la cocinera (que muestra curiosidad por ver qué va a pasar) y la criada (que mira con extrañeza al hombre a quien acaba de abrir la puerta). La madre (o tal vez sea la esposa) se ha levantado precipitadamente al ver entrar a su hijo (o marido) como quien ve un espectro. La esposa (o quizás sea la hija mayor), que toca el piano, no da crédito a sus ojos. La hija (¿la menor?) parece no saber quién es el señor que entra, porque ya no se acuerda de su padre. El hijo lo ha reconocido, en cambio.

Pues bien, todas esas interpretaciones las hemos hecho gracias a la *psicología natural* que nos ha proporcionado la evolución, y que llamamos consciencia de nosotros mismos: la capacidad de atribuir a los demás nuestras mismas sensaciones, emociones, estados de ánimo y pensamientos. Por eso vemos la sorpresa, el abatimiento, la curiosidad, la extrañeza, la alegría, pintados en los rostros del cuadro.

Un segundo después, suponemos, la habitación estallará en gritos, risas, llantos, abrazos y besos. También podemos, gracias a la consciencia, predecir el futuro.

Hemos llegado por fin a la pregunta más importante (y más inquietante) de la ciencia ficción: ¿puede una máquina ser consciente de sí misma o, al menos, experimentar sensaciones y sentir emociones? ¿Tiene que serlo un E. T.?

La llamada inteligencia artificial (IA) trabaja con algoritmos, es decir, a base de programas informáticos, que no son otra cosa que secuencias de pasos a seguir,

FIGURA 19. *Dentro de la habitación*

Como en el cuadro de *Las meninas*, que Iliá Repin había estudiado a fondo en el museo del Prado de Madrid, nos parece que también nosotros estamos dentro de la habitación, presenciando el acontecimiento con el aliento en suspenso.

FIGURA 20. *Las meninas*

Este famoso cuadro sigue siendo un misterio. La crítica aun discute qué nos quiere contar Velázquez a través de los personajes. Además, el genial pintor deja el cuadro abierto hacia el espectador, que se percibe a sí mismo como parte de la escena, de modo que Velázquez, también presente, nos hace entrar en su juego. Por todo ello es una obra inigualable.

instrucciones encadenadas, recetas para hacer cosas. Los algoritmos de los ordenadores tienen un sustrato de silicio, mientras que las sensaciones (el dolor, el calor, el hambre), los estados emocionales (el terror, la ternura, la rabia, la tristeza y el abatimiento) y los pensamientos humanos se basan en la química del carbono (la misma química orgánica que es común a toda la vida en la Tierra). Pero si la subjetividad solo depende de las programaciones, no debería haber diferencia alguna entre los *algoritmos de silicio* de las máquinas y los *algoritmos bioquímicos* de los animales y el ser humano, entre el chip y la neurona.

Yuval Noah Harari afirma que *la biología ha demostrado* que los seres vivos (humanos incluidos) solo *somos* algoritmos, aunque también señala que ha habido grandes progresos en IA en los últimos años sin que las máquinas hayan dado ningún paso en la dirección de la consciencia, por lo que se trataría de dos cosas totalmente diferentes e independientes (la inteligencia y la consciencia). Los ordenadores pueden derrotar al campeón del mundo de ajedrez sin que por eso sientan ni una pizca de alegría ni de orgullo. Ni, añado yo, demuestren el más mínimo sentido del humor.

Sin embargo, el gran neurocientífico portugués Antonio Damasio sostiene otra cosa.[6] Ni los animales ni las personas somos algoritmos. Pero no porque poseamos algún principio inmaterial (un alma), sino porque además de neuronas tenemos un cuerpo que también participa en la generación de la consciencia enviando información al sistema nervioso central acerca de su estado (tanto desde las vísceras como desde los músculos del aparato locomotor) con el fin de mantener el equilibrio biológico del organismo, la homeostasis, y asegurar la supervivencia del individuo.

En resumen, según Damasio, sin cuerpo no hay consciencia porque no pueden producirse experiencias mentales subjetivas. Cuando algunos visionarios hablan de que será posible, el día de mañana, *descargar* los algoritmos mentales de un individuo en un ordenador y asegurarle una vida eterna (más bien a sus algoritmos), Damasio se pregunta: ¿se podrá *descargar* también el cuerpo? Por supuesto que no. Solo dotando de un cuerpo de verdad a un robot, es decir, un cuerpo que envíe información sobre el estado de sus diferentes partes y sistemas a la unidad central de procesamiento de datos, podría algún día generarse algo parecido a una mente consciente. En otro planeta, piensa Damasio, es posible imaginar organismos biológicos con sentimientos de alguna manera semejantes a los de los animales y el hombre. Pero como el sustrato importa, si su biología es diferente, entonces los sentimientos también lo serán.

Hemos empezado la jornada hablando de inteligencia, luego ha aparecido la consciencia, más tarde ha entrado en el debate la introspección y ahora le toca su turno a la palabra «mente». ¿Qué es la mente, en qué consiste, qué hace? ¿La tienen los animales?

Efectivamente, son muchos los autores que están convencidos de que todos los mamíferos y aves, quizás también algunos vertebrados de *sangre fría* (algunos *reptiles*) y, por supuesto, los famosos pulpos, tienen mente. Es sorprendente lo que las aves son capaces de hacer con un tipo de cerebro muy diferente del de los mamíferos. El arrendajo americano esconde alimentos para el invierno en muchos lugares diferentes y recuerda bien dónde los ha puesto, como si tuviera un detallado mapa mental. Un experimento reciente demuestra que las palomas poseen las categorías de espacio y de tiempo.

Por mente se entiende la capacidad de crear una réplica interior del mundo exterior, en el que los objetos se encuentran representados por imágenes (no necesariamente visuales), organizadas en categorías como el espacio y el tiempo (el dónde y cuándo ocurren y están las cosas). Para entendernos, esas imágenes internas *se parecen* a los objetos del mundo real que representan, y sus relaciones espaciales (las posiciones que ocupan unas cosas respecto de otras), también.

El cerebro filtra la inmensa cantidad de información que le llega desde el exterior a través de los sentidos y la organiza creando una representación interior (su mundo privado). Y, gracias a esa representación íntima, el mundo no es un caos de sensaciones. Los objetos de la realidad que nos rodea pueden verse de muchas maneras, desde muchos ángulos, en momentos diferentes, con luces cambiantes, pero cada uno de ellos, sea una persona concreta, nuestra casa, nuestro gato o la montaña cercana, tienen una representación propia y única en la mente. Una imagen. Y, además, esas representaciones integran información que llega al cerebro por diferentes canales sensoriales, porque las cosas huelen, saben, hacen ruido, y tienen formas, colores y texturas. Unas propiedades sensoriales que cambian con el tiempo sin que dejemos de reconocer una rosa y un jazmín.

No sabemos de lo que hay fuera más que la imagen que tenemos dentro, y a partir de esa imagen interna desarrollamos nuestro comportamiento. El cerebro es, por lo tanto, un órgano perceptivo-cognitivo, es decir, que percibe y conoce, que piensa.

Veámoslo de otra manera, desde el punto de vista de la conducta.

El individuo actúa, por una parte, siguiendo el impulso de los instintos —que son innatos (como programaciones hereditarias), aunque van madurando a lo largo del desarrollo— y se maneja en el mundo gracias a ellos. Pero también lo hace por medio de los llamados reflejos condicionados, que se basan en asociaciones que se establecen durante la vida entre una conducta que una vez se llevó a cabo y la recompensa o el castigo que la siguió. No se nace con los reflejos condicionados, se adquieren con la experiencia, tanto con la dolorosa como con la placentera. En ambos casos (instintos y reflejos condicionados) hay una señal que llega por los sentidos y desencadena directamente en el animal una pauta de comportamiento, que podríamos describir, vista desde fuera, como una secuencia de movimientos estereotipados.

Repitamos que esta asociación disparador-respuesta puede ser innata —se viene al mundo con ella (está en los genes)— o puede haberse adquirido por medio de la experiencia durante la vida, a través del mecanismo de prueba y error (aunque siempre son los genes quienes establecen qué se debe aprender, cuándo y cómo).

Pero el cerebro de un mamífero o de un ave o de cualquier animal con mente no actúa solo mediante la dicotomía instintivo o reflejo, es decir, no funciona siempre de manera rígida, como lo haría una máquina, sino que *tiene algo dentro* con lo que procesa la información, una representación estructurada del mundo, y a eso es a lo que llamamos mente. Los autómatas o los ordenadores, en cambio, no tienen *mundo interior*. Y por eso el comportamiento de animales como los mamíferos y las aves nos parece más flexible y adaptable a las circunstancias que el de las máquinas... o los artrópodos (insectos, cangrejos, arañas y demás), que muestran pautas muy previsibles.

Y, como hemos visto ya, hay muchas razones para pensar que la mente de muchos animales es una mente consciente, incluso autoconsciente en algunos de ellos. No es simplemente un conjunto de algoritmos, hay experiencias íntimas, completamente individuales, en forma de sensaciones, emociones y pensamientos.

Si los animales tienen una mente, como nosotros, ¿por qué no nos hablan? ¿Por qué no entendemos su lenguaje? ¿Sus representaciones mentales no tienen nombre?

En el título de su delicioso libro *El anillo del Rey Salomón*, Konrad Lorenz alude a una leyenda según la cual este sapientísimo rey de Israel poseía un anillo mágico que le permitía comunicarse con los animales (el título original en alemán dice que hablaba con los mamíferos, los pájaros y los peces). Desgraciadamente, esto no será nunca posible, porque la mente humana se diferencia de la de los animales en que la nuestra es simbólica, mientras que ellos no tienen nombres para las cosas.

El lenguaje humano, basado en símbolos, es inseparable de la autoconsciencia, al menos en el sentido de que la única especie de animales plenamente conscientes de sí mismos que conocemos, la nuestra, es también la única especie simbólica y lingüística. Por la misma razón, nos quedamos sin respuesta a la pregunta de si puede haber razonamiento sin lenguaje humano (lo contrario es imposible). Es difícil ir más allá, pero cuesta trabajo imaginar una especie en la que las dos propiedades, comunicación basada en símbolos y pensamiento racional, no estén unidas. ¿Se puede razonar sin palabras? ¿No es el pensamiento precisamente un monólogo interior?

Todos los animales se comunican, pero solo nosotros lo hacemos a través de símbolos, es decir, de signos arbitrarios (caprichosos, inventados) que solo entiende la comunidad que los usa, y que resultan incomprensibles para las demás porque no son universales como los instintos.[7] Eso vale lo mismo para unos sonidos (fonemas) que significan algo (una palabra hablada) como para una estrella de cinco puntas en el código militar, el birrete de doctor en una ceremonia académica o el anillo de casado en la vida social (al menos en Occidente). Ninguno de estos signos está inscrito en nuestro genoma. A efectos de codificar conceptos, igual da un objeto de adorno que un rito funerario, una obra de arte o un idioma (los llamados objetos de adorno y el arte paleolítico no se crearon para producir una impresión estética en el observador, o no solo para eso, sino para comunicar y compartir ideas).

Los humanos utilizamos cada uno nuestro idioma, el de nuestra comunidad lingüística, cuando mantenemos conversaciones digitales, chats, pero curiosamente recurrimos muchas veces a los emoticonos para hacernos entender de verdad. Y esos iconos son internacionales y valen para todos los países. No están en inglés, español, árabe o chino. Sin los emoticonos se pierden matices importantes, como la ironía, el enfado, la simpatía, la complicidad, el amor, el humor, la pena, etcétera. Son mejores vehículos, más eficaces y más seguros, para trasmitir emociones que las palabras escritas. Sustituyen a las inflexiones del tono de voz y al lenguaje corporal que se pierden en un chat. Nadie es capaz de hablar mucho tiempo en un tono neutro y sin mover un músculo en una conversación en persona.

Mire ahora un cuadro de emoticonos. Verá que muchos de ellos corresponden a expresiones faciales. Todo el mundo los entiende, quizás porque se han generalizado con el uso de los teléfonos móviles y otros dispositivos, pero seguramente también porque forman parte del patrimonio biológico de la especie y están, como suele decirse, en nuestros genes (todos los seres humanos lloramos cuando estamos tristes). Se puede ver así como la biología y la cultura conviven y se complementan en los seres humanos. Cada comunidad habla su idioma (la cultura), pero todos usamos los mismos emoticonos (la biología).

Pero el lenguaje humano no se compone solo de símbolos (palabras que designan cosas), sino que hace falta combinarlos en frases que tengan sentido y cuenten algo interesante. A las reglas de combinación es a lo que llamamos sintaxis.

Para Richard Dawkins, el lenguaje plenamente humano, es decir, con sintaxis, es —por sus enormes consecuencias históricas— uno de los umbrales (una de las divisorias) que se cruzaron en la evolución de la evolucionabilidad, aunque fuera en su momento un cambio pequeño que no anunciara grandes novedades. Dawkins piensa que la clave de la sintaxis está en la recursividad, la capacidad para construir oraciones subordinadas encajadas (anidadas) unas dentro de otras. En los lenguajes de programación de los ordenadores esta capacidad recursiva no requiere de muchas instrucciones. Es relativamente fácil conseguir que una subrutina se abra y se cierre dentro de otra, como una frase entre paréntesis en un texto de escritura normal (que a su vez puede contener otra frase, y así sucesivamente). El equivalente en genética de esas líneas de programa añadidas serían las mutaciones. Es posible, piensa Dawkins, que una sola o unas pocas mutaciones produjeran la capacidad de construir oraciones subordinadas encajadas unas dentro de otras; y eso lo cambió todo porque, con la sintaxis, las posibilidades de la comunicación se ampliaron hasta el infinito.

Richard D. Alexander, por su parte, hace hincapié en los tiempos verbales, que permiten distinguir pasados, presentes y futuros. Si les añadimos palabras que representan lugares o personas, entonces ya estamos en condiciones de contar cualquier historia y de imaginar cualquier futuro.

La evolución nos acababa de dotar de la herramienta más poderosa al servicio de la mente.

¿Cómo surgieron la mente simbólica y el lenguaje en la evolución humana?

Niles Eldredge y Ian Tattersall defendían en 1982 que la única especie simbólica que ha existido en la historia de la biosfera es la nuestra, y citaban a un neurocientífico de gran prestigio:

> Para [George] Sacher las pautas complejas de los homínidos, como la organización social, la caza, la elaboración de herramientas, etcétera, probablemente se basaban en un principio en procesos neuronales «ineficientes» que hallan sus equivalentes en otras especies de mamíferos. Sacher supone que el lenguaje fue en términos evolutivos una invención instantánea, fundada en la llegada del cere-

> bro a un tamaño crítico. Del procesamiento muy mejorado de la información permitido por este *salto cuántico neural* [la cursiva es mía] se dedujeron los demás atributos comportamentales distintivos del hombre.[8]

Eldredge y Tattersall añadían en ese libro de 1982 que la teoría de George Sacher —que, por otro lado, consideraban imposible de comprobar— se corresponde muy bien con las diferencias netas que se observan en la base del cráneo, la cual sería plana en los neandertales, de cráneo grande pero alargado, y *flexionada* (angulada, *en tejado*) en los humanos modernos como consecuencia del *enrollamiento* del cráneo cerebral, que al crecer adquirió en nuestra especie una forma globosa, casi esférica. Estas diferentes morfologías de la base del cráneo estarían a su vez relacionadas con la capacidad para el lenguaje articulado de los humanos modernos (con una laringe en posición baja) y la incapacidad para articular el lenguaje de los neandertales (con laringe alta).[9]

La idea de que los neandertales no podían pronunciar bien ciertas vocales porque sus faringes[10] eran diferentes fue muy popular en su época, pero no tiene hoy tantos partidarios. Yo, desde luego, no me cuento entre ellos.[11] Desde el punto de vista puramente físico, la anatomía necesaria para el habla ya podría existir desde *Homo erectus*. Pese a lo que se ha publicado, el órgano emisor no era el problema, como tampoco el órgano receptor (el oído). Otra cosa es averiguar cuándo el habla se convirtió en lenguaje.

Desde 1982 han pasado muchas cosas en el ámbito de la paleoantropología, nuevos fósiles y nuevas perspectivas, pero Tattersall se mantiene fiel a la idea de que ni los neandertales ni ninguna otra especie que no fuera la humana moderna han tenido jamás pensamiento simbólico ni lenguaje.

Tattersall[12] aún va más lejos al sostener que las condiciones necesarias para el pensamiento simbólico y el lenguaje aparecieron de manera rápida, como consecuencia de la reorganización de la anatomía que supuso la aparición de nuestra especie, pero que esa reorganización no habría tenido que ver con la mente o el lenguaje.[13]

Es decir, las bases anatómicas y neuronales que permiten el uso de símbolos y su codificación en forma de sonidos (fonemas y palabras) no aparecieron para hablar y razonar, no eran en origen una adaptación cognitiva. Al igual que sucedió con las aletas lobuladas, que fueron utilizadas para la marcha cuadrúpeda en tierra firme solo mucho después de que se desarrollaran (evolutivamente) en el agua para nadar, o con las plumas de las aves, que primero sirvieron para conservar el calor corporal en algunos dinosaurios y luego fueron reclutadas para el vuelo por las aves, las capacidades para el pensamiento simbólico y el lenguaje estaban ahí, *durmientes*, desde que hace unos 200.000 años apareció nuestro diseño corporal, pero no se usaban para pensar y comunicarse. Eso vino mucho más tarde, decenas de miles de años después, quizás más de cien mil años después.

Se trataría por lo tanto de una preadaptación en el sentido clásico, lo que modernamente se llama en paleontología exaptación. Habría consistido quizás en una mutación de escala muy reducida, pero que representaría para la arquitectura del sistema nervioso (el *cableado cerebral*) algo parecido a la clave de un arco en la arquitectura en piedra, una pieza modesta pero necesaria (central) para que toda la estructura se sostenga, y sin la cual el arco no se tiene en pie. La clave es, muy significativamente, la última pieza que se pone en el arco.

El argumento de Tattersall sigue así: hace unos 75.000 años se habría producido en África la puesta en funcionamiento de las capacidades simbólicas y del lenguaje. Bastó simplemente que esas facultades ya disponibles empezaran a usarse (quizás, dice, como un juego de chiquillos), para que *despertáramos*. Esa es la expresión que usa Tattersall: la especie humana existía desde hace 200.000 años y *despertó* hace 75.000 años con la invención del lenguaje. Vino luego el cuello de botella producido por una gran crisis ambiental que casi acaba con la especie todavía en su cuna africana, pero de la crisis emergieron unos humanos plenamente simbólicos que ya estaban preparados para, literalmente, comerse el mundo.

Recapitulemos, porque esto es muy importante. Según Ian Tattersall —y otros autores—, ni siquiera el *Homo sapiens* sería mentalmente como nosotros desde el principio de su existencia como especie, es decir, desde que es reconocible por los huesos del esqueleto, hace unos doscientos mil años. En aquellos tiempos todavía carecerían de lenguaje, aunque su cerebro fuera ya esférico y tuviera la capacidad simbólica en potencia y el aparato fonador estuviera listo para articular sonidos.

Lo que habría ocurrido después, decenas de miles de años más tarde, es que se habría producido una activación cultural (no biológica) del sistema nervioso que habría hecho posible la aparición de la mente simbólica, cuya antigüedad se data a partir de los primeros objetos de adorno, todos con cien mil años como mucho. A fin de cuentas, razona Tattersall, la estructura tenía que existir antes que la función, como ocurre siempre en la evolución biológica. En este caso, cien mil años antes.

El mejor de los ejemplos antiguos de objetos simbólicos está en la cueva Blombos en Sudáfrica, cerca del mar, que ha proporcionado conchas de caracoles perforados para ser colgados y dos placas de ocre rojo[14] con grabados geométricos en forma de aspas de hace 75.000 años. También se ha encontrado un trozo pequeño de roca con trazos pintados usando ocre rojo como crayón. Aquellos africanos eran sin duda tan simbólicos como nosotros, porque ni las cuentas de collar ni las piedras con marcas tienen ninguna utilidad práctica (conocida) en el mundo físico, lo que solemos llamar el mundo real. Quiero decir que no tienen valor en el sentido de servir como herramientas mecánicas, como utensilios capaces de cortar, golpear o perforar, aunque sin duda eran herramientas sociales que actuaban en el mundo mental, el inmaterial. El mundo imaginario o mundo virtual en el que se desarrolla nuestra existencia como seres humanos. Nuestro *matrix*, por recurrir al título de una famosa película.

En un yacimiento anterior, de hace alrededor de cien mil años, el de Skhul en Israel, que ha proporcionado esqueletos de nuestra misma especie (es decir, no neandertales), se han encontrado también dos conchas marinas de gasterópodos (caracoles) perforadas que podrían haber sido utilizadas como cuentas de collar o en algún otro tipo de colgante. Pero el abrigo de Skhul, situado en el Monte Carmelo en Galilea, no está muy lejos del mar. En un yacimiento argelino (Ued Jebana) de hace unos 70.000 años también se ha encontrado una concha de caracol perforada (de forma intencional, se supone). La distancia respecto de la línea de costa (de su tiempo) es muy grande, de unos doscientos kilómetros, lo que seguramente implica que aquellos humanos comerciaban, intercambiaban bienes entre grupos, se relacionaban con otros humanos que no eran familiares, ni conocidos. Todo esto presupone lenguaje (un sistema de comunicación codificada) y una mente simbólica.

Un problema por resolver es el de cómo se extendió el *salto cuántico neural* en nuestra especie, si es que fue así como nos hicimos habladores. Si solo tenía mente lingüística un individuo, el *mutante*, ¿con quién se comunicaba? Quizás no lo hiciera más que con sus hijos[15] y así pudo extenderse la mutación en una población con una consanguinidad muy elevada, una especie de gran familia, como podrían ser las primitivas.

Pero los neandertales, por ejemplo, no poseerían lenguaje según los partidarios radicales del *salto cuántico neural*. No serían más simbólicos que sus antepasados, incluso aunque tuvieran la capacidad de hacer fuego, fabricar utensilios de piedra muy elaborados y hasta de ponerse en la piel del otro. Como dice George Sacher, estas actividades estaban basadas en procesos neurales similares a los de otras especies de mamíferos.

¿Cómo se explica entonces la complejidad de la conducta de los neandertales?

Los neandertales, dice Ian Tattersall, se regirían por las emociones y por las intuiciones, esa forma de razonamiento inconsciente pero muy certera, de la que tantas veces nos servimos en nuestra vida diaria. Sabemos lo que tenemos que hacer sin pensarlo. Los neandertales serían pues emocionales e intuitivos, pero no racionales ni simbólicos.

No es una idea tan absurda científicamente, por cierto, esta de que los neandertales se rigieran por sus intuiciones, porque los neurocientíficos nos están diciendo que llevamos a cabo muchos de los actos que *creemos* conscientes y deliberados... de manera inconsciente e involuntaria. Es decir, primero actuamos y luego racionalizamos nuestra acción espontánea para darle una lógica. Así es como llegamos a estar convencidos (en nuestro fuero interno) de que primero pensamos, evaluamos y decidimos y luego pasamos a la acción, cuando muchas veces el orden de la secuencia es el inverso.

Aunque supieran de sí mismos y atribuyesen intenciones a los otros, los neandertales y los miembros de las demás especies fósiles serían eminentemente prácticos.[16] Se podría decir que eran muy realistas o pragmáticos. No crearían en su mente historias que nunca han ocurrido combinando imágenes procedentes del hondo almacén de los recuerdos. No experimentarían con el futuro. No imaginarían lo que podría pasar, tanto lo que *no* desearían que ocurriera como lo que *sí* querrían que aconteciese. Se atendrían a la realidad del momento. Vivirían siempre en un *presente continuo* (como se llama en inglés el tiempo verbal que se construye con el verbo «estar» seguido de un gerundio: «yo estoy comiendo», «ella está nadando», «el niño está llorando», «la hoguera se está apagando»). No soñarían despiertos, no tendrían ensoñaciones.[17]

Los neandertales, con toda certeza, encendían fuegos y los alimentaban cotidianamente, cada día y cada noche (hay innumerables hogares producidos por ellos), y se calentarían a su alrededor, sintiéndose seguros. Pero, de ser cierta la teoría del *salto cuántico neural* no contarían historias del pasado de la tribu ni de los espíritus que gobiernan el mundo —es decir, que lo explican y, algo todavía más importante, que le dan un sentido a las cosas que pasan, especialmente a la vida y a la muerte, porque *nada pasa por casualidad.*

No se preguntarían nunca *por qué estamos aquí.*

Para que se entienda el fondo del problema voy a recurrir a la definición de cultura del antropólogo social americano Walter Goldschmidt:[18]

> cultura es la percepción compartida del universo y de lo que contiene, incluyendo la percepción de uno mismo y del modelo de conducta que se considera adecuado. Esta percepción no se limita a los sentidos, sino que incluye los sentimientos y las emociones en tanto que son compartidas (por una población que adopta una definición común de sí misma). Tales percepciones del universo se internalizan durante el largo periodo de la maduración del individuo. No son iguales en cada una de las mentes de los miembros de la comunidad, pero estos actúan como si lo fueran. El pueblo intenta preservar esta imagen de conformidad, gran parte de la cual se encarna en el lenguaje que les es común y se ve reforzada por los rituales de la comunidad y otras instituciones sociales. Podemos llamar a este universo cultural el «mundo simbólico» o podemos pensar en él como un «ciberespacio», es decir, como una creación de la mente humana.

El ciberespacio es la realidad virtual que habitamos (el gran universo imaginario que compartimos con nuestro pueblo), y la gran pregunta de la paleoantropología es la de si los neandertales vivían, como nosotros, sus vidas simbólicas en su propio mundo simbólico, que tendría que ser diferente en cada comunidad (en cada cultura) de neandertales, como pasa con las diferentes etnias actuales (ya que cada una vive en su *matrix* particular).

EL ÚLTIMO MISTERIO DE LOS NEANDERTALES

Los neandertales siguen siendo un misterio, a pesar de que cada vez sabemos más de ellos. Incluso se ha secuenciado el genoma completo de varios individuos. ¿Qué más nos queda por descubrir? Falta lo más importante de todo: cómo era su mente. ¿Qué ocurriría si nos encontráramos con ellos, frente a frente (una experiencia por la que pasaron nuestros antepasados)? Durante mucho tiempo, a los neandertales se les ha negado todo rasgo de humanidad, incluyendo una postura plenamente erguida. En las representaciones que se hacían de ellos, su cuello de toro proyectado hacia adelante, su expresión estólida, sus brazos caídos y sus rodillas flexionadas les daban un aire simiesco. Poco a poco la visión ha cambiado, sobre todo desde que sabemos que todos los humanos que vivimos ahora (excepto los que proceden del África subsahariana) hemos heredado un puñado de genes neandertales. Y, como para culminar este proceso de ennoblecimiento de los neandertales, recientemente se han obtenido en España dataciones de signos pintados en las paredes de dos cuevas (una de Cantabria y otra de Málaga), así como de unas manos pintadas en una tercera cueva (de Cáceres), que indican que estas manifestaciones simbólicas son muy anteriores a la llegada de los cromañones a Europa y que, por lo tanto, solo pueden ser obra de neandertales. También han aparecido conchas perforadas en un yacimiento cercano a Cartagena que sugieren su uso ornamental por los neandertales.[19]

A todo eso se añaden las marcas de corte en los huesos de las alas y en las falanges de aves rapaces y buitres, que indican que los neandertales los llevaban a sus cuevas y ahí les arrancaban, con la ayuda de utensilios de piedra, las plumas y las garras, quizás para adornarse. Primero se vieron en el yacimiento de la cueva de Fumane, en Italia, y cada vez se conocen más sitios con este tipo de evidencias.

El debate sobre el simbolismo está ahora en plena ebullición, como todo lo que se refiere a los neandertales. A mí me sigue costando mucho trabajo imaginármelos celebrando ritos de iniciación o bodas, o contándose historias míticas referidas al pasado legendario de la tribu, narraciones en las que aparezcan en acción espíritus y seres imaginarios jamás vistos en la realidad de cada día. Como el representado en la célebre escultura (datada en al menos 35.000 años) del ser medio humano medio león (el *Löwenmensch*) del yacimiento alemán de Hohlenstein-Stadel, que fue tallado sobre una defensa de mamut por humanos como nosotros, cuando ya los neandertales se habían extinguido, al menos en el centro de Europa. Por no hablar de las flautas de la misma época de los yacimientos de la zona, y que también pertenecen a los cromañones. Y el trascendental fenómeno de la etnicidad, la formación de grupos étnicos, continúa pareciéndome ajeno a los neandertales. Yo suelo resumirlo en las conferencias diciendo que los neandertales no tenían bandera, es decir, identidad ideológica y cultural, sino solo parentesco biológico. Pero estas dataciones tan antiguas de pinturas me hacen dudar. Habrá que seguir investigando.[20]

Conway Morris, siempre buscando la convergencia, piensa que los neandertales tenían una mente simbólica, que hablaban y que enterraban a sus muertos con ceremonia. Por lo tanto, la mente simbólica y el lenguaje habrían surgido por evolución convergente al menos dos veces, y podríamos concluir que, a partir de un cierto grado de encefalización, el nacimiento de la mente simbólica y del lenguaje sería inevitable (y, por lo tanto, predecible).

Yo estoy de acuerdo en que los neandertales eran plenamente conscientes, e incluso podrían serlo los antepasados comunes que tenemos con ellos.[21] Pero también estoy convencido de que la nuestra es la especie más simbólica que ha existido nunca, quizás la única capaz de crear todo un mundo invisible que interacciona con el mundo visible y lo explica y le da sentido. Lo humaniza.

Este delirio, esta aparente patología de la mente consistente en ver lo que no está a la vista, lo que no existe, es la que da a los grupos humanos una fuerza invencible. Ahí reside la verdadera diferencia entre un organismo simbólico y otro que no lo es. Y aunque sepa hacer muchas cosas prácticas, un autómata jamás podrá crear mitos; y, sin mitos, el ser humano no habría construido civilizaciones (Figura 21).

Todas las especies anteriores a la primera que desarrolló la capacidad de *ver lo invisible* (que bien podría ser la nuestra) basaban sus sociedades en el parentesco y en el conocimiento directo de los otros miembros de la comunidad. De ese modo, los grupos no podían exceder de cierto tamaño,[22] porque sería imposible mantener información permanentemente actualizada sobre lo que hacen y piensan todos sus miembros para poder anticipar sus intenciones. Debe de haber un límite para la complejidad social con la que un cerebro es capaz de enfrentarse. La capacidad de crear grupos basados en mitos e historias compartidas, de forjar identidades colectivas de carácter simbólico —de modo que dos individuos que no se conocían previamente se reconocieran como hermanos aunque no compartieran genes—, supuso el salto del grupo biológico a la tribu. Y esperemos que algún día ese salto se complete al aceptar a la humanidad entera como nuestra única tribu.

Pero antes habrá que vencer grandes obstáculos, porque la empatía basada en la identidad simbólica también parece tener sus límites. En un experimento, se vio que los seres humanos estamos dispuestos a sufrir incluso daños físicos (en forma de descargas eléctricas doloro-

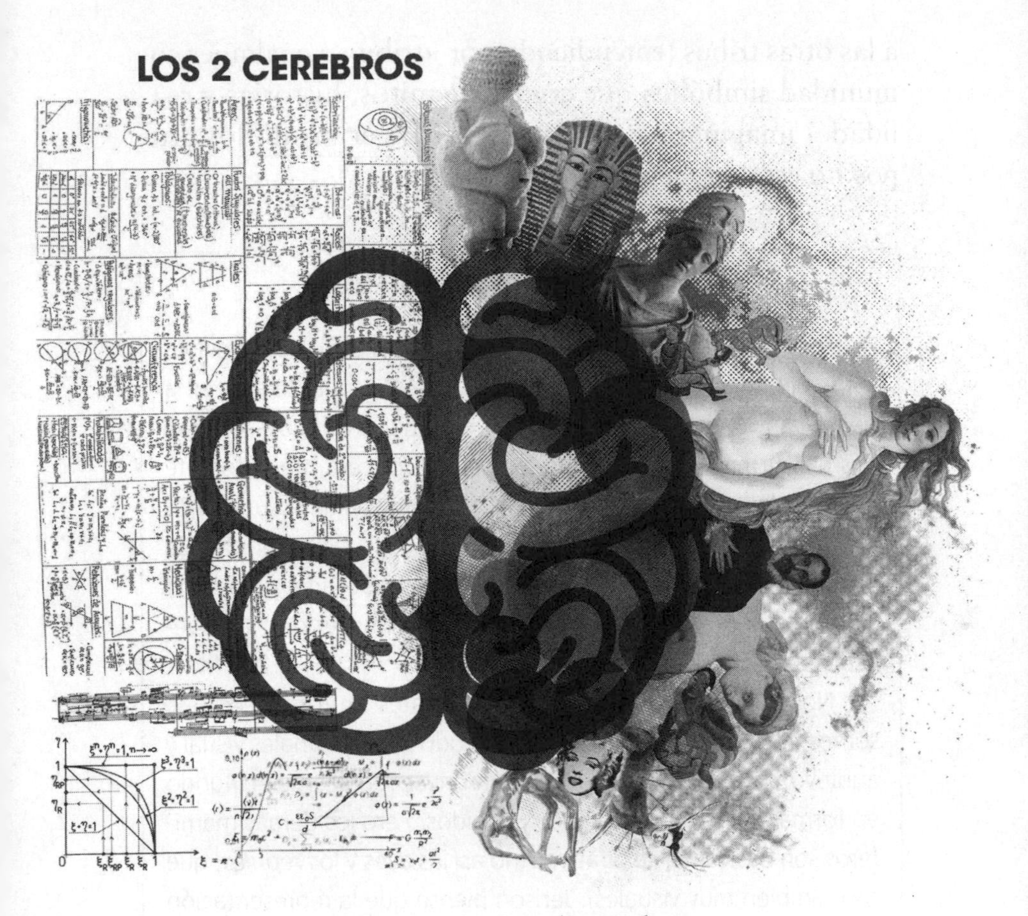

FIGURA 21. Los dos cerebros

Se suele decir que el hemisferio izquierdo del cerebro es analítico y racional y el hemisferio derecho imaginativo, creativo y artístico. Aunque es una simplificación, esta división de las funciones del cerebro tiene una base científica.

sas) por otras personas que son ¡seguidoras de nuestro propio equipo de fútbol!, pero no por las del equipo rival. Este es un magnífico ejemplo de cómo es posible extender los límites del grupo mucho más allá de la familia hasta abarcar a toda la tribu, pero también es una revelación de que no es fácil incluir en nuestro círculo a las otras tribus (entendiendo por «tribu» a cualquier comunidad simbólica que comparte mitos, historias y realidades imaginarias; en el caso del experimento los grupos no estaban definidos por la lengua).[23]

UNA TEORÍA RARA, MUY RARA

Hay, por supuesto, muchas especulaciones, a cuál más atrevida, sobre el origen del lenguaje humano y del Yo. Una de ellas es la de Jerison, el estudioso de la evolución del encéfalo. Como él mismo afirma, se trata de una teoría desconcertante, diferente de todas las demás, y por eso mismo le vamos a hacer un hueco al final de esta jornada. El Premio Nobel sueco Niels Bohr le dijo una vez a un joven físico: «Su teoría es descabellada, pero no lo suficiente para ser correcta.» Y hay que reconocer que la de Jerison es muy descabellada.

Nosotros, los humanos, como primates antropoideos que somos, recibimos información sobre todo por los canales visual y auditivo, de manera que nuestro cerebro se representa el mundo en forma de imágenes visuales y sonidos. Pero los demás mamíferos son básicamente olfativos (no así las aves y los *reptiles*, que son también muy visuales). Jerison piensa que la representación del mundo de los mamíferos olfativos no es de inferior calidad a la nuestra, no es menos precisa, no tiene los contornos de las cosas menos nítidos. Según Jerison, todo empezó (el lenguaje y la conciencia de uno mismo) cuando nos hicimos cazadores. Aquí volvemos a la hipótesis del cazador en relación con la evolución humana.[24]

Nuestros antepasados se aventuraron en la sabana, dice Jerison, y se hicieron depredadores. Pero para ser cazador hay que recorrer grandes extensiones de terreno, como hacen los lobos, sigue Jerison, que tienen un encéfalo de tamaño normal para un mamífero de su peso (no están muy encefalizados). Los lobos son capaces de elaborar en sus mentes mapas de su extensa área de campeo hechos de olores, mapas cognitivos *olfativos*; pero nuestros antepasados no habían desarrollado aún la capacidad de elaborar mapas cognitivos *visuales*, porque el territorio en el que vive un primate del tipo de un chimpancé o un gorila es mucho más pequeño y es fácil orientarse en él sin perderse. Así que, al ampliar su mundo, empezaron a etiquetar el territorio por medio de palabras, poniendo nombres a los elementos del paisaje. Desarrollaron así un nuevo *sentido*, el de las palabras, con el que marcaban el territorio, balizándolo del mismo modo que los lobos y demás carnívoros lo marcan por medio de olores. Era como si se hablaran a sí mismos, pero las palabras no eran todavía un instrumento de la comunicación, sino una herramienta de la cognición, al servicio del conocimiento. Se quedaban dentro de la mente privada de cada uno y no se compartían.

Los otros mamíferos, los olfativos, guardan la memoria espacial en el hipocampo, que es una parte antigua de cerebro que se aloja en el interior del lóbulo temporal, pero que no está formado de neocorteza (la corteza cerebral dedicada a las funciones superiores) ni de paleocorteza (la corteza olfativa), sino de arquicorteza (la corteza más primitiva). Cada uno de los dos hipocampos, uno a cada lado, tiene una forma aproximada de caballito de mar (que es lo que significa la palabra) o de gusano. Se ha descubierto que hay allí unas neuronas que representan lugares físicos concretos (llamadas *place cells* en inglés). Pues bien, los homininos utilizaron, según Jerison, el hipocampo también para almacenar las palabras, que serían así una forma nueva de representación del mundo exterior.

Pero las palabras se pueden comunicar, y la información que contienen sobre el entorno (el *cuándo* y el *dónde* de las cosas del exterior) también, así que un individuo podía enriquecer su mapa cognitivo con la información procedente de otro individuo. La conciencia del Yo (y la del Tú) surgió, aventura Jerison, por la necesidad de distinguir la información obtenida de otro individuo —a través de la comunicación— de la obtenida por uno mismo con sus propios sentidos —y que es almacenada en sus recuerdos personales.

No se trata solo de percibirnos a nosotros mismos como un objeto más de los que hay en el mundo (vernos desde fuera), sino de entender que ese objeto que somos tiene una mente diferente de la de los otros objetos de nuestro alrededor (los demás miembros del grupo). La capacidad de conocer, por medio de la comunicación, lo que hay en la mente del otro no puede llevar a confundir ambas mentes, la propia y la ajena. Por eso tuvo que aparecer la autoconsciencia, para ponerle límites a la mente y saber dónde termina la nuestra (el Yo) y dónde empieza la mente de los demás (el Tú).

Como el mismo Jerison reconoce, es una teoría muy peculiar.

Pero la investigación del hipocampo nos da tales sorpresas que no es prudente descartar ninguna hipótesis, por muy descabellada que parezca. Un neurocientífico argentino, Rodrigo Quian Quiroga,[25] ha hecho un descubrimiento sorprendente estudiando las células nerviosas del hipocampo. Rodrigo Quian identificó unas increíbles neuronas a las que ha llamado neuronas Jennifer Aniston. Han pasado con ese nombre a la literatura de la divulgación científica (e incluso a la técnica) porque este neurocientífico encontró en un paciente que determinada neurona se disparaba con cualquier fotografía de esta actriz. En otro paciente identificó la neurona Halle Berry que se activaba con fotografías de esta actriz, incluso disfrazada de Catwoman, y hasta se disparaba sin la imagen, solo con el nombre escrito. En resumen, se podría decir que las neuronas en cuestión tenían el *concepto* de estas mujeres. Otras neuronas funcionaban de forma semejante en otros pacientes, reconociendo también personas.

Después de todo, puede que la teoría de Jerison no sea tan descabellada como parece, porque podemos intentar relacionarlas neuronas que representan conceptos con las que representan lugares. Los lugares, dice Quian, también son abstracciones, conceptos.

De manera independiente, Daniel Dennett[26] llegó a una conclusión parecida: «Las palabras nos hacen más inteligentes al facilitarnos la cognición de la misma manera (pero muchas veces multiplicada) que las balizas y las marcas del territorio facilitan la circulación por el mundo a las criaturas más sencillas. La circulación en el mundo abstracto multidimensional de las ideas es sencillamente imposible sin una inmensa reserva de marcas móviles y memorizables que puedan compartirse, registrarse y verse desde diferentes perspectivas.»

Queda, como se ve, mucho que investigar en el terreno de la consciencia, de la autoconsciencia, de la mente simbólica y del lenguaje humano, porque esta es una de las grandes fronteras de la ciencia.

JORNADA XV

LOS HUMANOIDES Y EL FUTURO DE LA EVOLUCIÓN

Donde se examina la posibilidad de que la mente racional pudiera evolucionar en un tipo de animal que no fuera un humanoide en cualquier lugar del universo. Y al mismo tiempo nos preguntamos si para que un animal llegue a convertirse en un humanoide su evolución tiene que seguir los mismos pasos que ha seguido en el curso de nuestra propia historia. Dos grandes experimentos mentales. Y nos interesamos también por la evolución de los monos antropoideos en Sudamérica, un planeta *diferente del Viejo Mundo, de donde venimos los seres humanos. La reflexión final es, inevitablemente, acerca del futuro de la evolución.*

Somos la única especie viviente que se pregunta *por qué estamos aquí*, y obviamente hemos evolucionado en el planeta Tierra. Pero ¿podría una especie que no tuviera nuestras características, que no fuera un humanoide, hacerse esa pregunta? ¿La disyuntiva es los humanoides o nadie?

Así lo creía Julian Huxley. Para él no cabía ninguna duda de que solo una evolución como la que nos ha producido a nosotros, igual casi punto por punto, habría podido generar la razón. En sus propias palabras:

> El pensamiento conceptual solo podría surgir en un ser multicelular; un animal con simetría bilateral [cuerpo dividido en dos mitades simétricas, como imágenes de espejo, por un plano medio]; cabeza y sistema circulatorio; un vertebrado, y no un molusco o un artrópodo; entre los vertebrados, uno terrestre; y un mamífero entre los vertebrados terrestres. Finalmente, solo podría haber surgido en una línea de mamíferos que fueran sociales; con un solo hijo cada vez y no una camada; y que se haya hecho terrestre recientemente después de un largo periodo de vida arbórea.

Es difícil, desde luego, imaginar que pueda tener pensamiento un animal sin cabeza y con simetría pentarradial del tipo del erizo de mar o de la estrella de mar (cinco planos de simetría en vez de uno solo como en los animales de simetría bilateral); lo que excluye del camino de la inteligencia al filo de los equinodermos entero, con el que, conviene recordar, estamos relacionados evolutivamente y formamos un superfilo. Tampoco el filo de los moluscos parece muy adecuado, dado su diseño biológico, para desarrollar un gran cerebro (por más que el pulpo sea un «vertebrado honorario», según Conway Morris y posea una mente, como piensa Godfrey-Smith). Y, además, los moluscos apenas han salido del agua, lo que para Julian Huxley es un problema.

Los artrópodos (otro filo animal), sí que lo han hecho, en forma de arañas, ácaros y escorpiones (quelicerados todos ellos) e insectos. Estos últimos son auténticos conquistadores de la tierra firme, muy abundantes y diversos (forman una clase con muchos órdenes diferentes), pero su tamaño corporal no puede, en ningún caso, ser grande. Esta limitación estructural se debe a la manera que tienen de llevar el oxígeno a las células, que consiste en conductos huecos o tubos, llamados tráqueas. Tal sistema respiratorio impide que un insecto llegue a alcanzar un gran tamaño[1] y, por lo tanto, la posibilidad de un cerebro voluminoso está descartada. No puede pasar de un ganglio.

Siguiendo con el razonamiento de Huxley, solo un vertebrado podría llegar a desarrollar pensamiento abstracto, porque son los animales con más cerebro; y, de ellos, son los amniotas quienes están realmente desligados del agua gracias a sus innovaciones (el tipo de huevo y de piel, etcétera). Entre los amniotas, los mamíferos y las aves son capaces de controlar la temperatura corporal, pero las aves tienen las extremidades anteriores totalmente comprometidas con el vuelo y transformadas en alas, por lo que carecen de capacidad para manipular objetos con precisión (el pico no es suficiente), y sin esa facultad la tecnología es realmente imposible, por muy inteligentes que demuestren ser algunos pájaros (ya sabemos que las aves están más encefalizadas que los demás saurios).

Los mamíferos placentados tienen, además, un sistema reproductor que permite un prolongado desarrollo del embrión dentro del cuerpo de la madre, alimentado y oxigenado por esta, es decir, totalmente independizado del medio (la matrotrofia). Pero la mayor parte de los mamíferos, razona Julian Huxley, tienen las extremidades muy especializadas (en la marcha cuadrúpeda, en el vuelo, en la natación, en cavar, etcétera), de modo que carecen de unos autópodos (manos y pies) versátiles. No es este el caso de los primates, que por su modo de vida arbóreo poseen cinco dedos poco modificados y con uñas planas (en vez de garras), que les proporcionan una gran ventaja para agarrar objetos y apreciar su textura por medio del tacto. Y, dentro de los primates, los antropoideos disponen de unos ojos frontalizados (que miran hacia adelante) y con visión estereoscópica (en tres dimensiones), y poseen un cerebro especializado en procesar información visual, además de la auditiva. Además, son, en muchos casos, animales muy sociales.

Al propio Huxley le parece un tanto sorprendente que para desarrollar una mente consciente haga falta tener un pasado arbóreo, pero podemos preguntarnos: ¿se nos ocurre algún otro posible buen candidato buscando entre los demás órdenes de mamíferos? Por muy inteligentes que sean, ¿podrían llegar los delfines o los elefantes a producir una civilización tecnológica y con escritura, ordenadores, telecomunicaciones, etcétera? ¿No están limitados por la ausencia de órganos prensiles, más allá del morro o de la trompa?

Finalmente, era preciso descender de los árboles y adquirir la marcha bípeda para que las *extremidades anteriores* pudieran quedar libres de la locomoción y disponibles para el manejo delicado, pasando a convertirse en *extremidades superiores*. Los humanos y otros primates, cuando sujetamos un objeto con la mano, lo sentimos en las yemas de nuestros dedos, tan sensibles, y lo vemos en tres dimensiones al mismo tiempo, y esta precisión tremenda en la información que nos llega a través del tacto y de la visión binocular es un prerrequisito, dice Huxley, para el pensamiento conceptual, porque intervienen dos sentidos diferentes en el reconocimiento de un objeto.

Pero detengámonos un momento. ¿Lo de Julian Huxley es un argumento serio o es simplemente un relato?

Obviamente, el razonamiento de Huxley parece una mera descripción (una narración) del camino evolutivo que han seguido nuestros antepasados hasta llegar a nuestra especie, y él lo sabía. Cualquier mirada retrospectiva (por el espejo retrovisor) de una especie viviente permite ordenar temporalmente, en una secuencia, las preadaptaciones o *grandes movimientos* evolutivos que se han sucedido para producir una adelfa, una ballena, un murciélago o una hormiga.

Pero, aceptando este vicio de perspectiva, el juego está abierto para todo el que quiera participar en serio. ¿Moluscos viajando en naves espaciales? ¿Equinodermos trabajando en la industria pesada? ¿Arañas comerciantes? ¿Insectos universitarios? ¿Arenques diputados en el Parlamento? ¿Aves manejando ordenadores? ¿Cocodrilos filósofos? ¿Tiburones deportistas profesionales? ¿Delfines y elefantes artistas plásticos? ¿Y qué profesiones asignaríamos a corales y medusas? Aunque haya películas de dibujos animados en las que los peces piensan y hablan, y también las esponjas, nadie las considera realistas, y hace falta suspender temporalmente la incredulidad para disfrutarlas. A los niños les cuesta menos.

¿Alguien más ha defendido, en tiempos modernos, la *vía única* hacia la inteligencia?

Lo interesante es que Julian Huxley no está solo en esta idea de que había que pasar por las principales fases de la evolución humana para llegar a un ser inteligente y tecnológico. Ni se trata de una idea obsoleta de biólogo antiguo hoy descartada. Muy recientemente, Edward O. Wilson se abona a la misma tesis, o a una muy parecida. Entra en escena una nueva metáfora, porque la preferida de Wilson es la del laberinto. Para llegar a producir una sociedad compleja a la manera humana (la otra vía es la de los insectos sociales) había que atravesar una especie de laberinto, tomando las *decisiones correctas* en cada una de las bifurcaciones que se iban abriendo en el camino. El laberinto de Wilson representa el ambiente, que como tal no permanece constante. Es un laberinto que se va creando sobre la marcha: «El propio laberinto está sujeto a evolución a lo largo del camino. Antiguos pasillos (nichos ecológicos) se pueden cerrar, mientras otros nuevos se pueden abrir. La estructura del laberinto depende en parte de quién está pasando por él, incluyendo a cada una de las especies.» Cada nuevo pasillo que se abre en el laberinto es una oportunidad que se ofrece, pero los pasillos equivocados no llevan a ninguna parte, son vías muertas. Era muy difícil, a priori, salir de ese complicado laberinto lleno de callejones sin salida, que son trampas evolutivas. En realidad, todas las especies que viven en la biosfera actual han pasado a lo largo de su historia evolutiva por sus correspondientes laberintos, pero la mayoría de las especies que entraron en ellos se perdieron por el camino, porque, como sabemos, son muchas más las ramas muertas que las ramas vivas del árbol de la vida.

La probabilidad de *acertar* en todas las encrucijadas, una detrás de otra, era realmente minúscula, pero nuestra especie lo consiguió, así que hemos tenido mucha fortuna para llegar a estar aquí (pero no más fortuna que el resto de las especies vivas). A cada una de esas *decisiones afortunadas* en el laberinto, verdaderos *golpes de suerte*, Wilson los llama preadaptaciones, pero aclara que el término no expresa predestinación (recuerde el *uso malo* de la palabra «preadaptación» que he criticado ya). En su momento fueron adaptaciones normales al ambiente de la época. Lo que quiere Wilson expresar con el término «preadaptación» es que, de no haberse producido esos movimientos evolutivos, nosotros no estaríamos aquí, escribiendo y leyendo libros, ni lo estaría ninguna otra especie inteligente.

Wilson no se remonta tanto en la historia de la vida como Huxley, pero considera que solo un vertebrado terrestre, grande (para que le *cupiera* un gran encéfalo), con manos (no aletas ni alas) dotadas de pulgares oponibles y dedos con uñas planas y yemas sensibles (en vez de zarpas y garras), podría haber llegado tan lejos. Esas fueron nuestras *elecciones afortunadas*.[2] Nos dice Wilson que estas características de las manos (junto con otras preadaptaciones necesarias, como la visión en 3D) las tendrían que haber adquirido los seres inteligentes en un pasado arbóreo (entonces eran adaptaciones a su modo de vida en la selva). Faltaría además que el animal se bajara de los árboles y caminara erguido sobre sus piernas; también sería necesario que adquiriese la destreza de lanzar objetos con puntería, que cambiara de dieta y se hiciera carnívoro y que domesticara el fuego (esto también le parece imprescindible a Wilson) para que fuera posible la llegada al *teatro de la vida* de un actor dotado de una mente superior.

Como puede verse, un recorrido evolutivo muy parecido al que contemplaba Julian Huxley tres cuartos de siglo antes. De donde resulta que Julian Huxley, Conway Morris y Edward O. Wilson, entre otros, están dc acuerdo en la disyuntiva «humanoide o nadie». Y por cierto, Wilson no cita a Julian Huxley ni a Conway Morris como precedentes. Se trata de un caso de convergencia de ideas. Siempre estamos a vueltas con las convergencias, en biología, en Historia, o en teoría evolutiva.

Como un nuevo experimento mental para testar la hipótesis de que solo se puede llegar a un nivel elevado de inteligencia, complejidad social y tecnología siendo un humanoide, nos preguntamos ahora: ¿por qué casi todos los E. T. de la ciencia ficción se parecen a nosotros? ¿Qué formas de inteligencia alternativas a la nuestra son biológicamente posibles en otro planeta?

Se puede realizar este experimento mental cambiando la gravedad, la presión de oxígeno, la temperatura, la humedad y demás variables del medio, pero es más fácil hacerlo partiendo de las condiciones que reinan en la Tierra.

En cuanto a los extraterrestres, Edward O. Wilson[3] va tan lejos como Conway Morris, y afirma que los E. T., en el caso de que existan seres inteligentes en otros planetas (y a él esto le parece mucho más probable que a Conway Morris), necesariamente serán como nosotros en prácticamente todo lo esencial, aunque admite que tal vez su segmento visible del espectro electromagnético y su rango de sonidos audibles podrían ser diferentes, y los E. T. comunicarse en frecuencias muy altas o muy bajas que nosotros no percibimos (y que otros animales sí oyen) o ver mundos ultravioletas para los que nosotros, los humanos, somos ciegos, pero no los insectos.

Esta que viene a continuación es la descripción que hace Wilson de los E. T., y que debería ser la base para las fabulaciones de la ciencia ficción:

Los E. T. son fundamentalmente terrestres, no acuáticos, ya que durante la fase final de su evolución hacia la inteligencia y la civilización deben de haber controlado el fuego o alguna otra fuente de energía fácilmente transportable para desarrollar la tecnología más allá de las fases iniciales (otra vez el dominio del fuego como imperativo). Son animales relativamente grandes. Son fundamentalmente audiovisuales (hay que recordar que la mayor parte de los animales terrestres usan sobre todo los sentidos químicos: olfato y gusto). Tienen una cabeza diferenciada y grande, situada arriba y adelante, y un cuerpo alargado y con simetría bilateral. Tienen mandíbulas y dientes de tamaño pequeño o moderado porque son omnívoros y no necesitan triturar un alimento duro o fibroso para asimilarlo. Y no tienen grandes caninos ni cuernos (¡atención escritores de ciencia ficción, dibujantes de comics y directores de cine!) porque esas armas sirven para la defensa frente a los depredadores y para el combate entre miembros de la especie, y los E. T. no luchan físicamente unos con otros en sus avanzadas sociedades.[4] Poseen una muy alta inteligencia social. Tienen un número pequeño de apéndices locomotores, sostenidos bien por esqueletos internos (como nuestros huesos), bien por esqueletos externos (como los de los artrópodos), compuestos en todo caso de segmentos articulados entre sí, con por lo menos un par de apéndices que terminan en dedos con yemas, usados para palpar con enorme sensibilidad (el tacto es un sentido también muy importante) y para agarrar. Son, además, seres morales.

Esto último es una garantía en el caso de que nos visiten, pero E. O. Wilson, que ya hemos dicho que sí cree que existen (por mero cálculo de probabilidades, dice), no espera que vengan nunca a la Tierra. La razón está en la microbiota, la masa de microorganismos simbiontes que llevamos dentro los animales (compuesta sobre todo de bacterias intestinales). La microbiota se considera hoy en medicina un *órgano* del cuerpo humano, con un peso aproximado de tres kilos, y su buen estado es esencial para la salud. Wilson supone que los E. T. también tendrán su microbiota, compuesta de microorganismos que solo pueden vivir en el planeta de origen. Salvo que eliminen toda la vida existente y la reemplacen por su propia biosfera, la colonización por los E. T. de nuevos mundos no es posible, piensa Wilson.

Eso, añade Wilson, se refiere a la evolución exclusivamente biológica, porque los E. T. podrían haberse modificado a sí mismos enormemente por ingeniería genética una vez que adquiriesen la tecnología necesaria y haberse dotado de una nueva naturaleza. Pero Wilson no cree que lo hagan. Tampoco espera que suceda esto con el ser humano, más allá de las aplicaciones puramente médicas de nuestro recién adquirido control sobre los genes. La especie humana permanecerá sin cambios, pero será casi inmortal, afirma.

Poca gente lo sabe, pero, mucho antes que Wilson, un brillante antropólogo norteamericano llamado William Howells ya se había preguntado, en 1959, cómo podrían ser los extraterrestres,[5] en realidad como un experimento mental para dar respuesta a la pregunta de si era inevitable que la evolución produjera seres como nosotros aquí, en el planeta Tierra.[6] Howells estaba seguro de que había otros *hombres* en el espacio, habida cuenta de la enormidad de mundos parecidos al nuestro que los astrónomos de la época suponían que debían de existir entre tantas galaxias como tiene el universo, por muy pequeñas que fueran las probabilidades de que se formase en torno a una estrella un planeta de características similares a la Tierra.

Hay que empezar de cero, sin prejuicios, proponía Howells en su experimento mental, contando tan solo con que *ellos* son inteligentes, lo que quiere decir que son *humanos* en el sentido de que tienen cultura, se comunican ideas unos a otros y cooperan. Partiendo de esta base, Howells llega a la conclusión de que no serían muy diferentes de nosotros en sus principales sistemas corporales (circulatorio y nervioso, en particular) y que tendrían una cabeza donde se situarían la boca y los órganos de los sentidos, además de alojar un cerebro por fuerza muy desarrollado. Lo último es necesario para que el comportamiento no sea rígido e instintivo (preprogramado), como en los insectos, sino flexible y basado en la capacidad de aprender (es decir, programado para aprender). Es posible que su percepción del mundo no coincidiera exactamente con la nuestra, que vieran cosas que nosotros *sentimos* y *sintieran* lo que nosotros vemos, dice Howells (Wilson piensa algo parecido, como acabamos de ver). También cree que tendrían posiblemente dos sexos (tres o más son posibles pero poco prácticos, ya es suficientemente difícil encontrar pareja). No imagina a los extraterrestres muy grandes ni muy pequeños. En el segundo caso el cerebro sería de tamaño insuficiente, en el primero las extremidades que soportan el cuerpo tendrían que engrosarse mucho, como en los elefantes (las jirafas tienen las patas finas, pero pesan bastante menos). Sin duda dispondrían de manos con dedos (al menos cinco), pero no habrían de ser bípedos obligatoriamente.

Howells piensa que nada se opone a que tuvieran seis

extremidades, las dos anteriores con manos provistas de dedos para la manipulación. Eso nos podría haber ocurrido a *nosotros* (es un decir, porque entonces los humanoides *serían otros*) si nuestros antepasados acuáticos hubieran tenido tres pares de aletas ventrales en lugar de dos pares (las pectorales y las pelvianas). Por eso los primeros vertebrados terrestres (de los que descendemos) eran animales cuadrúpedos, en lugar de tener seis patas (ser hexápodos) como los insectos. Y por tener cuatro extremidades *tan solo*, y necesitar unas manos liberadas de la locomoción para desarrollar la tecnología, nos hemos visto abocados a ser bípedos, lo que no le parece una ventaja, necesariamente, sino la única solución disponible. Pero, si tuviéramos cuatro patas en lugar de dos piernas, podríamos ser más grandes, como un caballo, por ejemplo. Seríamos centauros.

Como todos los que han especulado sobre este tema, no cree Howells que en el mar pudiera surgir una civilización: «El agua es un medio bastante menos prometedor para la creación y la comunicación, aunque quizás no sea imposible.» Pero ¿por qué estamos tan seguros de que la inteligencia tecnológica no puede evolucionar en el agua? Podemos pensar que es por la natación, que impone aletas en lugar de manos,[7] o por la imposibilidad de hacer fuego, pero Howells aporta otro argumento: le parece que en el medio acuático la comunicación sería un problema. Ahora sabemos que los cetáceos se comunican muy bien acústicamente, y a enormes distancias, así que este argumento no me parece ya sostenible. Quedan los otros dos. ¿Qué tal si nos imaginamos unos delfines con manos en lugar de aletas? ¿Cuál habría tenido que ser su historia evolutiva para que se desarrollara esa adaptación prensil? En nuestro caso fue la vida arbórea,

¿en el suyo? Una vez que salieran del mar, ¿cómo se las arreglarían en tierra firme para evitar la sequedad? ¿Tendrían unas escafandras llenas de agua o algo así? ¿Y cómo se moverían fuera del agua (un medio en el que la gravedad es un problema mucho menor)? ¿O su civilización sería submarina?

Demos un repaso a los clásicos de la ciencia ficción en literatura, cine o historieta (cómic) y veamos qué soluciones ofrecen al problema. Me encantaría participar en un gran experimento mental compartido sobre este tema, y espero sugerencias. Pero no hay, hasta donde conozco, *alien* alguno que resista un análisis biológico serio, salvo que sea un humanoide como los que aparecen en la saga *Star Trek* (que siempre nos parecen lo que son: humanos disfrazados).

Pero el caso es que en este planeta no hay, ni ha existido, más humanoide que los de nuestro linaje. A pesar de la cantidad de convergencias adaptativas que hemos conocido, los humanos no somos convergentes con ninguna otra estirpe. Nadie más ocupa nuestro nicho ecológico. No hay ningún canguro o ave o lagarto que se nos parezca de verdad. ¿Debemos deducir de eso que nuestra aparición era muy improbable? O, por el contrario, ¿qué convergencias hay que sugieran que nuestra evolución era predecible?

Nuestra postura bípeda es realmente excepcional entre los mamíferos placentados, y los casos de las aves y de los canguros no son del todo equivalentes. Pero la postura bípeda podría haber aparecido más de una vez en los primates. Ya vimos el caso de los ardipitecos, posiblemente nuestros antepasados directos, de los que se postula que eran bípedos pero muy torpes. Sin embargo, quizás fueran tan escasamente terrestres, y por el contrario, tan arborícolas, que una locomoción imperfecta sobre las piernas podría ser más que suficiente en los breves ratos en que descendieran al suelo.

Muy lejos de África, hace unos siete millones de años, vivieron en lo que hoy es la Toscana y Cerdeña (y entonces eran un conjunto de islas del Mediterráneo) los oreopitecos, unos primates muy lejanamente emparentados con los humanos, chimpancés, gorilas, orangutanes y gibones (y del mismo grupo, la superfamilia de los hominoideos). Como los ardipitecos, eran muy arbóreos, pero algunos indicios del esqueleto sugieren que cuando bajaban a tierra, seguramente raras veces, caminaban sobre sus piernas de manera muy torpe comparada con la de los australopitecos o los humanos. En las islas toscanas no había depredadores que los amenazaran cuando descendían de los árboles, lo que hizo más fácil que así, caminando de forma ineficiente, los oreopitecos solucionaran el problema de la movilidad en el suelo.

La inteligencia es, desde luego, el gran tema en relación con nuestra evolución. La encontramos muy desarrollada en los cetáceos con dientes (los odontocetos), como delfines y marsopas, y en los elefantes. También algunas aves son muy inteligentes, los córvidos en especial, que además muestran sorprendentes capacidades para utilizar herramientas, sobre todo el cuervo de Nueva Caledonia. No se pretende argumentar con esto que un córvido podría llegar a convertirse en una especie *civilizada* como la nuestra. No, lo que se quiere decir es que *encontrar* uno de los picos de la inteligencia en el hiperespacio del diseño cerebral no es algo excepcional, sino inevitable, en animales de *sangre caliente*.

En la propia evolución humana, como vimos, es posible que dos líneas diferentes, evolucionando a partir de dos especies de australopitecos distintas, hayan alcanzado el *grado Homo* de encefalización (*Homo habilis* y «*Homo*» *rudolfensis*),[8] aunque solo una de ellas sea la que conduce hasta el *Homo sapiens* y la otra se extinguiera.

Más adelante, a partir de un antepasado común de hace algo menos de un millón de años, los neandertales y nosotros desarrollamos por separado, en paralelo, grandes cerebros, de modo que el *Homo neanderthalensis* y el *Homo sapiens* han sido las dos especies más encefalizadas desde que existe vida en la Tierra.

La conclusión es que otro primate podría haber desarrollado características similares a las nuestras si hubiera partido de un punto no muy alejado. Otro hominino, tal vez otro hominoideo, quizás incluso otro antropoideo más alejado...

Pensándolo un poco más despacio... ¿no se ha dado ese experimento natural que tanto ansiamos en nuestro propio planeta? ¿Hasta dónde llegaron los monos platirrinos en su isla sudamericana en términos de encefalización, socialización y uso de herramientas?

Robert Wright explica que, hasta que se pusieron en contacto, el Viejo Mundo y el Nuevo Mundo eran dos *placas de Petri* de la evolución cultural, al haber permanecido totalmente separados desde que se produjo el poblamiento de América hace unos quince mil años (solo los esquimales habían roto el aislamiento entrando desde Siberia hace unos dos mil años). Las placas de Petri son los recipientes redondos de cristal en los que los microbiólogos hacen sus experimentos, pequeños micromundos aislados, sin interferencia del exterior. Cuando los españoles pusieron pie en América no solo se encontraron estructuras sociales que les recordaban mucho a las suyas, sino también unos monos abundantes y diversos: los platirrinos, los micos. El experimento del prolongado aislamiento americano se había producido dos veces, una culturalmente y la otra biológicamente. Estos monos americanos llevaban separados de los primates catarrinos (que nos incluyen a los humanos), unos treinta millones de años.

Desde luego, los platirrinos nunca produjeron un humanoide. Los europeos no se sorprendieron al ver los micos en América, conocían monos con cola en África y Asia, pero no encontraron nada parecido a un chimpancé o a un gorila o a un orangután. No hay platirrinos grandes, ni siquiera del tamaño de los gibones, que son los más pequeños miembros de nuestro clado (y los menos encefalizados).

¿Querrá esto decir que los humanoides no son inevitables, ni aunque se parta ya de monos antropoideos como eran los primates que llegaron a América? ¿No habría demostrado precisamente la placa de Petri americana la no inevitabilidad de los humanoides?

Es una conclusión que parece legítima, aunque se debe tener en cuenta que los bosques tropicales del Viejo Mundo han ocupado (hasta el comienzo del enfriamiento del planeta) una extensión mucho mayor que la que tenían ecosistemas parecidos en la isla que era Sudamérica, aunque fuera una isla muy grande. Y cabe pensar que por eso la radiación de los platirrinos ha sido de una escala menor que la de los catarrinos. O dicho de otra forma, la exploración del hiperespacio del diseño biológico por los platirrinos fue más lenta y menos completa que la de los catarrinos.

El alcance de una radiación adaptativa, su *creatividad*, seguramente tiene que ver con la dimensión del ámbito geográfico en el que se produce. Una explosión de formas biológicas necesita mucho espacio, además de mucho tiempo, para que se separen las diferentes trayectorias evolutivas y se alejen unas de otras. No es lo mismo un supercontinente (todo el Viejo Mundo) que una isla, por grande que sea (Sudamérica, Australia o Madagascar); no cabe esperar la misma capacidad de innovación. De nuevo nos viene a la mente la comparación con el mundo de la industria y de la economía y con el tamaño del mercado en el que se compite y *evoluciona*.

Tal vez hubiera sido solo cuestión de tiempo que los micos *descubrieran* el pico de la inteligencia en el hiperespacio del diseño cerebral, aunque, como siempre ocurre en la evolución, esto ya no va a pasar porque una especie que sí ha escalado esa cumbre, la nuestra, no la va a compartir (es muy posible que no lo hiciera con especies mucho más cercanas como los neandertales, los denisovanos o el Hobbit).

Los platirrinos, observa Conway Morris, han desarrollado, de todos modos, un grado de socialización muy avanzado en algunas especies como los monos araña. Por su parte, los monos capuchinos están muy encefalizados (un cerebro muy grande para el pequeño tamaño de su cuerpo, no hay más que verlos) y son capaces de utilizar piedras como herramientas y, lo que es más sugerente, ¡cazan! Les gusta la carne.[9]

Conway Morris se atreve a imaginar un futuro de platirrinos: «Si no hubiéramos salido caminando de África, entonces probablemente más pronto que tarde nuestros análogos se habrían paseado fuera de Sudamérica llevando herramientas y seguramente disfrutando del gusto de la carne.»

Hay pues argumentos que merecen ser considerados a favor de que la evolución es predecible. Pero no son menos sólidos los que dicen lo contrario: que no es predecible.

Si la evolución es predecible, según algunos, ¿cómo será la biosfera del futuro? ¿No es esta la prueba de fuego de la predictibilidad? Si no podemos saber lo que vendrá después, ¿qué razón tenemos para pensar que el presente tenía que ser así, como es ahora, con nosotros, los humanoides, incluidos?

Lo cierto es que es difícil especular sobre los animales (o plantas) del futuro a largo plazo, aunque sepamos que las especies de mamíferos no duran más de un millón de años, y muchas de ellas menos de medio millón de años. Unos pocos cientos de miles de años podría ser el promedio. Por supuesto, el factor antrópico lo ha trastocado todo desde que se desarrolló la agricultura y la ganadería, y no digamos a partir de la revolución industrial. Y además ahora incluso estamos en condiciones de hacer ingeniería genética con las especies y planificar la evolución en el laboratorio, como un ingeniero desarrolla una máquina o, más parecido aún, como un informático escribe un programa de ordenador, un algoritmo. Pero este libro tiene mucho de experimento mental, así que podemos preguntarnos por la evolución futura de las especies eliminando al ser humano de la ecuación. Es decir, podemos fantasear acerca de *cómo era el futuro*... hace 11.700 años, cuando empezó el Holoceno, la época *pos-*

glacial en la que vivimos. O cómo sería el futuro si nuestra especie desapareciera del planeta.

A partir del momento en que la vida animal se manifestó en toda su diversidad, la primera era, el Paleozoico, fue la de los *peces* y los anfibios; la segunda era, el Mesozoico, la de los *reptiles*; y la tercera, el Cenozoico, la de los mamíferos. O así es como se cuenta la historia. Si no fuera por nosotros, si nuestra especie fuera barrida de la faz de la Tierra por un virus o una guerra que no afectaran a las demás especies, ¿llegaría una cuarta era? ¿Y cuáles serían los vertebrados dominantes? ¿Qué podría venir después de la Era de los Mamíferos? Tendría que ser algo completamente nuevo que hubiera evolucionado a partir de los actuales mamíferos (o de algún otro grupo animal, quién sabe, aunque no se me ocurre de cuál).

A este respecto, escribía Julian Huxley:[10]

> Los equinodermos, por ejemplo, alcanzaron su clímax antes de que se acabara el Mesozoico. Para los artrópodos, representados por su grupo más excelso, los insectos, el punto final parece haber llegado a principios del Cenozoico; ni siquiera las hormigas y las abejas han hecho avance alguno desde el Oligoceno. Para los pájaros, el Mioceno marcó el final; para los mamíferos, el Plioceno.

El biólogo Julian Huxley, como el paleontólogo Robert Broom antes (recordemos la jornada VI), pensaba que la humana era la única especie que conservaba verdadero potencial evolutivo, la única que aún podía convertirse en algo realmente diferente —y grandioso— e iniciar una nueva era. Todas las demás formas de vida animal estarían demasiado especializadas como para salirse de su carril evolutivo.[11] Representarían callejones sin salida por muy larga que fuera su trayectoria, como los equinodermos. La historia de la vida habría terminado, y la especie humana sería la única esperanza de *progreso* que le quedaría a la evolución, precisamente porque el ser humano no se habría convertido en un superespecialista, sino que se mantendría como un mamífero generalista, sin pezuñas, ni garras, ni alas, ni aletas, etcétera.

Por supuesto que Huxley sabía que el animal humano está hiperespecializado en *lo suyo*, el desarrollo cerebral y psíquico, pero le parecía que esa especialización no lo limitaba para seguir evolucionando, ya que, al contrario, le daba cada vez más control sobre el ambiente, con lo que ampliaba el potencial evolutivo en lugar de reducirlo, como hacen las otras especializaciones. Así pues, según Huxley, habría especializaciones que restringen el futuro evolutivo y otras, como la nuestra, que lo amplían (a mí esto me parece un juego de palabras, una trampa lógica).

Por eso sentía Julian Huxley que la ciencia debería tomar el control de la evolución humana, para hacernos mejores de lo que somos. Eso sí que sería verdadero progreso. Para Julian Huxley, la próxima era geológica solo podía ser la de los humanos mejorados por nosotros mismos, convertidos casi en dioses. Y en estos tiempos que corren ahora se habla mucho, precisamente, de la búsqueda de la inmortalidad, quizás la única característica de los dioses que todavía no tenemos. Según Julian Huxley, en consecuencia, el futuro de la evolución es muy previsible: somos nosotros en una versión mejorada.

Julian Huxley alude a Robert Broom en términos

poco elogiosos: «Una pequeña minoría de biólogos, como Broom (1933), todavía se sienten impelidos a invocar "agentes espirituales" para explicar el progreso evolutivo, pero su número decrece conforme se van asimilando las implicaciones de las teorías seleccionistas modernas.» Curiosamente, lo que Huxley no dice es que él mismo coincide con Broom en que la evolución ha terminado, salvo para nuestra especie (y eso que Huxley le escribió en 1933 una carta a Broom en la que reconoce su influencia).

Según Marc Swetlitz,[12] la razón por la que Julian Huxley no cita nunca a Broom como un precedente de la idea del final de la evolución —y como una opinión paleontológica autorizada a su favor— es que no quería que lo relacionasen con el finalismo del escocés-sudafricano (se avergonzaba de él). Julian Huxley no era finalista, ningún neodarwinista creía en una causa final de la evolución, pero sí que era ardientemente *progresionista*, como ya sabemos. Defendía la selección natural, que es por definición un mecanismo sin más dirección que la que determinan las circunstancias de cada especie (lo que es adaptativo para un murciélago no lo es para un canguro), pero pensaba que la evolución tenía una dirección preferente que llevaba hasta el ser humano. En realidad decía lo mismo que Broom, y se apoyaba en sus pruebas fósiles, solo que sustituía a Dios por la selección natural. George C. Williams diría en 1966 de Julian Huxley que era un flagrante ejemplo de cómo se puede defender la teoría de la evolución por selección natural y luego vaciarla de contenido (traicionar su esencia).

Pero qué interesante resulta ver cómo un paleontólogo que creía en la actuación de agentes espirituales

(Broom) y un biólogo neodarwinista y ateo (Huxley) podían converger en una visión tan semejante de la evolución pasada, presente... y también futura, porque ambos pensaban que el ser humano estaba incompleto.

Sospecho que es inevitable que el ser humano piense en todo momento que se ha llegado al final de la Historia en su generación, aunque vemos que una y otra vez se suceden revoluciones y grandes cambios sociales que no esperábamos. Por hablar de mi propia generación, muy pocos habían vaticinado la caída del muro de Berlín, y sospecho que nadie anticipó el auge del radicalismo islámico, la vuelta a la geopolítica de la religión en su versión más agresiva y simplista.

En el caso de la evolución, es posible que Huxley tuviera razón, después de todo, y no quepa esperar nada realmente nuevo de las demás especies; pero no porque carezcan de potencial evolutivo, como él pensaba, sino porque mucho me temo que las especies del futuro serán como nosotros los humanos queramos que sean, y solo existirán las que permitamos que existan. Las reglas del juego evolutivo han cambiado definitivamente.

LA EVOLUCIÓN NO HA TERMINADO

En su libro *El significado de la evolución* (1949), George Gaylord Simpson combatía la tesis del cierre de la evolución. En primer lugar, argumentaba, hay especies en la actualidad que aún se conservan primitivas, es decir, poco especializadas. Entre los mamíferos, Simpson citaba a la zarigüeya y a la tupaya,[13] que apenas habrían cambiado desde el Cretácico y conservarían toda su adaptabilidad. Ambas podrían dar lugar a nuevas radiaciones adaptativas. La tupaya, en particular, podría evolucionar hacia algo parecido a los primates actuales si estos desaparecieran.[14]

En segundo lugar, no es verdad que los grupos especializados no puedan dar lugar a grandes novedades evolutivas. Si nos situáramos en el Jurásico, ¿no nos parecerían los mamíferos de entonces unos peculiares reptiles que estaban muy especializados (con pelos, leche, unos dientes muy particulares y demás)? Y sin embargo sabemos que más tarde produjeron una fantástica radiación adaptativa de la que descendemos tanto los murciélagos como los delfines, los elefantes, los erizos y los seres humanos. ¿No se nos antojaría, sea cual sea el periodo en el que hayamos aterrizado en nuestro viaje en el tiempo, que todos los grupos biológicos estaban ya demasiado especializados para dar algo nuevo?

La «ley de Cope», que dicta que solo los organismos no especializados pueden dar sorpresas evolutivas, no se puede sostener, porque no hay un criterio claro para distinguir entre seres especializados y no especializados. En el fondo, la idea de un grupo biológico totalmente generalizado no deja de ser, razonaba Simpson, un mito o una abstracción.

Pero aún nos falta por rebatir un argumento aparentemente insuperable a favor del cierre de la evolución. Broom razonaba que no ha aparecido ninguna clase de reptiles desde el Triásico superior, hace más de 200 millones de años, del mismo modo que no han surgido órdenes de mamíferos ni apenas familias de pájaros desde el Eoceno, hace 40 millones de años. Y además, muy pocas familias de plantas con flor (o ninguna) se han originado desde el Eoceno. Esto quiere decir, según Broom, que las especies de todos esos grupos biológicos se han especializado tanto que han perdido la capacidad de progresar.

Simpson también hacía sus cuentas, mucho más rigurosas y expresadas en forma de tablas numéricas,[15] y le salía que la producción de nuevos órdenes de animales se había mantenido constante, aunque con altibajos, desde el Cámbrico al Cenozoico, aunque la producción de nuevas clases había caído en picado. Las últimas clases de vertebrados en aparecer han sido los mamíferos (finales del Triásico) y las aves (Jurásico). Desde entonces, nada.

El problema es el de cómo se decide que un grupo nuevo es suficientemente original para merecer la categoría de clase. Desde los primeros mamíferos y aves ha habido, desde luego, mucha innovación en los dos grupos, y en múltiples direcciones. ¿Quién habría podido imaginar que de un mamífero terrestre, pequeño y nocturno iba a salir andando con el tiempo la ballena azul, el mayor animal que ha existido en toda la historia de la vida?

Después de haberla dedicado a los humanoides y al futuro de la evolución, no podemos evitar que esta jornada se cierre con la Gran Pregunta: ¿por qué estamos aquí?

El propósito de este libro no era contestar por usted a esta pregunta, porque no es una pregunta científica, sino que usted mismo se responda con los datos que la ciencia le proporciona. ¿Azar o necesidad? Stephen Jay Gould, como antes George Gaylord Simpson y Jacques Monod, se decanta por el azar, Conway Morris por la necesidad. El azar se basa en la cantidad de contingencias (circunstancias, accidentes históricos) que se descubren en la historia de la vida y en el camino que nos ha traído hasta aquí. Cualquier pequeña variación en esas circunstancias habría producido un resultado completamente diferente. ¿Cómo negarlo? Es imposible, y Conway Morris no lo hace. Pero añade que esos cambios en las condiciones de la evolución solo habrían alterado el aspecto más superficial de la vida tal y como la conocemos hoy, no su estructura, su *fábrica*.[16] Habrían emergido de todos modos las mismas propiedades biológicas, porque las limitaciones de la evolución y la ubicuidad de la convergencia hacen casi inevitable la aparición de algo parecido a nosotros.

Conway Morris nos da a escoger entre el azar y la necesidad, y su alegato termina con la frase «la elección, por supuesto, es suya».

Yo creo que entre ambas explicaciones hay otro camino, el de la probabilidad. Cada una de las grandes transiciones evolutivas (las *transformaciones*, los progresos en evolucionabilidad, las *grúas*) que dieron lugar a las radiaciones sucesivas en el camino de los humanoides tenía una probabilidad de producirse, en unos casos más grande que en otros, y todas, multiplicadas,[17] una probabilidad pequeña, pero no infinitamente pequeña.

Ahora bien, no siempre las nuevas producciones de la vida reemplazaron a las viejas *por sus propios medios*, en competencia limpia, podríamos decir. No todas las expansiones fueron del tipo que Simpson llamaba de relevo (o de sustitución): un clado original y novedoso (lo nunca visto) frente a un viejo clado dominante y bien asentado desde hacía mucho tiempo (lo de siempre), a ver quién puede más, quién se adueña del espacio ecológico. *The Winner Takes It All*, el ganador se queda con todo, como en la famosa canción de ABBA.

Porque en algunos casos los vencedores en la competición recibieron ayuda desde fuera del terreno de juego. Con un meteorito, por ejemplo. O una glaciación. O un adecuado choque de placas tectónicas o un gran desgarro de la corteza terrestre. Si añadimos estos acontecimientos astronómicos o geológicos, totalmente ajenos a la biología, al cálculo, entonces la probabilidad de que aparecieran alguna vez los humanoides se hace aún más pequeña.

Pero ¡alto!, también está la poderosa convergencia adaptativa, esa fuerza al parecer tan extendida en todas las épocas de la historia de la vida, para contrarrestar esta pobreza de probabilidades de los humanoides.

Por supuesto, la decisión final (¿inevitable?, ¿puro azar?, ¿solo improbable?) es suya.

EPÍLOGO

ALGO MARAVILLOSO VA A OCURRIR

La especie humana era morfológica y cognitivamente igual que ahora en la época en la que pintaba los maravillosos frescos animales de la cueva Chauvet (Francia), de esto hace más de 30.000 años. Su creatividad artística, desde luego, no era inferior a la nuestra. Desde entonces hemos ido cambiando de estilos muchas veces, pero no hemos dejado de oscilar entre lo abstracto y lo figurativo, dos polos artísticos, el conceptual y el naturalista, que existen desde el principio del arte paleolítico. Nada nuevo, en suma, desde Chauvet.

Cuando se pintaron los bisontes de Altamira, hace 14.000 años aproximadamente, ya poblábamos parte de América, al igual que Eurasia, África y Australia. Solo las islas del Pacífico, Madagascar, Groenlandia y la Antártida permanecían ajenas a la existencia de nuestra especie, con sus faunas y floras intactas. Por aquel entonces, la mayor parte de las especies grandes de marsupiales había desaparecido de Australia, y muy poco después le tocaría el turno a los grandes mamíferos placentados de América.

La especie humana era poderosa y ocupaba una gran parte del planeta, los individuos eran conscientes de su propia existencia, tenían lenguaje, arte, fuego, enterraban a sus muertos ritualmente, elaboraban mitos que explicaban el mundo y daban respuesta a la pregunta de por qué estamos aquí. ¿Todo eso nos obliga a considerar que era una especie superior a las demás, una especie dominante?

Es difícil contestar, ¿cómo medirlo, al peso, en kilogramos de biomasa humana? Seguramente no eran más de siete millones de personas. Se puede definir *dominancia* en negativo, como la capacidad de extinguir otras especies, es decir, de modificar la biota en beneficio propio (al menos, a corto plazo).

De hecho, según las últimas cuentas, la biomasa sumada de la especie humana y los mamíferos domésticos (sobre todo vacas y cerdos) supone el 96 por ciento de toda la biomasa de los mamíferos (los humanos representan el 36 por ciento y los animales domésticos el 60 por ciento). La biomasa de aves domésticas (gallinas, patos, gansos) es tres veces la de las aves salvajes. Un verdadero horror que, por supuesto, no presagia nada bueno... para nosotros (los artrópodos siguen sumando la mitad de toda la biomasa animal, de la que humanos y ganado suponen un 8 por ciento).[1]

¿Cuándo empezó la gran extinción de la fauna producida por el ser humano?

Es posible, pero no seguro, que el colapso de la megafauna australiana fuera causado directa o indirectamente por la llegada del *Homo sapiens*. Lo mismo se puede decir de la extinción de la megafauna americana, pero como esta coincide con un enorme cambio climático, el final de la Edad de Hielo, que afectó a los ecosistemas de todo el mundo, la responsabilidad humana pudo ser compartida con agentes no biológicos.

Después de la glaciación, los humanos eran más numerosos que nunca y aprovechaban todos los recursos disponibles, incluidos los animales pequeños, como conejos, aves, tortugas, peces o el marisco de las costas (lapas, ostras, caracoles, cangrejos, erizos, etcétera). ¿Es esta una prueba de que habían aprendido a gestionar el hábitat explotando hasta la última caloría aprovechable, o más bien se debe a que no había suficiente caza mayor para alimentar a todos? En cualquier caso, ese aprovechamiento de los recursos animales y vegetales que proporciona la naturaleza en unidades pequeñas, pero muy abundantes y previsibles, ya se constata a finales del Paleolítico, todavía en la época de los fríos glaciales.

Fue la agricultura y la ganadería, el Neolítico, lo que empezó a cambiar el mundo al poco de terminar la última glaciación. No es que la agricultura y la ganadería proporcionaran una alimentación o una vida más sana, o incluso una vida más larga, a los seres humanos, pero permitían que hubiera cada vez más gente en el planeta (Figura 22).

Podemos pensar que hablar es mejor que rugir, y que pintar en las paredes nos hace superiores sobre cualquier otra criatura pero, desde el punto de vista ecológico, los cromañones de Altamira no eran más importantes que los leones o los osos de las cavernas, y seguramente tampoco más numerosos. Grandes carnívoros y cromañones se respetarían... y se evitarían.

Lo más interesante del proceso de domesticación es que el Neolítico no surgió solo en el llamado Creciente Fértil, en el Oriente Próximo —de donde nos vienen el trigo, la cebada, el centeno, los guisantes, las lentejas y otros productos vegetales junto con las ovejas, las cabras, y las vacas—. Hubo otros grandes focos independientes de neolitización, principalmente en China, Mesoamérica y los Andes. Todo esto hace pensar a muchos (como Jared Diamond) que el descubrimiento de la agricultura y de la ganadería era inevitable, y que ocurriría por fuerza allí donde se dieran de forma natural plantas susceptibles de ser cultivadas (muy pocas lo son) y animales salvajes que, por sus características especiales, pudieran ser domesticados (muy raros también). Y quizás la condición más importante en el caso de los animales es que fueran muy sociables, que vivieran en grupos, ya que los animales solitarios difícilmente se domestican. O sea, que la sociabilidad animal favoreció la formación de las grandes sociedades humanas.

¿UN FRAUDE HISTÓRICO?

La revolución neolítica se produjo de forma independiente en cinco lugares diferentes y en tiempos distintos. El primero fue el llamado Creciente Fértil del sudoeste de Asia (desde Turquía hasta Irak, pasando por Siria, Israel y Palestina), y luego vinieron China, Mesoamérica, la región andina y la Amazonia, y el este de lo que hoy es Estados Unidos. Hubo domesticación de animales y plantas en otros lugares (como el Sahel, el África tropical occidental, Etiopía y Nueva Guinea), pero no se sabe a ciencia cierta si son centros primarios, como los cinco anteriormente citados, o secundarios, es decir, regiones que recibieron la cultura y la economía neolíticas —el *impulso*— de alguno de los centros primarios, y luego fueron capaces de domesticar animales y plantas locales siguiendo el ejemplo recibido. Esto es, con seguridad, lo que pasó en Europa, en el valle del Indo y en Egipto.

¿Por qué en esos lugares y no en otros? Según Jared Diamond,[2] tenían que darse dos circunstancias juntas: 1) que ya hubiera una gran densidad humana en esos territorios, de modo que se explotaran todos los recursos posibles, es decir, una economía de cazadores y recolectores de *espectro amplio* (no dedicada exclusivamente a la caza mayor, sino también a la recolección de plantas y de animales pequeños); y 2) que vivieran en la región especies vegetales y animales adecuados para ser cultivadas y criados. Donde se dieron esas raras circunstancias, el Neolítico se desarrolló, como si hubiera una especie de determinismo, de fatalidad. Una vez que se llega a un cierto grado de desarrollo cultural y de densidad humana, simplemente sucede si concurren las circunstancias naturales favorables.

¿Quiere eso decir que la agricultura y la ganadería hacen más felices a las personas que la caza y la recolección y por eso abrazan la vida del campesino? Para Robert Wright, la revolución neolítica, y toda la evolución cultural en general, antes y después, supuso siempre una mejora y un avance. El título de su libro lo dice claramente: *Nadie pierde*.[3] Por el contrario, para Yuval Noah Harari[4], el *Neolítico* fue un fraude histórico del que no pudimos escapar y que hizo más desgraciados a los seres humanos.

Es difícil medir la felicidad, como experiencia subjetiva que es, pero podemos recurrir a criterios biológicos, más objetivos. Es un hecho que los agricultores y ganaderos bajaron su talla con respecto a sus antepasados cazadores y recolectores, y en el esqueleto se aprecian problemas articulares relacionados con actividades tan poco naturales y tan forzadas como doblarse para cavar y moler el grano. Curiosamente, no solo se redujo el tamaño del cuerpo, sino también el del cerebro.[5]

¿Por qué se extendió entonces el Neolítico? Simplemente porque los granjeros eran más numerosos que los cazadores-recolectores, y por ello sus sociedades estaban políticamente más organizadas, eran tecnológicamente más avanzadas y, en consecuencia, resultaban militarmente más eficaces. Fue un proceso autocatalítico, es decir, que se retroalimentaba. A más gente, más poder de expansión y de transformación del medio.

¿Por qué eran más? Principalmente porque, al modificar los ecosistemas en su beneficio, la tierra se dedicaba solo a alimentar seres humanos, con lo que cabía más gente en el mismo espacio.[6] Además, es posible que, al hacerse sedentarios y tener una alimentación más regular, la separación entre cada dos partos se acortase y se pasara de tener un niño cada tres o cuatro años a dar a luz a uno cada dos años, o incluso menos.

¿Vivirían más años los granjeros que los cazadores-recolectores? Sorprendentemente, los perfiles de mortalidad de los Hadza (unos cazadores y recolectores actuales del lago Eyasi, en Tanzania) son muy similares a los de los agricultores suecos —o de cualquier otro sitio, como Castilla— del siglo XVIII. En ambos casos —cazadores-recolectores actuales y granjeros del XVIII—, la edad de muerte más frecuente de los adultos (lo que en estadística se llama la moda) se sitúa en torno a los setenta años, aunque una mortalidad infantil muy elevada haga que la esperanza de vida calculada en el nacimiento, que es en realidad la edad promedio de muerte de la población, sea baja.[7]

Aparentemente, los perfiles de mortalidad no cambiaron hasta la industrialización. Los cazadores-recolectores no tenían mejores ni peores estadísticas que los campesinos europeos o chinos de la Edad Media o, incluso, de la Edad Moderna. Pero a finales del siglo XIX y en el siglo XX las sociedades industriales mejoraron mucho sus tablas demográficas, tanto en esperanza de vida (o sea, en mortalidad infantil) como en longevidad. Vivimos más que los cazadores y recolectores y que los campesinos medievales (la moda estadística de edad de muerte de los adultos se sitúa una década más tarde... y subiendo), y no vemos morir a nuestros hijos. Por lo general, ellos nos ven morir a nosotros. En eso, desde luego, hemos salido ganando.

¿Tiene entonces la Historia una dirección principal? ¿Y cuál es esa dirección? Para los antropólogos culturales del siglo XIX (como el británico Edward B. Taylor y el

EL NEOLÍTICO
¿UNA BUENA O UNA MALA IDEA?

FIGURA 22. El Neolítico. ¿Una buena o una mala idea?

Todo cambió con la revolución neolítica para los humanos y para los ecosistemas, porque el alimento pasó de extraerse de la naturaleza a producirse. La dieta se hizo menos variada y la vida más dura, sin que por ello la hora de la muerte se retrasara. La razón por la que se impuso la agricultura y la ganadería es simplemente que permitió que viviera más gente en el planeta. Hubo que esperar muchos milenios para que la calidad de la vida humana mejorara considerablemente. Gran parte de la humanidad no ha conocido estos beneficios hasta nuestros días, y todavía no los disfrutan todos los seres humanos.

norteamericano Lewis Henry Morgan) estaba claro que se había producido una evolución cultural en la que se fueron sucediendo las etapas —desde la simplicidad hasta la complejidad social y tecnológica— de una manera muy parecida a como se veía entonces la evolución biológica. Además, eso era lo que decían los arqueólogos: cuanto más profundamente se excava, más rudimentaria es la sociedad que uno se encuentra.

Pero el antropólogo norteamericano Franz Boas arremetió frontalmente contra la idea de la evolución cultural, que él encontraba racista porque convertía en inferiores a los pueblos que permanecían en una etapa anterior a la de las grandes civilizaciones. Cada cultura, sentenció Boas, tiene sus propias características y dinámicas internas, y no se pueden poner en fila para formar una escalera de progreso. La evolución cultural no sería para Boas unidireccional, sino multidireccional.

El antropólogo cultural Walter R. Goldschmidt recordaba en el último libro que escribió, en 2006, que, cuando él empezaba a trabajar en su especialidad (leyó su tesis doctoral en 1942), la idea de la evolución cultural todavía estaba proscrita, pero que ese rechazo ya había sido superado, y comparaba la evolución cultural con la biológica.[8] Piensen en esto, escribía Goldschmidt: hace 2.500 años tuvo lugar el esplendor del clasicismo griego; doblen la cifra (5.000 años) y asistimos al nacimiento de los Estados; vuelvan a doblar la cifra y nos encontraremos con el inicio de la agricultura y la ganadería, el Neolítico; dupliquen otra vez y llegarán al apogeo del arte rupestre; una nueva duplicación y nos encontraremos ante las primeras evidencias de religiosidad de la Historia (no lo dice Goldschmidt, pero si hacemos una nueva multiplicación por dos llegamos a los primeros objetos simbólicos encontrados en África). La trayectoria, concluye Goldschmidt, describe una curva exponencial: «Esta extraordinaria historia es producto de la evolución *cultural.*»

Por lo tanto, el dominio del pensamiento de Boas parece haberse ido debilitando en la segunda mitad del siglo XX, y han surgido cada vez más autores que sostienen de nuevo que la Historia tiene una dirección preferente, una *flecha.* La prueba está en las numerosas *convergencias evolutivas* que se han dado. Dicho de otro modo: si una línea de progreso hacia la complejidad social se extraviaba o abortaba, otra tomaba su lugar. La Historia, por lo tanto, sería predecible porque tiene una lógica.

Sería entonces una ciencia, como la física, la química o la biología, con sus leyes determinísticas, sin escapatoria posible. En las ciencias experimentales se tiene la seguridad de que, si se repiten las mismas condiciones de partida, se volverá a producir el mismo resultado final.

También Yuval Noah Harari y Robert Wright afirman taxativamente que hay una flecha de la Historia, y que las sociedades humanas evolucionan hacia formas progresivamente más complejas y más grandes, y que, por lo tanto, cada vez el mundo es más pequeño. En definitiva, la flecha de la Historia apuntaba hacia una globalización que ya estamos alcanzando. Felipe Fernández-Armesto[9] ha contado magistralmente cómo se han ido produciendo los *descubrimientos* de los otros pueblos de la Tierra, que se han ido conectando entre sí.

Aunque grandes autoridades del pensamiento como Isaiah Berlin y Karl Popper negaran en su día que la Historia sea predecible y esté sujeta a leyes, no cabe duda de que los tiempos que estamos viviendo dan argumentos a los que sostienen que hay una tendencia de fondo hacia las sociedades más grandes y más complejas (más organizadas y más especializadas, con más profesiones diferentes),[10] y que todo apunta hacia una futura sociedad planetaria con un grado de intercomunicación entre todos sus miembros como no se ha conocido nunca.

En la Historia humana habría pues un determinismo muy grande, por lo menos a partir de finales del Paleolítico. Las sociedades de esa época, al final de la glaciación, ya estaban *preadaptadas* para pasar de una economía de pura extracción de alimento de la naturaleza (aprovechamiento de los *dones de la Tierra*) a una de trabajosa producción del sustento. Quizás porque entre medias hay una fase de gestión de los recursos naturales que implica la modificación de los ecosistemas en beneficio propio, así que las gentes del Paleolítico final, probablemente, ya controlaban el medio.

Ahora bien, según Ronald Wright, la flecha de la Historia apunta en la dirección equivocada, porque el progreso tecnológico es una trampa. Cada vez que dimos un paso en esa dirección, empezando por el desarrollo de la tecnología paleolítica, fue a costa de una parte de la biosfera. Primero fue la extinción de las megafaunas australiana y americana, y aún no hemos parado. Todas las civilizaciones han sido ecológicamente destructivas. Algunas colapsaron por ello, y desaparecieron al quedarse sin los recursos naturales indispensables para mantener grandes aglomeraciones urbanas. Otras civilizaciones sobrevivieron descubriendo nuevas tierras, o nuevos continentes, que esquilmar. En el caso de los europeos fue sobre todo a costa de América.

Ahora no nos queda ninguna tierra o mar virgen, y no tenemos a donde ir. Es el momento, si es que aún estamos a tiempo, de cambiar toda nuestra trayectoria histórica, la que nos ha traído hasta aquí.

Pero tal vez no quede ya tiempo, y esa sea la explicación de la paradoja de Fermi: todas las civilizaciones que ha producido la galaxia han colapsado. Por eso no han llegado hasta la Tierra y no tenemos noticia de ellas. Las distancias son inmensas en el espacio, no cabe duda, pero también lo eran en el planeta para los humanos que salieron, a pie, de África. Y el tiempo es aún más inmenso que el espacio. Si en cada generación algunos individuos se desplazan cien kilómetros respecto del lugar donde han nacido para establecer un nuevo campamento, como hay cuatro generaciones por siglo, en cien años habrá gente naciendo a cuatrocientos kilómetros del lugar donde vinieron al mundo sus bisabuelos. Y cien kilómetros se pueden hacer andando en dos o tres días, si se quiere. Finalmente, un milenio son diez siglos, que no es nada en tiempo geológico. Como ejemplo de cuán rápida puede ser la expansión humana, en menos de dos mil años los amerindios se extendieron desde Alaska hasta la Patagonia.

Pero lo importante de este relato es que los viajeros, cuando partían, daban la espalda completamente a su hogar y no volvían a saber de él. ¿Cómo podían imaginar los navegantes polinesios que llegaron a la isla de Pascua (Rapa Nui para ellos) hace cinco siglos que su hogar original, el de toda la especie humana, estaba en África? Nadie, de hecho, lo ha sabido nunca hasta que recientemente lo han puesto de manifiesto los esfuerzos combinados de la genética y de la paleontología.

Una civilización extraterrestre podría, *debería*, haber llegado así a todos los rincones de la galaxia, simplemente extendiendo los límites de su especie, cualquiera que fuera su origen y sin mirar atrás.[11] Salvo que sean todas muy recientes, o salvo que todas hayan colapsado, o salvo que la nuestra sea la única civilización tecnológica que ha existido, la única que ha podido viajar por el espacio.

¿Puede haber una civilización avanzada sin tecnología espacial? El mismo Harari que piensa que hay una flecha de la Historia llega a la conclusión de que si retrocediéramos a hace 10.000 años (cuando empezó el Neolítico) y empezáramos de nuevo la Historia, el mundo de hoy no tendría por qué ser igual. Por ejemplo, el cristianismo o el islam podrían no haber triunfado. La Historia, dice, no se puede explicar de forma determinista y no es predecible porque es caótica, no obedece a leyes.

Imagino que Harari se refiere a los detalles particulares de la Historia, porque la tendencia general a la globalización sí que es predecible según sus propias palabras, si no lo he entendido mal. Es concebible, dice Harari, imaginar la Historia sin el cristianismo y sin el Imperio romano, y no puedo estar más de acuerdo. Esos han sido accidentes de la Historia. Desde luego, para mí es también posible imaginar a Aníbal derrotando a Escipión el Africano en Zama o a los romanos firmando un tratado de no agresión con los cartagineses, aunque dejo esta cuestión a los historiadores. Supongo que los habrá que piensen que antes o después el enfrentamiento se tenía que producir porque no cabían dos imperios en el Mediterráneo, y que Roma tenía que triunfar porque era una sociedad mejor organizada que Cartago.

Harari señala acertadamente que la llamada revolución científica que se produjo en Europa el siglo XVII (y finales el XVI) consistió en admitir la ignorancia: que no lo sabemos todo y que no lo podemos saber a partir de los libros sagrados. Para Harari el mundo tecnológico que hoy conocemos es el resultado de la alianza entre tres grandes poderes: el poder científico, el imperio (poder político) y el poder económico (el dinero), de modo que unos refuerzan a otros.

Si no se hubieran dado esas circunstancias sociopolíticas en Occidente, ¿se habría desarrollado la ciencia y la tecnología en otro lugar? ¿Podría haber ocurrido en el Imperio otomano o en el chino o en el indio?

Es verdad que, de todas las civilizaciones que han existido, solo la occidental, y en tiempos del Barroco (ya pasado el Renacimiento), ha inventado y puesto en práctica el método científico que utilizamos hoy. No se ha producido la convergencia, nunca se dio el encuentro entre científicos europeos y americanos o asiáticos intercambiándose sus conocimientos sobre la tabla periódica, la física cuántica, la hemoglobina o la tectónica de placas. Pero, como siempre que se da un caso único en la historia, nos queda la duda de si el corredor que llegó antes a la meta impidió que los demás terminaran la carrera (como ocurrió con el origen de la vida o de la mente simbólica, que solo han surgido una vez).

En su maravilloso libro *El giro* (2011), Stephen Greenblatt mantiene que el hecho que lo cambió todo fue el descubrimiento, en un monasterio alemán, de una copia del libro *Sobre la naturaleza de las cosas*, que había escrito en el siglo I antes de Cristo el romano Tito Lucrecio Caro. Gracias a este casi milagroso hallazgo cambió la mentalidad de algunos filósofos naturales y empezó la búsqueda de explicaciones naturalistas (en vez de sobrenaturales) del mundo. Quizás Greenblatt exagera un poco, la Historia no puede depender de un solo libro, ¿o tal vez sí? Piense en los textos sagrados de las tres religiones del Libro. En todo caso, es indudable que, sin la vuelta al pensamiento clásico que se produjo en el Renacimiento, el curso de la Historia occidental, y a la postre mundial, habría sido distinto.

El término revolución científica del Barroco (como la conoce la historiografía de la ciencia) presupone un movimiento cohesionado de filósofos naturales conectados por una ideología común, de la que serían plenamente conscientes y que constituiría su *credo*. Pero no todos los historiadores de la ciencia están convencidos de que haya existido la revolución científica del Barroco como tal, y ven una clara continuidad con la filosofía natural de la Edad Media y del Renacimiento.[12] Además, en el siglo XVII fue solamente la física la que experimentó un gran salto, mientras que la revolución conceptual de la química se produjo en el siglo XVIII, la de la biología en el siglo XIX (con la teoría de la evolución) y la de la geología en el siglo XX (con la tectónica de placas).

Hay también muchos que piensan que las raíces de la ciencia se hunden en la interpretación cristiana de un dios racional, que puede ser entendido lógicamente y sobre el que es posible saber cada vez más por medio de la investigación, porque no todo quedó dicho con los textos sagrados, sino que hay aún mucho misterio por aclarar. La culminación de este modo de pensamiento, que se basa en el filósofo pagano Aristóteles más la inspiración de la fe cristiana, sería el monje medieval Tomás de Aquino. La ciencia tendría, pues, unas raíces teológicas, de modo que solo en la Europa cristiana podría haberse desarrollado.

Pero es del todo cierto que los filósofos naturales del

siglo XVII se consideraban a sí mismos *modernos* y pensaban que estaban haciendo algo nuevo, radicalmente diferente de sus predecesores del Renacimiento. En particular, renegaban del pensamiento mágico que había imperado antes, y que atribuía a la naturaleza finalidad, intencionalidad o sensibilidad. Los *modernos*, en cambio, buscaban explicaciones puramente mecánicas de los fenómenos naturales, de modo que algo cambió para siempre en la manera de ver la naturaleza en el siglo XVII, y ese cambio hacia el mecanicismo lo protagonizan un puñado de investigadores europeos plenamente insertos en la sociedad de su tiempo.

Con todo, me cuesta creer que, de no haber sido así, nadie habría descubierto nunca que somos un producto de la evolución biológica, o los genes, o el *big bang*, o la teoría de la relatividad. ¿Viviríamos en una sociedad como cualquiera de las del siglo XVII, pero sin la ciencia y la tecnología?

Pierre Teilhard de Chardin pronunció una conferencia en la embajada francesa en Pekín el 10 de marzo de 1945. La segunda guerra mundial estaba terminando. El título de esta era «Vida y planetas. ¿Qué acontece en este momento sobre la Tierra?».[13] Uno de los últimos párrafos dice así:

> Entonces, ¿no resulta concebible que la humanidad alcance, al término de su ajustamiento y totalización sobre sí misma, un punto crítico de maturación, al llegar al cual, dejando tras sí la Tierra y las estrellas vuelva lentamente a la masa evanescente de la energía primordial, y se desligue psíquicamente del planeta para alcanzar el punto

> Omega, la sola esencia irreversible de las cosas? Fenómeno exteriormente semejante acaso a una muerte: pero, en realidad, simple metamorfosis y acceso a la síntesis suprema. Evasión fuera del planeta, no espacial y por el exterior, sino espiritual y por el interior, es decir, tal como la permite una hiperconcentración de la materia cósmica sobre sí misma.

La obra de Pierre Teilhard de Chardin fue duramente criticada por uno de los grandes genios de la biología moderna, y Premio Nobel, sir Peter Medawar, en un artículo de 1961. Daniel Dennett y Richard Dawkins parecen regocijarse con esas críticas. También Jaques Monod se mostraba irritado con su compatriota en 1970: «La filosofía biológica de Chardin no merecería detenerse en ella, a no ser por el sorprendente éxito que ha encontrado hasta en los medios científicos. Éxito que testimonia la angustia, la necesidad de renovar la alianza. Teilhard la renueva en efecto sin rodeos».[14] Lo que más les irritaba a Peter Medawar y a Jacques Monod era la pretensión de Chardin de hacer pasar por ciencia sus ideas, cuando en realidad estaban basadas en la fe.

George Gaylord Simpson escribió en 1964 lo siguiente sobre Chardin:[15] «Se han formado sociedades teilhardianas que tienen todo el aspecto de culto religioso con Teilhard como su profeta, por no utilizar una palabra más fuerte. Eso se debe en parte a los recuerdos de la persona en sí, porque era extraordinariamente agradable, con una personalidad indescriptiblemente cálida y brillante combinada con una atractiva humildad en todos los temas menos en uno.» También habla, en otro párrafo, de «la cálida simpatía sentida hacia Teilhard por todos los que lo conocieron», para añadir, un poco más adelante que «Theilhard fue en primer lugar un místico cristiano y solo en segundo lugar un científico».

Tienen toda la razón esas críticas, pero me parece que no aciertan a entender el *fenómeno Chardin*.

Su pensamiento tiene dos partes. Por un lado, lo que en realidad pretendía Chardin cuando llamaba *ciencia* a sus ensayos (lo que tanto irritaba a sabios como Medawar y Monod) era borrar los límites entre lo natural y lo sobrenatural, que para Chardin serían la misma cosa, sin solución de continuidad. Todo es natural. Por otro lado, parecería lógico pensar que en la parte más narrativa de su obra, cuando trata la *evolución* del cosmos, Chardin extrapolaba el pasado de la vida, que conocía bien como paleontólogo, hacia el futuro, de modo que los fósiles le servían para hablar de lo que podríamos llegar a ser algún día. De hecho, eso es lo que afirma rotundamente el propio Chardin. Sin embargo, yo creo que hacía exactamente lo contrario. Tenía una visión mística respecto del futuro y lo proyectaba sobre el pasado. Lo que ha fascinado a tanta gente desde entonces es su intuición del porvenir, no su descripción e interpretación del pasado. Esta interpretación del pasado es, de hecho, solamente una justificación, una supuesta prueba *científica* de la seriedad de la visión, de que esta tiene un fundamento naturalista. Nadie lee a Chardin como un paleontólogo, sino como un visionario, porque la mirada está puesta en el futuro, no en el pasado.

Pero Teilhard de Chardin, según nos cuenta Jacques Monod, no fue el descubridor «de la idea de reencontrar la antigua alianza animista con la naturalcza, o dc fundar una nueva, gracias a una teoría universal según la cual la evolución de la biosfera hasta el hombre estaría en la continuidad sin ruptura de la evolución cósmica». Al contrario, Chardin sigue la estela del *progresionismo* científico del siglo XIX, que incluye el positivismo de Spencer y el materialismo dialéctico de Engels y Marx. Monod ve asomar también la *proyección animista* en la raíz misma del materialismo dialéctico porque, al ser subjetivas, las (supuestas) *leyes* de la dialéctica implican el abandono del principio de objetividad que debe prevalecer en la ciencia.

Para demostrarlo, Monod cita un texto de Friedrich Engels (de *Dialéctica de la naturaleza*), que no deja lugar a dudas de que Engels pensaba que el pensamiento humano y el propio ser humano son el resultado necesario de una evolución cósmica. Sorprende realmente su cercanía a los textos de Chardin. Esta es la cita (traducción de Francisco Ferrer Lerín):

> Pero sea cual sea la frecuencia y el inexorable rigor con los que este ciclo se cumpla en el tiempo y el espacio; sea cual sea el número de millones de soles y de tierras que nazcan y que perezcan; por mucho que sea el tiempo que se necesite para que, en un sistema solar, las condiciones de vida orgánica se establezcan, aunque solo sea en un planeta; por innumerables seres orgánicos que deban, en primer lugar, aparecer y perecer antes de que salga de su seno un animal con un cerebro capaz de pensar y que encuentre por un corto lapso las condiciones propias para la vida, para ser luego exterminado también sin piedad; tenemos la certeza de que, en todas estas transformaciones, la materia permanece enteramente siendo la misma, que ninguno de sus atributos puede jamás perderse [Engels no admitía el segundo principio de la termodinámica] y que, en consecuencia, si ella debe en la Tierra exterminarse algún día,

como exigencia de una necesidad superior, su floración suprema, el espíritu pensante, es preciso que por esa misma necesidad en otra parte y en otra hora sea reproducido.

Eso es verdadera fe.

Son famosas las frases finales del libro *El azar y la necesidad* de Jacques Monod: «La antigua alianza ya está rota; el hombre sabe al fin que está solo en la inmensidad indiferente del universo de donde ha emergido por azar. Igual que su destino, su deber no está escrito en ninguna parte. Puede escoger entre el reino y las tinieblas.»

A través de ellas manifiesta Monod su postura totalmente contraria a cualquier forma de determinismo histórico. Todo es indeterminación, la aparición de la célula o la del ser humano tenían una probabilidad de ocurrir prácticamente igual a cero. Pero eso no quiere decir que carezcan de explicación:

> Espero que se me comprenda bien. Diciendo que los seres vivos, en cuanto clase, no son previsibles a partir de los primeros principios, no pretendo decir que no son *explicables* según estos mismos principios, que en cierto modo trascienden, y que otros principios, solo aplicables a ellos, deban ser invocados. [...] La biosfera es, en mi opinión, imprevisible en el mismo grado que lo es la configuración particular de los átomos que constituyen este guijarro que tengo en la mano. [...] Este objeto no tiene, según la teoría, el deber de existir, mas tiene el derecho.

Podría esperarse que con esta actitud Monod habría de chocar contra las instituciones religiosas, pero su enfrentamiento más virulento fue con los defensores del materialismo dialéctico como método supuestamente científico para interpretar la historia, toda la historia desde el principio del cosmos, en una época (año 1970) en la que, como se ha llegado a decir, el marxismo era *la religión oficial de la ciencia* (por lo menos en los círculos académicos e intelectuales de Francia).

¡Pobre Monod, y qué valiente, atacado por católicos y por marxistas, las dos ideologías modernas con una visión más netamente determinista de la historia, desde el *big bang* hasta el siglo XXI y los siglos que vendrán, y a las que Monod tacha nada menos que de animistas, expulsándolas del recinto de la ciencia!

En muchos sentidos, el pensamiento de Julian Huxley se parecía al de Teilhard de Chardin, pese a ser ateo y darwinista el inglés, y creyente (deísta) y finalista el francés. Julian Huxley describía la evolución como «progreso sin objetivo» (*«progress without a goal»*), mientras que para Chardin el progreso tenía un objetivo (su famoso punto Omega). Pero ambos autores tienen en común que utilizan el pasado, el registro fósil (en el caso de Huxley a través del paleontólogo Robert Broom), como una justificación de la visión del futuro de la que parten.

En el prólogo a la primera edición inglesa del libro de Chardin *El fenómeno humano*, Huxley habla elogiosamente de la persona y de la obra de su amigo el jesuita francés, y cuenta que ambos han seguido caminos paralelos en la misma búsqueda. Los dos esperaban que algo maravilloso le iba a ocurrir a nuestra especie y, por extensión (a través de nosotros), a toda la materia viviente e incluso a la materia inanimada. Chardin se detiene en el punto Omega, pero a Julian Huxley incluso le parece que se puede ir más allá. En una nota a pie de página del citado prólogo escribe:

> Presumiblemente, al designar este estado [el estado final de la convergencia humana] como Omega, él [Chardin] pensaba que esa era la verdadera condición final. Sería verlo como meramente un nuevo estado o modo de organización, más allá del cual la imaginación humana en el presente no puede penetrar, aunque quizás los extraños hechos de la percepción extrasensorial descubiertos por la ciencia de la parapsicología, aun en su infancia, pueden darnos una clave de lo que quizás sea un estado más avanzado.

Julian Huxley también aspiraba, como Chardin, a borrar los límites entre lo natural y lo sobrenatural.

Huxley y Chardin vivieron años de guerras mundiales y anhelaban un mundo mejor, en el que la humanidad pudiera ser mucho más de lo que ha sido y es. Para los dos científicos e intelectuales, la evolución humana aún no había concluido. Ambos pensaban también en términos que trascienden al ser humano e incluyen a toda la materia viviente, e incluso al cosmos en su totalidad. Es de la epopeya de la vida, más aún, de la cosmogénesis, de lo que están hablando, de una historia grandiosa de miles de millones de años. Porque para Huxley y Chardin la evolución humana es una prolongación de la evolución en general, no un simple caso particular. La hominización no es la historia de un grupo biológico más, sino la vanguardia de la evolución. La visión *progresionista* de la evolución en general, que compartían los dos, le hace decir a Huxley en el prólogo de *El fenómeno humano* que la evolución es una victoria sobre el segundo principio de la termodinámica, que proclama la tendencia inexorable de todas las cosas hacia el desorden, ya que, por el contrario, la evolución es un proceso de incremento de la organización y la complejidad a lo largo de los tiempos.

Como ya sabemos, Julian Huxley atribuye a nuestra especie la responsabilidad de ser la única posibilidad de progreso que le queda a la vida, porque todos los demás grupos biológicos habrían agotado su potencial creativo.

Huxley fue un hombre comprometido con su tiempo, un activista social, pero no creía en ninguno de los grandes sistemas políticos de su época: el capitalismo, el marxismo y el fascismo o el nazismo. Los tres le parecían inhumanos (pese a que durante un tiempo sintió simpatías por la Unión Soviética). Su alternativa para conseguir una humanidad mejor, su visión, era el humanismo científico, la planificación de la sociedad con métodos científicos. Ese programa político incluía también intervenir sobre la evolución puramente biológica, y la única forma de hacerlo en su época era a través de la eugenesia, es decir, mediante la planificación de la reproducción.

El final de la conferencia de Chardin en Pekín que he reproducido antes se parece mucho al desenlace de la novela *El fin de la infancia* (1954) del físico y gran escritor de ciencia ficción Arthur C. Clarke:

> En una explosión de luz el centro de la Tierra soltó sus atesoradas energías. Durante un rato las ondas gravitatorias cruzaron una y otra vez el sistema solar, perturbando ligeramente las órbitas de los planetas. Luego los Hijos del

Sol continuaron sus antiguos caminos, una vez más, como corchos que flotan en un lago sereno, enfrentando las ondas causadas por la caída de un planeta.

No quedaba nada de la Tierra. Los últimos átomos de sustancia habían sido absorbidos por ellos. La Tierra había nutrido los terribles momentos de aquella increíble metamorfosis como el alimento acumulado en la espiga o el grano nutre a la planta joven que crece hacia el sol.

Al menos en sus novelas *El fin de la infancia* y *2001. Una odisea del espacio* (1968), Arthur C. Clarke parece participar de alguna forma de una visión parecida a la de Teilhard de Chardin, aunque no religiosa: la de una *supermente cósmica* hacia la que nos dirigimos y que nos atrae. Ella habría guiado las grandes transiciones de la evolución, sobre todo la última.[16] Otra vez la extrapolación del futuro hacia el pasado. De nuevo la misma pretensión de borrar los límites entre lo natural y lo sobrenatural, como hacía Alfred Russel Wallace en sus apelaciones al Espíritu como responsable de la inteligencia humana, yendo más allá de la selección natural.

Por último, sabemos[17] que Chardin había leído a Nietzsche y que conocía su teoría del «superhombre», el nuevo hombre que ha de venir. Nietzsche pensaba que el hombre es un ser inacabado, pero Nietzsche era un individualista, mientras que tanto Chardin como Clarke piensan en la Humanidad como un todo.

También Conway Morris exhorta a ir *más allá* de Darwin en su libro *The Runnes of Evolution* (2015). La evolución es la forma que ha tenido el universo de hacerse autoconsciente, afirma en el subtítulo y repite muchas veces en el texto.

¿Qué es lo que hay más allá del darwinismo? Al parecer, si no he entendido mal a Conway Morris, porque llegado a este punto su prosa se vuelve oscura (algo que les sucede siempre a los que tienen visiones: Wallace, Chardin, Clarke), la verdadera ciencia empieza ahora. No asistimos al final de la ciencia, como ocurriría si todos los grandes descubrimientos hubieran sido ya realizados, sino al principio de una nueva ciencia en la que nos serán reveladas realidades profundas que hasta ahora permanecían ocultas, mundos platónicos preexistentes.

Conway Morris parece creer, de alguna manera, en la estructura de la realidad que describe Platón en su famoso mito de la caverna, en el libro *La República*. Ahí Platón nos habla del mundo de las ideas, en el que vivimos antes de nacer y que olvidamos después. Porque la realidad tiene una estructura doble. Lo que vemos en este mundo material que habitamos, dice la alegoría platónica, no es más que un conjunto de sombras proyectadas sobre la pared de una cueva por las personas y las cosas que pasan por delante de un fuego. Como nosotros estamos encadenados de cara a la pared y de espaldas a la hoguera solo podemos ver las sombras. No contemplamos directamente la realidad pura e inmutable, que está ahí, eternamente. Pero algún día llegaremos a entender esas realidades profundas y se cumplirá aquello que dice Conway Morris de que la evolución es la forma que ha tenido el universo de conocerse a sí mismo.[18]

A todos estos autores que tienen visiones, religiosas o no, los agrupo bajo el rótulo de «algo maravilloso va a ocurrir», porque todos ellos aspiran a borrar la frontera entre el vulgar mundo natural (el corriente y normal) y el mundo prodigioso, milagroso o sobrenatural. Algo maravilloso, que no saben concretar pero que es brillante, bello y, sobre todo, está lleno de amor, va a suceder en el futuro. Y la prueba, sorprendentemente, está en el pasado.

De ahí su capacidad, en sus diferentes formas, de enamorar a tanta gente. A una especie como la nuestra, que se debate entre el altruismo y el egoísmo, entre el grupo y el individuo, nada le puede hacer más feliz que la promesa de una humanidad futura en la que los seres humanos se unirán sin perder su individualidad, antes bien, potenciándola, ampliando la libertad de los individuos para ser diferentes; y, al mismo tiempo, unidos por el amor, desterrado para siempre el egoísmo, algo que la biología no ha conseguido.

Un futuro sin duda más atrayente que el que predice Harari en su *Homo Deus. Breve historia del mañana* (2015), el de un mundo administrado por algoritmos en el que el ser humano ha dejado de ser importante, salvo unos pocos individuos con cualidades excepcionales (superpoderes), casi dioses, que se benefician de todos los progresos de la ciencia (entre ellos, la cuasi inmortalidad) para estar por encima de las máquinas y perfeccionarlas.

Antonio Damasio encuentra estas distopías modernas infinitamente sosas y aburridas (y espera que Harari solo pretenda advertirnos, con sus profecías, de algunos peligros que debemos evitar). Y E. O. Wilson, como hemos visto, no cree que vayamos a modificarnos a nosotros mismos por ingeniería genética, más allá de eliminar algunas enfermedades hereditarias.

Pero en su libro póstumo, Stephen Hawking[19] también predice, de un modo muy semejante a Harari, que se producirán superhombres más inteligentes y longevos —y también menos agresivos— por ingeniería genética, aunque lo prohíban las leyes, y que frente a estos portentos los seres humanos normales serán eliminados o postergados. No dice Hawking que este panorama sea deseable, sino que es inevitable y ocurrirá fatalmente en este milenio en el que estamos. Por eso le parece increíble que los humanos de la saga galáctica *Star Trek* sigan siendo esencialmente como nosotros dentro de 350 años. «De todos modos —dice Hawking— la raza humana necesita mejorar sus capacidades mentales y físicas si quiere arreglárselas en el mundo cada vez más complejo que la rodea y hacer frente a los nuevos desafíos, como el viaje espacial. Y también necesita incrementar su complejidad si se pretende que los sistemas biológicos se mantengan por delante de los electrónicos.»

Así pues, se considera ahora inevitable que se materialicen (nos gusten o no) las propuestas de los evolucionistas[20] de los años centrales del siglo XX de producir una humanidad mejor, más sabia y menos violenta, por medio de la ciencia. Estaban convencidos de que la especie humana debía tomar el control de su evolución futura y pilotarla. La eugenesia (o sea, seleccionar a los *mejores* individuos para engendrar hijos) era el único método disponible en sus días, pero hoy contamos con la ingeniería genética. Sueños les parecían a ellos, pesadillas me parecen a mí: los frutos envenenados que producen todos los intentos de crear una sociedad planificada, por muy bienintencionados que les parezcan a los humanistas científicos.

Y es que, por basarse la ciencia en el principio de objetividad de la naturaleza, no tiene ideales ni valores. No podemos buscar en la naturaleza modelos a imitar ni tampoco criterios para distinguir el bien del mal. En aquello que se refiere al mundo natural, las ciencias estudian *lo que es*, no *lo que debería ser*.

Eso no quiere decir que carezcamos, los seres humanos, de una moral de base biológica, porque la compartimos con otros animales que también la tienen. Nuestra naturaleza es moral. Frans de Waal acaba así su libro *El bonobo y los diez mandamientos* (2013):

> La moralidad tiene un origen mucho más humilde, reconocible en el comportamiento de otros animales. Todo lo que la ciencia ha aprendido en las últimas décadas contradice la visión pesimista de que la moralidad es un delgado barniz sobre una naturaleza humana vil. Bien al contrario, nuestro trasfondo evolutivo tiende una inmensa mano amiga sin la cual nunca habríamos llegado tan lejos.

Pero si queremos ir más allá, para llegar aún más lejos, tendremos que recurrir a las humanidades. ¿A qué podríamos acudir si no los seres humanos?

Volvamos por última vez, después de tantas páginas, a la pregunta que está en el tuétano de este libro: ¿por qué estamos aquí?

Para Robert Wright, la evolución cultural no es sino una continuación de la evolución biológica. En una elogiosa recensión de su libro,[21] Simon Conway Morris celebra que Robert Wright haya apreciado el paralelismo entre las dos formas de evolución y la ubicuidad de las convergencias en ambos casos. Sin embargo, lamenta que no haya dado el paso siguiente en la interpretación de los hechos históricos. Conway Morris ve que Robert Wright ha llegado hasta la orilla y ahí se ha detenido. No le convence tampoco el destino humano que vislumbra Wright. Pero, concluye su comentario Conway Morris, hay una barca con un timonel esperándonos para llevarnos más allá, para navegar por los mares de la metafísica. ¿Nos atreveremos a subir a bordo?, se pregunta.

En el otro extremo tenemos lo que mantiene Simpson respecto de la predictibilidad de la evolución y sobre el futuro de nuestra especie, tal y como lo veía en 1950:

> Se intenta menos frecuentemente [en paleontología] extrapolar hacia adelante a partir de una tendencia previa; el estudioso normalmente busca antepasados, no descendientes. Cuando se intenta, extrapolar hacia delante es todavía menos fiable que hacia atrás, porque en este último caso, por lo menos tenemos los resultados de las transformaciones [evolutivas] como datos reales, mientras que un futuro cambio en la tendencia o una nueva tendencia es impredecible a partir de los acontecimientos del pasado. La evolución futura del hombre se ha predicho frecuentemente en los suplementos dominicales por extrapolación de las tendencias (reales o imaginadas) implicadas en el origen del hombre. En una ciencia más sobria, se debe admitir que la predicción, al menos sobre esta base [el pasado], es imposible.[22]

El gran matemático Norbert Wiener, fundador de la cibernética, criticaba en 1964 (el año de su muerte) que los economistas trataran de aplicar a su análisis de la sociedad las matemáticas de la física antigua, la de los tiempos de Newton.[23] Porque la economía es mucho más compleja. No se pueden observar patrones (series uniformes de datos) a lo largo del tiempo, ya que cada cambio tecnológico, social o económico modifica la producción de los materiales industriales. Pone como ejemplo que la construcción del primer rascacielos hecho de aluminio, en vez de acero, afectó completamente a la demanda de acero y cambió la economía. El juego de la economía, razona Wiener, se parece a la caótica partida de croquet en *Alicia en el país de las maravillas*, en la que los mazos son flamencos, las bolas son erizos y los soldados forman los aros. Por supuesto, ni los flamencos, ni los erizos ni los soldados cumplen debidamente con su *obligación* de ser mazos, pelotas y aros, y todos los participantes juegan a la vez y discuten mientras la Reina de Corazones grita que les corten la cabeza a unos y a otros.

Por ese motivo le parecía a Wiener que la disciplina de la cibernética, que se ocupa de la organización y regulación de los sistemas, es de difícil aplicación a las ciencias sociales, al menos con las matemáticas actuales. Lo dicho por Wiener para la economía es válido igualmente para la evolución, un campo donde se juega una partida en la que continuamente cambian las reglas de juego, o mejor, en la que casi no hay reglas de juego. De ahí la imposibilidad de predecir quién va a ganar la partida de la evolución en cada momento. Por cierto, la partida de croquet de la Reina de Corazones en la que nadie sigue las reglas se parece mucho a la metáfora evolutiva del laberinto de Edward O. Wilson, en el que el trazado está también permanentemente cambiando, abriéndose y cerrándose pasillos.

No es posible seguir al mismo tiempo a Simpson y a Conway Morris. A los que creen que la evolución es, en lo esencial, predecible y a los que creen que no lo es (aunque se den algunas, o incluso muchas, convergencias adaptativas). Hay que elegir entre las dos posturas.

Yo estoy con Simpson, y explicaré por qué. Ya que la diferencia entre las ciencias experimentales (las llamadas *ciencias duras*) y las históricas, sociales, económicas y demás (las *ciencias blandas*) está en la capacidad de predicción,[24] propongo hacer un ejercicio retrospectivo de adivinación. Ese ha sido el experimento mental de este libro. Situarse en diferentes momentos de la historia de la vida, empezando por las células más simples, e intentar pronosticar el futuro como si no se supiera. Mi conclusión es que en todos los casos me habría equivocado. Pero le dejo a usted que saque sus propias conclusiones, ya que ese es el espíritu de este libro.

Yo no creo que la evolución biológica y la cultural sean comparables. Es posible que en las sociedades humanas haya una tendencia imparable hacia la globalización, o al menos eso es lo que ha pasado en la Historia, donde las fuerzas centrípetas han prevalecido finalmente, a pesar de todos los retrocesos, sobre las centrífugas. Seguramente desde que se crearon los primeros imperios se podía predecir que irían creciendo e incorporando cada vez a más pueblos, asimilándolos hasta que se llegara a unos pocos imperios o a uno solo. El imperio macedonio que creó Alejandro Magno tenía vocación mundial, porque era europeo, africano y asiático. Se podría concluir que por naturaleza todo imperio es expansivo.

Pero en el caso de la evolución biológica me quedo con el árbol de la vida de los egipcios, ese *nehet* sin tronco principal y con múltiples ramas, todas igual de importantes.

Respecto del futuro... La reglas de juego han cambiado mucho más de lo que Simpson podía imaginar en 1950. El futuro de la biosfera, y el de nuestra propia especie, depende ahora de nosotros mismos, no de las fuerzas naturales que han regido hasta hace muy poco tiempo. Yo tampoco soy capaz de predecir lo que pasará, pero haré todo lo posible porque el mundo sea más justo, más libre y más fraterno. Y más respetuoso con nuestros compañeros de viaje, las otras especies, y con otras entidades que no son orgánicas, pero también tienen la dignidad que nosotros queramos otorgarles: las montañas, los ríos, los mares.

Yo, particularmente, no me subiría a la barca de Conway Morris y me quedaría leyendo el libro de Lucrecio en la orilla, pero... la decisión es suya.

El paleontólogo George Gaylord Simpson reconocía su radical incapacidad para las visiones místicas:

> No tengo ninguna visión y soy incapaz de tener fe en las visiones de los otros. El camino de la religión está cerrado para mí, pero eso no me da derecho ni razón para negar su realidad y valor para otros. No considero la visión *cierta*, pero es que la certidumbre (para mí) se alcanza por otras vías. Desapruebo la visión solo cuando el deseo de demostrar que es cierta hace que se entrometa en campos inapropiados para ella...

Con el mismo respeto que demuestra Simpson, yo tampoco me cuento entre los que creen que algo maravilloso va a ocurrir, aquí en la Tierra y a nosotros. Creo que algo maravilloso está ocurriendo, o por lo menos podemos hacer que ocurra. Es posible soñar, en efecto, con la promesa de una humanidad futura que sea mucho mejor que la actual, viviendo en un planeta realmente maravilloso junto con el resto de las especies con las que hemos coevolucionado. Y creo en que podemos alcanzarlo con nuestras propias fuerzas, las de los seres humanos, todos los seres humanos unidos, seamos o no poseedores de una visión mística.

Hoy, el día que escribo este párrafo final, continúan las guerras. Los bosques y la vida en los mares se pierden irremisiblemente sin que seamos capaces de evitarlo, pese a los esfuerzos desinteresados de muchos verdaderos guardianes del planeta. Pero también hoy, aunque no haya sido noticia, se han realizado muchos trasplantes de órganos de individuos cerebralmente muertos a enfermos graves, en peligro de muerte, gracias a la generosidad de las destrozadas familias, que encuentran consuelo para la pérdida de su ser querido en ese acto de amor, el de donar vida. Y la gente se sigue abrazando, y los maestros y maestras dan clase a los niños para hacer de ellos buenos seres humanos, mejores que nosotros mismos.

No solo es posible soñar con un futuro mejor. Es obligatorio hacerlo.

Cuando estaba terminando este libro fui invitado a dar una conferencia en un congreso de matronas en Las Palmas de Gran Canaria (en otro congreso me nombraron Matrona de honor por mis estudios sobre la evolución del parto humano). Paseando por la calle Mayor de Triana vi, al fondo, una escultura de mi admirado Martín Chirino (recientemente fallecido), titulada *La espiral del viento*, que me evocó inmediatamente el paso del tiempo y el futuro incierto (mirando a través del gran bucle que forma la última vuelta).

Al otro lado de la espiral, sorprendido, leí, en un cartel de propaganda turística municipal, la siguiente frase: «El mejor modo de predecir el futuro es inventarlo.»

NOTAS

Prólogo

1. Aunque si le interesa el tema, Richard Dawkins le ha dedicado al asunto de las pruebas de la evolución un espléndido libro que le recomiendo, *Evolución. El mayor espectáculo sobre la Tierra* (2009).

Jornada I. Tierra de nadie, tierra de todos

1. Según una reciente interpretación de la tablilla Plimpton 322, que pertenece a la época paleobabilónica (1.900 a. C. a 1.600 a. C.).
2. Aunque el teorema de Pitágoras solo se cumple en un mundo plano, en un espacio euclidiano (por Euclides). En mundos curvados *no es verdad*.
3. El ejercicio de preguntarse qué habría pasado si las cosas hubieran transcurrido de otra manera (sobre todo en las grandes batallas) ha producido algunos libros interesantes y divertidos de «Historia alternativa», como *What if? The World's Foremost Military Historians Imagine What Might Have Been* (1999), coordinado por Robert Cowley. El primer capítulo trata del sitio de Jerusalén por los asirios. Una plaga, que los judíos atribuyeron a Yaveh, obligó a los asirios a levantar el cerco. Si Jerusalén hubiera caído, argumenta el autor del capítulo, no habría habido siglos más tarde ni cristianismo ni islam y hoy el mundo sería otro.
4. Ya se han modificado embriones humanos de una sola célula (es decir, cigotos, óvulos fecundados) —aunque luego no se llegaran a implantar— para sustituir un gen mutante responsable de cierta enfermedad, la miocardia hipertrófica, utilizando para ello la técnica de edición genómica (un corta y pega) conocida como CRISPR.

5. Este es un nivel intermedio de complejidad social que se llama en inglés *chiefdoms* y que puede traducirse como sociedades con un caudillo o cacique (cacicatos o jefaturas), que todavía no son Estados (reinos o repúblicas), pero que van más allá de la organización tribal y abarcan más territorio y varias comunidades. Serían sociedades implantadas regionalmente y no solo locales. En ellas ya hay una clase social superior, una casta, que es la nobleza hereditaria, y una clase inferior: los plebeyos. Los antropólogos sociales describen el cacicato en los tiempos modernos en las islas del Pacífico, y también en América y África. Se me ocurre que muchos de los pueblos que encontraron los romanos en Hispania estarían en ese nivel de organización de caciques (como los régulos o reyezuelos de los iberos), así como los pueblos indígenas (anteriores a la conquista castellana) de las islas Canarias (los menceyatos en Tenerife, los guanartematos en Gran Canaria), pero lo dejo para los expertos.

6. *Reinventing Darwin. The Great Debate at the High Table of Evolutionary Theory*, (1995).

7. Pero Chardin no pudo imprimir sus obras de pensamiento en vida (porque se lo prohibió la Iglesia), y para cuando se publicó su libro, *El fenómeno humano* (en 1955, después de su muerte, ese mismo año), ya se había completado la síntesis neodarwinista, y las ideas del autor no tenían cabida en el mundo académico. Ni tampoco, al parecer, en la teología ortodoxa de la Iglesia católica. El filósofo y teólogo alemán Dietrich von Hildebrand le dedicó unas páginas extremadamente críticas en su libro *El caballo de Troya en la Ciudad de Dios* (1967), donde lo califica de «falso profeta».

8. *Evolución para todos. De cómo la teoría de Darwin cambia nuestro pensar* (2007) y *Darwin's Cathedral: Evolution, Religion and the Nature of Society* (2002).

9. *El legado de Darwin. Qué significa hoy la evolución* (2003).

10. *El bonobo y los diez mandamientos* (2013).

11. La teleología es la parte de la filosofía que se ocupa de los fines, de los propósitos. Pero, más que el sustantivo, se utiliza habitualmente el adjetivo, «teleológico».

12. Y considera que no puede explicar mejor su posición que como lo hace Fernando Savater en las entradas «naturaleza» y «muerte» de su *Diccionario filosófico*.

13. Un algoritmo, como lo llama el filósofo americano Daniel Dennett en su conocido libro *La peligrosa idea de Darwin* (1995). Aprovecho para explicar que citaré en español los títulos de los libros escritos en inglés u otra lengua en los casos en los que tenga noticia de que existe traducción, pero la fecha de publicación será siempre la de la primera edición en la lengua original, puesto que

importa, y mucho, saber en qué momento histórico aparecieron los textos. En cambio, no incluyo la editorial o editoriales que han publicado el libro que se cita, porque en estos tiempos de internet es fácil encontrarlas.

Jornada II. El método

1. Se podría también decir la misma estructura, la misma composición o el mismo arreglo; el término «diseño» utilizado aquí no tiene nada que ver con la llamada teoría del diseño inteligente, que es una forma de creacionismo disfrazada que se da aires de doctrina científica para ocultar su verdadera naturaleza religiosa.

2. Cuando no haga constar la procedencia de una cita de Simpson, me estoy refiriendo al espléndido libro *This View of Life* (1964), una recopilación de artículos publicados anteriormente que recoge muchas de las ideas sobre la evolución de este gran paleontólogo.

3. Lo que comparten son las variables de entrada, y lo que se pretende entender es la variable de salida.

4. En *Armas, gérmenes y acero. Breve historia de la humanidad en los últimos 13.000 años* (1997).

5. En *Colapso. Por qué unas sociedades perduran y otras desaparecen* (2005).

6. Esas serían las variables de salida.

7. Nicholas P. Evans et al., «Quantification of Drought During the Collapse of the Classic Maya Civilization». *Science 361: 498-501* (2018).

8. Hay dudas de que llegara a hacerlo, pero es lo mismo, porque Galileo tenía razón.

9. Tomado del libro *¿Por qué* $E = mc^2$*?*, de Brian Cox y Jeff Forshaw (2010). Asimov pone el mismo ejemplo en su libro *Civilizaciones extraterrestres* (1979).

10. *How Extremely Stupid Not to Have Thought of That.*

11. Como acertadamente explica David Deutsch en su libro *La estructura de la realidad* (1997).

12. Le he dedicado a ese tema un librito: *Selección inconsciente: la clave para entender a Darwin* (2009). Y al propio Darwin y a la teoría de la evolución una obra más amplia: *El reloj de Mr. Darwin. La explicación de la belleza y maravilla del mundo natural* (2009).

13. Pascal Wagner-Egger et al., «Creationism and Conspiracism Share a Common Teleological Bias». *Current Biology* 28: 867-868 (2018).

14. En *The Pony Fish's Glow. And Other Clues to Plan and Purpose in Nature* (1997).

15. Aunque la metáfora del reloj es anterior a Paley.

16. En *El juego de lo posible* (1981).

17. Uno de los temas preferidos del paleontólogo Stephen Jay Gould es el de la influencia en las ideas de los científicos del *espíritu del tiempo* en el que les tocó vivir: «Muchos científicos no acaban de reconocer que toda actividad mental debe efectuarse en un contexto social y que, en consecuencia, toda obra científica debe estar sometida a una variedad de influencias culturales» (*La estructura de la teoría de la evolución*, 2003, el último libro que Gould escribió y su testamento científico).

Darwin reconocía abiertamente la influencia del economista inglés Thomas Robert Malthus (*Ensayo sobre el principio de la población*, 1798) a la hora de elaborar la idea de la selección natural entendida como lucha por la vida. Lo que venía a decir Malthus es que las poblaciones humanas tienden a crecer mientras los medios de subsistencia lo permiten, pero una vez que se sobrepasa la capacidad de alimentar a todas las bocas de la población llega la miseria (salvo que aumenten los recursos).

Pero Stephen Jay Gould opina que la influencia de otro economista (considerado el primero de esta disciplina), el escocés Adam Smith, no era inferior. Darwin leyó a Malthus en los últimos días de septiembre y primeros de octubre de 1838 y por aquel tiempo probablemente consultó también a Adam Smith. Yendo más allá que otros historiadores de la ciencia, Gould llega a afirmar que «la selección natural es, en esencia, la economía de Adam Smith transferida a la naturaleza». En su libro *La riqueza de las naciones* (1776) Adam Smith defiende el «laissez-faire», el no intervenir en el mercado permitiendo que la libre competencia seleccione por sí misma (sin regulación externa) a las mejores empresas, actuando así como «una mano invisible» (su famosa metáfora) que inevitablemente conducirá al buen diseño de las compañías y al equilibrio general de la economía de la nación y así a su progreso. Es fácil encontrar el paralelismo entre mercado y ecosistema, empresas y especies, progreso económico y evolución.

Hoy en día se utiliza la analogía de la evolución darwinista en el mundo de la economía y de la publicidad de las marcas, pero originalmente fue la economía la que sirvió como metáfora de la evolución para Darwin.

18. El recurso —entre los imprescindibles— que es, al mismo tiempo, el más escaso.

19. Por eso Darwin definía la evolución como «descendencia con modificación a través de la variación y de la selección natural».

20. En *El origen de las especies* escribe: «La selección natural puede actuar solo por medio de la preservación y acumulación de modificaciones hereditarias infinitamente pequeñas, cada una de utilidad para el individuo preservado; y como la geología moderna casi ha desterrado ideas tales como la excavación de un gran valle por una ola del diluvio, así la selección natural, si es un principio verdadero, desterrará la creencia de la creación continua de nuevos seres orgánicos, o de cualquier modificación grande y súbita en su estructura.»

21. Tan integrada está en la mente del biólogo la idea de que las comunidades están articuladas como si fueran una sociedad humana, que a menudo se habla de la *función* de una especie en un ecosistema (el buitre, por ejemplo, es el *basurero* del campo, se dice, y hace el *sucio trabajo* de eliminar los cadáveres). En el fondo de esta expresión (función de una especie) subyace la idea de que la naturaleza está bien organizada, y de que todos los seres vivos contribuyen al bien común del ecosistema, una noción que parece lógica y satisfactoria (nos agrada saber que las cosas pasan por algo y el mundo tiene un sentido), pero que no es cierta, como veremos en su momento. Además, es totalmente contraria a la teoría evolutiva de Darwin, según la cual los individuos solo se preocupan de ellos mismos y, como mucho, de sus vástagos.

22. De hecho, todos los animales y todas las plantas son grandes *profesionales*, cada uno a su manera, del arte *ganarse la vida* (no puedo encontrar una forma mejor de expresar lo que hacen los seres vivos que *ganarse la vida*). La expresión «los mejor adaptados», o «los más aptos», «*the fittest*» en inglés, también podría traducirse como «los mejor ajustados», «los más adecuados», «los más idóneos», «los que mejor encajan». Pero ¿dónde encajan? ¿A qué están adaptados? A sus respectivos nichos ecológicos, a su lugar en la «economía de la naturaleza».

23. El filósofo al que se refiere Darwin como autor de la expresión «el misterio de los misterios» es John Herschel, quien la usó en una carta dirigida a Charles Lyell el 20 de febrero de 1836: «Por supuesto, aludo al misterio de los misterios: el reemplazamiento de unas especies por otras.» Darwin leyó el libro *Preliminary Discourse on Natural Philosophy* (1830) de John Herschel mientras estaba estudiando en Cambridge. Más tarde, declararía que ese libro, junto con el *Viaje a las regiones equinocciales del Nuevo Continente* de Alexander von Humboldt, había sido decisivo para su vocación de dedicar la vida a la ciencia.

24. *Vida e Historia*.

25. Richard Dawkins lo da por bueno en su libro *Evolución. El mayor espectáculo sobre la Tierra* (2009). Incluso podría explicarse

así la existencia de poblaciones de elefantes asiáticos sin colmillos. Richard Dawkins utiliza el caso de los elefantes como una prueba a favor de la evolución, que se estaría produciendo «justo delante de nuestros ojos». Todo el libro, en realidad, está dedicado a las pruebas de la evolución.

Jornada III. Luca

1. La evolución en línea recta y que no es resultado de la selección natural se conoce como ortogénesis, una palabra que hace mucho tiempo que no se usa. Se considera que el libro de Simpson de 1944 *Tempo and Mode in Evolution* acabó con la idea de la ortogénesis. A partir de ese momento, la selección natural quedaba como la única fuerza generadora de evolución. La selección natural la produce el ambiente, por lo que es una fuerza que viene de fuera, no de dentro de los organismos como proponía la ortogénesis en sus diferentes versiones, algunas naturalistas y otras finalistas.

2. El artículo «The Nonprevalence of Humanoids» apareció separadamente como un artículo en la revista *Science* (1964) y como un capítulo de su libro *This View of Life: The World of an Evolutionist* (1964). En su autobiografía de 1978, Simpson comenta que fue el capítulo del libro que más molestias le dio: «En él expresaba la opinión personal, pero no infundada, de que es extremadamente improbable que alguna vez establezcamos una comunicación con sentido y de utilidad con humanoides de alguna otra parte del universo. Esta opinión, que todavía mantengo, ha sido usualmente mal interpretada». Pero incluso aquellos que lo interpretaban correctamente, continuaba diciendo Simpson con ácido humor, lo acusaban de algo horrible, como oponerse al progreso, a la maternidad o al pastel de manzana. Y es verdad que esa opinión escéptica de Simpson sobre los extraterrestres despierta todavía hoy respuestas viscerales si uno se atreve a expresarla.

3. *The Runes of Evolution: How the Universe Became Self-Aware* (2015).

4. *Introducción al pensamiento complejo* (1990).

5. *El juego de lo posible* (1981).

6. En *El río del Edén* (1995).

7. *Llegada del tren a la estación de La Ciotat*, de los hermanos Lumière (1895).

8. Se trata de los fotogramas obtenidos por el británico Eadweard Muybridge en 1872.

9. Aunque se encontraba muy degradado, es decir, fragmentado, se ha conseguido recuperar en el yacimiento de la Sima de los Huesos (Atapuerca) el genoma mitocondrial casi entero de seres humanos que vivieron y murieron hace varios cientos de miles de años. El *mitogenoma* consta de unos 16.000 pares de bases o *letras*. El genoma nuclear humano es mucho más largo, tiene unos tres mil millones de pares de bases, pero el de Atapuerca ya se empieza a conocer, aunque todavía solo en una muy pequeña parte.

10. Hay un libro interesante de Juan Antonio Aguilera Mochón titulado *El origen de la vida en la Tierra. El mayor reto de la biología* (2016). Yo también he tratado el tema de la historia de la vida, desde el principio hasta ahora, en los libros *Amalur*, con Ignacio Martínez como primer autor, y *Elemental, queridos humanos* con Milagros Algaba y dibujos del gran Forges.

11. Los nucleótidos se componen su vez de tres moléculas: una base nitrogenada, un azúcar (ribosa o desoxirribosa) y un grupo fosfato.

12. El ARN está formado por una sola cadena de nucleótidos, en lugar de dos como el ADN.

13. Adenina, guanina, citosina y uracilo.

14. Adenina, guanina, citosina y timina.

15. Francis H. C. Crick y Leslie E. Orgel, «*Directed Panspermia*». *Icarus* 19: 341-346 (1973).

16. En su libro *Las piedras falaces de Marrakech. Penúltimas reflexiones sobre historia natural* (2000) Gould indica que «la vida en la Tierra es tan antigua como pudo ser», de donde deduce que dado un planeta del tamaño, distancia y composición del nuestro la vida en su nivel más sencillo es casi inevitable «como consecuencia de los principios de química orgánica y de la física de los sistemas autoorganizativos».

17. *Civilizaciones extraterrestres* (1979).

18. En su obra póstuma *Breves respuestas a las grandes preguntas* (2018).

19. También son protistas los seres multicelulares que no tienen las células diferenciadas en tejidos y órganos, como la mayoría de las algas.

20. También Richard Dawkins piensa que la probabilidad de que aparecieran los eucariotas era baja, por lo que podemos sentirnos afortunados por estar aquí (*El cuento del antepasado. Un viaje a los albores de la evolución*, 2004).

21. Fue la gran microbióloga norteamericana Lynn Margulis quien más y mejor defendió esta teoría.

Jornada IV. E pluribus unum

1. Siempre y cuando sea un todo organizado, y para ello se necesita que sus elementos sean diferentes.

2. Un nuevo eón, se dice técnicamente, que se llama Fanerozoico porque la vida se manifiesta a lo grande en las rocas en forma de fósiles; es lo que significa, etimológicamente, el nombre: «vida visible.» Este eón se divide a su vez en tres eras (Paleozoico, Mesozoico y Cenozoico), y cada era en varios periodos.

3. Aunque no nos parecemos nada, cordados y equinodermos somos deuteróstomos, lo que quiere decir que el desarrollo embrionario es del mismo tipo: la boca no se forma en la abertura inicial del embrión o blastoporo, sino que se abre en un segundo lugar (deuteróstomo significa «boca segunda»), y el blastoporo se convierte en el ano. Lo que quería decir con esta explicación es que el desarrollo de los individuos u ontogenia nos da, como puede verse, valiosas pistas sobre la filogenia o evolución de las especies.

4. Las faunas de Ediacara pertenecen al eón anterior al Fanerozoico, que se llama Proterozoico y empieza hace 2.500 millones de años, para terminar hace 541 millones de años.

5. Todos los animales actuales, excepto los poríferos (esponjas), los cnidarios (pólipos, medusas y corales) y los ctenóforos (abundantes en el plancton), son triblásticos, lo que quiere decir que sus diferentes tejidos corporales y órganos proceden de tres hojas embrionarias que se forman en una fase del desarrollo que se conoce como gastrulación, en la que generalmente se crea una cavidad interna por invaginación (hundimiento) de la pared del embrión (como en una pelota deshinchada). Esas tres capas embrionarias se llaman endodermo, mesodermo y ectodermo. Las esponjas tienen solo una hoja embrionaria y los pólipos, corales y medusas, así como los ctenóforos, dos. No parece haber duda de que los organismos triblásticos son más complejos, se mire como se mire, que los poríferos, ctenóforos y cnidarios, puesto que su desarrollo también lo es.

6. Ilya Bobrovsky et al., «Ancient Steroids Establish the Ediacaran Fossil *Dickinsonia* as One of the Earliest Animals». *Science* 361: 1246-1249 (2018).

7. Y ya con tres hojas embrionarias.

8. Lovelock es el científico inglés creador de la famosa hipótesis Gaia, que sostiene que la vida misma mantiene estables las condiciones para su existencia en la Tierra, corrigiendo las alteraciones que se producen. Es decir, el planeta se autorregula como si fuera un superorganismo. Para Lovelock, Gaia no es una metáfora, sino un

ser vivo (o algo así). Richard Dawkins critica la idea de Gaia como superorganismo en su libro *El fenotipo extendido* (1982). Para mí, Gaia es una idea útil y original, pero también la considero metafórica.

9. Jochen J. Brocks et al., «The Rise of Algae in Cryogenian Oceans and the Emergence of Animals». *Nature* 548: 578-581 (2017).

10. Para ser más precisos, la *explosión de las algas* y su supremacía sobre las bacterias se ha detectado en un periodo no glacial entre las dos *bolas de nieve*, es decir, en torno a los 650 millones de años.

11. Pero la metáfora pertenece a la era de las cintas de vídeo, y no sé si la entenderán las generaciones más modernas. En estos casi treinta años, el progreso ha sido increíble en electrónica y telecomunicaciones.

12. Para explicar que la historia de la vida es impredecible Gould utiliza el argumento de la «Gran Asimetría» (en *Las piedras falaces de Marrakech. Penúltimas reflexiones sobre historia natural* 2001). Quiere decir Gould que para producir un tipo concreto de organismo (los ictiosaurios es un ejemplo que se me ocurre a mí, o la gigantesca moa —un ave no voladora— de Nueva Zelanda, que es el caso que cita Gould) se necesita mucho tiempo, mientras que su destrucción por una causa natural (en el caso de los ictiosaurios por competencia ecológica con otros saurios marinos) o de carácter antrópico (la llegada de los maoríes a Nueva Zelanda) es instantánea e irreversible. Respecto de la Historia de la humanidad, Gould piensa lo mismo, es decir, que está afectada por la Gran Asimetría (civilizaciones enteras, cuya evolución ha llevado siglos o milenios, pueden ser destruidas en una sola campaña militar por un ejército extranjero). Sin embargo, Gould admite que a una escala mucho mayor que la de las convulsiones históricas que nos preocupan a los seres humanos en nuestras breves vidas podemos ver una cierta línea de progreso tecnológico a través el tiempo. Por lo que yo entiendo no se plantea Gould la pregunta de si hay una flecha de la Historia en el sentido de un aumento de la complejidad social y del tamaño de las sociedades, o de la globalización.

13. Los vertebrados sin mandíbulas son conocidos técnicamente como agnatos (que significa precisamente eso), y los vertebrados con mandíbulas, que hoy son prácticamente todos, como gnatostomados.

14. Que se llaman ostracodermos porque tenían el cuerpo cubierto de placas óseas (eso es lo que significa la palabra: piel dc concha).

15. Aunque el mismo Darwin hacia 1844 anotó la frase «nunca usar las palabras superior e inferior» en su ejemplar del libro *Vestiges of the Natural History of Creation*, de Robert Chambers.

16. *Otras mentes: el pulpo, el mar y los orígenes profundos de la consciencia* (2016).

17. En realidad, Darwin tenía una teoría de la herencia aparentemente lógica (en el sentido de que parecía de sentido común) que resultó ser falsa. A Darwin también lo engañaban sus intuiciones. Su contemporáneo Gregor Mendel, el monje agustino de Brno, en Moravia, había elaborado una teoría acertada, pero en vida de Darwin no fue apreciada su enorme importancia.

18. Ese «todos» se refiere a los humanos, y solo los humanos —aunque hay autores que opinan que otras especies de mamíferos como los *grandes simios*, los elefantes y los cetáceos muestran una curiosidad en torno a los muertos y unos comportamientos para con ellos que podrían querer decir algo—, porque, explica Fernando Savater, eso es precisamente lo que nos hace humanos: no la muerte, sino el conocimiento de la muerte. ¿Cuándo, en nuestra evolución, se produjo ese descubrimiento que nos transformó?

19. Tomada del delicioso libro del austriaco Karl von Frisch *Doce pequeños huéspedes* (1976). Karl von Frisch obtuvo el Premio Nobel con Konrad Lorenz y Nikolaas Tinbergen por sentar las bases de la etología o ciencia del comportamiento animal.

20. En la reproducción sexual se produce un tipo especial de división celular que se llama meiosis, pesadilla de estudiantes, por la cual el número de cromosomas se divide por dos. El resultado es la producción de cuatro células, todas con la mitad de cromosomas y todas genéticamente distintas.

21. Dicho de una forma técnica, el individuo, con dos juegos de cromosomas, es diploide y el gameto, con un solo juego, es haploide.

22. John Dupré, *El legado de Darwin. Qué significa la evolución hoy* (2003).

23. Entendido el clon como conjunto de individuos genéticamente iguales.

Jornada V. Tierra firme

1. Ese antepasado es exclusivamente suyo y no lo comparten con nadie más.

2. Otros magníficos grupos de vertebrados de aquella época, como los enormes placodermos, que tenían el cuerpo cubierto de placas de hueso, han desaparecido.

3. Los *peces* de esqueleto cartilaginoso se llaman técnicamente condrictios, y los *peces* de esqueleto óseo, osteíctios.

4. Y formalmente, sarcopterigios.

5. Técnicamente, dipnoos.

6. Los géneros fósiles *Ichthyostega* y *Acanthostega*, de hace unos 365 millones de años, ilustran bien cómo eran los primeros tetrápodos.

7. Técnicamente denominado grupo monofilético. Un grado, en cambio, es llamado en cladística grupo parafilético. Tiene un solo origen pero le han quitado algunos descendientes. Es como una familia a la que le faltan miembros. Un hermano o una hermana se han quedado fuera; no está completa. Un grado no es lo mismo que un clado porque el antepasado común no es suyo exclusivamente. También lo es de las especies que se han quedado fuera.

8. Y en otros más, como la *piel desnuda* y la metamorfosis que experimentan en el desarrollo los renacuajos para convertirse en ranas.

9. El concepto fue dado a conocer en 1987 en una publicación científica, pero hay una buena explicación en *El cuento del antepasado. Un viaje a los albores de la evolución* (2004).

10. Una metáfora feliz de Dawkins es la del Museo de Todos los Animales Posibles: un hiperespacio lleno de corredores que se cortan en ángulo recto (en los hiperespacios todos los ejes son perpendiculares unos a otros). Pero algunos pasillos están bloqueados por una barrera y no se puede entrar en ellos. De cuando en cuando se supera una de esas barreras y se accede a un pasillo lleno de nuevas formas de organismos con sorprendentes posibilidades nunca antes vislumbradas ni imaginadas, pero que estaban justo ahí, al otro lado del muro.

11. *La peligrosa idea de Darwin* (1995).

12. *Una luz fugaz en la oscuridad* (2015).

13. Para el maestro Romer, la aparición del huevo amniota en la evolución fue otro *feliz accidente*.

14. La razón, una vez más, es que esa sistemática tradicional se basaba en el concepto de grado evolutivo, y de este modo los *reptiles* serían tetrápodos amniotas que se definen *por no ser* ni mamíferos ni aves. El concepto de mamífero se correspondía a su vez con un grado evolutivo, de modo que los antepasados directos y exclusivos de los mamíferos eran considerados *reptiles* que todavía no habían cruzado la línea que los separaba del grado de los mamíferos. Aún no habían traspasado ese umbral, que se definía por la posesión de una serie de rasgos, los típicos de los mamíferos.

15. Algunas clasificaciones modernas admiten el clado Sauria,

que incluiría a todos los saurópsidos vivientes (aves entre ellos) y a casi todos los saurópsidos fósiles.

16. Que se agrupaban clásicamente bajo el nombre de pelicosaurios.

17. Esta disposición se puede reconocer en el arco cigomático de los mamíferos. Otros amniotas (como los lagartos, los cocodrilos, los dinosaurios y las aves) tienen dos fenestras temporales (son diápsidos) y las tortugas no tienen ninguna ventana (anápsidos).

18. Llamados cinodontos en paleontología. Los cinodontos junto con los mamíferos forman el grupo evolutivo de los terápsidos.

19. En alemán se conoce como *Gedankenexperiment*, traducido al inglés como *thought experiment*.

20. Se ha acuñado el término «*paleofuturo*» para referirse a cómo predecían los visionarios que iba a ser el mundo en el año 2000, y sería interesante analizar esos *paleofuturos* para tratar la cuestión de si la Historia es predecible o no. ¿Acertaron mucho, o poco?

21. Como sería la existencia de un impulso que empujara siempre *hacia adelante*, por ejemplo. Una vez abandonados los planteamientos vitalistas, toda explicación tiene que ser mecanicista.

22. O magnoliofitas, como se dice ahora.

23. Ahora se habla mucho del Antropoceno, la Época humana, caracterizada sobre todo por la extinción en masa producida por nuestra especie. Su inicio como época geológica formalmente definida se situaría, según sus partidarios, a mediados del siglo XX.

24. *Los tres jinetes del cambio climático* (2005).

25. Esta hipótesis se llama del *early Anthropocene* (como «Antropoceno temprano», lo traduciría yo), porque sitúa el calentamiento global producido por la actividad humana miles de años antes de la era industrial y los gases de invernadero que produce.

Jornada VI. La medida del progreso

1. *The Mammal-Like Reptiles of South Africa and the Origin of Mammals* (1932); *The Coming of Man: Was It Accident or Design?* (1933); *Finding the Missing Link* (1950).

2. La realidad es que este grupo de *peces de aletas lobuladas* fue en su día dominante en las aguas, aunque en la actualidad esté casi extinguido. La idea de Broom de que las aletas lobuladas no eran adaptativas, sino incluso antiadaptativas (perjudiciales), es un disparate completo, que solo se justifica por los prejuicios finalistas de Broom.

3. Que se puede leer en Goran Strkalj y B. Sherman, «South Africa and Evolution: An Unpublished Manuscript by Robert Broom». *Annals of the Transvaal Museum* 40, 123-130 (2003).

4. El esquema narrativo que consiste en contar nuestros orígenes llevándolos ni más ni menos que hasta el *big bang*, hasta el primer átomo —en una especie de prehistoria de casi 14.000 millones de años de duración—, tiene un atractivo irresistible, al parecer, para los seres humanos. Hubert Reeves, Jöel de Rosnay, Yves Coppens y Dominique Simonnet escribieron en 1996 un libro de estas características, que lleva un título que lo dice todo: *La historia más bella del mundo. Los secretos de nuestros orígenes*. Muchos años antes, en 1891, Rudyard Kipling había utilizado ese mismo título en una novela: *The Finest Story in the World*.

5. Para conocer la vida y trabajos de este eximio paleontólogo se puede acudir a su interesante autobiografía *Concession to the Improbable. An Unconventional Autobiography* (1978). Hay algunas sabrosas páginas dedicadas a sus dos visitas a España, donde trató a los paleontólogos nacionales del momento, Miquel Crusafont y Emiliano Aguirre entre ellos. El catalán Miquel Crusafont era un ardiente defensor y propagandista de la ortogénesis, la evolución en línea recta que proponía Chardin.

6. Solo tienen en este mundo una misión, un *proyecto*, como dice Jacques Monod, las adaptaciones de los seres vivos. Hablamos de órganos y de funciones en biología, nunca en las otras ciencias experimentales. El corazón *sirve* para bombear la sangre. Pero el corazón de un mamífero es un producto de la evolución, que no tiene objetivos propios porque la evolución no es nadie. Lo mismo se puede decir de los instintos de los animales. Por eso en biología se prefiere usar el sustantivo «teleonomía» (creado por Colin Pittendrigh en 1958), así como el adjetivo «teleonómico», en lugar de los clásicos «teleología» y «teleológico», que se usan en filosofía (y presuponen la existencia de una causa final). De esta manera, en la jerga de los biólogos, los órganos y los comportamientos hereditarios dotados de un *proyecto* son teleonómicos. De hecho, George C. Williams propuso en 1966 (en su obra fundamental, *Natural Selection and Evolution*) que se llamara teleonomía a la ciencia que estudia las adaptaciones orgánicas, es decir, a la morfología funcional. También Jacques Monod utilizaba extensamente la idea y la expresión en su famoso libro *El azar y la necesidad* (1970), y consideraba la teleonomía una de las dos características principales de los seres con vida. La otra característica de la vida era la invarianza, la capacidad de producir seres iguales gracias a la información contenida en el ADN y transmitida a la descendencia.

7. Mi colega y amigo Jordi Agustí, con quien comparto preocupaciones paleontológicas y evolutivas, ha escrito sobre estos temas teóricos interesantes libros como *La evolución y sus metáforas* (1994) y *El ajedrez de la vida. Una reflexión sobre la idea de progreso en la evolución* (2010).

8. Desde luego, entre las especies invasoras de Europa no me puedo imaginar a los canguros asilvestrados y convertidos en una plaga como los conejos en Australia. En cambio, los mapaches norteamericanos sí son un problema en Europa. ¿Tendrá que ver con ello el que los lobos, linces europeos e ibéricos, y osos hayan desaparecido casi por completo?

9. *El pulgar del panda* (1980).

10. Un subfilo en realidad, como sabemos, pero, con mucho, el más importante. Los otros subfilos eran puestos por Darwin como ejemplo de cómo podrían haber sido los antepasados de los vertebrados (en cuanto a diseño general del cuerpo), y no iba descaminado en ese análisis.

11. «Richard Dawkins and the Problem of Progress». En Alan Grafen y Mark Ridley (editores) *Richard Dawkins. How a Scientist Changed the Way We Think*: 145-163 (2006)

12. Y da la siguiente lista: Ronald Fisher, J. B. S. Haldane, Sewall Wright, Julian Huxley Theodosius Dobzhansky, George Gaylord Simpson, G. Ledyard Stebbins y Ernst Mayr. De ellos, los tres primeros son considerados padres de la genética de poblaciones y precursores del neodarwinismo (al conciliar el mendelismo con la selección natural) más que propiamente los padres del neodarwinismo, que serían los cinco siguientes científicos (que sumaron otros campos de la biología a la gran síntesis moderna de la teoría de la evolución).

13. Manuel Martín-Loeches y yo le dedicamos muchas páginas al tema del control de la evolución humana y la eugenesia en los científicos de la síntesis moderna en nuestro libro *El sello indeleble. Pasado, presente y futuro del ser humano* (2013).

14. *El sentido de la evolución* (1949).

15. A J. B. S. Haldane, siempre tan ingenioso, se le atribuye el comentario de que lo único que sabemos de Dios, a juzgar por sus obras, es que tiene una gran pasión por los coleópteros. Se conocen cerca de trescientas mil especies de coleópteros, decía Haldane, comparadas con las nueve mil de pájaros y las diez mil de mamíferos, mientras que Él solo hizo una vez al ser humano. También parece que le gustan mucho las estrellas. Solo hay que mirar por la noche el cielo, allí donde no esté velado por la contaminación lumínica.

16. Obsérvese este patrón de evolución lineal que establecen J. B. S. Haldane y Julian Huxley para los medios de transporte terrestre: 1) carro tirado por animales; 2) máquina de vapor; 3) vehículo de motor de explosión; y 4) avión, que ya en 1927 consideraban el futuro del trasporte de pasajeros, pero no el del transporte de mercancías. También comentaban J. B. S. Haldane y Julian Huxley que los nuevos medios de transporte habían desplazado, pero no eliminado del todo, la tracción animal (que quedaba para la red de caminos rurales), igual que los nuevos modelos biológicos convivían con los arcaicos, que sobreviven en ambientes marginales. No solo eso, sino que hacían la observación de que cada vez que aparecía un nuevo modelo de máquina, esta sufría una «radiación adaptativa», diversificándose y sustituyendo a las máquinas del tipo anterior que realizaban sus mismas funciones. En resumen, para J. B. S. Haldane y Julian Huxley la evolución biológica y la tecnológica son en todo iguales, y en ambos casos hay progreso y mejora de los diseños (aunque yo, repito, le atribuyo a Huxley todas estas ideas).

17. Richard Dawkins y John Richard Krebs, «Arms Races between and within Species». *Proc. R. Soc. Lond. B*, 205: 489-511 (1979).

18. Haldane y Huxley no utilizan la expresión «carrera armamentística», pero es que aún no se había inventado.

19. *Evolución. El mayor espectáculo sobre la Tierra* (2009).

20. El término «microevolución» (evolución a escala micro) alude a los cambios que se producen en el interior de las especies, es decir, en las poblaciones que las componen. Tiene que ver con la vida de una especie. El término «macroevolución» (evolución a escala macro) es usado por los paleontólogos y se refiere a la historia evolutiva de los linajes, como los caniformes, los feliformes, los rumiantes, los primates, etcétera. A la macroevolución le corresponde una dimensión temporal mucho más amplia que a la microevolución. Se cuenta en millones de años, no en generaciones. Por ejemplo, las adaptaciones de los seres humanos en los últimos miles de años a los diferentes ambientes y medios culturales, como el color de la piel, la tolerancia a la lactosa en adultos o la vida en altitud serían fenómenos de escala microevolutiva. Las carreras armamentísticas de las que hemos hablado entre estirpes de depredadores y de presas se producen a escala macroevolutiva.

21. Pero no en todo, o no siempre, porque Simpson combatió durante los años treinta y cuarenta del siglo último la teoría de que los continentes se mueven y han cambiado de posición a lo largo de la historia de la Tierra, y estaba equivocado por completo. Sin embargo, hay que decir en honor de Simpson que su oposición se debía a

que los defensores de la teoría de la deriva continental utilizaban datos paleontológicos muy erróneos. En los años sesenta y setenta, sin embargo, la evidencia geológica y paleontológica a favor de la movilidad continental se volvió incuestionable, y Simpson no tuvo ningún empacho en admitirlo. La moderna tectónica de placas, el equivalente en geología a la teoría de la evolución, permite entender por qué se juntan y se separan los continentes.

En cambio, Simpson jamás admitió la escuela de sistemática biológica conocida como sistemática filogenética o cladística, que es la que se ha impuesto finalmente en la biología y la paleontología y yo uso en este libro.

22. Stephen Jay Gould (en *Las piedras falaces de Marrakech*, 2001) analiza con rigor el pensamiento científico de Lamarck, al que reivindica como un gran científico (el uso moderno de la palabra «biología», por cierto, se lo debemos a él), muy lejos de la habitual imagen patética y risible de Lamarck como «el gran equivocado», alguien que cometió el enorme disparate de creer que se heredaban los caracteres adquiridos durante la vida. En cuanto a la idea de Lamarck de la «escalera de progreso», el ascenso imparable de la evolución, Gould descubrió que el pensamiento de Lamarck fue cambiando hasta llegar a admitir un modelo ramificado de la evolución, descartando el modelo lineal. Curiosamente ese cambio se produjo después de haber asistido a una conferencia de su enemigo George Cuvier sobre la biología interna de los diferentes tipos de gusanos. Ser capaz de renunciar a nuestras queridas teorías demuestra una admirable grandeza personal y coherencia científica, afirma Gould, y yo estoy de acuerdo con él.

23. *Pero una vez eliminado el factor talla*. Este matiz de la talla es importante, porque el encéfalo de un mamífero grande es mayor que el de una especie pequeña, pero no lo es comparado con el peso del cuerpo. Se dice, así, que el tamaño del encéfalo *crece* más despacio que el tamaño del cuerpo, con lo que el cociente encéfalo/cuerpo da una cifra cada vez menor cuando se comparan especies de diferentes tamaños. Le sorprenderá saber que en cociente nos supera ampliamente un ratón. Esa relación progresivamente cambiante entre dos variables se conoce en biología como alometría.

Por eso hay que hacer, por medio de ecuaciones matemáticas de alometría, que todas las especies que se comparan tengan el mismo tamaño, y entonces ya podremos poner uno al lado del otro el encéfalo de un ratón, el de un lobo, una cebra, una vaca, un humano, un delfín y un elefante, y ver cuál es el más grande.

Las ecuaciones de alometría son del tipo $Y = aX^b$, donde la variable Y es el peso del cerebro, mientras que la variable X es el peso del cuerpo. El exponente b suele estar en biología entre 2/3 y 3/4.

Los mamíferos acuáticos plantean una dificultad adicional, ya que en el agua, donde los efectos de la gravedad están reducidos, la relación entre el tamaño del encéfalo y el del cuerpo es otra. Se pueden permitir tener cuerpos muy grandes, con mucha grasa aislante, sin perecer asfixiados por su propio peso.

24. *Evolution of the Brain and Inteligence* (1973) y *Brain Size and the Evolution of Mind* (1991).

25. No se verifica en los rumiantes, por ejemplo, pero sí en los camellos (que también rumian, pero son de otro grupo). Hay progreso en la encefalización en los caniformes (el grupo de los lobos), pero no en los feliformes (gatos, hienas, ginetas y meloncillos). Se da entre los primates, por supuesto, y también en los perisodáctilos, tanto en la línea de los tapires y rinocerontes como en la de los caballos. Susanne Schultz y Robin Dunbar, R. «Encephalization Is Not a Universal Macroevolutionary Phenomenon in Mammals but Is Associated with Sociality». *PNAS* 107: 21582-21586 (2010).

26. Un paleontólogo también francés y algo más moderno llamado Jean Piveteau lo explica sin ambigüedades (en *De los primeros vertebrados al hombre*, de 1963): «No tenemos medio alguno para medir las complejidades comparadas de un reptil y de un mamífero, o de un mamífero y del hombre. Es necesario proceder, según expresión de P. Teilhard de Chardin, a un cambio de variable. La complejidad orgánica la sustituiremos por complejidad psíquica.»

27. En su libro de 1927 con Haldane, el progreso biológico se expresa gráficamente por medio de un vector que combina dos ejes: individuación y agregación. La primera consiste en «la especialización y división dentro del conjunto», la segunda en «la unión biológica de cierto número de unidades orgánicas separadas». En la individuación gana la especie humana, y en la agregación estarían las sociedades humanas en el nivel más adelantado, pero no más avanzado que las sociedades de insectos y una serie de invertebrados coloniales. En conjunto, sumando las dos variables, el humano moderno se sitúa a la cabeza del progreso evolutivo. Yo atribuyo a Huxley, más que a Haldane, este interés por encontrar una medida objetiva del progreso biológico, en la que la especie humana sea la más avanzada.

28. Eörs Szathmáry y John Maynard Smith, «The Major Evolutionary Transitions». *Nature* 374: 227-232 (1995). Hay también un libro (*The Major Transitions in Evolution*) de estos dos autores publicado el mismo año.

29. Richard Dawkins, en *El cuento del antepasado. Un viaje a los albores de la evolución* (2004), está de acuerdo en el planteamiento general de los dos autores citados, aunque él añadiría como otra gran transición la segmentación del cuerpo en algunos grupos

animales, y pondría un gran énfasis en la división de las líneas germinal y somática, la aparición de los gametos (como reducción de todo el cuerpo al estado de una sola célula a la hora de formar un nuevo cuerpo), el sexo como combinación (siempre única) de los genes de los progenitores en el descendiente y la división de los sexos en masculino y femenino.

30. *La peligrosa idea de Darwin* (1995).

31. El término «diseño» se utiliza aquí en el sentido de la ingeniería, no en el que se le da modernamente en las artes decorativas, que tradicionalmente se llamaba «estilo».

32. Una transformación o *breakthrough* de Simpson, un avance en la evolucionabilidad de Dawkins, una *grúa* de Dennett.

33. También incluye Dawkins en su lista la torsión de los gasterópodos. Efectivamente, para los moluscos con una sola valva (caracoles y demás) el giro que sufre su cuerpo cuando todavía son larvas es una gran innovación. En cada grupo evolutivo se ha cruzado una línea divisoria distinta.

34. Aunque conviene dejar muy claro en este punto que la transmisión del impulso nervioso de las neuronas no es en modo alguno un fenómeno igual a la corriente eléctrica que fluye por los cables de la luz, ni la información se transmite de la misma manera. Ni, mucho menos aún, un cerebro funciona como un ordenador.

35. *Nadie pierde. La teoría de juegos y la lógica del destino humano* (1999).

36. Se puede considerar que un sistema de prueba y error es un método de procesar información siempre y cuando las pruebas se produzcan al azar, que exactamente es lo que sucede con las mutaciones. En efecto, como ya sabemos, las mutaciones son aleatorias, imprevisibles, y es el ambiente quien determina cuáles son adaptativas y cuáles son erróneas.

37. *El sentido de la evolución* (1949).

38. En un juego de suma cero lo que un jugador gana lo tiene que perder otro, no pueden ganar todos porque el monto total no varía, pero en la evolución podría darse el caso de que cada vez hubiera más vida en el planeta.

Jornada VII. La metáfora de los navegantes polinesios

1. La sistemática filogenética —también llamada cladística— usa muchos nombres raros, y a los caracteres derivados los llama «apomorfías».

2. Que se conoce como «modelo driopitecino».

3. Aunque, curiosamente, la última palabra de todas las ediciones, desde la primera, es «*evolved*», evolucionado.

4. En la única oportunidad que tuve de conversar con el profesor Ramón Margalef, el gran ecólogo catalán —para entonces ya retirado—, me comentó que a él también le había preocupado este tema, porque en ecología hay un proceso que es direccional y previsible, a pesar de que no tiene programa. Se llama sucesión ecológica, y consiste en que si se arrasa un ecosistema, terrestre o acuático, y se le deja *evolucionar* desde la nada, iremos viendo cómo va ganando en biodiversidad, en complejidad. Aparecen primero las especies pioneras, muy resistentes, que dan paso a otras hasta que se restaura el equilibrio ecológico que había previamente. Pero Margalef no veía, por más vueltas que le daba, cómo la sucesión ecológica podía ayudar a entender la evolución.

5. *Genetics and the Origin of Species*. La edición que yo leo es la tercera edición, revisada, de 1951.

6. A este gran tema de los paisajes de la adaptación y otras metáforas de la evolución dediqué mi discurso de investidura como doctor *honoris causa* de la Universidad de Zaragoza en 2018, en una lección que ha publicado esta universidad.

7. *Tempo and Mode in Evolution* (1944).

8. Johan Lidgren et al. «Soft-Tissue Evidence for Homeothermy and Crypsis in a Jurassic Ichthyosaur». *Nature* 564: 359-365 (2018).

9. Falta entre los marsupiales de Australia ese «ecomorfo», el del antílope, y sin embargo lo hay del lobo. La ecomorfología sería la disciplina biológica que estudia la relación entre la forma del cuerpo y el nicho ecológico. Las convergencias adaptativas más llamativas son las que conducen a los mismos ecomorfos, por ejemplo el ecomorfo de topo.

10. Es decir, no hay ecomorfos semejantes en dinosaurios y mamíferos.

11. *El cuento del antepasado. Un viaje a los albores de la evolución* (2004).

12. Es imprescindible leer el libro de 1987 del historiador de la biología Peter J. Bowler *Theories of Human Evolution. A Century of Debate, 1844-1944* para conocer cómo las diferentes doctrinas del evolucionismo se manifiestan a lo largo de la historia de la paleoantropología hasta la llegada de la síntesis moderna o neodarwinismo. Para entender lo que vino después conviene leer al paleoantropólogo Ian Tattersall, al que citaré más adelante.

13. «En los casos de evolución paralela la explicación seleccionista es que los cambios que ocurren en paralelo son adaptativos en

todo el rango ecológico ocupado por el grupo, mientras que los rasgos divergentes ("radiantes") dentro del grupo son adaptaciones a nichos especiales dentro del rango ecológico. Al menos, esto es plausible en casos tales como el de [...] los primeros mamíferos». En «*The History of Life*», de 1960, reproducido en *This View of Life* de 1963.

14. *Fósiles e historia de la vida* (1983). Este es un gran libro que publicó Simpson un año antes de morir, en el que compendia todo su pensamiento. La traducción al español, a cargo de la paleontóloga Elisa Villa, merece todos los elogios.

15. Un esqueleto hidrostático está basado en un fluido que no puede ser comprimido y actúa como antagonista de los músculos. Existe, aparte de en las lombrices, en órganos tales como el pene, que al rellenarse de sangre adquiere rigidez durante la cópula.

Jornada VIII. Ardi y Lucy

1. *Systematics and the Origin of Species* (1942).

2. Y lo que es más importante en aras de la visualización del concepto: un esquema gráfico de tipo aparentemente reticulado, que ha sido muy reproducido. No todo el mundo acepta, hay que advertir, que representar un modelo reticulado fuera la intención de Franz Wiedenreich con su ilustración, en la que no hay líneas horizontales ni verticales claras sino cuatro columnas divididas en cuadrados grandes, que a su vez contienen otros cuadrados más pequeños con aspas dentro (es un esquema muy raro formado por celdas, más que una malla). Más adelante, el antropólogo norteamericano William W. Howells, en su libro *Mankind in the Making* (1959), simplificó el esquema de Weidenreich y le dio una forma de candelabro de cuatro brazos. Los partidarios modernos del modelo de evolución regional con intercambios de genes entre poblaciones han acusado a William W. Howells de tergiversar el modelo evolutivo de Weidenreich con su simplificación, pero realmente no está claro qué pensaba Weidenreich.

3. La idea de la especie única en la evolución humana ya se le había ocurrido en 1944 al genetista Theodosius Dobzhansky, que la mantuvo siempre, admitiendo con el tiempo y con los nuevos fósiles que venían de Sudáfrica una ramificación al principio de la evolución humana (pero solo esa división). En 1970 (*Genética del proceso evolutivo*) decía: «La evolución humana es un excelente ejemplo de anagénesis. Hubo, según parece, solo dos especies de homínidos (*Australopithecus africanus* y *A. robustus*) en el Pleistoceno primi-

tivo, y ha habido una sola forma desde el Pleistoceno medio hasta el presente (*Homo erectus* seguido del *H. sapiens*)».

4. Como dice Ian Tattersall, resulta sorprendente que Mayr no viera contradicción entre su especiación geográfica y el modelo de evolución lineal que el neodarwinismo —un neodarwinismo del que Mayr era uno de los pilares— favorecía para la evolución en general, no solo la humana.

5. O por lo menos con una visión unidireccional y *progresionista* de la evolución.

6. La mayoría de los autores prefieren denominarlos «simios» por razones de prioridad histórica del nombre, pero aquí usaremos el de antropoideos para evitar la confusión con nuestros parientes más cercanos (gibones, orangutanes, gorilas y chimpancés), que se llaman en inglés «*apes*». En español no tienen nombre vernáculo pero se va generalizando para ellos el de «simios».

7. Gould dedica su último libro, *La estructura de la teoría de la evolución* (2002), su testamento científico, a Eldredge y Vrba.

8. O bien eran originalmente partes no utilizadas del cuerpo que estaban disponibles para darles alguna función.

9. Se debe utilizar la palabra «aptación» cuando nos referimos, en general, a estructuras, funciones o conductas útiles para la supervivencia y la reproducción del organismo, sin distinguir si han surgido en el contexto actual (entonces serían llamadas adaptaciones) o en otro contexto y han cambiado de función (en cuyo caso las llamaríamos exaptaciones). Como puede ver, algunos científicos hilan muy fino.

10. Stephen Jay Gould y Richard Lewontin, «The Spandrels of San Marco and the Panglossian Paradigm: A Critique of the Adaptationist Programme», *Proc. Roy. Soc. Lond. B*, 205: 581–598 (1979).

11. Los lémures permanecieron aislados y sin competencia en Madagascar, donde también experimentaron una fascinante radiación adaptativa, dando incluso formas gigantes. Desgraciadamente, la llegada de los navegantes humanos hace poco más de dos mil años a la isla diezmó la gran diversidad faunística que había allí, y aún se sigue diezmando, esta vez a conciencia, con la destrucción a gran escala del hábitat forestal.

12. Lo que crea cierta confusión, porque antes, con la sistemática tradicional basada en grados, homínidos eran los antepasados y parientes exclusivos de nuestra especie. El clado africano (gorilas / chimpancés / humanos) es ahora técnicamente la subfamilia Homininae. Chimpancés y humanos formamos la tribu Hominini (tribu es una agrupación de géneros con antepasado común exclusivo). Y nosotros solos, con nuestros antepasados y parientes, la subtribu

Hominina. Modernamente, cuando se escribe en español, se aplica el término «hominino» («*hominin*» en inglés) solo a nuestros antepasados posteriores a la separación de las líneas de chimpancés y humanos.

13. El tercer *gran simio*, el asiático orangután, apenas baja al suelo, de manera que casi podríamos decir que no tiene locomoción terrestre, solo arbórea. Cuando se ven obligados a hacerlo apoyan desmañadamente el puño cerrado en el suelo, generalmente puesto de canto.

14. Encontrado en 1994 por el norteamericano Tim White al frente de su equipo.

15. En la teoría neodarwinista es la presión selectiva la que dirige la evolución. La selección natural es un proceso a la vez estocástico y determinístico. Las mutaciones se producen al azar (eso quiere decir «estocástico») pero son las presiones de selección las que determinan quién es el más apto.

16. Por su descubridor en 1974, el norteamericano Donald Johanson.

17. Little Foot fue encontrado en 1994 por Ronald J. Clarke, que ha pasado muchos años extrayendo el esqueleto de la roca que lo aprisionaba en la cueva de Sterkfontein. La cronología de este esqueleto es objeto de discusión. No todos aceptan que tenga más de tres millones de años, como afirma Ron Clarke.

18. Aunque las piernas de Little Foot son más largas que sus brazos y sugieren una locomoción bípeda más eficiente que en el caso de Lucy. Little Foot también era más alta que Lucy. Conviene ser de momento prudentes hasta que sepamos más del esqueleto de Little Foot.

19. La rapidez con la que aparezcan nuevos tipos biológicos en la *película de la vida* también depende de los intervalos de tiempo entre cada dos fósiles (cada dos *fotogramas*). No es lo mismo un fósil cada millón de años que uno cada diez millones de años. De todos modos, si la evolución fuera completamente gradual, los saltos serían pequeños aunque la separación temporal entre los fósiles fuera grande.

20. Algo que ni siquiera puede hacer un chimpancé, si de lo que estamos hablando es de adoptar una postura completamente vertical, con las rodillas y las caderas extendidas.

21. Los paleontólogos Gould y Eldredge sostienen que la evolución filética de Simpson (que ellos llaman gradualismo filético) es el modo evolutivo que los neodarwinistas han decidido considerar preferente en la evolución, aunque, según Eldredge y Gould, el darwinismo original era bastante más abierto en este tema.

22. Llamada *tapetum lucidum*.

23. En la época de Simpson (años treinta y cuarenta) defendían

el *saltacionismo* algunos biólogos como R. Goldschmidt y O. H. Schindewolf, de los que Simpson no quería saber nada.

24. En *El significado de la evolución*.

25. «La derivación de este tipo [los australopitecos] a partir de un simio es mejor entendida como un caso de evolución rápida o cuántica (Simpson, 1944). Podría convertirse pronto en uno de los casos mejor documentados.»

26. «Es cierto que andar de pie fue la línea de cambio más radical. Como dice Washburn, este es indudablemente un caso de evolución cuántica, una contribución conceptual de Simpson (1944).»

27. Si bien creo que Simpson no asistió y se limitó a enviar su texto. Baso esta sospecha en que no aparece en las fotografías del simposio (no todos los asistentes salen en ellas, pero sí los más prominentes) y que no lo menciona siquiera en su autobiografía, que es muy detallada.

28. Washburn, en el histórico congreso de 1950, defendió también la idea de que un cambio en la cadera (más concretamente en el acortamiento y giro hacia atrás del ala ilíaca) había sido esencial en la adquisición de la postura vertical en los australopitecos. Y aún iba más lejos: «Es mi creencia que este simple cambio fue lo que inició la evolución humana.» La explicación biomecánica que proponía Washburn era diferente de la que doy aquí —y seguramente complementaria—, porque se basaba en el movimiento de extensión de la cadera proporcionado por el glúteo mayor, y no en la abducción de la cadera que producen los glúteos medio y menor en nuestra especie y en nuestros antepasados bípedos.

29. Como bien señaló Gould en su libro *Ontogenia y filogenia* (1977), no siempre se cumple al pie de la letra el principio de correlación orgánica de Cuvier. No hay carnívoros con cuernos y con pezuñas, esa regla no admite excepción, pero un cerebro casi de chimpancé puede combinarse con un cuerpo bastante humano, es decir, pueden aparecer juntas características primitivas y modernas. Es lo que se conoce como evolución en mosaico.

30. En la publicación original el nombre de la teoría es plural: «equilibrios puntuados» («Punctuated equilibria»). Era Gould el que usaba la expresión en singular («Punctuated equilibrium»).

31. Por ejemplo, Tattersall cree que el *puntuacionismo* ha ido demasiado lejos al situar todo el cambio morfológico en el momento de la especiación, es decir, cuando se produce el aislamiento genético de una población. Tattersall piensa que se puede acumular cambio después, durante la vida de la especie. También le parece a Tattersall que la especiación se produce de una manera más frecuente de lo que Eldredge y Gould piensan.

Para quien quiera saber más sobre estos debates teóricos en el campo concreto de la evolución, Ian Tattersall escribió en 1995 un libro muy interesante en el que cuenta la historia de la paleoantropologia y cómo han influido en ella las teorías evolucionistas, especialmente la síntesis moderna y el equilibrio puntuado: *The Fossil Trail: How We Know What We Think We Know about Human Evolution*. En un libro posterior, *Hacia el ser humano. La singularidad del hombre y la evolución* (1998), también trata, de forma resumida pero magistral, esas cuestiones teóricas en su narración de la evolución humana.

Jornada IX. Los neandertales y nosotros

1. *El fenotipo extendido* (1982).
2. *Una luz fugaz en la oscuridad* (2015).
3. El concepto de gen de Richard Dawkins no es el clásico, por supuesto. No es una receta para fabricar una proteína, sino algo mucho más amplio, que puede abarcar a muchos genes. Dawkins no defiende que haya un gen único detrás de cada comportamiento, sino programaciones genéticas en las que participan conjuntos de genes.
4. Llamada Rising Star, situada en la zona conocida como Cuna de la humanidad, una región que alberga múltiples cavidades que han proporcionado abundantes fósiles de varias especies de homininos.
5. El americano Lee Berger.
6. De ser así, no pertenecerían al género *Homo*, porque los géneros son clados (solo pueden tener un origen, no dos), y se ha propuesto para ellos el género *Kenyanthropus*.
7. Los últimos australopitecos conocidos, de la especie *Australopithecus sediba*, fueron encontrados por Lee Berger en la cueva Malapa de Sudáfrica y se datan en dos millones de años.
8. Cabe pensar que su zona adaptativa, su pico, la ocupó a partir de ese momento otra especie, que quizás fue la causa de la extinción de los parántropos, en dura competencia ecológica. ¿Cuál sería? Tal vez el *Homo erectus*, tal vez los babuinos.
9. Este patrón se parece más al que preconizan Eldredge y Gould en su teoría del equilibrio puntuado.
10. El límite entre el Pleistoceno inicial y el medio se hace corresponder con un cambio en la posición de los polos magnéticos que se produjo hace 780.000 años.
11. Juan Luis Arsuaga et al., «Neandertal Roots: Cranial and

chronological evidence from sima de los huesos». *Science* 344: 1358-1363 (2014).

12. El comienzo del Pleistoceno final se hace coincidir con la llegada de un periodo cálido, el último interglacial, que precedió al último gran ciclo glacial. Ese tránsito se data en 126.000 años.

13. Jean-Jacques. Hublin et al., «New Fossils from Jebel Irhoud, Morocco and the Pan-African Origin of Homo Sapiens». *Nature* 546: 269-292 (2017).

14. El investigador que más ha contribuido a la creación de la nueva disciplina de la paleogenética es sin duda el sueco Svante Pääbo, que nos cuenta su historia en el libro *El hombre de Neandertal. En busca de genomas perdidos* (2014).

15. Viviane Slon et al., «The Genome of the Offspring of a Neadnerthal Mother and a Denisovan Father». *Nature* 561: 113-116 (2018).

16. Axel Barlow et al., «Partial Genomic Survival of Cave Bears in Living Brown Bears». *Nature Ecology & Evolution* 2: 1563-1570 (2018).

17. Eleftheria Palkopoulou *et al.*, «A Comprehensive Genomic History of Extinct and Living Elephants». *PNAS 115: 2566-2574* (2018). El *Palaeoloxodon antiquus* es el llamado elefante de defensas rectas, un proboscídeo extinguido muy frecuente en los yacimientos europeos y españoles del Pleistoceno medio en los periodos interglaciales. En las glaciaciones era sustituido por los mamuts, también extintos, aunque más recientemente.

18. *Phylosophy of Science* 63: 262-277 (1996).

19. Israel Hershkovitz et al., «The Earliest Modern Humans Outside Africa» *Science* 359: 456-459 (2018).

20. Wu Liu, María Martinón-Torres y otros colegas han publicado dientes de *Homo sapiens* en China datados en torno a 100.000 años: «The Earliest Unequivocally Modern Humans in Southern china». *Nature* 526, 696-699 (2015).

21. Para ser más precisos, se trataría del paso de lo que se conoce en geología como estadio cálido MIS 5 al estadio frío MIS 4.

22. Eugene I. Smith et al., «Humans Thrived in South Africa through the Toba Super-Volcanic Eruptions ~74,000 Years Ago». *Nature* 555: 511-515 (2018).

23. Acaba de ser presentado el esqueleto completo de Little Foot. Por fin vamos a tener toda la información esquelética de un australopiteco, ya que a Lucy le faltan muchas regiones, empezando por buena parte del cráneo.

24. Parece haber mucha diversidad en Europa entre hace medio millón de años y un cuarto de millón de años, con algunos fósi-

les de morfología arcaica junto con otros restos más neandertales como en la Sima de los Huesos. Entre los arcaicos se encontrarían los fósiles del yacimiento francés de Tautavel, en el Rosellón, a quienes sus descubridores, Henry y Marie-Antoinette de Lumley, les han puesto recientemente el nombre de *Homo erectus tautavelensis*, que yo dejaría en *Homo tautavelensis*. El cráneo de Ceprano (Italia) podría también entrar en esta denominación. No me gusta en cambio el nombre científico *Homo heidelbergensis* porque el ejemplar tipo de la especie es solo una mandíbula (del yacimiento de Mauer, en Alemania) y no nos informa gran cosa de la especie a la que representa.

25. *Los mitos de la evolución humana* (1982).

26. El concepto «selección de especies» es creación del paleontólogo norteamericano Steven M. Stanley en 1975. Niles Eldredge prefiere la expresión «*species sorting*» para referirse al fenómeno, aunque el matiz se pierde en castellano, ya que habría que traducirlo como «clasificación de especies», que no es lo que se quiere expresar.

27. El título original de la primera edición (la de 1859) es *Sobre el origen de las especies*. No fue hasta la sexta edición, de 1872, la más larga y la que consideraba definitiva, cuando Darwin eliminó la palabra «sobre». En su libro, Darwin no hablaba directamente del origen del ser humano, ni del origen de nuestras (muy especiales) facultades mentales, aunque decía al final del texto que *su* teoría de la evolución (por selección natural) arrojaría luz sobre esas cuestiones.

28. En su honor podemos decir que hoy en día se considera entre los biólogos evolutivos que la selección sexual es un caso particular dentro del campo más amplio de la selección natural.

29. Don Gregorio Marañón (*Vida e historia*, 1940) entendió perfectamente que, además de abrigar, el vestido (y el adorno asociado a él) cumplía una doble función que tiene que ver con sendos instintos: el de la jerarquía y el sexual. Pero no se le ocurrió que vestido y adorno tienen además una función identitaria y sirven para reconocer a otro miembro de la tribu, etnia o grupo y distinguirlo del extraño.

30. También pensaba Darwin —equivocadamente— que la piel desnuda de nuestra especie era originalmente un carácter femenino, es decir, producto de la selección sexual, aunque finalmente se habría ampliado al otro sexo. Sin embargo, tiene que ver con la termorregulación por medio del sudor que caracteriza a nuestra especie y a muchos de nuestros antepasados, seguramente todos los del género *Homo*. El color de la piel pasó entonces de pálido (como entre los chimpancés) a oscuro conforme se extendió la pigmenta-

ción para proteger la epidermis de los efectos perjudiciales de la radiación solar.

31. Arslan A. Zaidi et al. «Investigating the Case of Human Nose Shape and Climate Adaptation». *Plos Genetics* 13: e1006616 (2017).

Jornada X. Por el bien de la especie

1. En la que criticaba la evolución cuántica, el modo evolutivo que produciría grandes cambios en poco tiempo geológico.

2. Aunque la idea, en su parte esencial, ya había sido insinuada en 1930 por Ronald Fisher, y tratada en 1955 por J. B. S. Haldane, fue Hamilton quien le dio forma y alcance para la evolución genética de las sociedades animales.

3. En la quinta edición de *El origen de las especies* (1869).

4. Así se llega a la conocida desigualdad de Hamilton, la fórmula que expresa esta idea. Para que un gen altruista se extienda se tiene que cumplir que $rB > C$, donde r es la medida del parentesco (de 0 a 1) entre los dos individuos implicados en un acto altruista (el que proporciona la ayuda y el que la recibe), o, dicho de otro modo, la probabilidad de que un gen elegido al azar sea idéntico en los dos individuos por ascendencia común (por genealogía). B es el extra reproductivo que obtiene el que recibe la ayuda y C el coste reproductivo para el que realiza el acto altruista. Esa desigualdad ha sido considerada por los partidarios de la teoría de la eficacia inclusiva el equivalente en la biología social a la fórmula $E = mc^2$ de la teoría de la relatividad de Einstein.

5. Utilizo la expresión de «genes compartidos por ascendencia común» porque solo de esos genes podemos estar seguros de que son iguales. Dos parientes pueden tener muchos más genes iguales, ya que, a fin de cuentas, pertenecen a la misma población, pero de esos otros genes no sabemos nada.

6. John Maynard Smith atribuía la idea de la *fitness* inclusiva, aunque solo en una forma embrionaria, a J. B. S. Haldane. Según recordaba Maynard Smith, después de hacer cálculos sobre una servilleta de papel en un pub de Londres (el Orange Tree, ya desaparecido), J. B. S. Haldane afirmó que estaría dispuesto a dar su vida por ocho primos o dos hermanos. A Bill Hamilton no le hizo maldita la gracia que se le atribuyera el germen de *su* idea de la *fitness* inclusiva a J. B. S. Haldane, y se mostró escéptico respecto de la anécdota, que consideraba falsa. Maynard Smith también decía que el concepto de la *fitness* inclusiva estaba ya en un artículo que

Haldane publicó en 1955 («*Population Genetics*». *New Biology* 18: 34-51), pero soy de los que opinan que en ese trabajo no está tan claramente expresada la idea como para atribuírsela a Haldane. El verdadero autor de la teoría de la *fitness* inclusiva es, por supuesto, W. D. Hamilton.

7. No todas las especies lo hacen, por supuesto, muchos animales abandonan la puesta a su suerte, que sufrirá una gran mortalidad, y por eso la puesta suele ser muy abundante.

8. Llamada haplodiploidía. Consiste en que los machos son haploides (solo tienen un juego de cromosomas) y las hembras son diploides (tienen dos juegos). Los machos proceden de óvulos sin fecundar y las hembras de óvulos fecundados.

9. El término fue propuesto por John Maynard Smith en un artículo de 1964 que tiene su historia. Maynard Smith había sido uno de los revisores de la primera versión del famoso trabajo de Hamilton sobre la TIF. A Hamilton, el editor de la revista le dijo que lo publicara en dos partes separadas, lo que le llevó muchos meses. Entretanto, Maynard Smith publicó su artículo sobre la *kin selection* en *Nature*, la revista científica de más repercusión en el mundo. Hamilton no se lo perdonaría nunca, aunque Maynard Smith se disculpó por lo ocurrido. Así al menos cuenta la historia Lee Alan Dugatkin en su excelente libro *Qué es el altruismo* (2006). También para Frans de Waal (en *El bonobo y los diez mandamientos*, 2013) John Maynard Smith es el *villano* de esta historia, así como de la historia de la colaboración con George Price en la elaboración del concepto de estrategia evolutiva estable, del que se hablará más adelante.

10. Calificado como uno de los *dioses* de la biología evolutiva por Robert Sapolsky (*Compórtate. La biología que hay detrás de nuestros mejores y peores comportamientos*, 2017). Otro *dios* de la biología evolutiva sería el también inglés Bill Hamilton.

11. Una idea que había sido defendida por el zoólogo inglés V. C. Wynne-Edwards en 1962 (*Animal Dispersión in Relation to Social Behaviour*). Este autor defendía que las poblaciones adecuaban su tamaño a la disponibilidad de recursos del medio, de manera que los individuos ejercían *voluntariamente* un autocontrol de la natalidad, lo que significa restringir el número de hijos propios —renunciar a tener más vástagos de los convenientes— para beneficiar al grupo. A un altruismo así solo se podría llegar por medio de la selección de grupo.

12. David Sloan Wilson y Edward O. Wilson, «Rethinking the Theoretical Foundation of Sociobiology». *The Quaterly Review of Biology* 82: 327-348 (2007).

13. *The Pony Fish's Glow* (1997).

14. Por las que, por supuesto, hay que pagar un precio. La fabricación de toxinas, como la de cualquier otra sustancia, no sale gratis, tiene un coste metabólico, un valor en la economía del cuerpo. Es una inversión que hay que rentabilizar.

15. *The Genetical Theory of Natural Selection*, considerado por muchos autores el tratado más importante de la teoría de la evolución después del de Darwin.

16. Es muy recomendable leer *Evolution and Healing. The New Science of Darwinian Medicine* (1994), con Randolph M. Nesse de primer autor. Como su título indica, con este libro se abre una forma nueva de entender la enfermedad.

17. George C. Williams, *The Pony Fish's Glow* (1997).

18. Que la evolución es básicamente una cuestión de cambios en las frecuencias génicas es una idea antigua, que fue propuesta por el inglés Ronald Fisher, uno de los fundadores de la genética de poblaciones (junto con el inglés J. B. S. Haldane y el americano Sewall Wright).

19. La idea original fue de George Price, con quien Maynard Smith publicó un artículo en la revista *Nature* en 1973. Hay un artículo de divulgación de Maynard sobre la ESS en el histórico número de 1978 de la revista *Investigación y Ciencia* dedicado a la evolución. La vida de George Price es increíble, porque era una persona muy extraña. Tiene una biografía, escrita por Oren Harman, en la que se cuenta su aportación científica para comprender el altruismo y su propia tragedia personal, *The Price of Altruism: George Price and the Search for the Origins of Kindness* (2010).

20. Suponga que la policía ha detenido a dos sospechosos de robo y los interroga por separado, advirtiéndolos previamente de cuáles son las penas a las que se exponen en función de que confiesen o no el delito. Si ninguno de los dos confiesa (es decir, si cooperan entre ellos) serán condenados a una pena de un año de prisión, que es lo máximo que se les puede imponer con las pruebas de las que dispone la justicia. Si ambos confiesan, serán condenados a ocho años. Si un prisionero confiesa y el otro no lo hace, el que confiesa quedará libre y al que miente lo condenarán a diez años de prisión. Puestas así las cosas, la estrategia dominante es confesar, y, como consecuencia, a los dos prisioneros los condenarán a ocho años. Esto es lo que se conoce como equilibrio de Nash, por el matemático y Premio Nobel de economía John Nash (al que recordará si ha visto la película *Una mente maravillosa*). ¿Por qué te conviene confesar si estás en ese caso? Porque si confiesas y el otro también lo hace te caen ocho años, y si confiesas y el otro no lo hace sales libre. En cambio, si no confiesas y el otro confiesa te caen diez años, mien-

tras que si no confiesas y el otro tampoco, te cae un año. Ocho años (en el peor de los casos) o quedar libre (en el mejor) es preferible a diez años (en el peor de los casos) o un año (en el mejor). Por eso los dos sospechosos confesarán.

21. Tomado de Richard Dawkins en *Una luz fugaz en la oscuridad* (2015).

22. No hace falta aclarar que los animales no deciden tener hijos o hijas según sus intereses, sino que los individuos cuya constitución genética hiciera que tuvieran solo hijos tendrían muchos nietos en una población en la que los machos fueran escasos, mientras que los individuos que solo producen hijas tendrían ventaja en una población en la que hubiera pocas hembras.

23. Para ser más precisos, lo que se mantiene en proporción 1:1 es la inversión que se hace en hijos de cada sexo, porque si en una especie se diera una mortalidad más alta en uno de los sexos, para compensarla se producirían más hijos de ese sexo, y a cada uno de ellos le tocaría una inversión de energía menor.

24. Stuart A. West et al., «Social Semantics: Altruism, Cooperation, Mutualism, Strong Reciprocity and Group Selection». *J. Evol. Biol.* 20: 415-432 (2007).

25. Robert L. Trivers, «*The Evolution of Reciprocal Altruism*». *Quarterly Review of Biology* 46: 35-57 (1971).

Jornada XI. El gran debate

1. *El Mundo*, 25/11/2017.

2. Dawkins cita en el prólogo del *El gen egoísta* como el fundamento de su libro las *nuevas ideas* de los siguientes autores: G. C. Williams, J. Maynard Smith, W. D. Hamilton y R. I. Trivers.

3. Como un gen puede tener varios efectos en el fenotipo, es teóricamente posible que produzca un carácter físico visible y al mismo tiempo prescriba un comportamiento altruista hacia los individuos que muestren esa misma *etiqueta*. Supongamos que existe un gen que confiere un color verde a la barba y al mismo tiempo hace que los individuos de barba verde se reconozcan y se ayuden unos a otros aunque no sean parientes cercanos. De ese modo el gen de la barba verde se haría mayoritario en la población. Sin embargo, Dawkins no cree que sea frecuente que se asocien en un mismo gen los dos efectos: la señal y el comportamiento de ayuda mutua entre los portadores de la señal.

4. Más propiamente, hay competencia entre los alelos, que son las diferentes formas en la que puede presentarse un gen en una

población. Veamos un ejemplo. Entre las polillas de los abedules (*Biston betularia*) hay formas blancas y negras. Como los abedules tienen la corteza blanca, el color blanco de las polillas es una adaptación para camuflarse. Pero en las zonas industrializadas los abedules tienen la corteza negra por la contaminación, y son las polillas negras las que están mejor adaptadas. Recientemente se ha identificado el gen mutante (el alelo) responsable del color negro.

5. La frase es del escritor inglés del siglo XIX Samuel Butler.

6. *Hombre versus naturaleza*. El libro está basado en conferencias pronunciadas por Sherrington en los años 1937 y 1938. Traducción de Francisco Martín (en Metatemas, Tusquets).

7. La lógica de la selección dependiente de la frecuencia es fácil de entender en el mundo de la economía, donde todos sabemos que un carpintero, un abogado, un médico o un pescadero intentarán instalarse en un distrito en el que no haya competencia, y evitarán los barrios o ciudades con muchos negocios de su misma clase. Cuanta menos competencia haya mejor le irá al nuevo, del mismo modo que el sexo masculino se ve favorecido en una población con pocos machos y el sexo femenino en una con pocas hembras.

8. El alelo.

9. *Desde Darwin. Reflexiones sobre historia natural* (1978).

10. Llama la atención que Lewontin, Rose y Kamin metan a los empresarios en el mismo saco que a los xenófobos territoriales, pero todavía no había caído el muro de Berlín y las simpatías de los autores estaban, me parece, más bien del otro lado. Para reforzar sus argumentos, Lewontin, Rose y Kamin señalaban (aunque más bien suena como una acusación) que E. O. Wilson se había identificado a sí mismo con el liberalismo neoconservador norteamericano. En cualquier caso, este era el tono de los debates que siguieron a la entrada en escena de la sociobiología.

11. *Historia como sistema* (1935). Entre los que han opinado que el ser humano no tiene naturaleza y se puede moldear completamente por medio de la educación estaba el famoso sociólogo Émile Durkheim.

12. *How Did Humans Evolve? Reflections on the Uniquely Unique Species* (1990).

13. *The Moral Animal. Why We Are the Way We Are: The New Science of Evolutionary Psychology* (1994).

14. Habida cuenta del interés que la teoría de la selección familiar tiene en la reproducción y en la descendencia, no es de extrañar el énfasis que ponen los sociobiólogos en las diferencias entre hombres y mujeres en el comportamiento.

15. *Human Nature and the Limits of Science* (2001).

16. Gould escribió una dura crítica del libro de Robert Wright en *The New York Review of Books* el 26 de junio de 1997.

17. Dupré también se opone a la idea del gen egoísta de Dawkins, es decir, a todo lo que suene a «gencentrismo».

18. «Si estos ancestros eran cazadores o recolectores o las dos cosas; si vivían en grupos grandes o pequeños; si los machos de los primeros humanos eran promiscuos, o bien proveedores fiables, todo esto tiene poco que ver con lo que somos (o podemos ser) a finales del siglo XX. [...] Esta complejidad de comportamiento ha estado con nosotros sin duda desde el nacimiento del *Homo sapiens*; pero los antiguos estilos de vida tienen poco que ver con cómo vivimos nuestras vidas hoy.» (*Hacia el ser humano. La singularidad del hombre y la evolución*, 1998).

19. *The Meaning of Human Existence* (2014).

20. En *Qué nos hace humanos* (2003), libro de lectura muy recomendable.

21. Pero residuos del *saltacionismo* perduraron, y reaparecen de alguna manera en la evolución cuántica de Simpson, primero, y luego en la teoría de la mutación neuronal, que pretende explicar, en un solo paso, el origen de la mente creativa, simbólica y consciente del *Homo sapiens*.

22. En *Una luz fugaz en la oscuridad* (2015).

23. La alternativa a la *embriología origami* sería la embriología tipo impresora 3-D. Los seres vivos en este planeta siguen, no hace falta insistir en ello, la *embriología origami*, y, según Dawkins (en *Una luz fugaz en la oscuridad*, 2015), así tiene que ser en todos los planetas en los que haya evolución. La herencia de los caracteres adquiridos de Lamarck se parecería en cambio a la embriología tipo impresora 3-D, porque copia el cuerpo tal y como se encuentra en el momento de la reproducción, con los cambios que ha experimentado a lo largo de su vida.

Jornada XII. De insectos y humanos

1. Como los llama Karl von Frisch en *Doce pequeños huéspedes* (1976).

2. O eusociabilidad; se dice *eusociality* en inglés.

3. *La conquista social de la Tierra* (2012).

4. Judith Rich Harris, «Where Is the Child's Environment? A Group Socialization Theory of Development». *Psychological Review* 102: 458-489 (1995).

5. Todo esto me lleva también a lo que decía el filósofo Ortega

y Gasset sobre la conveniencia o no de que los niños lean obligatoriamente El *Quijote* en las escuelas (una polémica que se desató en su tiempo). Es un error, decía Ortega, porque a los niños no hay que educarlos para ser buenos adultos, sino para ser buenos niños. Y en efecto, los niños, todos lo sabemos, se desarrollan mentalmente en su propio hábitat infantil, conviviendo con otros niños.

6. Dudaba, para ser más precisos, de la llamada hipótesis haplodiploide basada en la genética tan singular de los himenópteros, en la que hay unos individuos haploides (con un solo juego de cromosomas) y otros diploides (con dos juegos de cromosomas).

7. Es decir, no son haplodiploides, sino diplodiploides (la condición normal, en la que los sexos son diploides y tienen dos juegos de cromosomas).

8. En el libro *El sello indeleble* (2013), que escribí con Manuel Martín-Loeches, analizamos las utopías sociales de los creadores del neodarwinismo y los *mundos felices* que proponían, utilizando la eugenesia como herramienta.

9. Martin A. Nowak et al., «The Evolution of Eusociality». *Nature* 466: 1057-1.062 (2010).

10. *Evolución para todos. De cómo la teoría de Darwin cambia nuestro pensar* (2007) y *Does Altruism Exist? Culture, Genes and the Welfare of Others* (2015).

11. La teoría de la selección multinivel fue propuesta por David Sloan Wilson y el filósofo Elliot Sober en el libro *El comportamiento altruista: Evolución y psicología* (1998).

12. O dicho de otra manera, usted es diploide y sus gametos son haploides.

13. Es decir, dejando *en tierra* al otro alelo, su variante génica, que ocupa el mismo locus (o posición) en el cromosoma homólogo, que es el otro cromosoma del par. Si los dos alelos son iguales, entonces no hay conflicto intragenómico, claro está.

14. El planteamiento de David Sloan Wilson tiene mucho que ver con el de las grandes transiciones evolutivas de Eörs Szathmáry y John Maynard Smith del año 1995, aunque estos últimos no defendían la selección de grupo porque, decían, «estamos comprometidos con la aproximación "gencentrista" (o "genocentrista") esbozada por Williams y expresada de manera todavía más explícita por Dawkins. De hecho hay un rasgo en las transiciones [...] que lleva a esa conclusión. En algún punto del ciclo vital solo hay una copia, o muy pocas, del material genético: consecuentemente existe un grado muy alto de relación genética entre las unidades que se combinan en un organismo superior. La importancia de este principio general fue enfatizada en primer lugar por Hamilton en su explicación de la

evolución del comportamiento social, pero pensamos que es de aplicación mucho más amplia.»

Jornada XIII. El error de Wallace

1. Tras sopesarla, Darwin descartaba la posibilidad de que los dos sexos fueran iguales en esas cualidades: «Soy consciente de que algunos autores dudan de que haya alguna diferencia inherente, pero es lo menos probable por analogía con los animales inferiores que presentan caracteres sexuales secundarios.»

2. Wallace desarrolla su postura y la explica en el libro *Darwinism* de 1889.

3. Aunque no siempre lo tuvo claro, como es lógico. En su *Cuaderno de Notas B*, escrito a la vuelta de su viaje de circunnavegación en el *Beagle*, Darwin escribía que «hay consenso en que el alma es algo sobreañadido».

4. En español se utiliza el término «espiritismo», que se refiere solo a una versión del espiritualismo, no a su totalidad.

5. Raymond A. Dart, «The Predatory Transition from Ape to Man». *International Anthropological and Linguistic Review* 1: 201-213 (1954). Dart mantiene el mismo planteamiento en el libro de divulgación que escribió en 1959 con Dennis Craig, titulado *Aventuras con el eslabón perdido*.

6. A la que llamó «industria osteo-donto-querática».

7. Publicado en 1966 en forma de libro.

8. S. J. Gould critica, en *Desde Darwin* (1977), la teoría del mono asesino y a quienes defienden (Dart, Lorenz, Ardrey y Desmond Morris) que nuestra naturaleza está manchada por descender de un carnívoro africano, agresivo y territorial. Y recuerda que, después de *2001*, Stanley Kubrick continuó explorando el tema de la agresividad humana, supuestamente innata, en la siguiente película que rodó: *La naranja mecánica* (1971). En ella se planteaba un dilema moral, continúa Gould: «¿Debemos aceptar controles de carácter totalitario para la desprogramación en masa [de la agresividad innata], o no hacer nada [y vivir] en una democracia?»

9. Dart no era un biólogo neodarwinista pero, como bien dice en 1987 Peter J. Bowler (*Theories of Human Evolution. A Century of Debate, 1844-1944*), se puede encontrar la misma noción de que llevamos en nuestros genes la carga de nuestra historia evolutiva en la sociobiología y la psicología evolucionista, como hemos visto, que sí son hijas del neodarwinismo.

10. Frans de Waal escribió, veintiséis años después, un libro

muy relevante sobre la violencia y el apaciguamiento en los primates (*Peacemaking Among Primates*, 1989). Desde que Lorenz escribió *Sobre la agresión: el pretendido mal* (1960), se había aprendido mucho sobre la agresividad de los chimpancés, que son animales verdaderamente violentos en ocasiones y físicamente poderosos, muy capaces de matar a otros miembros de su especie. La fuerza del brazo de un chimpancé supera la de un brazo humano, y sus caninos son terribles, así que no es en absoluto el ser indefenso que imaginaba Lorenz. También tienen, en consecuencia, los chimpancés, sistemas elaborados y muy eficaces de aplacar la agresividad. Frans de Waal pensaba que Lorenz estaba en lo cierto cuando defendía que la agresividad humana es innata (por mucho que duela), pero que se equivocaba —y ese había sido el gran error de su libro— cuando decía que nuestra especie carece de mecanismos biológicos para inhibirla.

11. Aunque a la vista de las grandes matanzas que se han producido en el pasado, en la época de las armas blancas y de la lucha cuerpo a cuerpo, más de uno dudará al leer estas líneas de que haya algún freno eficaz a la agresividad humana.

12. Aunque sí de su vida social, dice Craig B. Stanford en *The Hunting Apes* (1999). La carne es un recurso muy apetecido por los chimpancés, lo que la convierte en una *moneda social* para obtener a cambio amistad o sexo, algo que habría podido tener un papel importante en la evolución humana.

13. Entre otras, *Darwinismo y asuntos humanos* (1979), *The Biology of Moral Systems* (1987) y *How Did Humans Evolve? Reflections on the Uniquely Unique Species* (1990).

14. «*Balance of power*», una expresión muy usada durante la guerra fría para referirse a la carrera armamentística que se desarrollaba entre las dos superpotencias: la Unión Soviética y Estados Unidos.

15. También explica Alexander por medio de la carrera por el equilibrio de poder el que no haya habido divisiones dentro del linaje humano, teoría que no comparto. Yo creo que se han producido muchas ramas.

16. Bien mirado, la hipótesis de la carrera por el equilibrio de poder no se opondría por completo a la hipótesis del cazador, y, de hecho, Richard D. Alexander (en 1990) incluye la publicación de Dart de 1954 entre los precedentes de su teoría. Aunque la carrera por el equilibrio del poder empezaría en un momento muy posterior al de los australopitecos y, por lo tanto, no corresponde en absoluto al alba de la evolución humana, sí tiene los componentes de agresión interespecífica (la caza), e intraespecífica (lucha de unos grupos

contra otros dentro de la misma especie) que aparecen en la película *2001. Una odisea del espacio.*

17. *Darwinismo y asuntos humanos* (1979).

18. Otros primates que también viven en grupo parecen saber muy bien quiénes son sus parientes, y en qué grado.

19. Según William Irons («How Has Evolution Shaped Human Behavior? Richard Alexander's Contribution to an Important Question». *Evolution and Human Behavior* 26: 1-9, 2005), dos son las grandes aportaciones de Richard Alexander al estudio de la evolución del comportamiento humano: una es la hipótesis del equilibrio de fuerzas y otra la de la reciprocidad indirecta.

20. El que Richard D. Alexander no crea que la evolución pueda producir verdadero altruismo, es decir, que no acepte que los individuos de las especies *no humanas* puedan haber evolucionado para hacer cosas por el bien de sus poblaciones o especies a expensas de su propia supervivencia a través de los genes, no significa que la evolución «no pueda producir un organismo pensante capaz de crear conscientemente tales inclinaciones como un resultado colateral de su pasado evolutivo».

21. «The Social Function of Intellect». En P.P.G. Bateson y R.A. Hinde (eds). *Growing Points in Ethology*: 303-318 (1976).

22. Richard D. Alexander, *How Did Humans Evolve? Reflections on the Uniquely Unique Species* (1990).

23. En *El sello indeleble* (2013), que escribí con Manuel Martín-Loeches, pasamos lista a esas señas de identidad en un intento de definir al ser humano.

Jornada XIV. Yo sé quién soy

1. «Fui a los bosques porque quería vivir deliberadamente, enfrentarme solamente a los hechos esenciales de la vida y ver si podía aprender lo que ella tenía que enseñar [...] y no descubrir en la hora de la muerte que no había vivido.»

2. La expresión «teoría de la mente» fue creada por D. Premack y G. Woodruff: «Does the Chimpanzee have a "Theory of Mind"?» *Behavioral and Brain Sciences* 4: 515-526 (1978).

3. *Tipos de mentes* (1996).

4. Christopher Krupenye et al., «Great Apes Anticipate That Other Individuals Will Act According to False Beliefs». *Science* 354: 110-114 (2016). Merece la pena traducir el título: «Los grandes simios esperan que otros individuos actúen de acuerdo con creencias falsas». Hay un comentario muy interesante del primatólogo Frans

B. M. de Waall sobre este artículo en el mismo número de la revista *Science*: «Apes Know What Others Believe. Understanding False Beliefs Is Not Unique to Humans». *Science* 354: 39-40 (2016). También vale la pena traducirlo: «Los simios saben lo que otros creen. Entender creencias falsas no es algo único de los humanos».

5. Humphrey dio una conferencia deliciosa en 1987 en el Museo de Historia Natural de Nueva York, dentro de la serie de las «James Arthur Memorial Lectures», que está publicada y es fácil de encontrar en internet. En ella se encuentra el análisis del cuadro del pintor ruso del que vamos a hablar enseguida.

6. *El extraño orden de las cosas. La vida, los sentimientos y la creación de las culturas* (2018).

7. Aunque los chimpancés puedan manejar de forma limitada símbolos producidos por humanos, como fichas, no lo hacen entre ellos nunca, ni siquiera los que están entrenados.

8. *Los mitos de la evolución humana.*

9. Podemos ver en esta visión de la evolución humana de George Sacher un cierto *saltacionismo*, ya comentado a propósito de la teoría de la mutación de De Vries, aunque adaptado a los tiempos modernos. Y cuando Eldredge y Tattersall utilizaban la expresión «salto cuántico neural», estaban evocando el modo cuántico de evolución preconizado por G. G. Simpson, que tampoco está lejos del *saltacionismo* clásico.

10. Una laringe en posición baja supone una faringe (el *tubo* vertical que está por encima de la laringe) larga, y al revés. Se piensa que una faringe larga permite modular mejor el sonido que una corta. No es fácil saber dónde tenían la laringe los neandertales y otras especies fósiles, pero sí que es seguro que la cara y la cavidad oral (la boca) eran más largas (de delante a atrás) que en nuestra especie, lo que quiere decir que lo era el segmento horizontal del aparato fonador. Con todo, aunque los neandertales tuvieran una morfología de las vías aéreas superiores en parte diferente de la nuestra, sería más que suficiente para producir un lenguaje articulado plenamente humano con el que entenderse manejando símbolos codificados en forma de sonidos.

11. Y para ello me baso en los estudios de Ignacio Martínez sobre la fonación y la audición en especies vivas y fósiles.

12. *The Fossil Trail: How We Know What We Think We Know about Human Evolution* (1995); *Hacia el ser humano. La singularidad del hombre y la evolución* (1998); *Los señores de la Tierra. La búsqueda de nuestros orígenes humanos* (2012).

13. Tattersall es partidario del equilibrio puntuado, por lo que piensa que el origen de nuestra especie fue rápido en el tiempo y se

dio en una pequeña población geográficamente aislada dentro del continente africano.

14. También llamado hematites y almagre o almagra.

15. Si es que la mutación era dominante, porque los hijos habrían heredado un alelo mutante del progenitor *lingüístico* y un alelo normal del progenitor que no hablaba.

16. Lo que se llama memoria de trabajo (*working memory*), es decir, la capacidad para mantener en la cabeza muchas *ideas* (mucha información) al mismo tiempo, también es mayor en nuestra especie que en cualquier otra, y ese factor puede ser importante a la hora de explicar nuestras facultades mentales únicas. Tal vez en eso también superaríamos a los neandertales.

17. Aunque sí sueños nocturnos, ya que los mamíferos y las aves tienen la fase REM del sueño. El acrónimo REM viene de Rapid Eye Movement, porque los que están despiertos ven cómo los durmientes mueven los ojos y tienen tono muscular. ¿Soñarán los animales como lo hacemos nosotros? Casi seguro. ¿Cómo serán los sueños de los animales cuya información del mundo es sobe todo química, a través del olfato y del gusto? Durante la vida uterina, la fase REM ocupa gran parte del tiempo. ¿Con qué sueña un feto?

18. *The Bridge to Humankind. How Affect Hunger Trumps the Selfish Gene* (2006).

19. Dirk L. Hoffman et al., «Symbolic Use of Marine Shells and Mineral Pigments by Iberian Neandertals 115.000 Years Ago». *Science Advances* 4: eaar5255 (2018). Dirk L. Hoffman et al. «U-Th Dating of Carbonate Crusts Reveals Neandertal Origin of Iberian Cave Art». *Science* 359: 912-915 (2018).

20. Ya se han publicado los primeros artículos que discuten la antigüedad del arte que se les atribuye en las cuevas españolas, y los autores han dado réplica a estas críticas. Por mi parte, puedo decir que he tenido la oportunidad de ver con detalle dónde y cómo se dató el supuesto arte neandertal de La Pasiega en Cantabria y salí con muchas más dudas de las que tenía cuando entré en la cueva.

21. Que nosotros, los que trabajamos en Atapuerca, llamamos *Homo antecessor*.

22. El inglés Robin Durban ha estudiado la correlación entre el tamaño del cerebro y el del grupo social en primates antropoideos, elaborando en los años noventa la llamada hipótesis del cerebro social. Estudios recientes muestran que también en ballenas y delfines se ha producido una coevolución entre el cerebro, la estructura social y la riqueza de comportamiento: Kieran C.R. Fox et al., «The Social and Cultural Roots of Whale and Dolphin Brains». *Nature Ecology & Evolution 1: 1699-1705* (2017).

23. En el experimento no se les preguntaba a los sujetos. Lo que se hizo fue registrar qué áreas del cerebro se activaban para ver si estaban o no dispuestos a compartir sufrimientos con el otro. El cerebro no miente. Grit Hein et al., «Neural Responses to Ingroup and Outgroup Members' Suffering Predict Individual Differences in Costly Helping». *Neuron* 68: 149-160 (2010).

24. Jerison asocia ese momento con el cambio ecológico que supuso la desecación del Mediterráneo hace unos cinco millones de años. En realidad esa desecación se produjo por razones geológicas (tectónicas, de movimiento de placas de la corteza terrestre), al cerrarse el estrecho de Gibraltar y evaporarse el agua del gran lago al que quedó reducido el Mediterráneo, y no afectó a los ecosistemas africanos donde vivían nuestros antepasados. Tampoco empezaron entonces a cazar animales. Ambas cosas, el cambio climático y ecológico, y el consumo animal, ocurrieron más tarde, como se ha visto, hace unos dos millones y medio de años, pero eso no importa para el núcleo de la teoría de Jerison.

25. *Qué es la memoria* (2015). Un libro muy clarificador y recomendable, del que, por cierto, he copiado un poco el estilo de las entradillas a los capítulos.

26. *Tipos de mentes* (1996).

Jornada XV. Los humanoides

1. Esa es la explicación que se le ocurrió a J. B. S. Haldane en un estupendo artículo de 1926 titulado «On Being the Right Size». La razón por la que en el Paleozoico hubo insectos más grandes que los actuales, como las libélulas gigantes, es que entonces la concentración de oxígeno en el aire era claramente superior a la actual.

2. Pero un delfín, supongo, diría que para él lo fueron la vida acuática, las aletas y la ecolocación.

3. En su libro *The Meaning of Human Existence* (2014).

4. Aunque podrían haberlo hecho en el pasado y conservarse en el presente, no por selección natural, sino por selección sexual. Es decir, porque les sigan gustando los cuernos o los colmillos. Los humanos ya no necesitamos estar en plena forma para sobrevivir, pero los vientres planos y los cuerpos atléticos siguen siendo considerados estéticos. El canon de belleza humana no ha cambiado radicalmente con el desarrollo tecnológico y nos siguen gustando los cuerpos *escultóricos*. Pero estas son elucubraciones mías, no de Wilson.

5. *Mankind in the Making* (1959). He mencionado ya a William

Howells a propósito de la evolución cuántica de Simpson y el congreso de Cold Spring Harbor, y también, en una nota, en relación con el esquema gráfico de la evolución humana de Franz Weidenreich.

6. Howells proponía otro experimento mental para contestar a la misma pregunta, y era el de qué pasaría si desapareciera la vida humana de nuestro planeta. Howells tenía muchas dudas de que los *grandes simios* evolucionaran en nuestra dirección, porque están demasiado especializados en sus nichos ecológicos, y las dudas eran cada vez mayores si en el experimento se eliminaban todos los primates, o todos los mamíferos, y no digamos si son todos los vertebrados en su conjunto los que desaparecen de la biosfera.

7. No puedo dejar aquí de hacer un homenaje al gran humanista científico que fue el barcelonés Jorge Wagensberg, fallecido en marzo de 2018. Entre sus celebrados aforismos hay uno que viene al caso: «La aleta es un tapón evolutivo para el conocimiento: ¿qué haría un delfín aun incluso después de tener una idea genial?» El siguiente aforismo de la lista que estoy leyendo, y que tiene el título de «La mano en aforismos», dice así: «Mostrar la mano abierta, franca y desarmada: el saludo universal por excelencia.» Y me imagino a Jorge saludando.

8. Habría que decir *Kenyanthropus rudolfensis*, porque dos especies convergentes no forman un clado y no pueden llevar el mismo nombre de género. Por eso he escrito con comillas «*Homo*».

9. Hay una tercera especie cazadora entre los primates antropoideos, aparte de los chimpancés y los monos capuchinos. Son los papiones (o babuinos) africanos.

10. *Evolution. The Modern Synthesis* (1942).

11. Julian Huxley también creía a pies juntillas en la «ley de Cope» o ley de los no especializados.

12. «Julian Huxley and the End of Evolution». *Journal of the History of Evolution* 28: 181-217 (1995). Este artículo de Marc Swetlitz es fundamental para entender la idea del final de la evolución para Julian Huxley.

13. La tupaya es un pequeño mamífero del sudeste asiático que forma un orden propio de mamíferos (Scandentia). Tradicionalmente se había pensado que los primeros antepasados de los primates estaban en ese *grado evolutivo*, y que las tupayas eran el grupo más próximo a los primates actuales, aunque hoy se pone más cerca a los colugos o lémures voladores (dermópteros), también del sudeste asiático. La idea de que una especie actual represente a un ancestro, por otro lado, no se utiliza ya en biología evolutiva, como tampoco los grados evolutivos.

14. En una carta que le escribió a Julian Huxley en 1950, Simp-

son citaba (aunque sin dar explicaciones) a los marsupiales, insectívoros, primates, roedores, carnívoros y artiodáctilos como grupos animales todavía capaces de dar sorpresas evolutivas (en Marc Swetlitz, «Julian Huxley and the End of Evolution». *Journal of the History of Evolution* 28: 181-217, 1995).

15. *This View of Life* (1964).

16. Como se dice en inglés (*fabric*) y se decía en latín para referirse a la composición u organización de algo (*De humanis corporis fabrica* es como se titula el gran tratado de anatomía de Andrés Vesalio, de Bruselas, e *Historia de la composición del cuerpo humano* se llamaba el libro que escribió su mejor discípulo, el español Juan Valverde de Amusco).

17. Las probabilidades no se suman, se multiplican.

Epílogo. Algo maravilloso va a ocurrir

1. Yinon M. Bar-On et al., «The Biomass Distribution on Earth». *PNAS* 115: 6506-6511 (2018).

2. *Armas, gérmenes y acero. Breve historia de la humanidad en los últimos 13.000 años* (1997); *Nature* 418: 700-707 (2002).

3. En inglés es *Nonzero*, porque Robert Wright defiende la tesis de que la evolución cultural ha sido a lo largo de la Historia un juego de *suma no cero*, es decir, un juego en el que todos ganan, no uno en el que la ganancia de unos es equivalente a la pérdida de otros. La traducción española del título del libro es acertada: *Nadie pierde*.

4. *Sapiens. De animales a dioses* (2013).

5. Es inquietante, a este respecto, el siguiente dato: algunos animales domésticos son más grandes que sus antepasados salvajes y otros son más pequeños, pero todos han reducido su cerebro. ¿Nos habremos domesticado a nosotros mismos?

6. Yo abordé estas cuestiones en mi libro *Los aborígenes. La alimentación en la evolución humana* (2002).

7. C. Cave, C. y M. Oxenham, «Identification of the Archaeological "Invisible Elderly": An Approach Illustrated with an Anglosaxon Example», *Int. J. Osteoarchaeol.* 26: 163-175 (2016).

8. «No creo que hoy haya algún antropólogo que dude de que esta haya sido la historia de nuestra especie, aunque cuando yo empecé en la profesión la idea de evolución cultural que había sido promovida en el siglo XIX había sido rechazada. Se debe esto a que la evolución cultural clásica llevaba un mensaje subliminal elitista basado en valores etnocéntricos: de los simios a nosotros (los europeos occidentales)». *The Bridge to Humankind. How Affect Hunger Trumps the Selfish Gene*).

9. *Los conquistadores del horizonte. Historia mundial de la exploración* (2006).

10. Aunque no sea fácil definir complejidad y organización, ni a nivel biológico, ni a nivel social, es imposible negar que hay más profesiones ahora que en el Paleolítico, es decir, más especialización en el *cuerpo social*.

11. El equivalente de los catamaranes polinesios que cruzaron el océano Pacífico sería la nave espacial de la novela *Cita con Rama* (1973) de Arthur C. Clarke, un enorme cilindro hueco que contiene en su interior un pequeño mundo autosuficiente (una biosfera) en el que puede vivir una población extraterrestre durante miles de años de travesía (aunque en la novela no queda claro lo que ha pasado con ella).

12. Uno de los que discrepan es Steven Shapin, autor del magnífico libro *La revolución científica. Una interpretación alternativa* (1996).

13. Publicada después de su muerte, ocurrida en 1955, dentro del libro *El porvenir del hombre* (1959).

14. Poco antes había escrito Monod: «El animismo establecía entre la Naturaleza y el Hombre una alianza fuera de la cual no se extiende más que una horrible soledad.»

15. *This View of Life* (1964).

16. En 1953, Arthur C. Clarke publicó un relato corto («Encounter in the Dawn») acerca de unos científicos del Galactic Survey que recorren la Vía Láctea buscando planetas habitados por seres de tipo humano y encuentran finalmente uno en los confines de la galaxia. El relato no lo dice claramente, pero bien podría ser la Tierra. Los viajeros espaciales del cuento tienen que irse rápidamente porque hay malas noticias de su propio mundo (se trata de los últimos días del Imperio y se sugiere que la civilización a la que pertenecen los científicos se va a destruir insensatamente a sí misma). Así que en este relato de Arthur C. Clarke de 1953 los humanos primitivos no obtienen ningún beneficio del encuentro con los visitantes en términos de progreso tecnológico. Tendrán que hacer todo el camino ellos mismos, al contrario de lo que pasa en *El fin de la infancia* y *2001. Una odisea del espacio*, donde los extraterrestres guían e impulsan el progreso humano. A pesar de ello, se considera que el cuento es un precedente de la primera parte de *2001. Una odisea del espacio*. Arthur C. Clarke también escribió, en 1948 (aunque publicado en 1951), un relato corto titulado «El centinela», en el que aparece en la Luna un objeto piramidal que es un precedente, más claro, de la segunda parte de *2001. Una odisea del espacio*.

17. Gracias a Claude Cuénot (*Pierre Teilhard de Chardin. Las grandes etapas de su evolución*, 1967).

18. Simon Conway Morris ha editado un libro con aproximaciones de diferentes autores a esa supuesta doble estructura de la realidad, y a la direccionalidad o no de la evolución: *The Deep Structure of Biology: Is Convergence Sufficiently Ubiquitous to Give a directional Signal?* (2008).

19. *Breves respuestas a las grandes preguntas* (2018).

20. Como Ronald Fisher, Julian Huxley, George Gaylord Simpson, Hermann Muller o el propio Teilhard de Chardin. Se puede encontrar un amplio relato de estas propuestas en *El sello indeleble* (2013), que escribimos Manuel Martín-Loeches y yo.

21. El 30 de junio de 2000 en *The New York Times*.

22. George Gaylord Simpson. «Some Principles of Historical Biology Bearing on Human Origins». *Cold Spring Harbor Symposia on Quantitative Biology* 15: 55-66 (1950).

23. *Dios y golem, S. A.*

24. No puedo evitar en este punto hacer una defensa de las *ciencias blandas*. Su incapacidad para predecir el futuro se debe en gran medida a la complejidad de los sistemas que analiza. Las sociedades, los cerebros o las comunidades biológicas (no digamos la biosfera) son sistemas mucho más complejos que los compuestos que se combinan en una probeta o los experimentos del laboratorio de física. Pero ni siquiera esta ciencia, cuando se enfrenta a un sistema complejo como la atmósfera, es capaz de saber qué va a pasar a medio plazo (como vemos con el pronóstico del tiempo).